그림으로 보는
모반수술

市田正成 Masanari Ichida 지음

한승규 감수

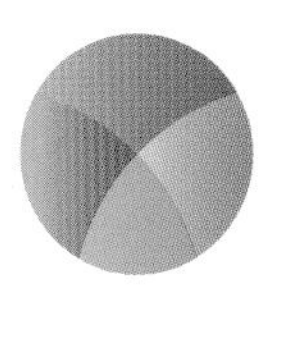
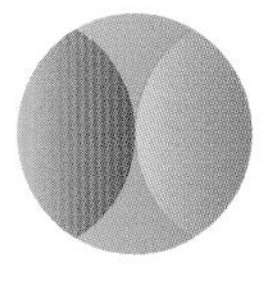
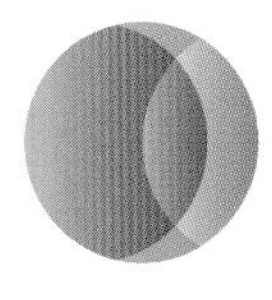

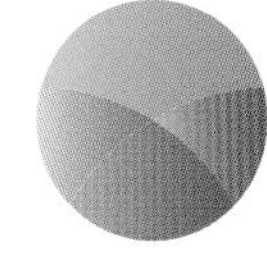

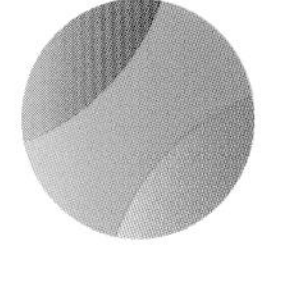
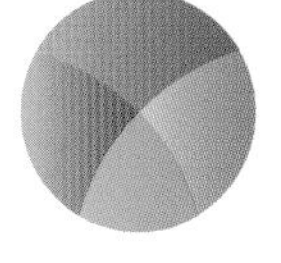
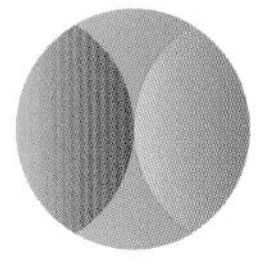
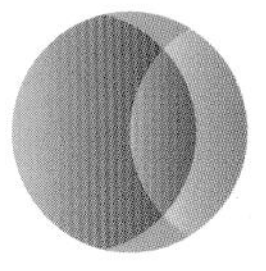

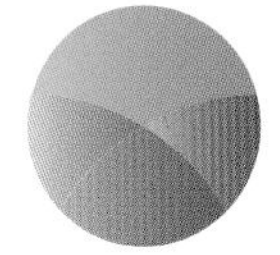

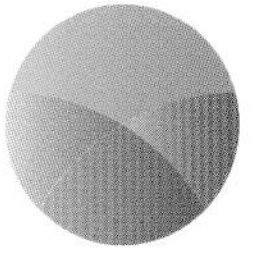
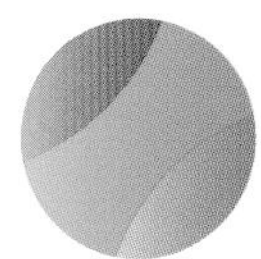
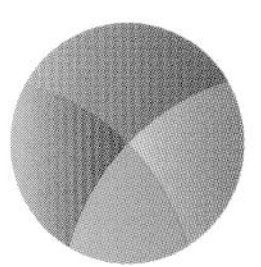
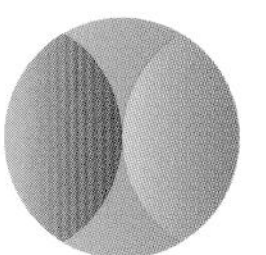
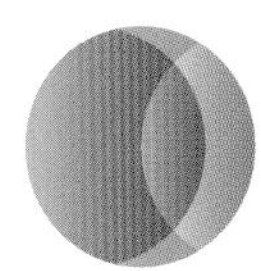

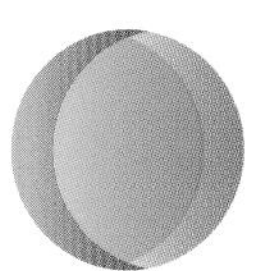
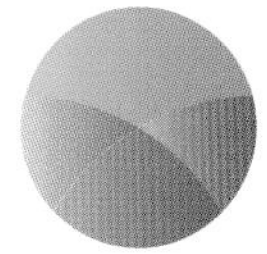
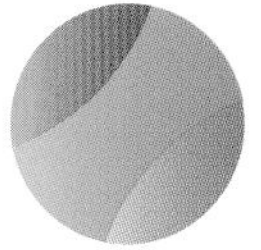
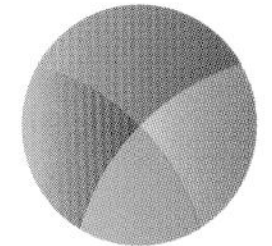
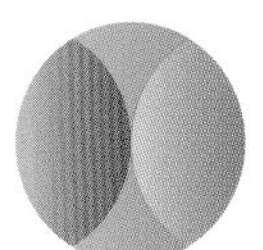
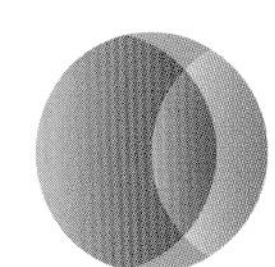

군자출판사

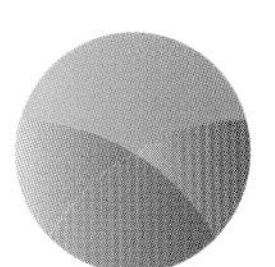
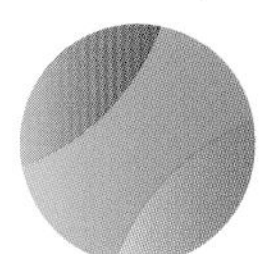
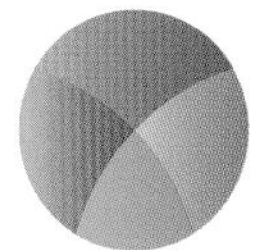
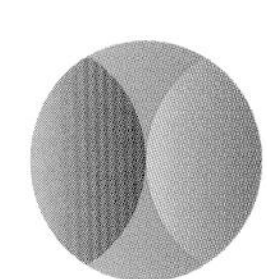

그림으로 보는 모반수술

첫째판 1쇄 인쇄 | 2015년 1월 5일
첫째판 1쇄 발행 | 2015년 1월 15일

지 은 이 市田 正成 (Masanari Ichida)
발 행 인 장주연
출 판 기 획 변연주
편집디자인 한시대
표지디자인 김민경
발 행 처 군자출판사
등록 제 4-139호 (1991. 6. 24)
본사 (110-717) 서울특별시 종로구 창경궁로 117(인의동, 교원공제빌딩 6층)
전화 (02) 762-9194/5 팩스 (02) 764-0209
홈페이지 www.koonja.co.kr

HOKURO SHUJUTSU ZUKAN

ISBN 978-89-6278-939-3

정가 30,000원

서 문

성형외과, 피부과의 일상진료에서 「점을 빼고 싶다」는 환자의 수가 증례수에서 가장 많은 것은 일본의 어느 시설에서나 같으리라 생각합니다.

점의 절제수술은 종래에는 단순히 방추형 절제만 하는 수술이었습니다. 즉 그 부위의 주름 방향을 인식한 봉합선이 되도록 디자인하여 절제하고, 조심스럽게 진피봉합을 하여 창상을 덮으면 된다고 생각했습니다. 그리고 방추형 절제에서도 「장경과 단경의 비율을 어느 정도로 해야 dog ear를 만들지 않는 최단의 장경일까?」라는 것이 관심의 표적이 된 시기도 있었습니다. 그러나 방추형 절제라 해도, 좀 더 짧은, 눈에 띄지 않는 반흔으로 치유하는 수술방법을 추구하다 보니, 단순히 방추형 절제법이 최선의 방법이 아니라는 것을 실제로 알게 되었습니다. 그 점을 이미 인식하여 실천하고 있는 성형외과의, 피부과의도 상당히 많을 것입니다. 그러나 실제로는 아직 충분히 타원형 절제법이나 도려내기 봉합법에 숙련되지 않은 외과계의 젊은 의사도 많으리라 생각합니다.

본서에서는 주로 얼굴의 점의 절제수술에 한정하여 해설하였으며, 안면의 각 부위의, 크기가 각각 다른 점을 여러 가지 피부절개의 디자인이나 방법으로 절제한 경우를 공람하였습니다. 또 점의 절제의 난이도평가와 결과평가를 표시하였습니다. 결과의 평가에 관하여 편차가 있지만, 서툰 결과도 공람하는 편이 참고가 되리라 생각했기 때문입니다.

본서가 앞으로 점의 수술을 직접 다루게 되는 성형외과의, 피부과의 등, 젊은 외과계 여러 선생님들께 조금이나마 참고가 되었으면 좋겠습니다.

끝으로 본서의 저술에 시종 협력해주시고, 조언해 주신 문광당의 淺井麻紀씨, 末富聰씨께 깊이 감사드립니다.

市田 正成 (Masanari Ichida)

CONTENTS

총 론

각 론

3 ◎협부의 점 49

4 ◎비부의 점 67

5 ◎비순구부의 점 103

6 ◎상구순 · 입술 주위의 점 121

7 ◎하구순 · 아래턱부의 점 155

8 ◎사지 · 구간의 점 165

SUPPLEMENT

총론

제 1 장 점이란

「점」이란, 원래 일반용어로, 피부에 존재하는 갈색 또는 흑색 반점상의 총칭이다. 그리고 의학적으로는 조직학적으로 모반세포모반이라고 하는, 이른바 갈색 반점의 일종인데, 그 크기는 고작 직경 15mm정도이며, 그 이상의 크기가 되면 큰 점이라기보다도 일반적인 호칭으로 「반점, 모반(痣: 사마귀, 검정사마귀)」이라고 부르는 것이 어울린다. 또 감별진단의 단계로 들어가면, 지루성 각화증도 외견상 점이라고 생각되므로, 일반인은 점이라고 생각하는 경우가 많다. 점은 평탄한 것에서, 융기성인 것, 색조가 진한 갈색에서 옅은 갈색인 것, 융기성일 뿐 색이 전혀 없는 것까지, 여러 가지로 다양하다. 또 가령과 더불어 어느 새에 악성화되어 있는 점도 있으며, 그 대부분은 기저세포암이다. 또 드물게는 가장 무서운 악성흑색종인 경우도 있다.

1) 점의 악성도 판단법

점이 ① 양성, ② 악성일 가능성, ③ 악성인 경우를 판단하기 위한 몇 가지 포인트가 있다. 그것은 크게 나누어 「형상」과 「색조」의 2가지로 본다.

(1) 형상에 관하여: ① 원형 또는 타원형의 가지런한 형상을 하고 있다. ② 융기상이다. ③ 형상이 울퉁불퉁하고, 변연이 불규칙한 상태이다. ④ 주변에 위성상의 소모반이 있다.
①②는 양성, ③④가 될 정도로 악성화될 가능성이 높아진다.

(2) 색조에 관하여: ① 갈색 또는 옅은 갈색, ② 융기된 점의 중앙부에만 갈색이 보이거나, 또는 갈색이 전혀 보이지 않는다. ③ 진한 갈색으로 흑색에 가깝다. ④ 점의 주변에 발적한 피부염 증상이 있다.
②는 양성, ③④는 악성화될 가능성이 있다.

2) 점의 제거법

악성의 염려가 없는, 이른바 점의 제거법에 관하여 해설하는 것이 본서의 목적이며, 다음 항목이나 각론에서 상세히 기술하였다.

악성인 경우 넓은 범위를 절제한다. 일반적으로 안면에서 기저세포암이 의심스러운 경우는 점의 주변 5~10mm, 악성흑색종이 의심스러운 경우는 점의 주변 10~15mm는 절제해야 한다. 안면 이외의 경우는 더욱 넓은 범위를 절제해야 한다(그림 1과 2).

SUPPLEMENT 1

점은 외관상의 특징에 주의할 것

필자는 점에도 「인상」이라는 것이 있다고 환자에게 설명합니다. 그것은 외견상의 특징으로, 악성도를 판단하는 재료가 될 수 있습니다.

「혹시 악성?」이라고 생각되는 점을 만나는 경우가 있습니다. 그럴 때 갑자기 「피부암일수도 있습니다」라고 말해 버리는 의사도 있을 수 있습니다. 그러나 필자는 만일 피부암이라도 악성도가 낮은 기저세포암이 의심스러울 경우에는, 「사람에게도 인상이 악인 같은 사람이 있지요. 그러나 악인이라도 좀도둑정도의 악인과 강도살인을 하는 악인은 악의 정도가 다릅니다. 환자의 점을 만일 악성으로 보자면, 좀도둑정도이므로, 그다지 걱정하지 않으셔도 됩니다」라고 설명합니다. 그리고 확실하게 넓고, 깊게 절제하면, 충분히 제거할 수 있습니다. 그러니까 빨리 처리만 하면, 그다지 걱정할 필요가 없습니다. 단, 악성흑색종일 경우는 만전의 처치가 필요하지만, 아무튼 외관상의 특징을 잘 관찰하여, 대처하는 것이 중요합니다.

제 2 장 점의 조직학

이른바 점은 조직학적으로는 모반세포모반이다. 모반세포모반은 통상형과 특수형으로 분류할 수 있다. 통상형 모반은 다시 3가지로 분류할 수 있는데, 경계모반, 진피내모반, 그리고 복합모반이다.

1) 경계모반

모반세포가 표피와 진피에 있으므로, 그다지 융기성이 아니라 평탄한 것이 많다.

2) 진피내모반 (그림3)

모반세포가 비교적 심층의 진피에 국한되어 있는 것으로, 융기성이며, 표면의 색조는 그다지 없는 것이 많다.

3) 복합모반 (그림4)

경계모반과 진피내모반의 혼합형이며, 융기성으로 중앙부에만 갈색이 존재하는 것이 많다.

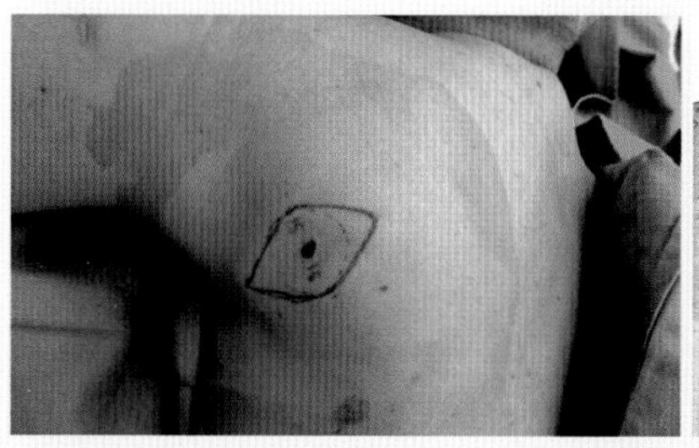

견갑부의 5×5 mm의 색소성 모반 같은 피부 종양.
타부위에 기저세포암이 생긴 기왕력도 있으며, 색조 · 형상에서는 악성화의 의심도 있어서 광범위한 절제.

기저세포의 완만한 증식이 확인되는 표피성 장애. 색소 침착. 각화세포 함유물 있음.

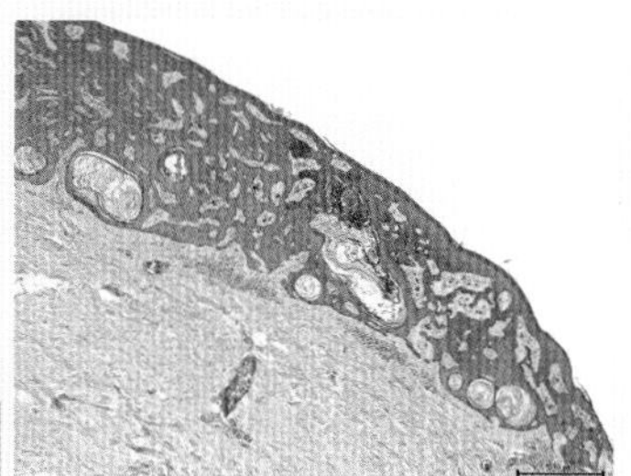

강확대상.

그림1 지루성 각화증 seborrheic keratosis (SK)
사진제공 古川泰三 (교토부립의과대학)

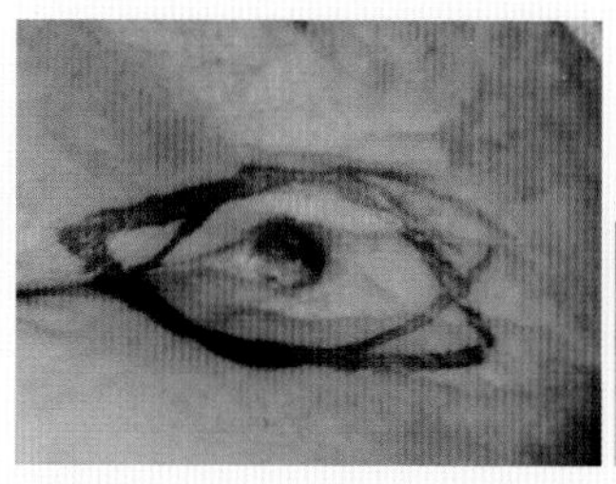

좌외안각 외측의 점이지만 악성화가 의심스러워서 광범위하게 절제한다. BCC 중에서도 표재형이며, 증상으로 는 체간에 다발하는 것이 특징.

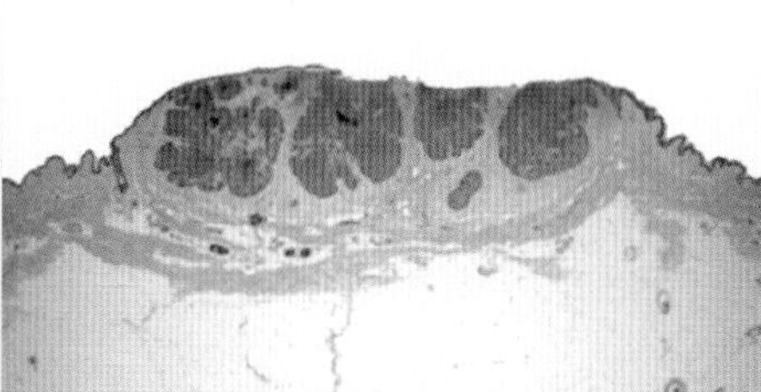

표피에서 꽃봉오리모양으로 아래쪽으로 돌출하는 복수의 포소(胞巢)를 형성한다.

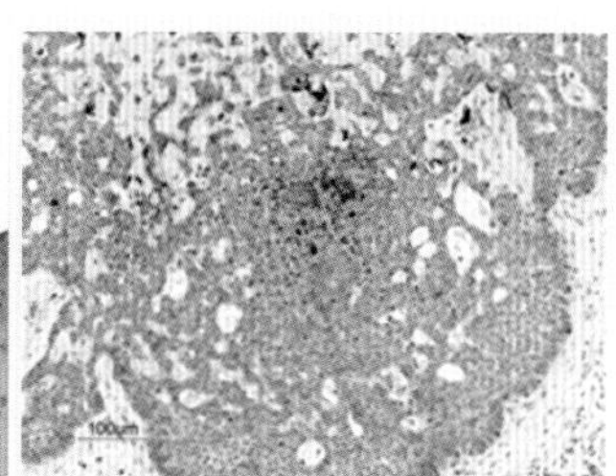

난소의 변연부에서 종양세포가 특징적인 울타리상 배열을 나타낸다.

그림2 기저세포암 basal cell carcinoma (BCC)
사진제공 古川泰三 (교토부립의과대학)

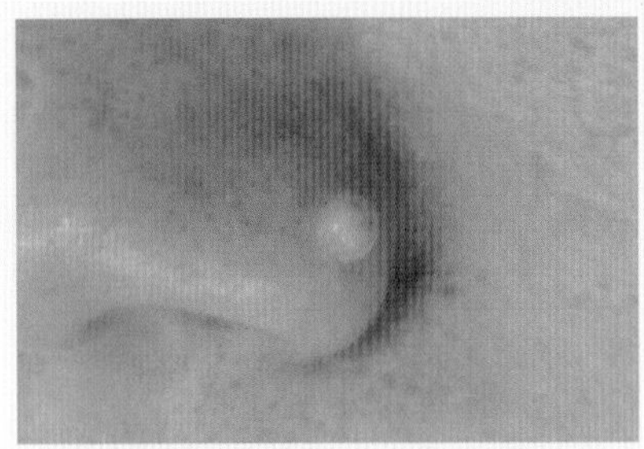
비익부의 흰점.

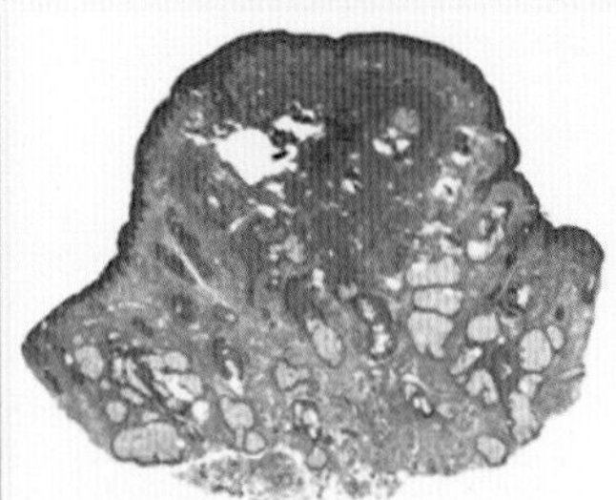
모반세포모반.

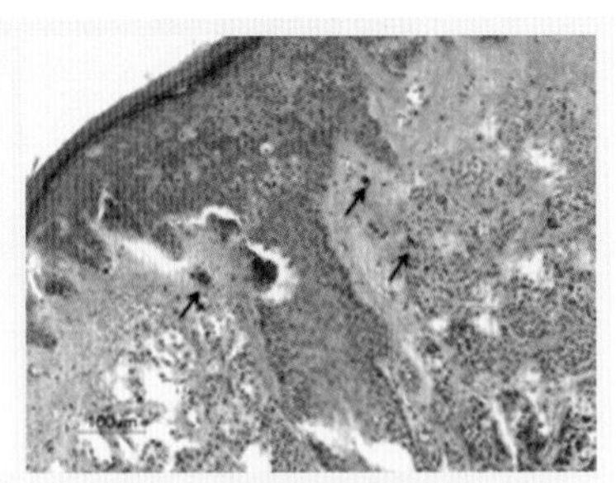
모반세포가 진피내에서 증식하고 있다.
(↑) : 진피표층에서의 멜라닌

그림3 진피내모반 intradermal nevus
사진제공 樋口恒司 (쿄토부립의과대학)

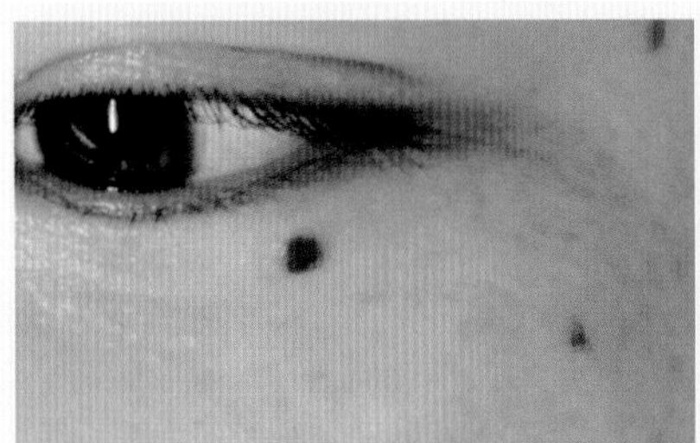
하안검부의 점.

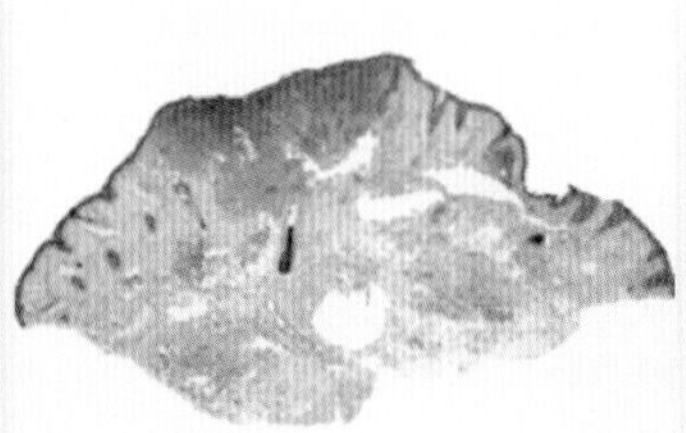
모반세포모반.

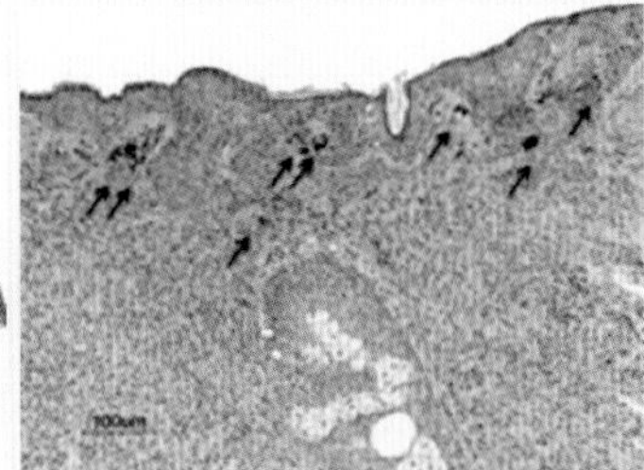
모반세포가 표피진피 경계부와 진피내의 양쪽에 존재한다.
(↑) : 진피표층에서의 멜라닌

그림4 복합모반 compound nevus
사진제공 樋口恒司 (쿄토부립의과대학)

제 3 장 점의 인상학

점의 인상학이라는 것이 있다(**그림5**). 점의 부위 색조에 따라서 운세적인 의미가 있다고 하는 것인데, 이것은 중국 4천년의 역사 속에서 태어난 통계학과 같은 산물로, 완전히 미신이라고 보는 것은 너무 경솔한 생각이다. 물론 과학적으로 확인된 것이 아니므로 의미가 있는지 없는지, 믿는 사람은 믿고, 믿지 않는 사람은 믿지 않아도 되지만, 필자는 적당히 믿고 있다. 그리고 환자에 따라서는「당신의 그 부위의 점은 이러이러해서 좋은 의미가 있는 점인데, 어떻게 하시겠습니까?」라는 방식으로, 제거하지 말 것을 권한 후에, 그래도 제거하고 싶은가의 여부를 확인하고 있다.

1) 협골 부위의 점

협골 부위에 있는 점은「자신의 목적을 위해서 충분히 분발하여, 확실한 성과를 올릴 수 있는 강운의 소유자」「반골정신의 소유자」라는 의미가 있다. 필자는 이 부위의 점을「화이팅점」이라고 부르고 있다. 앞으로 대학을 목표로 공부하는 사람, 사회인으로서 지위 향상을 목표로 하는 사람, 스포츠맨으로서 활약하고자 하는 사람, 예능계에서 유명해지고 싶은 사람 등에게는 여기에 점이 있는 것이 자기실현의 가능성을 높이는 의미가 있다. 따라서 일부러 없애서는 안된다고 충고하는 것이 좋다고 생각하고 있다.

2) 아래턱 주변의 점

「여성의 인기점」이다! 유명한 여가수 중에 입가에 큰 점이 있는데, 이 점이 해마다 커지는데도 불구하고 소중히 생각하는 것으로 보아, 아마도 이 여가수는 인상학에서 여성의 입가의 점이 인기점이라는 의미를 이해하고 있어서 제거하려고 하지 않는다는 것을 추측할 수 있다.

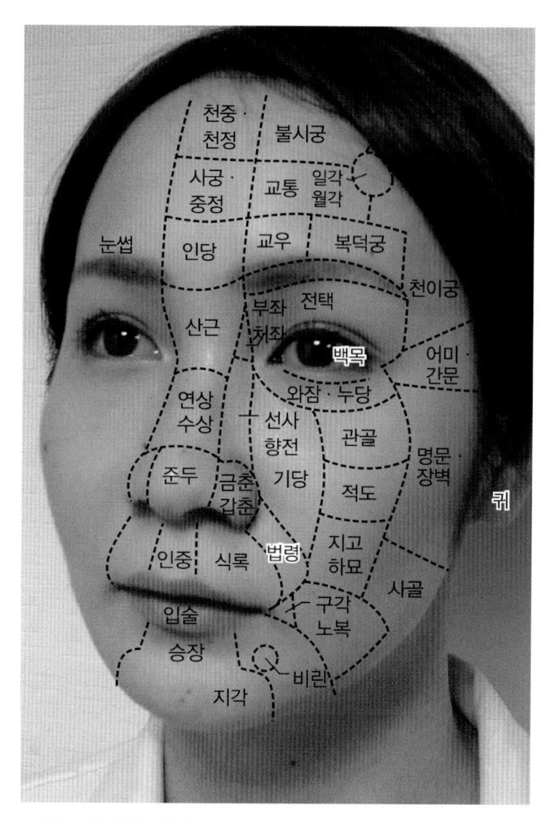

그림5 인상학 용어

3) 코의 점

코에 있는 점은 어디에 있어도 그다지 좋은 의미가 없다. 또 의학적으로도, 자칫하면 융기성으로 눈에 띄고, 커지는 속도도 빠르다. 커지면, 절제한다 해도 코의 변형을 초래하게 된다. 그런 까닭에 조기에 절제하는 편이 반흔도 눈에 띄지 않아서 현명한 선택이다.

코의 점도 부위에 따라서 여러 가지 의미가 있다. 예를 들어, 비익부의 점은 인상학상「돈을 낭비하는 점」이라고 한다. 비익의 크기가 재운을 의미하는데 반해서, 그 부위의 점은 반대로「돈을 낭비하는 경향」을 암시하는 것이다. 또 비근부의 점은「책임점」이라고

필자는 부르고 있는데, 여러 가지 의미에서 의지가 된다는 암시가 있다. 즉 좋아하든 좋아하지 않든 간에

상관없이, 의지가 된다는 것이다. 평범한 주부, 평화로운 가정생활을 희망하는 여성에게는 없는 편이 마음이 편하다. 반대로, 캐리어우먼으로 책임 있는 자리에서 적극적으로 일하기를 희망하는 사람에게는 이 부위의 점이 효과가 있다.

그 밖의 코의 점은「이성운이 나쁘다」는 의미가 있다고 하여, 역시 없는 편이 좋으므로, 절제를 희망하면 적극적으로 응하는 것이 좋다고 생각하고 있다.

4) 전액부의 점

전액중앙부의 점은 길흉의 정도가 심하게 나타난다는 암시가 있다. 즉 좋은 일 나쁜 일이 극단적으로 나타나므로, 평범한 사람에게는 부담이 커서, 없는 편이 나은 점이라고 할 수 있다.

그 밖에 점의 부위에 따라서 여러 가지 의미가 있다. 너무 집착해서도 안되지만, 미용외과의로서 인상학적인 의미를 알고 있는 것이 일단 필요하다고 생각한다.

SUPPLEMENT 2

점과 금메달

북경 올림픽의 소프트볼 경기에서 금메달을 획득한 일본 팀의 에이스 피처인 上野由岐子라는 선수는 대단한 강속구를 던지는 뛰어난 투수입니다. 우승이 걸린 미국과의 시합에서도 제대로 잘 던졌습니다. 그러나 연투에 이은 연투로, 피로가 극에 달해 있었을 것입니다. 만일 그 결승전에서 진다면, 감독의 기용에 문제가 있다고 추궁을 받게 될 것이라고 저는 생각하고 있었습니다. 그러나 저는 그 시합을 TV에서 관전하면서 그 선수가「이길거야, 해낼 것이다」라고 생각하며 응원하고 있었습니다. 그 근거는 그 선수의 오른쪽 뺨에 있는 점 때문이었습니다.

그 점은 협골 부위에 있고, 그 부위에 눈에 띄는 점이 있는 사람은 반골정신이 왕성하여, 노력가 타입으로 큰 목표를 달성할 수 있는 강운의 소유주라는 것을 인상학책에서 읽은 지식에서 알고 있었습니다. 그 점을 저는「화이팅점」이라고 부르고 있는데, 즉「노력에 보답하는 강운의 점」이라고 생각하기 때문입니다. 그것을 근거로 저는 큰 무대에서도 우에노선수가 훌륭하게 승리투수가 될 것이라고 기대하고 있었던 것입니다. 그녀의 우승, 금메달 후, 협골 부위의 점을 없애고 싶다고 내원하는 환자에게「이 점은 당신에게 강운을 가져오는 점이니까 그대로 두십시오」라는 설명에 설득력이 생기게 되었습니다. 물론 이전부터, 여러 가지 유명인(정치가, 스포츠맨, 예능인) 을 예로 들고, 또 때로는 필자의 점(그림) 도 이전부터 예로 들고 있었지만, 우에노선수의 금메달 이후에는 설득에 열을 올리게 되었습니다. 다수의 점을 전부 없애려는 환자에게도, 인상학적으로 남겨두어야 할 점은 남기게 하고, 그 밖의 점을 제거하면, 지금까지는 많은 점에 섞여서 눈에 띄지 않았던 강운의 점이 갑자기 빛나게 되는 것입니다. 또 모처럼 점을 빼고 싶다고 내원한 환자에게 그대로 둘 것을 권하면, 불평하기보다 양심적이라고 생각하여 오히려 신뢰하게 되는 경우도 많은 것 같습니다. 요컨대, 환자의 운세를 좋게 하거나, 매력을 증가시키는 점은 그대로 둘 것을 권하는 것이 좋겠지요.

협부의 점

제 4 장 점의 치료방법

1 소작법

이 방법은 점을 태워 없애는 방법이다. 그 수단은 전기메스나 레이저로 태우는 것인데, 최근에는 레이저로 태우는 방법이 흔히 행해진다. 그 이유는 레이저가 예리하게 태울 수 있기 때문이다. 단, 이 방법은 적응이 문제로, 실질 소작면적이 **직경 3 mm정도 이내인 것**으로 한정해야 한다.

그 이상 큰 점을 소작 처리하면, 상피화가 완료되는 데에 시간이 2, 3주로 오래 걸리고, 결과적으로 반흔이 함몰되어 눈에 띄는 경우가 많아서, 바람직한 결과를 얻지 못하기 때문이다(절제 봉합하면 1주만에 창상이 닫힌다). 그러나 환자의 희망을 우선하는 성형외과의 입장에서는 환자의 요청에 따라서, 상당히 큰 점이라도 절제술보다 레이저로 소작법을 선택해야 하는 경우도 있다. 그런 경우는 결과적으로 일어날 수 있는 사태, 상황을 충분히 설명해 둔다. 즉 Informed consent를 확실히 해 두어야 한다.

소작법에 의한 반흔은 통상 최종적으로 함몰 반흔이 눈에 띈다. 또 켈로이드체질인 경우는 비후성 반흔이나, 부위에 따라서는 진성 켈로이드가 되기도 한다.

2 단순절제법

점은 기본적으로 도려낸 후, 재발하지 않는 상태가 되어야 비로소 완전히 절제되었다고 본다. 절제라인을 너무 바싹 자른 경우, 술후 점상으로 점이 재발하는 수가 있는데, 가능하면 이렇게 되지 않도록 하기 바란다.

1) 방추형 절제법

이 방법이 가장 기본적인 수술방법이다. 봉합선이 자연주름의 방향과 일치하도록 디자인한다(**그림6**).

2) 타원형 절제법

방추형 절제법의 디자인에 의한 마무리 봉합선의 길이를 가능하면 조금이라도 짧게 하려는 발상에서 생긴 방법이다(**그림7**). 이 방법으로는 반흔의 3, 4 mm의 길이를 단축할 수 있다. 단, 이 방법은 부위에 제한이 있어서, 피부가 두꺼운 부위, 또는 피하지방조직이 얇고 소성결합조직이 없는 부위 등에 한다.

3) 도려내기 봉합법

이 방법은 타원형 절제법을 좀 더 극단적으로 단축시킨 방법이라고 할 수 있다. 점의 절제수술을 2차원적 발상의 범위에 머무는 동안은 생각할 수 없었던 방법이다(**그림8**). 실제로 실행해 보고서 비로소 그 의외성에, 눈에서 비늘이 벗겨 떨어져 나가는 기분이었다. 부위에 따라서는 dog ear가 전혀 없이 봉합할 수 있다. 단, 그 부위는 **코나 상구순, 하구순부 등과 같이 두꺼운 피부의 부위에 국한된다.**

4) 도려내기 반폐쇄법

이 방법은 도려내기 봉합법으로 할 때, 창상을 완전히 폐쇄하지 않고 적당히 붙인 상태로 수술을 끝내는 방법이다(**그림9**). 큰 점의 절제에서 완전히 창상을 닫는 것에 집착하면, 그 주변의 비익이나 구순 등의 자유연이나 해부학적 경계선이 변형을 초래하게 된다. 따라서 그와 같은 부위의 점을 절제하는 경우, 어쨌든 점은 완전히 절제되지만, 창상의 폐쇄 단계에서 무리하게 창상을 완전히 폐쇄하지 않고 그대로 두는 처치를 하는 것이다. 그러면, 주변의 피부가 신전되어 서서히 피부결손면적이 축소되고, 며칠 내지 1주후에는 완전히 창상이 닫히게 된다. 부위적으로 피부가 두꺼운 부위, 피하의 소성결합조직이 거의 없는 부위 등에서, 자유연이 근처에 있는 부위, 즉 코, 비익, 상구순, 하구순 등의 큰 점의 절제수술 등에 이용하는 경우가 많다.

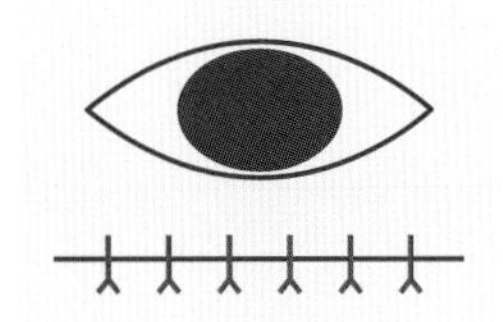
그림6 방추형 절제법

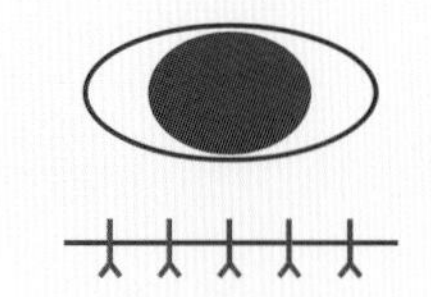
그림7 타원형 절제법

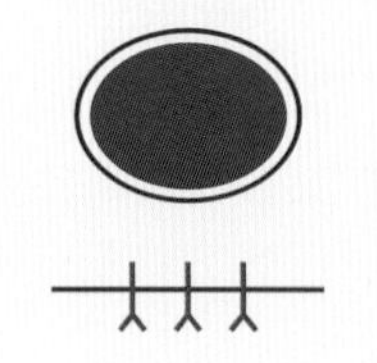
그림8 도려내기 봉합법

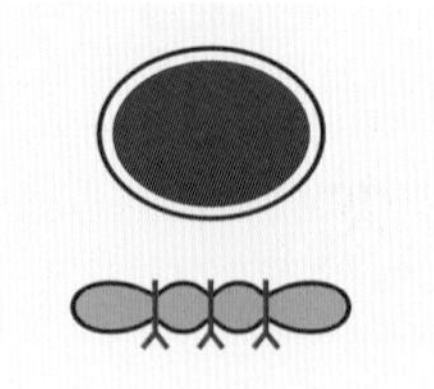
그림9 도려내기 반폐쇄법

요컨대 **점은 크기와 부위에 따라서 완전한 절제봉합에 집착할 것이 아니라, 점의 세포가 없어져서 사라지는 것, 그리고 그것에 의해서 생기는 변형이 최소한이 되도록, 반흔이 가능한 눈에 띄지 않는 상태로 안정되는 것이, 임상적으로 정당한 점의 수술법이다.**

그러기 위해서 항상 완전한 창상의 폐쇄를 목표로 하지 않아도 된다. 극단적인 경우, 부위에 따라서는 도려내어 절제만 하고 그대로 두어 상피화를 기다리는 방법도 있다(☞ p.142).

SUPPLEMENT 3

그까짓 점, 그래도 점

지방도시에서 개업하고 있는 성형외과클리닉에는 점을 제거하려는 환자가 끊임없어서, 수술케이스로 가장 많은 것이 예나 지금이나 변함없는 실정입니다. 필자는 솔직히 말해서 점의 수술도 매우 좋아합니다. 귀찮다고 생각해 본 적이 없습니다. 그러나 보통 성형외과의 견해에서 보면, 가장 간단한 수술이므로, 젊은 선생님들이 경험을 쌓기 위해서 수술하는 경우가 많은 것도 사실입니다.

젊은 선생님들께는「나는 점 수술이 너무 좋아서, 정말 내가 하고 싶다. 그것을 자네가 하게 하는 것이니,『적당히 해 주게』라고 할 수가 없는 것입니다. 그러니까 최선을 다해서 열심히 해 주기 바라네」라고 합니다.

점 수술은 성형외과에서는 방추형 절제가 기본입니다. 그러나 얼굴의 점인 경우는 단순히 방추형 절제에 그치는 것이 아니라, 부위나 크기에 따라서 여러 가지 연구를 하여, 좀 더 눈에 띄지 않는 상흔이 되도록, 매회 일종의 긴장감으로 힘이 들어가게 됩니다.「그까짓 점」이라니 당치도 않습니다. 점의 절제수술에는 성형외과의 기본부터 응용문제, 단순한 것에서 복잡한 것까지 매우 천차만별로, 여러 가지 기술을 구사함으로써, 더욱 훌륭한 결과를 얻을 수가 있습니다. 성형외과적 수술의 기본적인 엑기스가 담겨 있다고 생각합니다. 따라서 점이 어떤 부위에 있더라도 완벽하게 절제수술을 하기 위해서는 성형외과의 기본을 마스터해야 합니다. 그 정도로 점 수술은 의의가 큰 것입니다. 이 점이 즉 본서를 집필하게 된 이유이기도 합니다.

「그까짓 점, 그래도 점」입니다. 그까짓 점이라고 해도, 진지하게 하면 이만큼 보람 있는 수술도 없습니다. 이 점을 이해하지 못하면 진짜 성형외과, 미용외과의라고 할 수 없다고, 필자는 말하고 싶습니다. 본서를 보시고, 점 수술에 더욱 진지한 마음으로 임할 수 있기를 기대합니다.

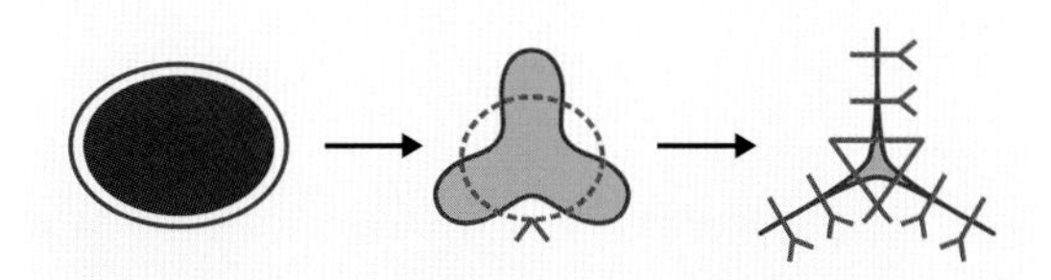

그림10 도려내기 건착봉합법

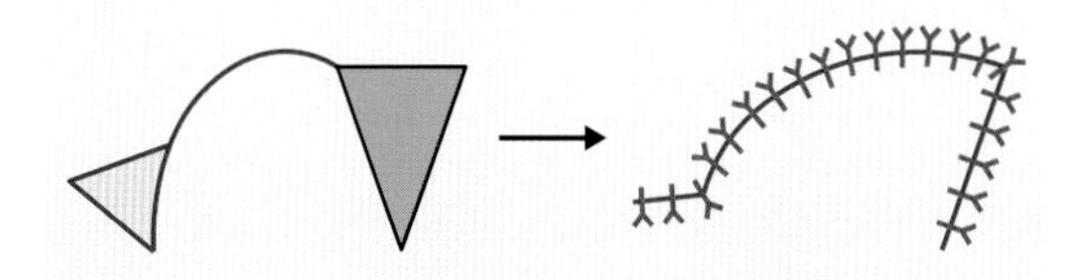

그림11 회전피판법(rotation flap)

5) 도려내기 건착봉합법

이 방법은 3), 4)와 기본적으로는 같은 방법이지만, 어느 방향의 봉합선으로 하는가를 생각하지 않아도 되는 부위(예를 들어 미간의 하부나 코) 에서는 건착봉합으로 가봉을 하여 그대로 피부봉합하거나, dog ear가 되는 곳만 쐐기모양으로 절제하여 피부를 닫는 방법이다. 대부분의 경우는 3차로상의 봉합선이 된다 (**그림10**).

3 국소피판법

피부결손의 처리방법의 기본으로, 단순봉합이 무리인 경우는 다음 단계로 생각하는 것이 국소피판법이다. 점을 절제한 경우도 예외가 아니어서, 마찬가지로 국소피판법을 생각하고, 그것이 적절하지 않으면 유리식피라는 단계가 된다. 국소피판법에도 몇 가지 방법이 있다.

1) 회전피판법

피판을 왼쪽 또는 오른쪽으로 회전시켜서 피부결손을 피복하는 방법이다(**그림11**).

2) 전진피판법

피판을 단순히 전방으로 이동시켜서 피부결손을

SUPPLEMENT 4

「술책가, 재주에 빠진다」는 점도 생각할 것

성형외과수술에서 여러 가지 피판법을 사용하여 피부결손을 피복하는 것이 매우 재미있었던 시기가 있었습니다. 기본을 겨우 마스터했을 무렵입니다. 성형외과의가 되려고 생각했으니까 당연하다고 생각했습니다. 필자에게도 그런 시기가 있었습니다. 함부로 국소피판을 사용하고 싶어진 것입니다. 바로『그래! 내가 성형외과 의사야』라고 말하고 싶었습니다. 가장 단순한 봉축으로는 충분하지 않아, 라고 말하고 싶은. 성형외과의의 성장기에는 자칫하면 그러한 경향이 나타납니다. 그러나 그러한 시기가 지나고, 원숙기로 접어들면, 단순한 방법이 더 낫다는 것을 알게 됩니다. 바로 "simple is best"입니다. 「술책가, 재주에 빠진다」라는 장인의 세계에서 일컬어지는 속담이 있지만, 외과의의 세계에도 그대로 적용됩니다. 재주에 빠져서, 정말로 중요한 것을 알지 못하는 것에 대한 교훈을 비유한 것입니다.

「나무를 보고 숲은 보지 못한다」는 속담과도 통하는 바가 있습니다. 너무 정교한 디자인의 국소피판법을 생각하는 성형외과의의 수술결과가, 물론 완벽하게 절제되고, 살갗이 옥죄이지 않는 상태로 치유되었지만, 필요 이상으로 반흔이 많은 수술결과가 되어 버리는 것과 같습니다. 그 정도로 정교하지 않아도, 잘 생각해 보면, 단순한 도려내기 봉합술로 충분히 눈에 띄지 않게 처리할 수 있는 것입니다. 그 점을 깨닫게 되면「눈에서 비늘」이 벗겨져 떨어지게 됩니다. 그리고 비로소 성형외과의로서 제 몫을 하게 되었다고 할 수 있겠습니다.

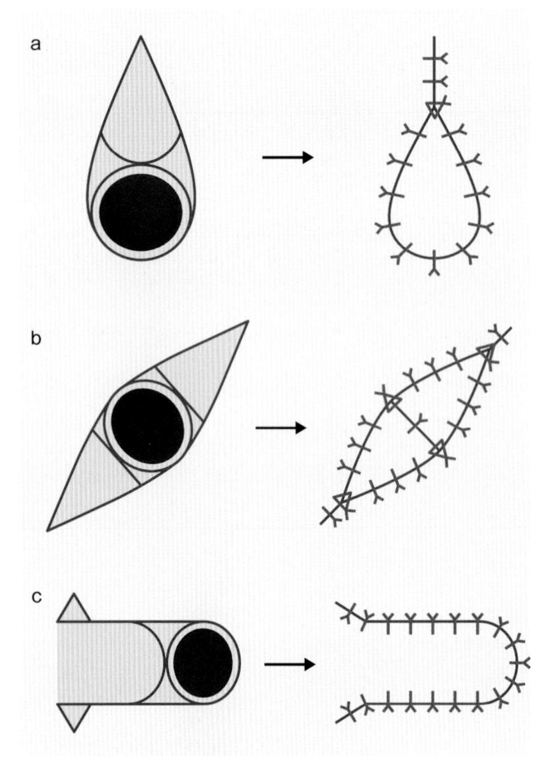

그림12 a V–Y advancement법
b 양측 V–Y advancement법
c Bürow의 삼각을 이용한 advancement법

폐쇄하는 방법이다(**그림12**). 단순히 봉합되면 주위의 변형이 커지는 경우에 효과적이다.

3) 마름모꼴 피판법

회전피판법의 한 방법으로, 피부결손을 마름모꼴 결손으로 보고, 그 옆에 같은 크기의 마름모를 그려서 회전피판으로 한다(**그림13**). 실제 경우에는 b와 같은 디자인으로 수술하는 경우가 많은데, 기본이 되는 견해는 이 마름모꼴 피판법이다.

4) 피하경피판법

피부결손부위와 접하는 피부로 결손부를 피복하는 경우, 피하의 연부조직을 줄기로 하고 다른 부위의 피부를 공여부로 하여, 피부결손부로 이동시키는 방법이다. 그림12-a, b는 실제로는 피하경피판법의 일종

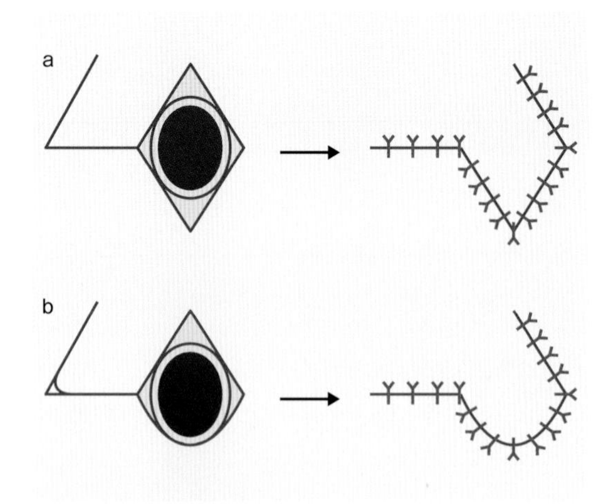

그림13 Limberg flap법
a. 기본대로 마름모꼴 피판
b. 실증례에서의 변형 디자인

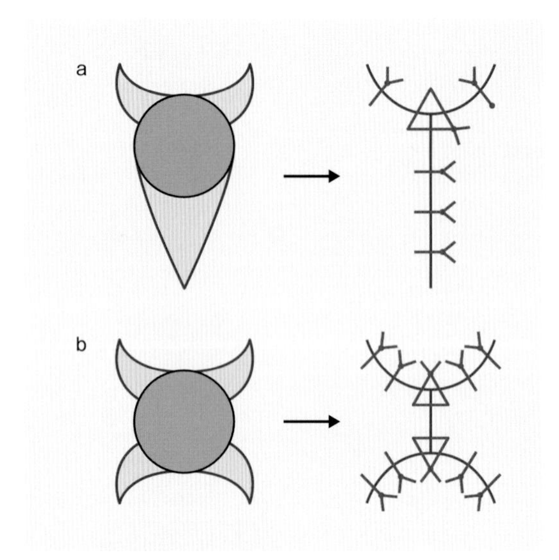

그림14 crown excision법
a, b : 한정된 범위에서 봉합법으로 이용가치가 있다.

으로 볼 수 있다.

5) crown excision법

점의 절제봉합술에서 입술이나 코 주변의 점 수술에서 흔히 사용된다. 알아 두면 이용가치가 높은 방법이다(**그림14**).

4 식피법

점도 상구순이나 비익부, 안검부와 같이, 해부학적 범위가 좁은 부위나 자유연이 존재하는 부위에 큰 점(점이라기보다 모반이라고 해야 하는 것) 이 있는 경우는, 위에 기술한 어느 한 가지 수술법으로 적당하지 않다고 판단되는 경우도 있으며, 그 경우는 마지막 수단으로서 전층식피술이 적응이 된다. 단, 식피술인 경우는 이른바 피부를 이용한, 「땜질」방법에 불과하므로, 식피하는 피부의 성상이 정용적인 완성에 크게 영향을 미치므로, 공여부의 선택이 매우 중요한 의미를 갖는다.

안면의 식피술일 때 이상적인 공여부는 다음과 같다.

(1) 코, 상구순, 전액부, 협부에 대한 식피

: 이전부(耳前部)의 유발부(有髮部)가 아닌 부위, 하악의 이측, 쇄골상화

(2) 안검에 대한 식피

: 이개후부, 대측안검 (물론 피부에 여유가 있는 경우에 한한다)

요컨대, 피부이식의 공여부는 가능한 피부의 성상이 서로 비슷한 부위로 해야 하며, 안면의 식피에 대퇴, 서경부 등에서 채취하는 것은 미용적으로 무모하다고 할 수 있다.

각론

⊙ 각 증례의 난이도

★	기본적인 기술로 쉽게 할 수 있다.
★★	기본적인 기술로 대응할 수 있지만 조금 어려운 증례.
★★★	성형외과적으로 풍부한 기법을 응용할 수 있는 기량이 필요한 어려운 증례.

⊙ 각 증례의 평가

★	변변치 않음.
★★	수술 솜씨가 조금 문제가 있음.
★★★	수술에 시간이 걸렸지만 상당한 솜씨.
★★★★	수술은 상당이 어려웠지만 최고의 기량.

❶ 전액부·눈썹 부위의 점

Key Points

❶ 전액부의 점은 기본적으로, 반흔이 수평방향이 되도록 디자인하여, 방추형 절제 또는 타원형 절제를 한다.

❷ 절제해야 할 점이 작은 경우는 레이저에 의한 소작법으로도 가능하지만, 3 mm를 넘는 크기인 경우는 함요반흔이 눈에 띄게 되므로, 절제법으로 해야 한다.

❸ 이 부위는 피하봉합할 때, 부풀어 오르면 안된다. 전두근의 영향으로 융기가 소실되지 않는다.

❹ 눈썹 부위에 가까운 점인 경우는 반드시 수평절제만 하지 말고, 정중부인 경우는 미간의 세로주름을 따라서 수직방향으로 절제한다. 또 미두에 가까운 점인 경우는 3차로상의 복잡한 봉합선으로 하는 편이 너무 긴 봉합선이 되지 않아서 눈에 띄지 않는 반흔으로 안정적이다.

❺ 눈썹 부위에 있는 점은 원칙적으로 도려내기 봉합법으로 하고, 좌우 폐쇄로 한다. 또 dog ear가 눈에 띄는 경우는 수정한다.

❻ 눈썹 부위의 도려내기 절제 후의 피하봉합은 미근에 손상을 주지 않도록, 심층에서 하는데 반드시 완전폐쇄할 필요는 없다.

❼ 눈썹 부위의 상하언저리의 점은 수평방향의 반흔이 되는 디자인으로 한다.

❽ 여성의 앞이마의 언저리에 있는 여러 개의 점을 제거하는 경우는 적극적으로 제거할 것을 권장해도 된다 (인상학적으로 이성운이 좋지 않다고 하므로).

❾ 미간의 점으로 상당히 큰 것은 좌우의 단순봉합을 할 수 있다 해도 좌우 눈썹에 가까워지므로 좋지 않다. 전진피판을 이용하는 것이 더 낫다.

1 전액 중앙부의 점

난이도 ★★

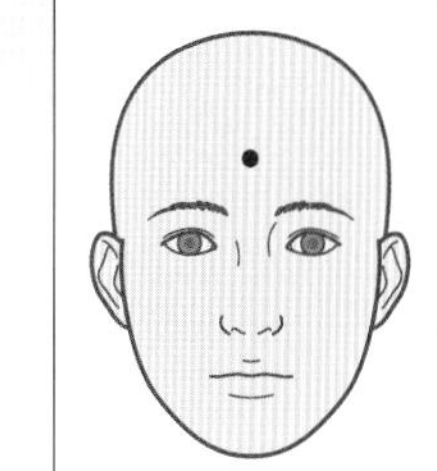

증례
- 35세 · 여성.
- 전액부 중앙 정중부의 점(9×10 mm).

방침
- 타원형 절제. 수평방향의 반흔이 되도록 디자인.

수술 & 술후 경과

1 술전 피부절개의 디자인

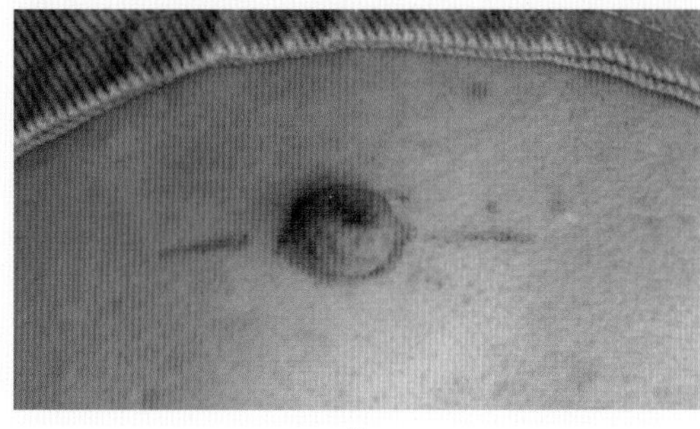

2 절제봉합 종료
예상 이상으로 dog ear가 생기지 않는다
(절제한 것은 처음 디자인 부분뿐이다).

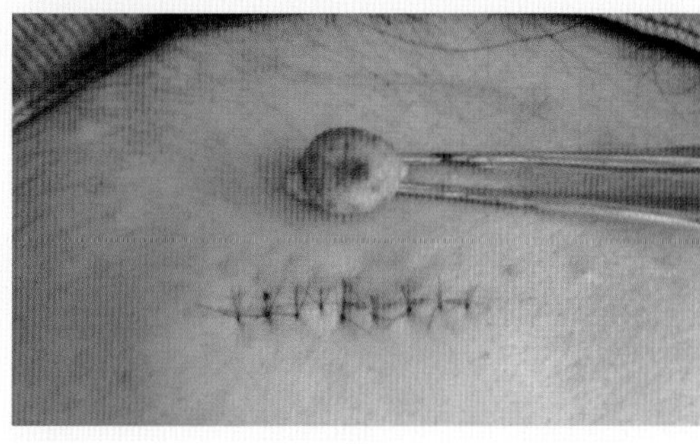

3 술후 1개월째의 상태
dog ear는 걱정할 필요 없이 평탄한 반흔으로 안정되어 있다.

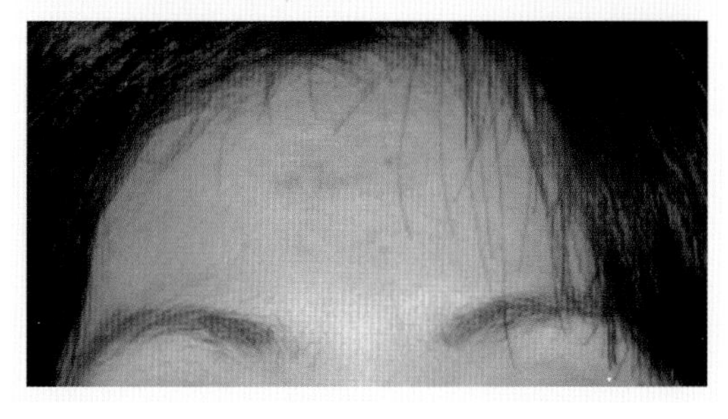

POINT
- 전액부는 장축을 상당히 짧게 한 타원형 절제로도 dog ear를 형성하지 않고 치유된다.
- 반흔의 길이가 짧은 것이 가장 좋다. 처음에는 불안해도 조금씩 장축을 짧게 하도록 한다.

평가 ★★★

2 전액부의 점

난이도 ★★

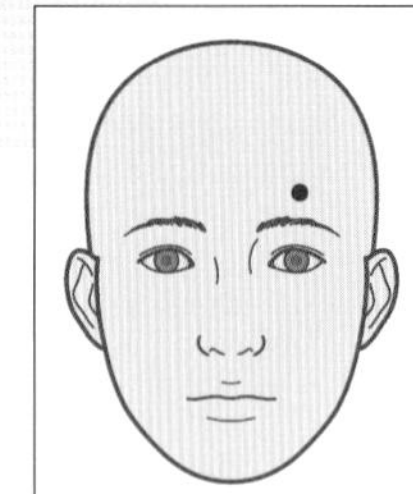

증례
- 15세 · 남성.
- 타원형 · 융기상의 점 (7×11 mm).

방침
- 장축의 방향이 자연주름의 방향과 일치하고 있다.
- 점의 형상보다 약간 긴 타원형으로 디자인하였다.

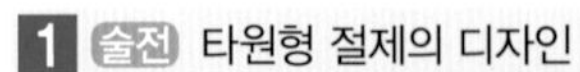

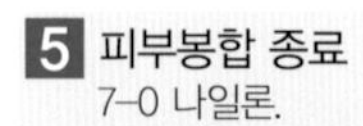

수술 & 술후 경과

1 술전 타원형 절제의 디자인
조금이라도 짧은 반흔으로 끝내기 위해서.

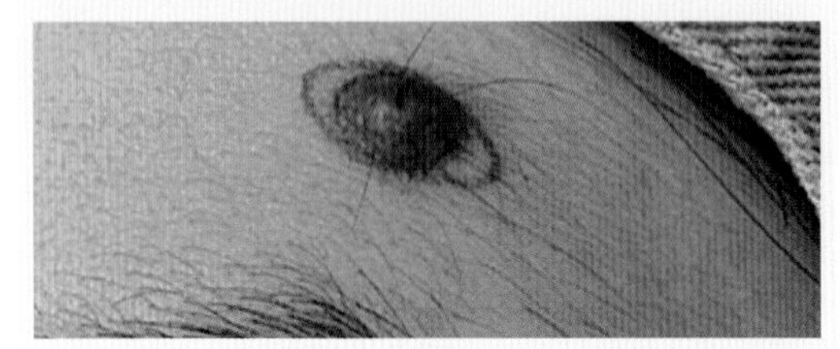

2 도려내기 절제, 지혈

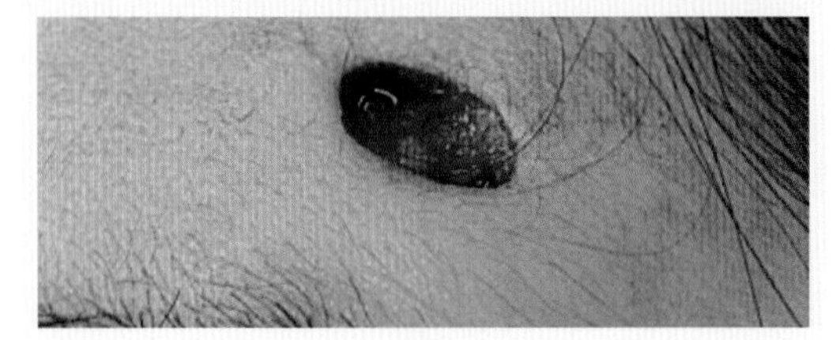

3 피하봉합의 예정라인
수평방향으로 루프봉합을 한다(2바늘).

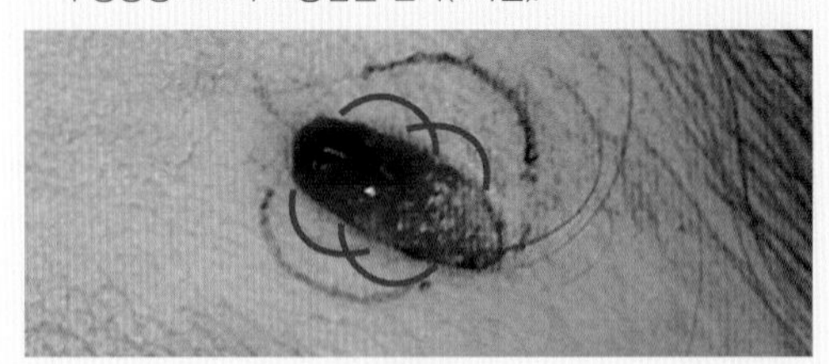

4 피하봉합
5-0 나일론으로 2바늘 봉합.

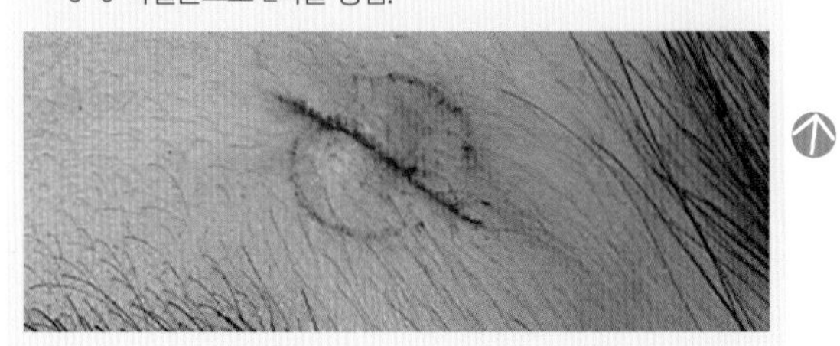

5 피부봉합 종료
7-0 나일론.

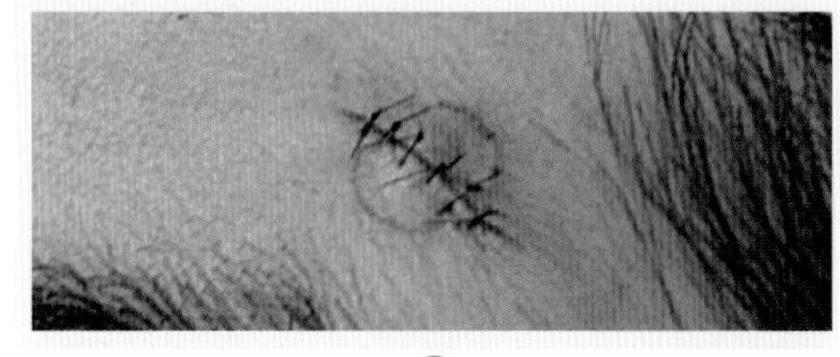

6 술후 1주째
발사 종료시의 상태.

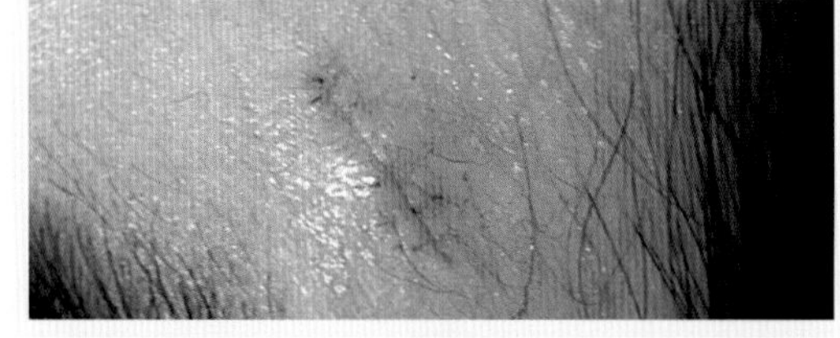

7 술후 35일째의 상태
아직 발적이 남아 있지만, 6개월정도면 소실된다.

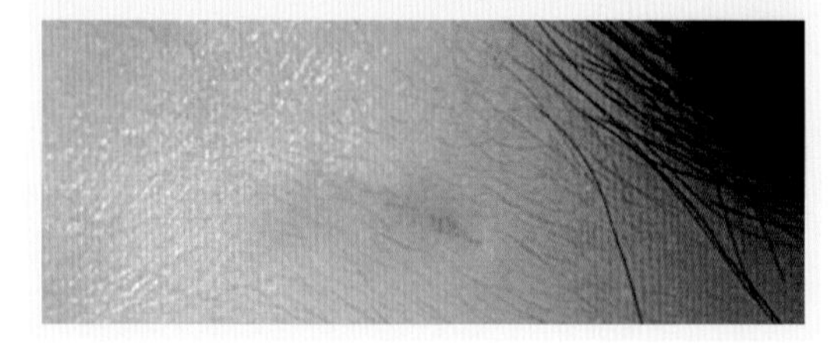

POINT
- 이 수평방향의 피하봉합법은 상하를 붙임과 동시에, 장축방향도 단축시키는 데에 의의가 있다.
- 방추형 절제를 하지 않아도 dog ear를 형성하지 않고 치유되었다. 평가 ★★★☆

3 미두 상부의 점

난이도 ★★★

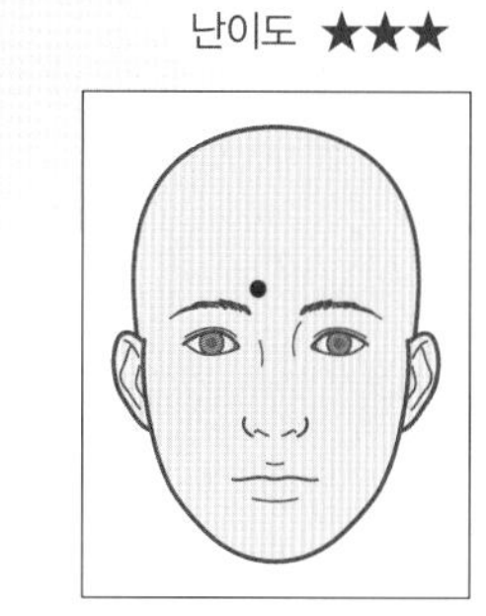

증례
- 15세 · 여성.
- 오른쪽 미두 상부의 거대한 점(12×12 mm).

방침
- 부위적으로 단순봉축에서는 봉합선이 길어져서 눈에 띄게 되므로, 3차로봉합을 예정으로 점을 절제한다.

수술 & 술후 경과

1 술전

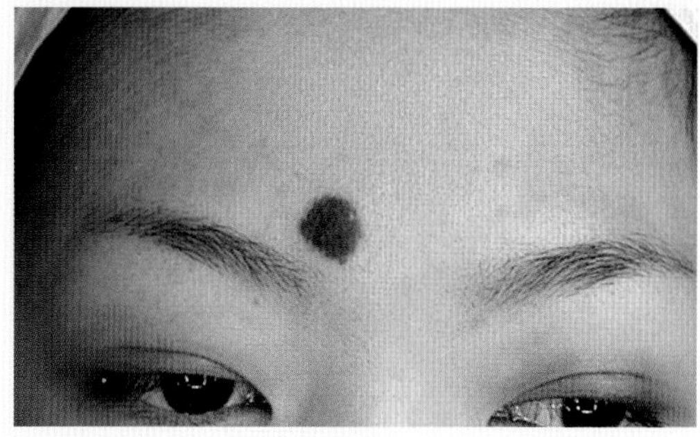

2 완전절제의 디자인과 피하봉합사

이 정도 크기가 되면, 처음부터 2차원적 디자인보다 3방향에서 바싹 붙인 후, 피부절개의 연장을 생각하는 편이 현명하다.

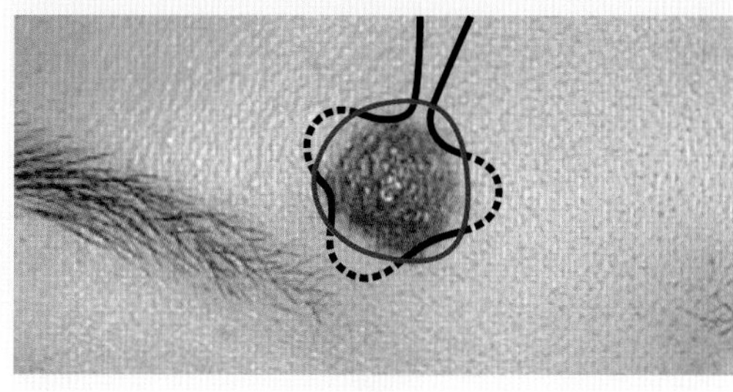

3 3차로 피하봉합

dog ear가 생기지 않을 정도로 피부절개를 연장하는 디자인.

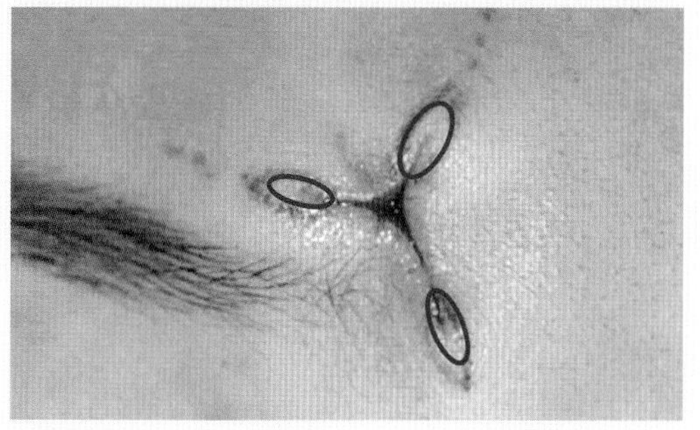

4 피부봉합 종료

7-0 나일론.

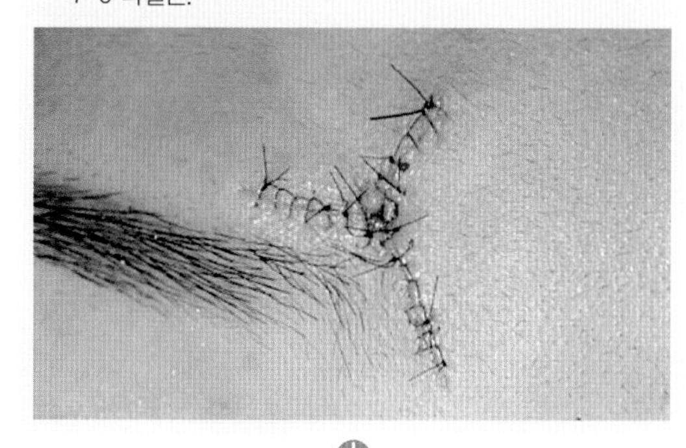

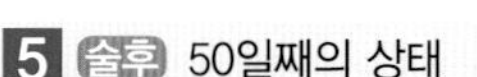

5 술후 50일째의 상태

봉합선의 발적은 이미 소실. dog ear 없음.

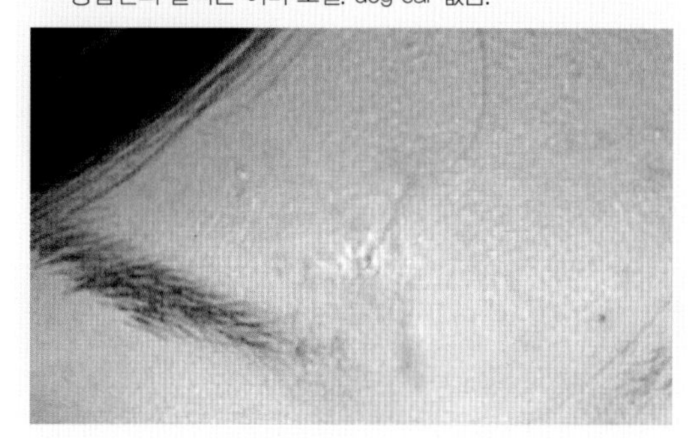

POINT

- **2 3**: 점을 도려내어 절제할 때, 3차로의 반흔 방향을 대강 예측하여 피부절개를 디자인하는 것이 이 수술의 키포인트이다.
- 부기: 사정이 허락하면, 연속봉축법으로 2번에 나누어 봉축하면, 반흔의 길이가 좀 더 짧아진다. 평가 ★★★

4 전액 정중부의 점

난이도 ★

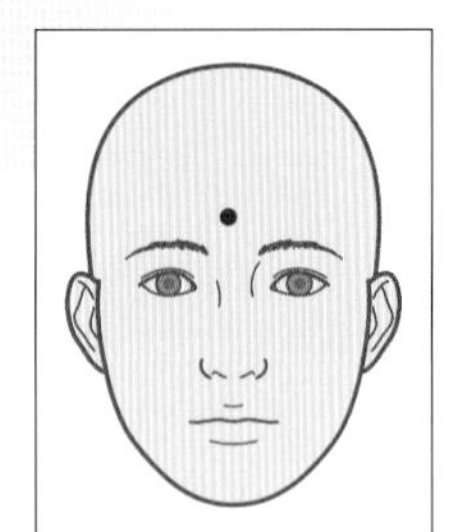

증례
- 31세 · 여성.
- 타원형 융기상의 점 (10×5 mm)

방침
- 거의 정중부에 있어서, 세로방향이 장축이 되는 타원형 절제를 하기로 했다.

수술 & 술후 경과

1 술전

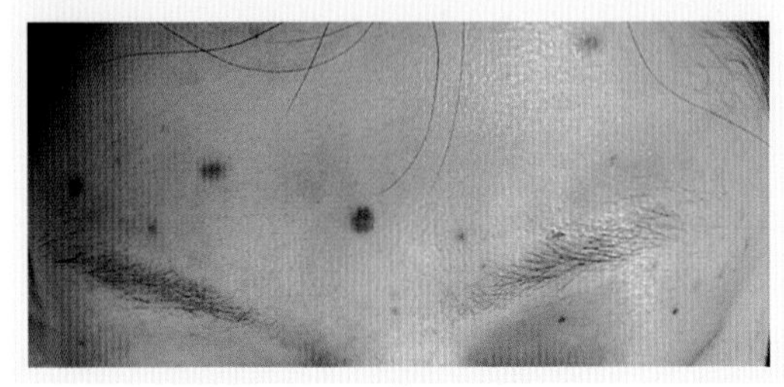

2 타원형 절제법의 디자인

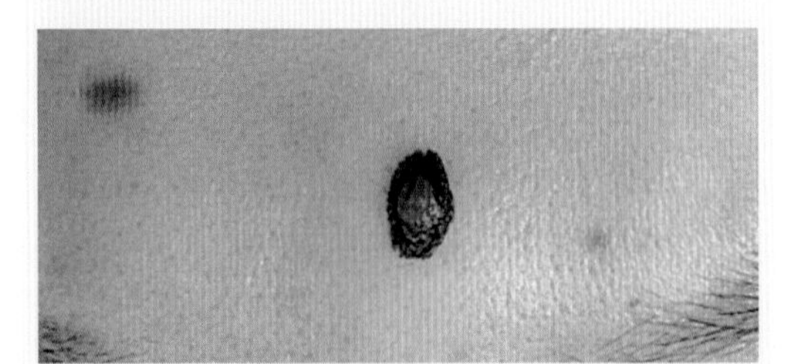

3 도려내기 절제 종료

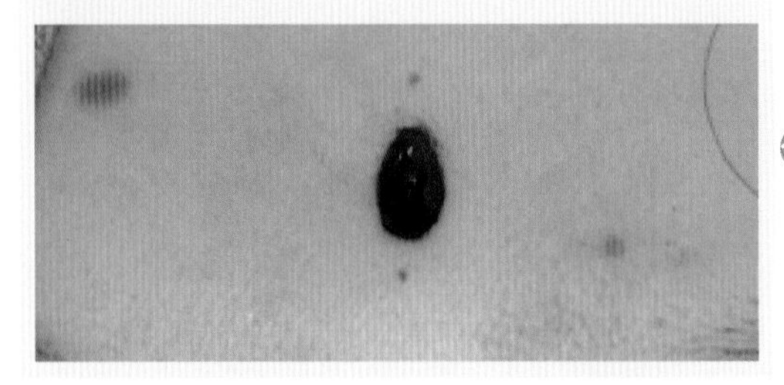

4 피하봉합
진피봉합 2군데 dog ear가 없는 상태에서 창상이 닫혀진다.

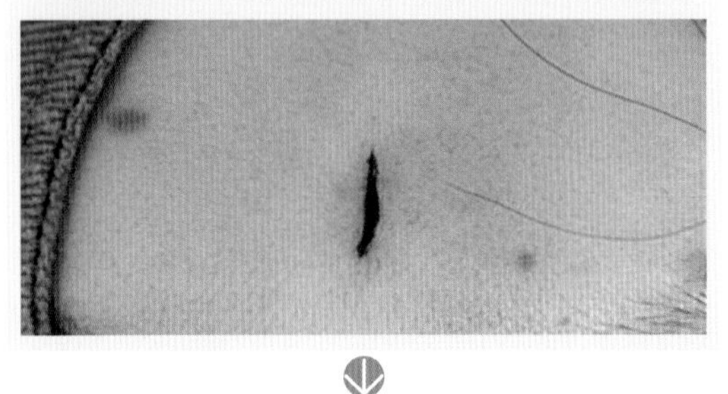

5 2바늘 피부봉합

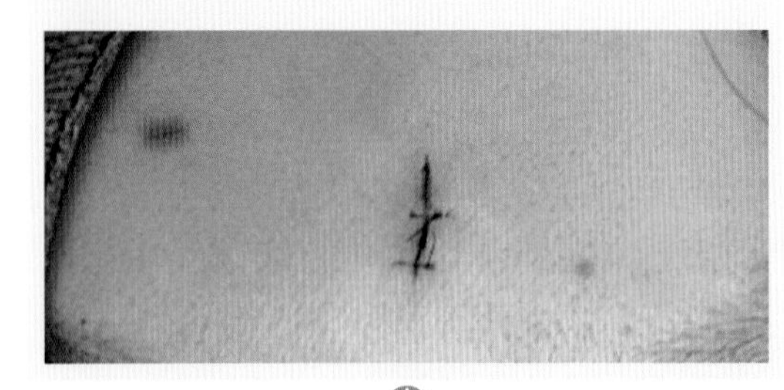

6 피부봉합 종료

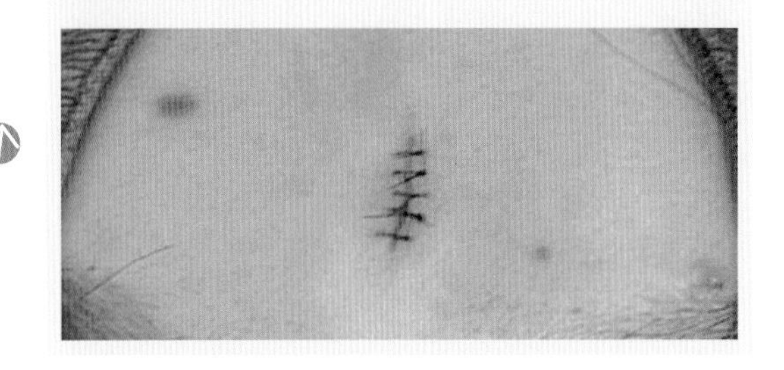

- 방추형 절제를 하지 않아도, 양 끝이 이 정도의 곡선반경이면 이 부위는 dog ear가 생기지 않고 창상 폐쇄가 가능하다.
- 세로방향의 봉합선이 직선상이 아닌 점이 다소 부족하다.

5 전액·눈썹 부위의 점

난이도 ★★★

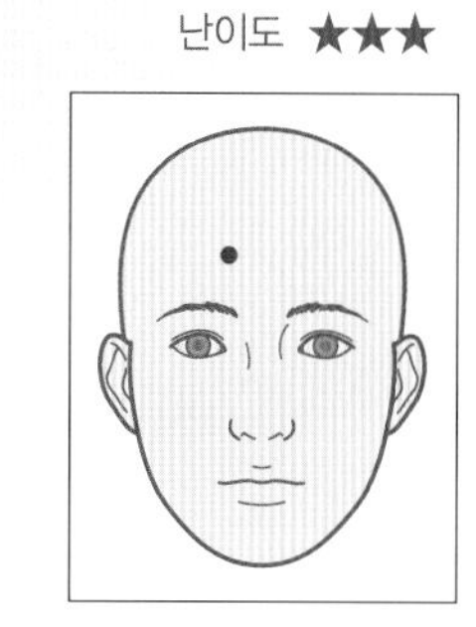

증례
- 65세 · 여성.
- 전액부 (5×5 mm), 눈썹 부위 (6×7 mm) 의 융기상의 점.

방침
- 타원형 절제.

수술 & 술후 경과

1 술전

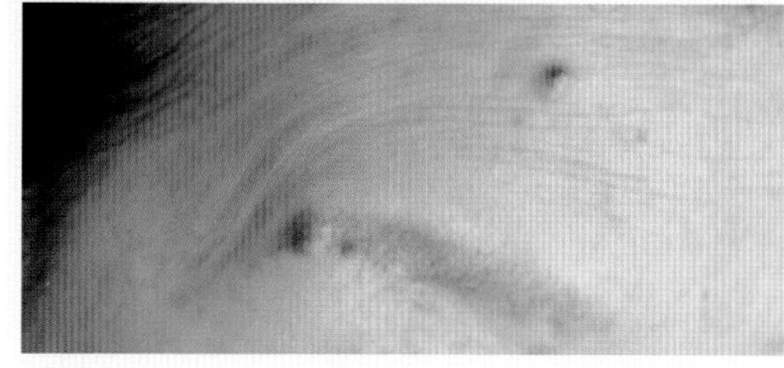

2 피부절개의 디자인
단순한 방추형 디자인과 타원형 디자인을 그려 본다.

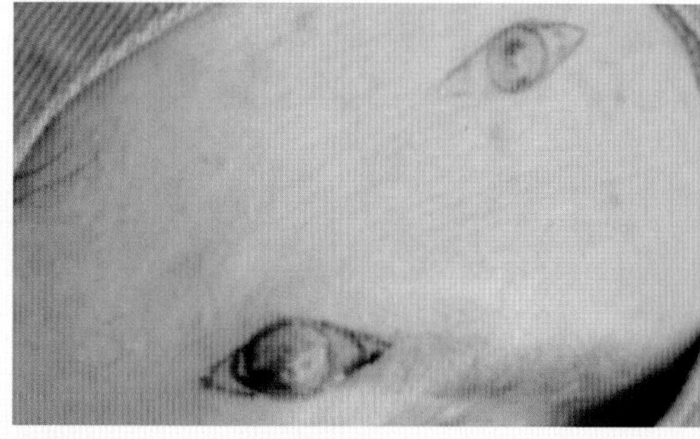

3 눈썹 부위의 타원형 절제

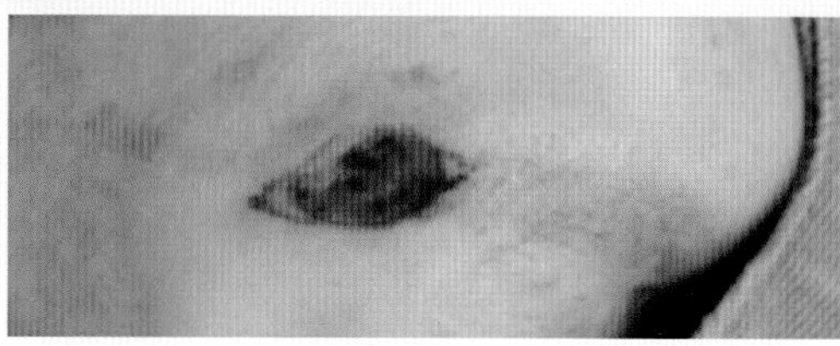

4 피하봉합
3바늘 피하봉합한 상태. 피부절개를 연장하지 않고 타원형 절제만으로 끝냈다.

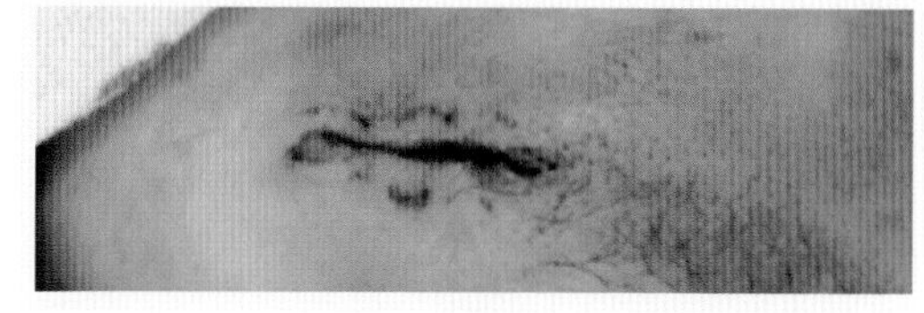

5 피부봉합 종료

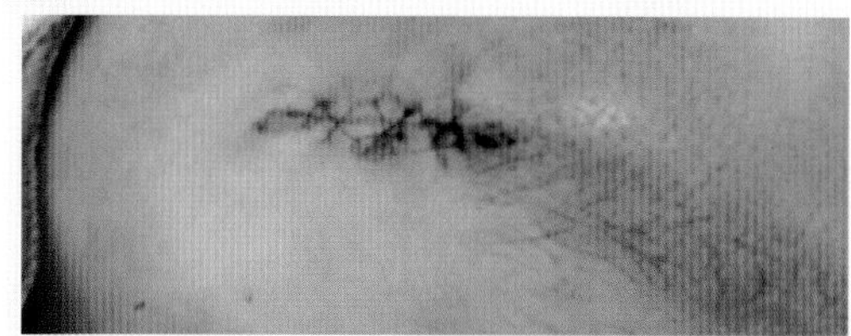

6 전액부의 타원형 절제

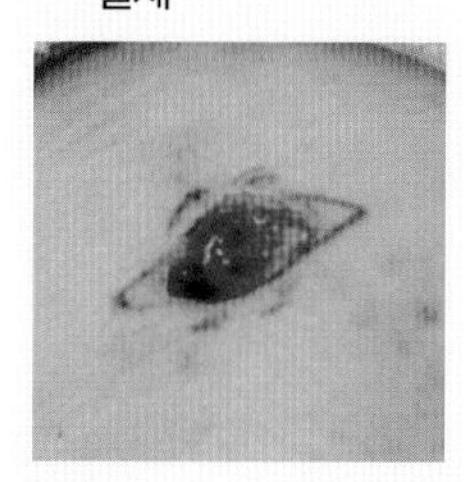

7 피하봉합

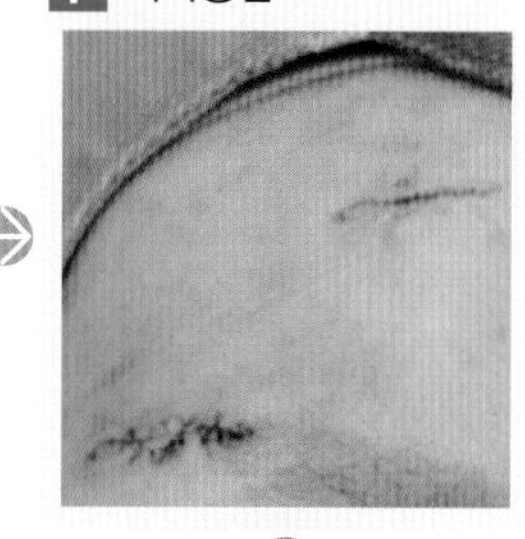

8 피부봉합 종료
타원형 절제만으로, dog ear 없이 치유되었다.

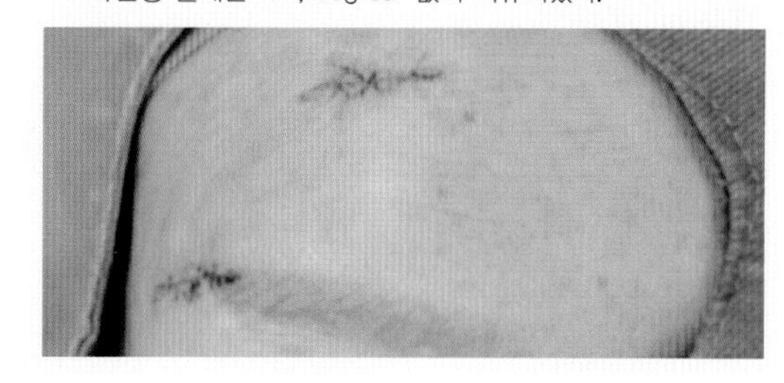

POINT
- 전액부 눈썹 부위의 점은 원칙적으로 타원형 절제법.

평가 ★★★

6 눈썹 상부의 점

난이도 ★

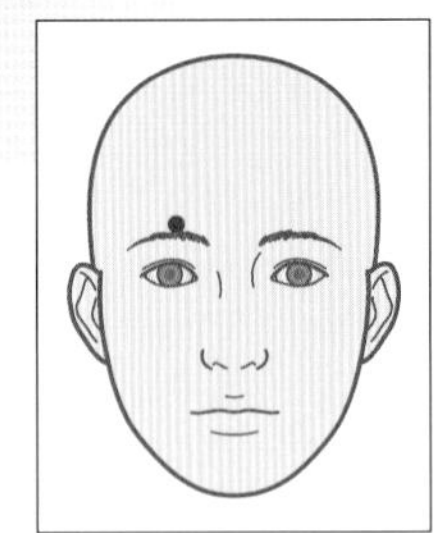

증례
- 30세 · 여성.
- 오른쪽 눈썹 위의 점 (5×6 mm)

방침
- 타원형 절제.

수술 & 술후 경과

1 술전

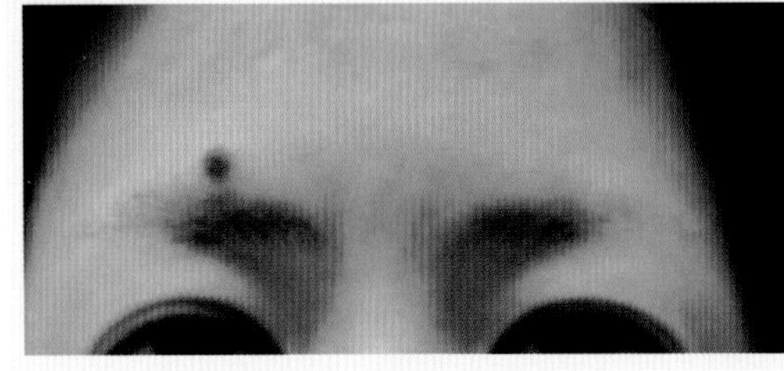

2 피부절개의 디자인
타원형 절제로 한다.

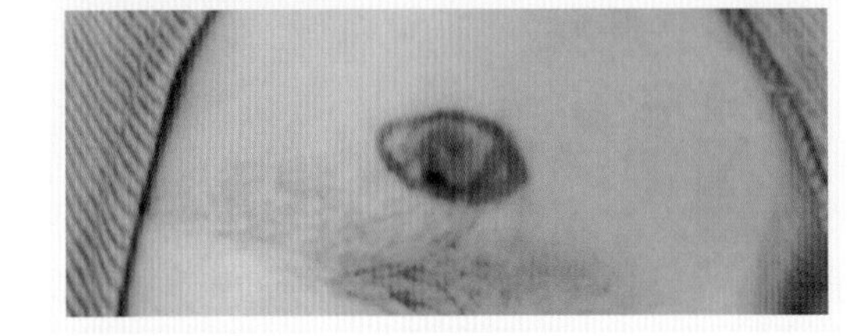

3 점의 절제

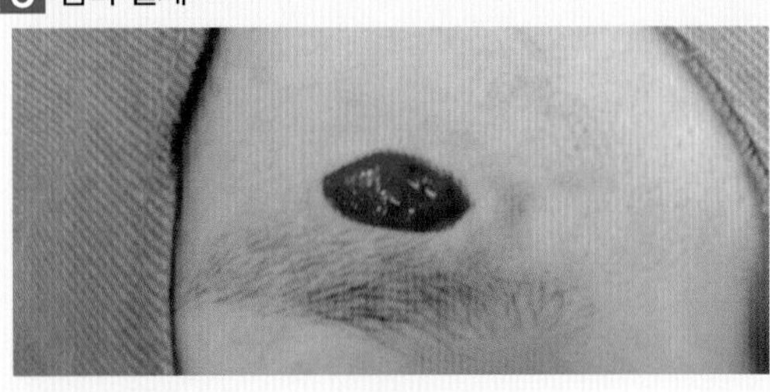

4 피부봉합 종료

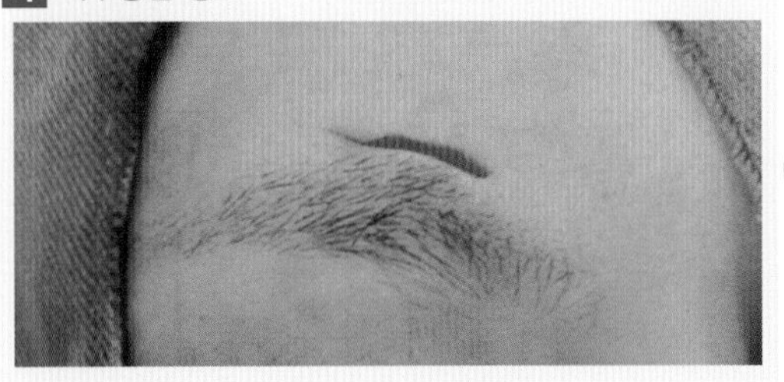

5 피부봉합 종료

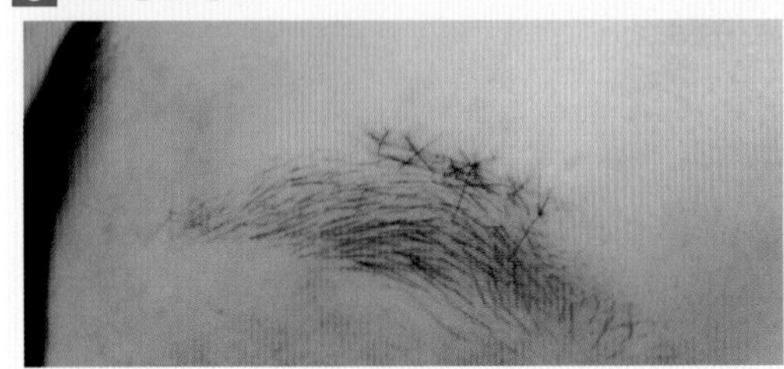

6 술후 1주째 발사 직후

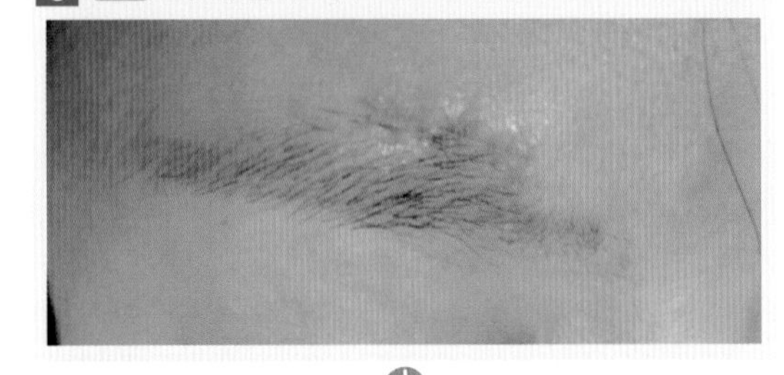

7 술후 1개월째의 상태

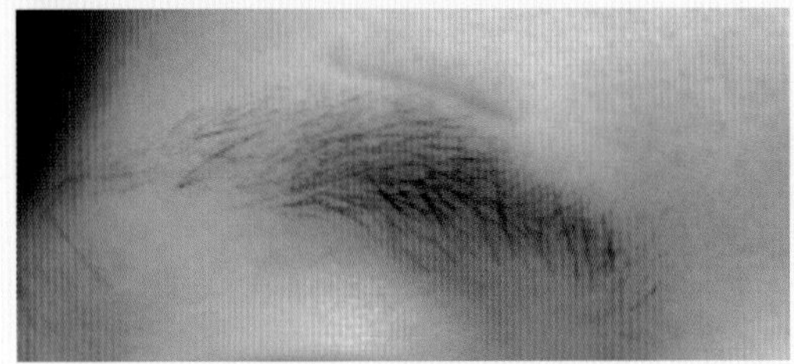

POINT
- 눈썹 상부의 점은 눈썹에 평행인 반흔이 되도록 디자인한다. 평가 ★★★☆

SUPPLEMENT 5

「방추형 절제」가 "가장 무난한 방법"이지만, "최고의 방법"은 아니다

점의 수술이라고 하면, 보통은 방추형 절제를 하면 됩니다. 그것은 성형외과, 피부과에서는 아무 의심 없이 단순한 수술이라는 것이 상식적이며, 지금도 맞는 견해입니다. 그러나 점의 부위, 크기에 따라서, 부위적으로 서툰, 즉 주위의 변형이 너무 눈에 띄는 경우, 방추형 절제를 고집해서는 안 됩니다. 그래서 국소피판이나 식피를 생각하게 되었습니다. 성형외과의를 자인하고 있을 무렵에는 정교한 디자인의 국소피판법을 생각하는 것이 즐거웠습니다.

그러나 미용수술을 메인 작업으로 하게 되면서, 생각이 조금씩 바뀌었습니다. 그리고 「반흔이 적다」,「눈에 띄지 않는다」는 것이 보다 나은 결과라고 생각하게 된 것입니다. 바로 "simple is best"입니다. 무리하게 정교한 디자인으로 하지 않더라도, 때로는 피하봉합도 하지 않더라도, 도려내고 피부를 붙여 두면 되지 않을까. 방추형 절제가 아니라도, 타원형 절제로 dog ear도 만들지 않고, 반흔도 짧게 끝나지 않을까.

이러한 사실들은 실제로 해 보고 할 수 있다는 것을 알게 되고서, 감격한 적도 많이 있었습니다. 그래서 본서와 같이 점만을 테마로 한 책을 만들게 된 것입니다.

SUPPLEMENT 6

전액부의 점

엔카가수인 千昌夫의 이마에는 트레이드 마크 같은 큰 점이 있었습니다. 그것이 어느 새인가 없어진 것을 눈치 챈 분들도 많이 있을 것입니다.

저는 千昌夫의 인생 그 자체가, 이마의 점이 인상학상 암시하는 것과 매우 일치하고 있다는 것을 알고 있어서, 이 점을 절제하는 편이 낫겠다고 생각하고 있었습니다.

즉 이 부위의 점은「길흉이 극단적으로 나타난다」「흥망성쇠가 심한 인생을 암시하고 있다」고 합니다. 좀 과장하자면, 千昌夫는 부동산업이 왕성할 때에, 일본에서도 유수한 자산가 중에 손꼽힐 정도였습니다.

당시, 부인과 이혼할 때에도 위자료를 50억엔이나 주었다고 하여, 그 위세가 화제가 되었을 정도였습니다. 그런데, 거품이 꺼져 버린 후에는 비참했습니다. 백억엔이나 되는 빚이 남아 있었습니다. 그러한 흥망성쇠의 극함을 그의 이마의 점이 암시하고 있었다고 생각합니다. 몇 년전, 오랜만에 TV에서 보았을 때, 그는 점을 제거한 모습이었습니다.「이제 얼마 남지 않은 인생, 평범하게 살고 싶다」고 생각한 것이 아닐까 추측해 봅니다.

또 한 사람, 전액부에 눈에 띄는 점을 가진 매우 유명한 사람이 있습니다. 바로 전 총리대신입니다. 그는 매우 기대를 받으며 총리에까지 등용되었습니다. 그러나 그 과정 중에도, 여성스캔들로 격렬한 비난을 받거나, 연금적립금 미납으로 어려운 처지에 빠진 적도 있었습니다. 총리가 된 후 그의 일반적인 평가는 어떠했을까요?

「그까짓 점, 그래도 점」, 이러한 관점에서 사람을 보면, 상당히 의미심장한 느낌이 듭니다.

7 눈썹 상연·미두부의 점

난이도 ★★

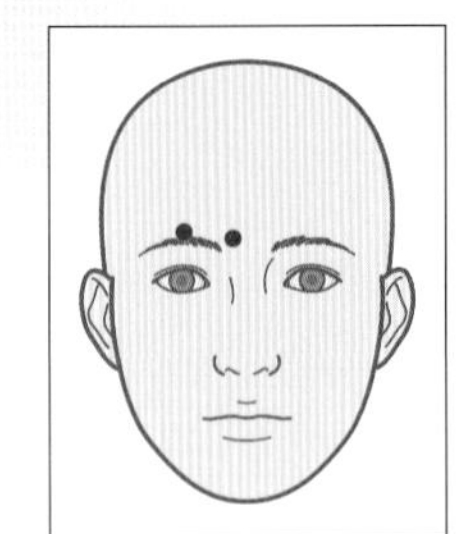

증례
- 34세 · 여성.
- 오른쪽 눈썹 상연과 미두부의 점(7×9 mm, 5×4 mm).

방침
- 눈썹 상연을 따라서 수평방향으로 긴 타원형 절제봉축.
- 미두부는 미간부의 주름 방향을 따라서 봉합선이 생기도록.

수술 & 술후 경과

1 술전

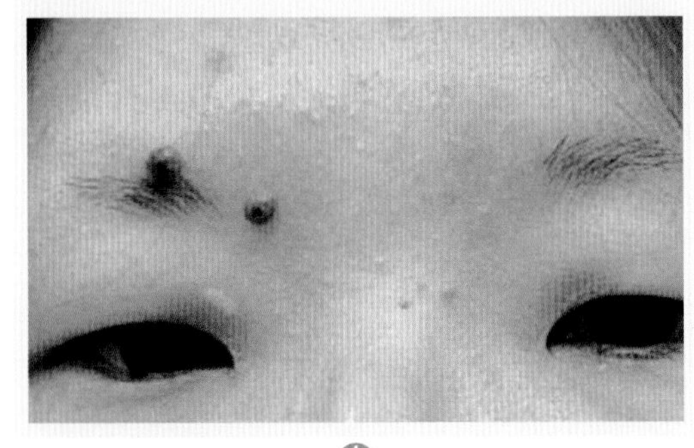

2 피부절개의 디자인

눈썹 상연부는 수평방향의 봉합선으로, 미두부는 미간부의 주름을 따르는 디자인으로.

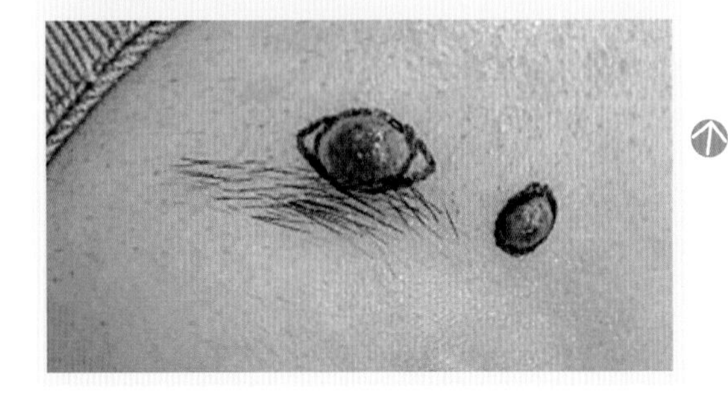

3 피부봉합

dog ear 형성은 보이지 않는다.

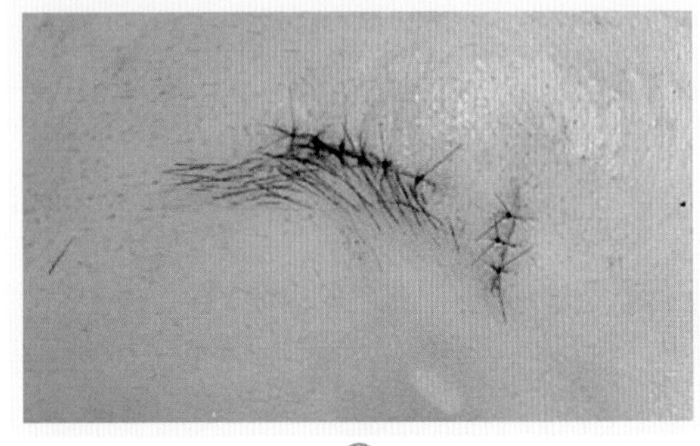

4 술후 1주째인 상태

발사 종료. dog ear는 거의 눈에 띄지 않는다.

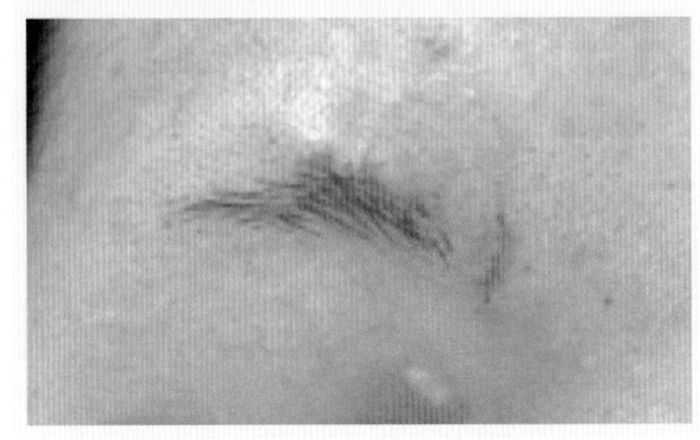

POINT

⊙ 이 부위는 방추형 절제를 하지 않아도, 이 정도의 점이면 대부분 도려내는 절제에 가까운, 장경이 짧은 방추형 절제로 dog ear가 거의 생기지 않는다는 것을 알 수 있다.

평가 ★★★

8 눈썹 중앙부의 점①

난이도 ★★

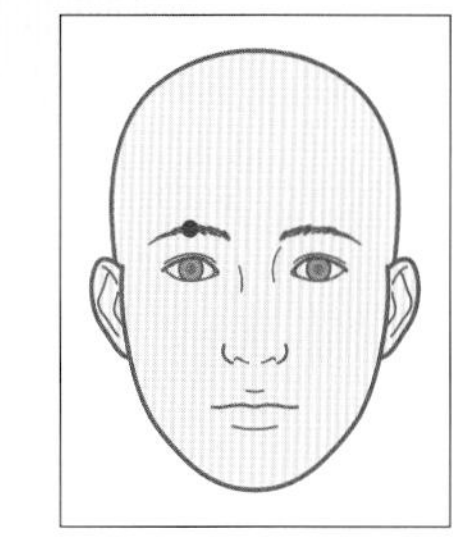

증례
- 22세 · 여성.
- 오른쪽 눈썹 중앙부의 눈썹내 점(7×9 mm)

방침
- 도려내기 봉합법으로 봉축술을 한다.

수술 & 술후 경과

1 술전

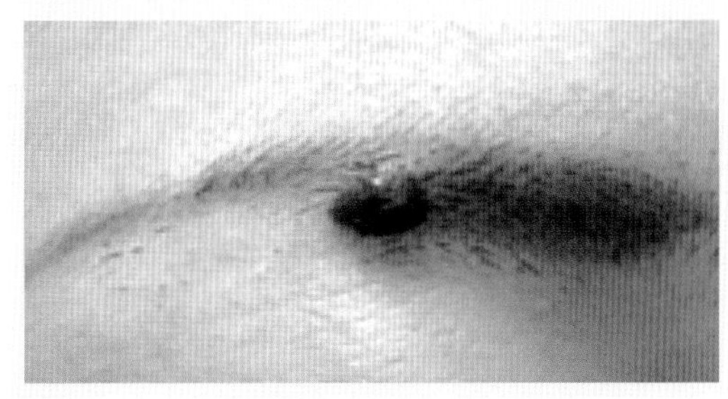

2 피부 절개의 디자인

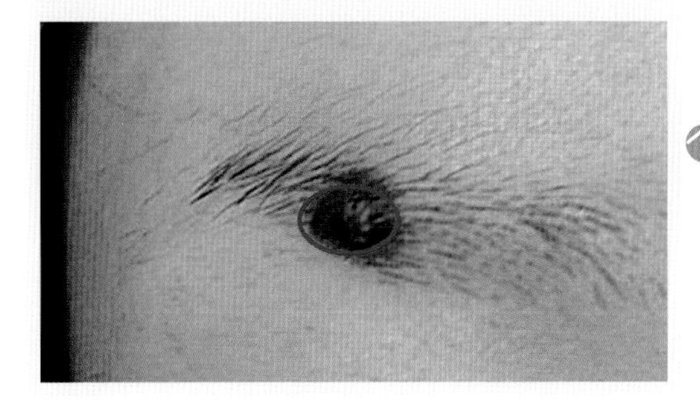

3 피부봉합

피하봉합 1바늘 후, 피부봉합.

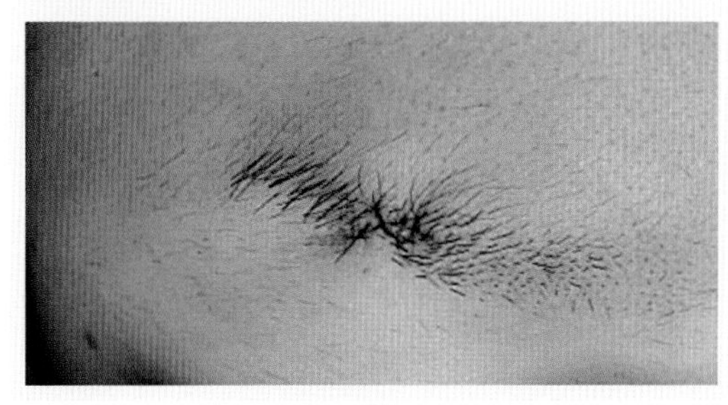

4 술후 1개월째의 상태

이 시점에서는 반흔 부위에 눈썹이 결손되어 있지만, 눈썹의 좌우에 단차가 없어서 부자연스러움이 없다.

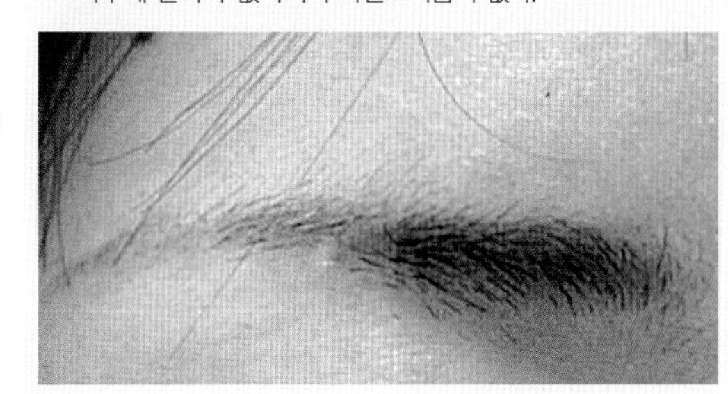

POINT
- 눈썹내의 점인 경우는 방추형 절제보다 우선 도려내기 절제를 하고, 봉합한다.
- 도려내기 봉합법으로 절제봉축하면 눈썹부위를 크게 벗어난 반흔을 남기지 않는 이점이 크다.
- 눈썹 모근의 손상을 최소화하기 위해서는, 피하봉합사를 모근보다 깊은 레벨에서 하고, 빈틈없이 붙이는 것에는 구애받지 않는다.

평가 ★★★

9 눈썹 중앙부의 점②

난이도 ★★★

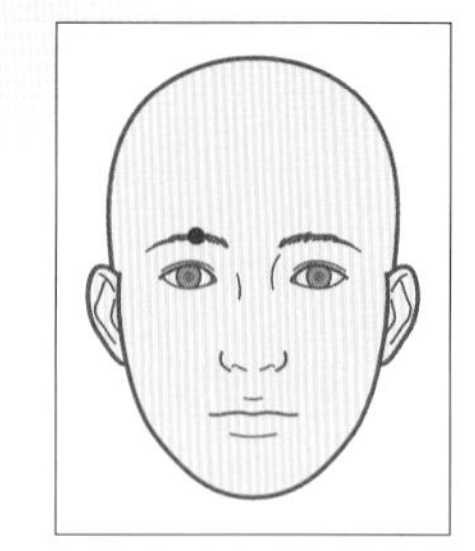

증례
- 48세 · 여성.
- 눈썹 안의 점(10×8 mm).

방침
- 점의 형상대로, 도려내어 봉합.

수술 & 술후 경과

1 술전

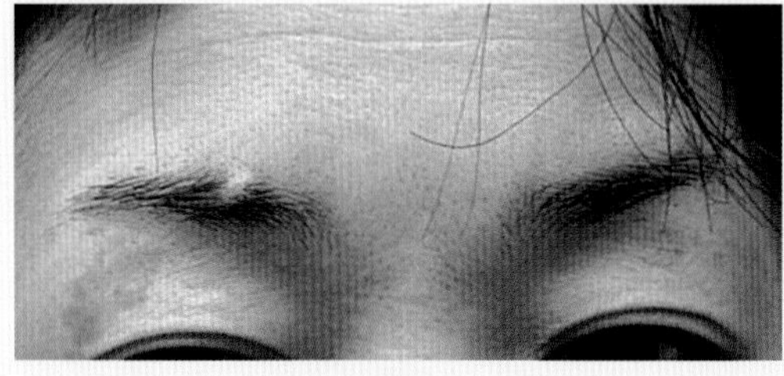

2 피부절개의 디자인

점의 형상대로 도려내어 절제하는 방침.

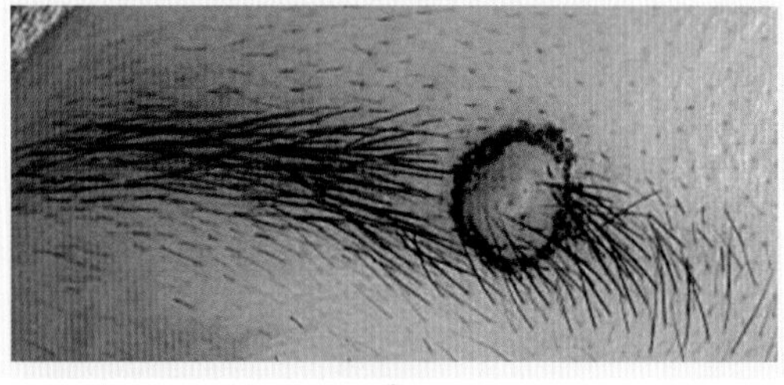

3 점의 절제

봉합선은 세로방향으로 할 방침.

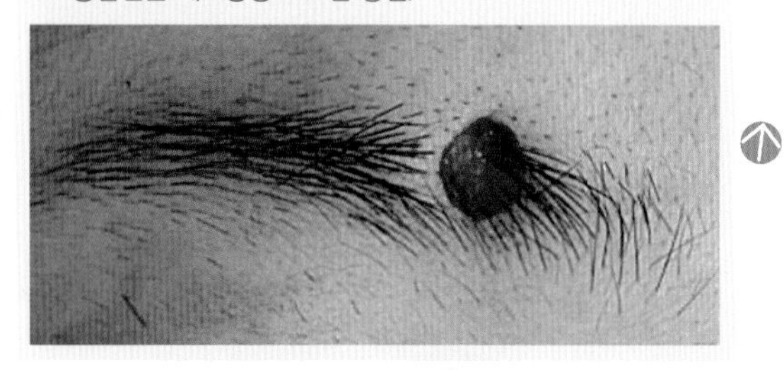

4 피하봉합

모근보다 심부에서 하며 무리하여 붙이지 않는다.

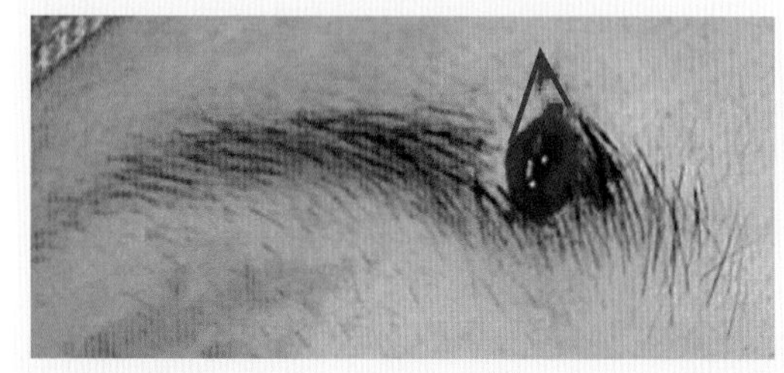

5 피부봉합 종료

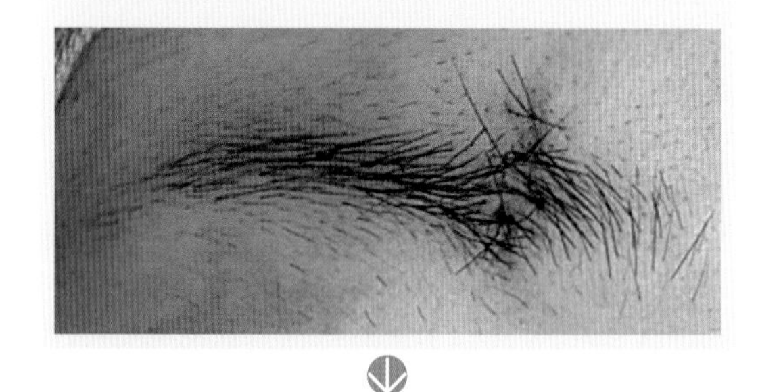

6 술후 3주째의 상태

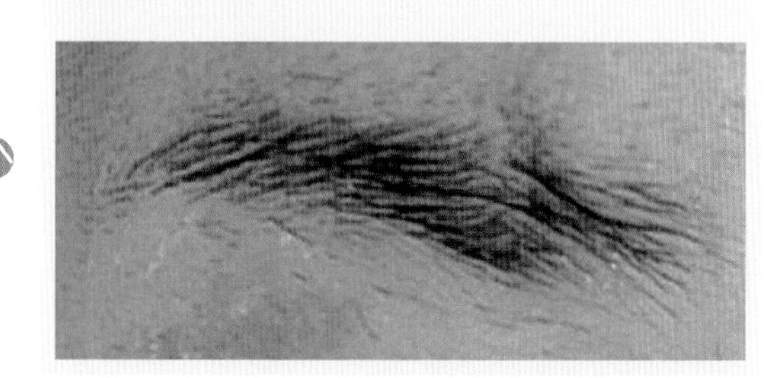

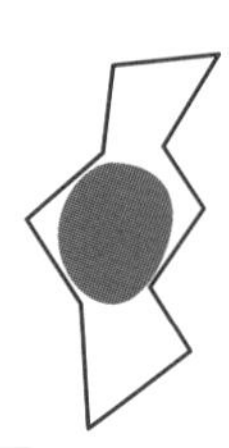

POINT

⊙ 눈썹 부위는 도려내어 절제, 봉합하는 방침으로 충분히 할 수 있다. 단순히 방추형 절제법만 생각하던 시대에는 왼쪽과 같은 방추형 디자인을 W성형술로 진화시킨 피부절개의 디자인으로도 상당히 뛰어난 방법이라고 생각했었다.

평가 ★★★

10 눈썹 상연의 점

난이도 ★★

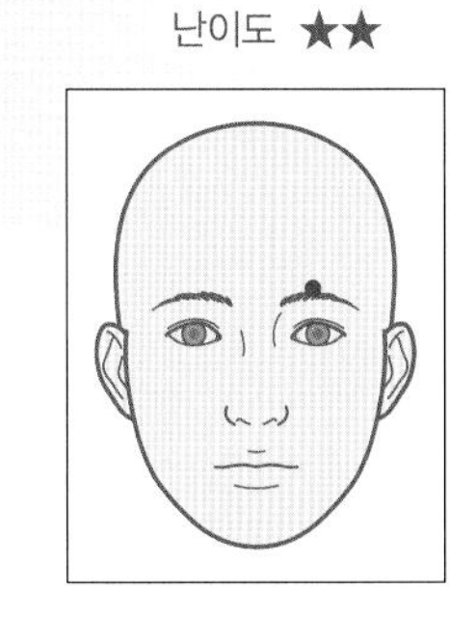

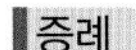

증례
- 27세 · 여성.
- 눈썹 중앙부에서 상연 부근의 점(6×5 mm).

방침
- 타원형 절제봉축법.

수술 & 술후 경과

1 술전

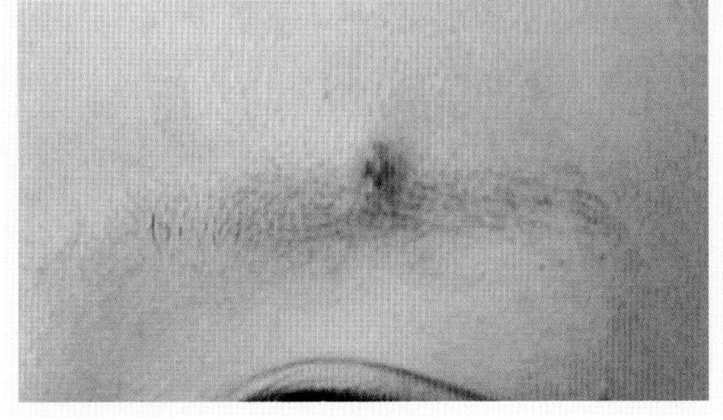

2 피부 절개의 디자인

융기되어 있는 부위를 모두 포함하여, 수평방향이 장축이 되는 타원형 디자인.

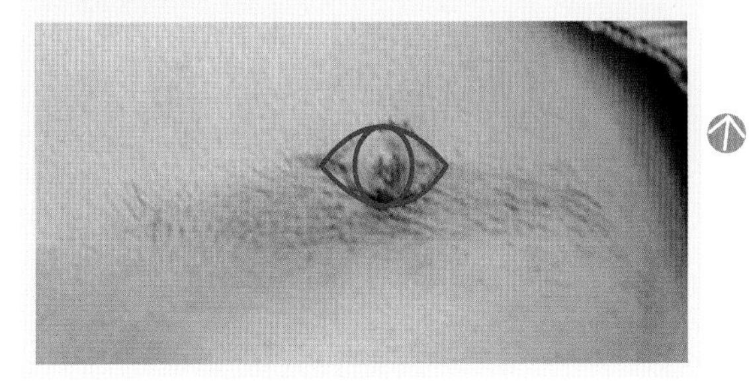

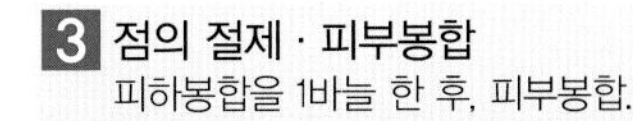

3 점의 절제 · 피부봉합

피하봉합을 1바늘 한 후, 피부봉합.

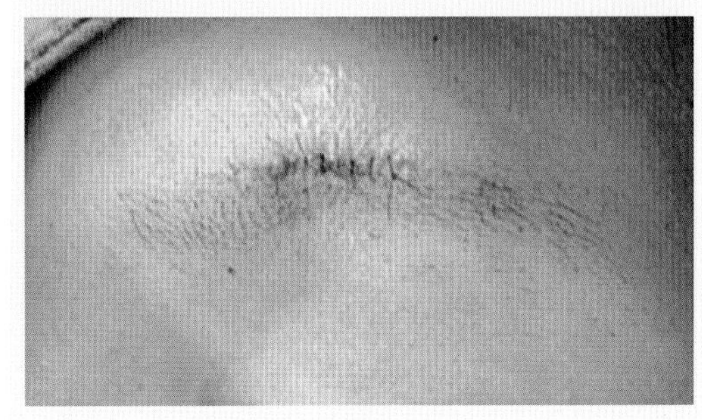

4 술후 3주째의 상태

dog ear를 형성하지 않고 치유되고 있다.

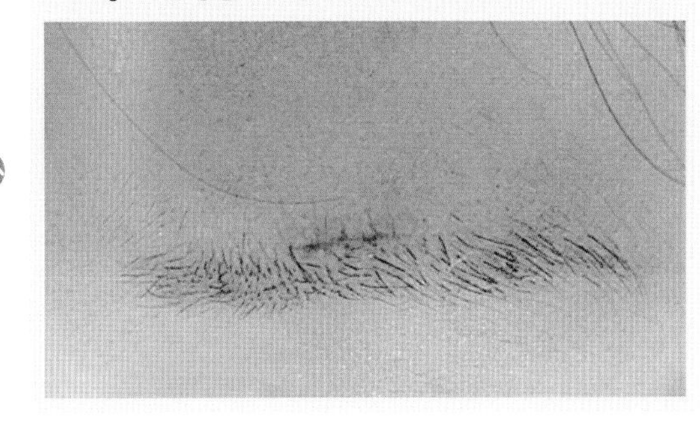

POINT

- 눈썹 상연에 가까운 점의 제거술에서는 봉합선이 눈썹의 상연에 따르는 형태로 안정되도록, 수평방향이 장축인 방추형 절제의 디자인으로 한다.
- 이 부위는 피부가 두꺼워서 장축방향을 무리하게 길게 하지 않아도 dog ear가 잘 생기지 않는다.

평가 ★★★★

11 미두 하부의 점

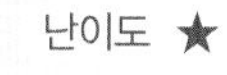

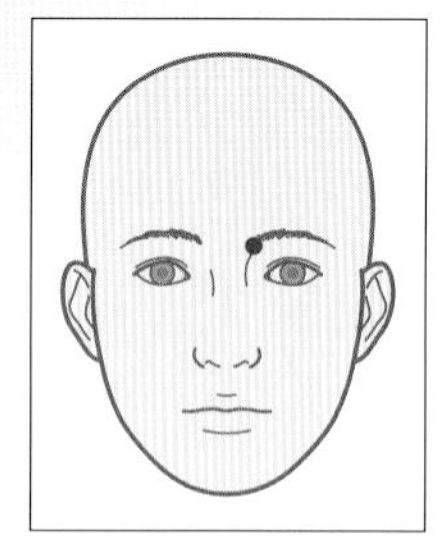

증례
- 51세 · 여성.
- 타원형의 융기상 점(8×5 mm).

방침
- 점의 형상대로 타원형 절제하고, 봉합선이 미두부의 주름 방향이 되도록 장축방향을 정한다.

수술 & 술후 경과

1 

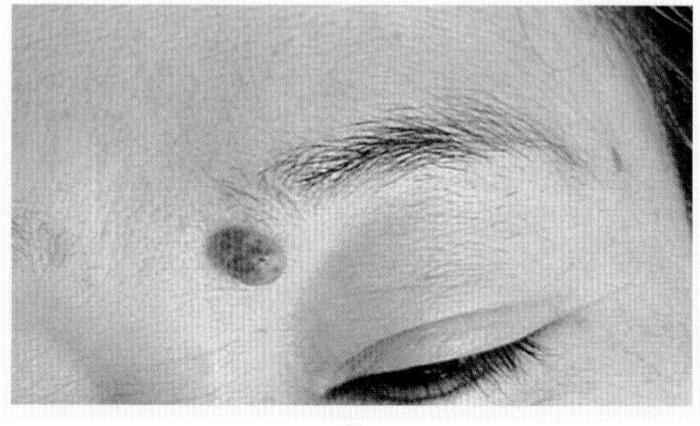

2 점의 절제
거의 형상대로 도려내어 절제한 상태.

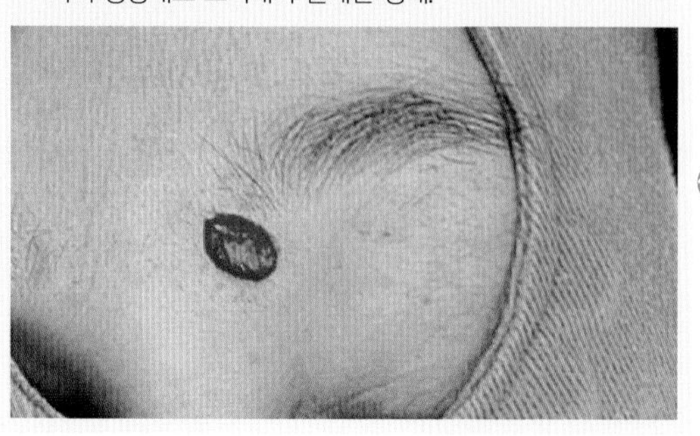

3 피하봉합
2군데 피하봉합(5-0 나일론) 한 모습.

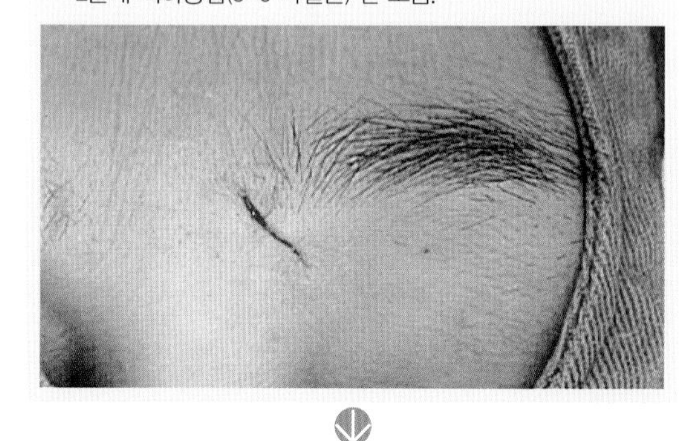

4 피부봉합 종료
dog ear가 생길 염려가 없다.

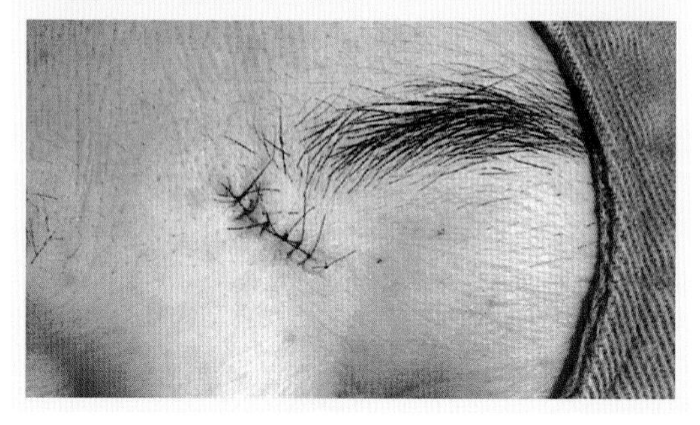

- 융기상의 점은 대부분 원형 또는 타원형이지만, 타원형 점의 장축방향은 대부분 자연 주름의 방향을 따르고 있으며, 그 반대 방향인 경우는 드물다.
- 따라서 형상과 거의 일치하는 타원형 절제를 예정으로 디자인한다.

⑫ 눈썹 하연의 점

난이도 ★

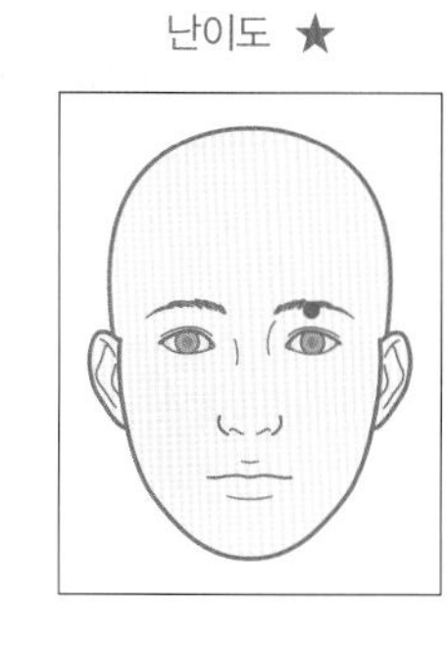

증례
- 17세 · 여성.
- 왼쪽 눈썹 하연의 작은 점(3×4mm).

방침
- 타원형 절제(가로길이)와 봉합 폐쇄.
- 이 크기이면 레이저소작만으로도 나쁘지 않다.

수술 & 술후 경과

1 술전

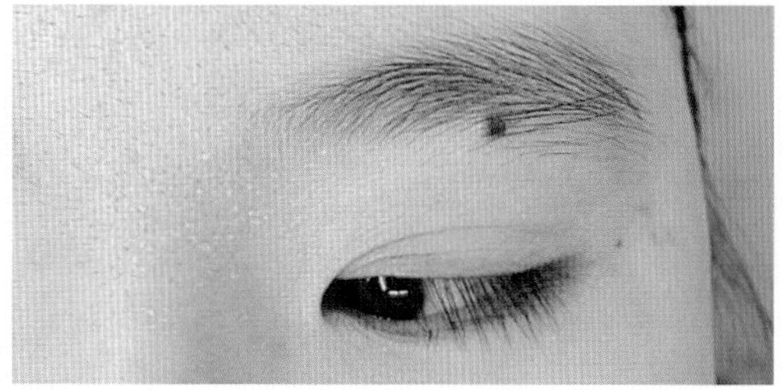

2 피부절개의 디자인

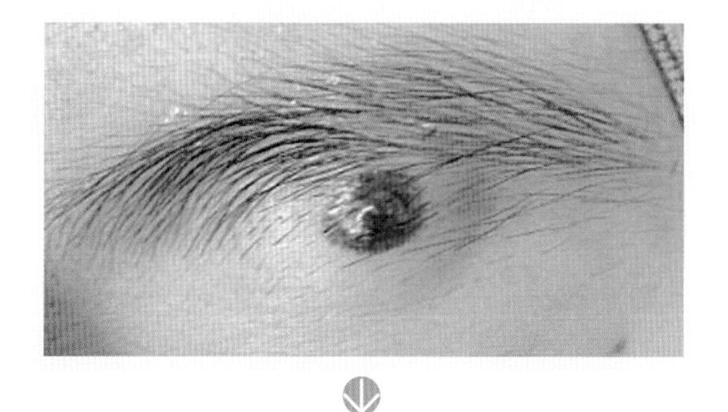

3 도려내어 절제

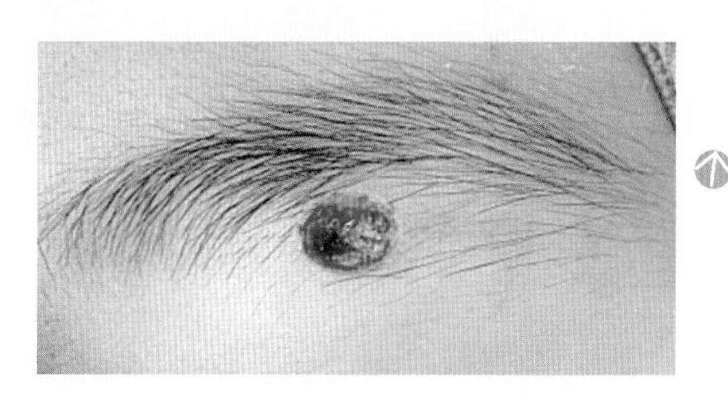

4 피하봉합
진피하 1바늘 봉합.

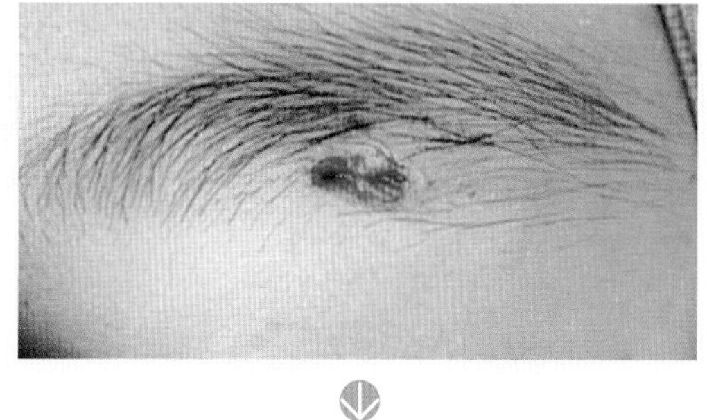

5 피부봉합 종료

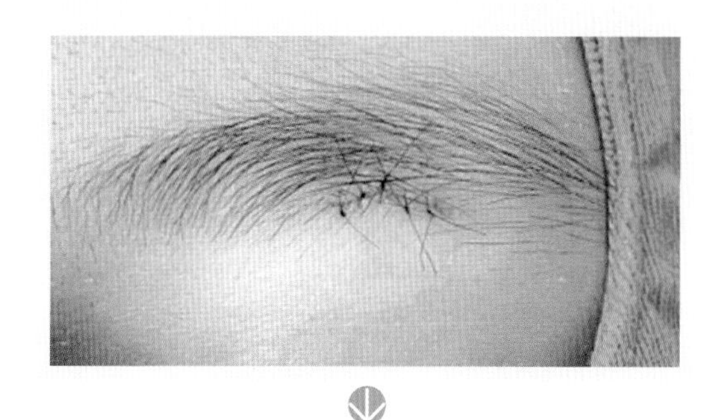

6 술후 2개월째의 상태

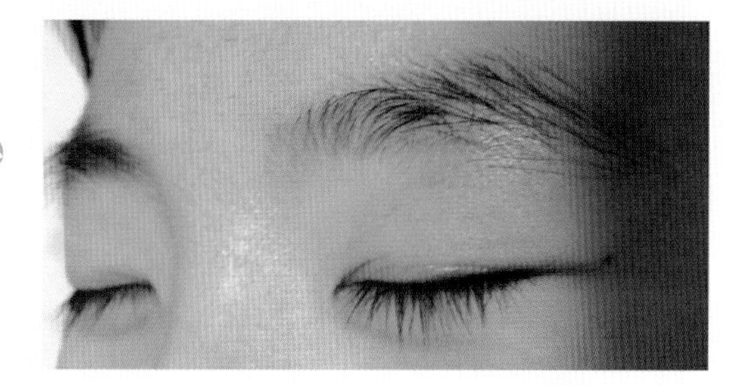

POINT ⊙ 이 부위에서는 반흔을 짧게 하기 위하여 타원형 절제가 좋다.

평가 ★★★

13 미간부의 점①

난이도 ★★★

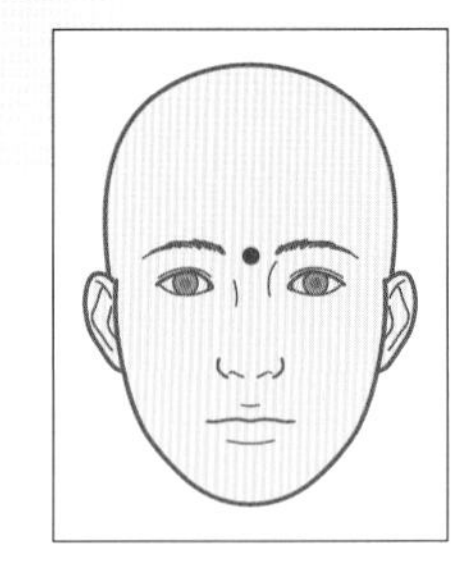

증례
- 23세 · 여성.
- 미간부의 점(6×6 mm).

방침
- 방추형 절제로 한다.

수술 & 술후 경과

1 술전

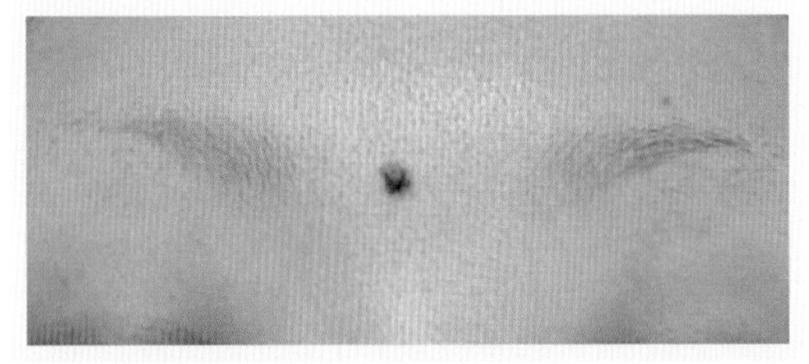

2 피부절개의 디자인

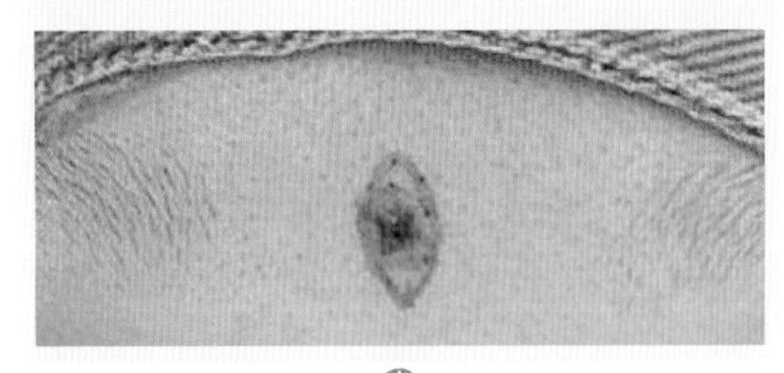

3 점의 절제

이 때 이미 방추형 장축이 비스듬해 있다.

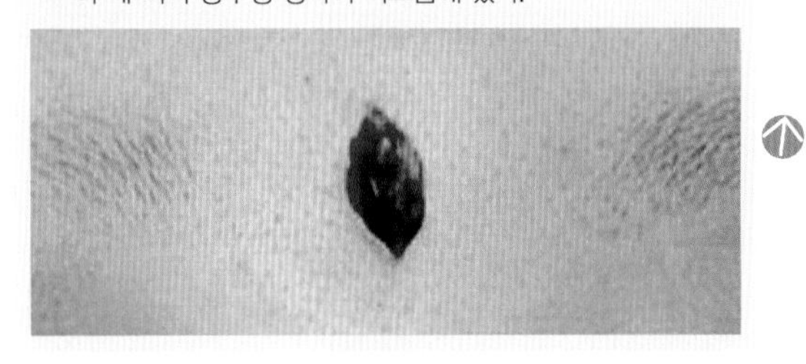

4 피하봉합

5-0 나일론 2바늘 봉합.

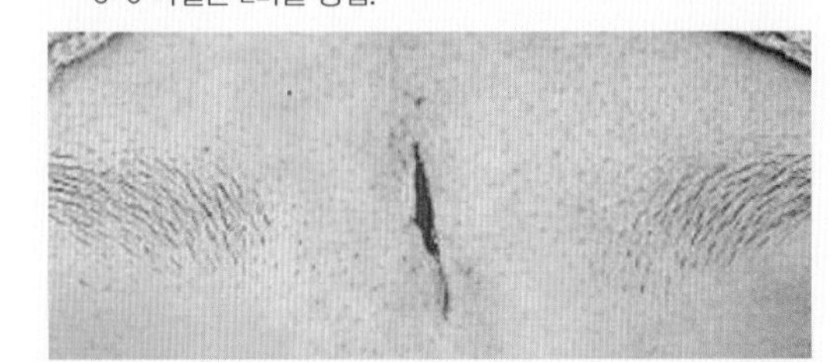

5 피부봉합 종료

완전수직이라고는 할 수 없다.

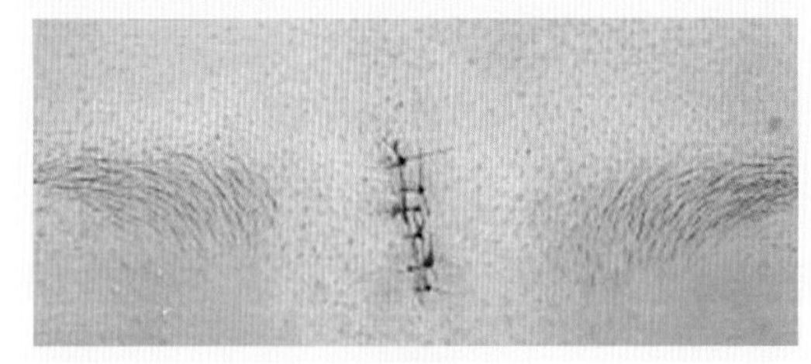

6 술후 1개월째의 상태

반흔은 눈에 띄지 않지만, 비스듬해 있다.

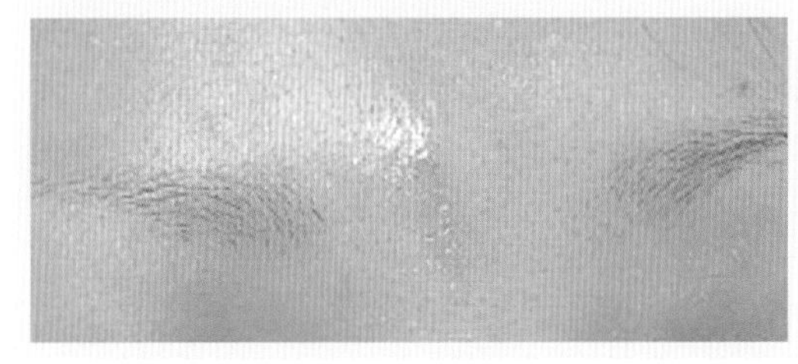

POINT
- 미간부의 점은 수직방향의 봉합선이 가능한 방추형 절제의 디자인이 타당하다.
- 디자인상의 불완전으로, 이 경우처럼 수직방향이 다소 어긋나면, 먼 훗날까지 반흔의 방향이 마음에 걸린다.
- 수술결과는 위에 기술한 바와 같이 완벽하다고는 할 수 없다.

14 미간부의 점②

난이도 ★★★

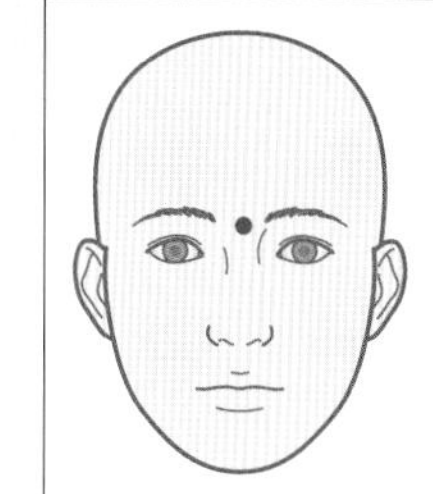

증례
- 30세 · 여성.
- 미간부의 흰점(7×5 mm).

방침
- 이 부위의 주름방향을 따라서 세로방향의 봉합선이 되도록 세로길이의 타원형 절제로 한다.

수술 & 술후 경과

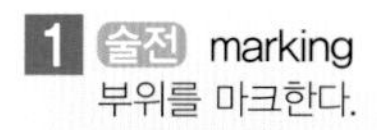

1 술전 marking
부위를 마크한다.

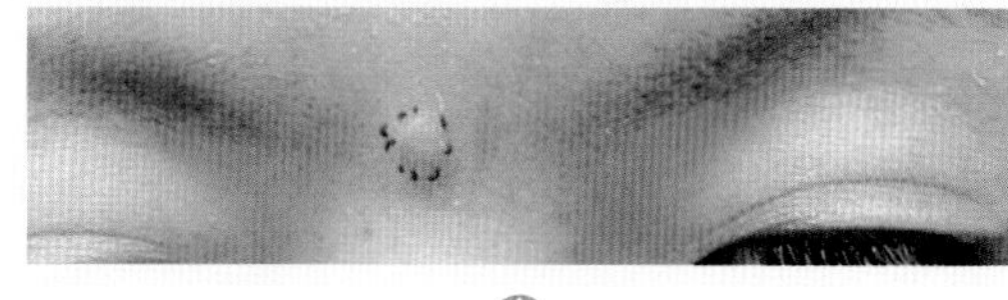

2 피부절개의 디자인
수직방향이 장축인 타원형 디자인.

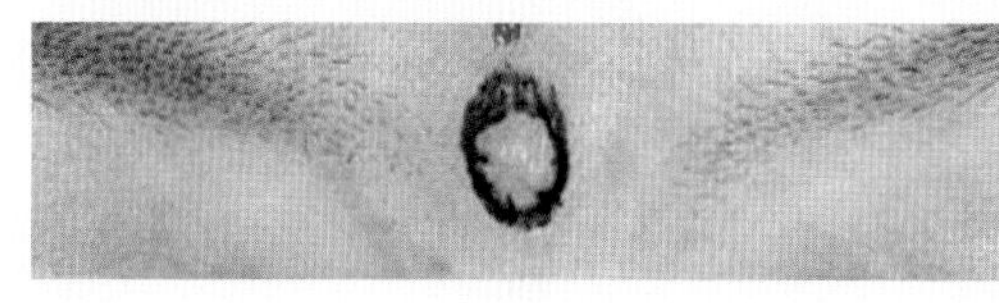

3 점의 절제
디자인한 부위를 전층에서 도려내어 절제하고 피하봉합한다.

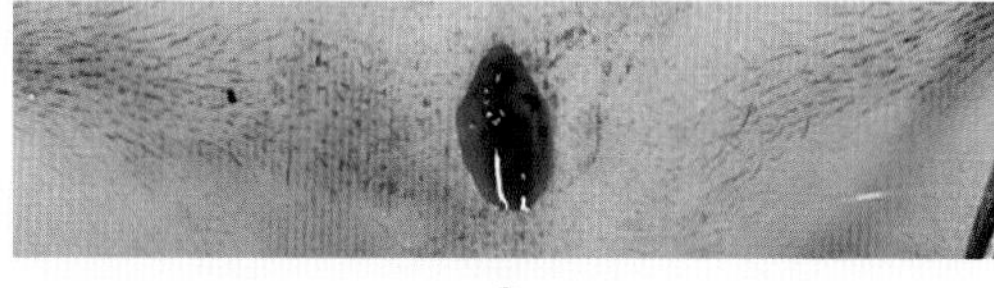

4 1바늘 피하봉합 종료(5-0 흰나일론)

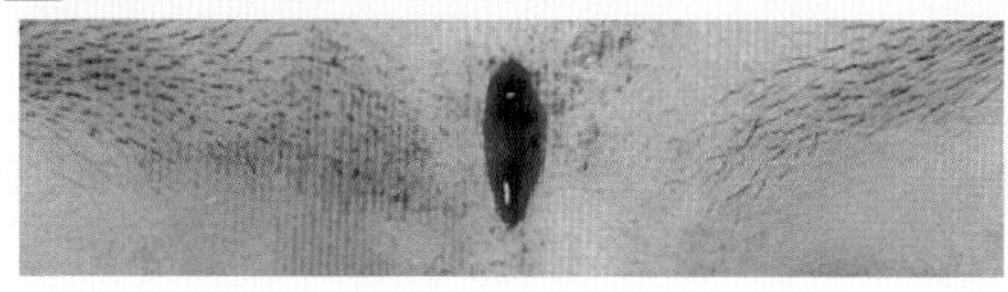

5 2바늘째 피하봉합

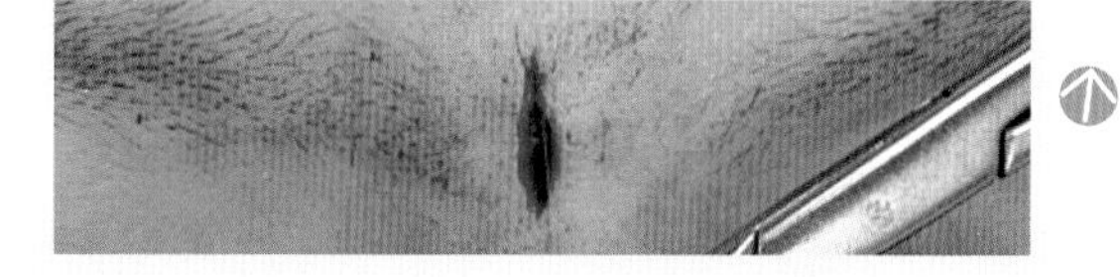

6 3바늘째 피하봉합 종료

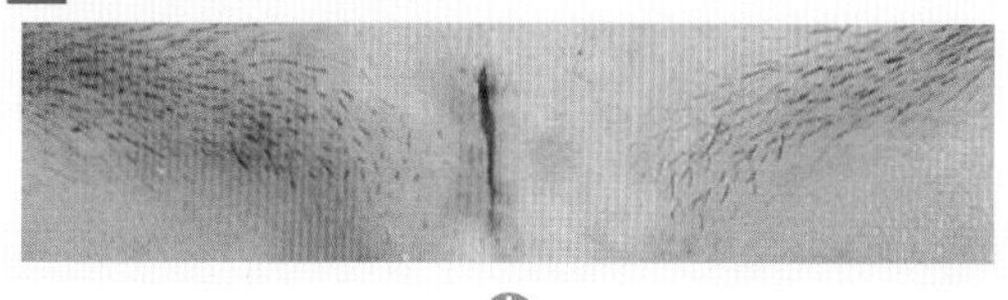

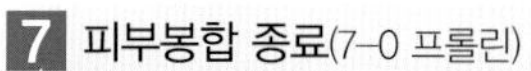

7 피부봉합 종료(7-0 프롤린)

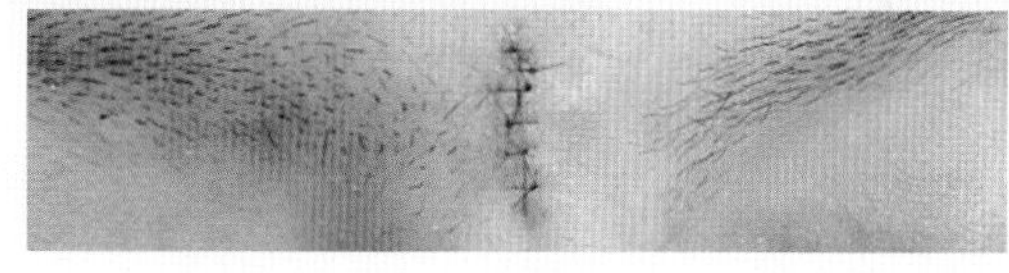

8 술후 1주째의 상태

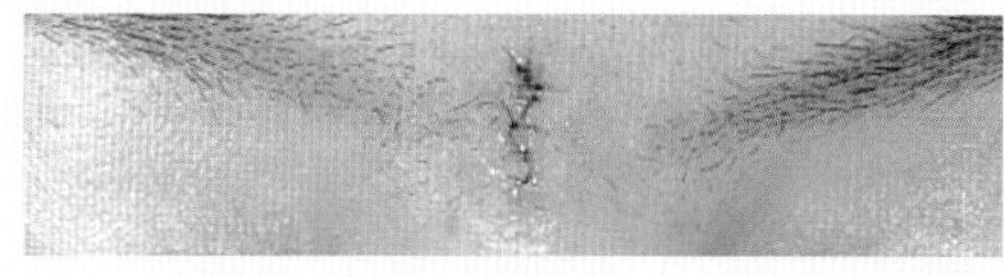

9 술후 1주째 발사 종료

POINT
- 미간부에서도 완전히 눈썹 길이인 점은 봉합선이 수직방향이 되도록 디자인한다.
- 피부가 두꺼운 부위로, 타원형 디자인이 가능.
- 방추형으로 하지 않고 타원형 절제로 디자인하여, 상하에서 적어도 3mm정도는 봉합선을 짧게 마무리할 수 있었다.

평가 ★★★

15 미간부의 점③

난이도 ★★★

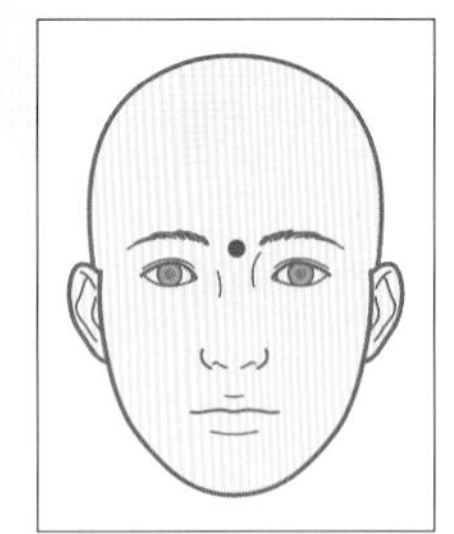

증례
- 10세 · 여성.
- 미간부의 점(16×14 mm).

방침
- 이 부위에서는 상당히 큰 점이다. 식피술도 가능하지만, 중앙부에 있고, 아직 젊어서, 과감히 피판에 의한 수복을 하기로 하였다.

수술 & 술후 경과

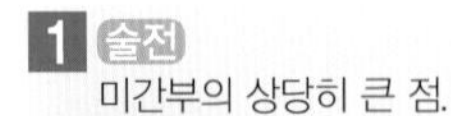

1 술전
미간부의 상당히 큰 점.

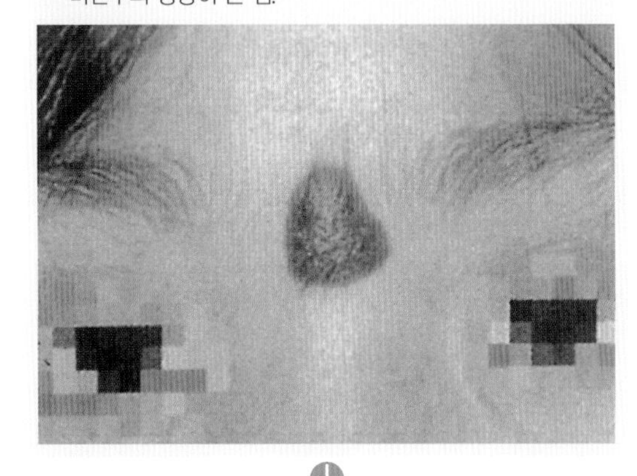

2 피부절개의 디자인
전진피판으로 하기로 하였다.

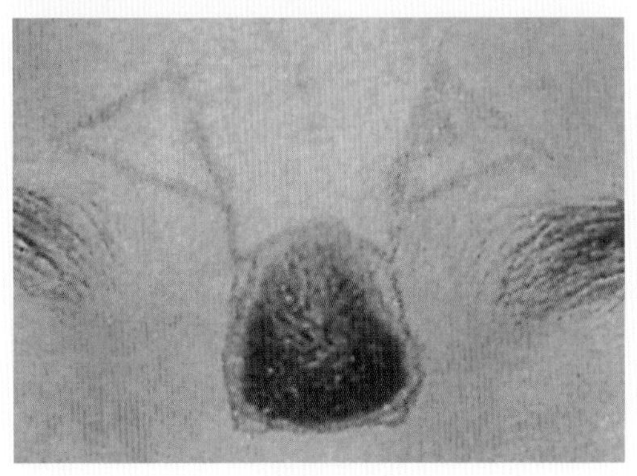

3 피부봉합 종료
이 봉합선이면 W성형술에 의한 2차수정도 필요 없다.

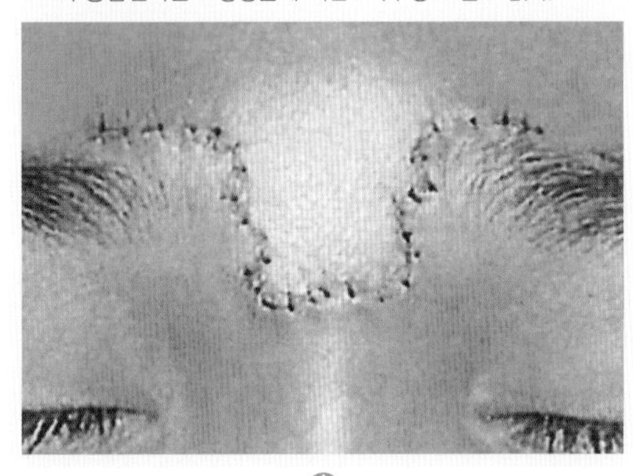

4 술후 2개월째의 상태
확실하게 테이핑되어 있어서 이미 반흔이 거의 눈에 띄지 않는다.

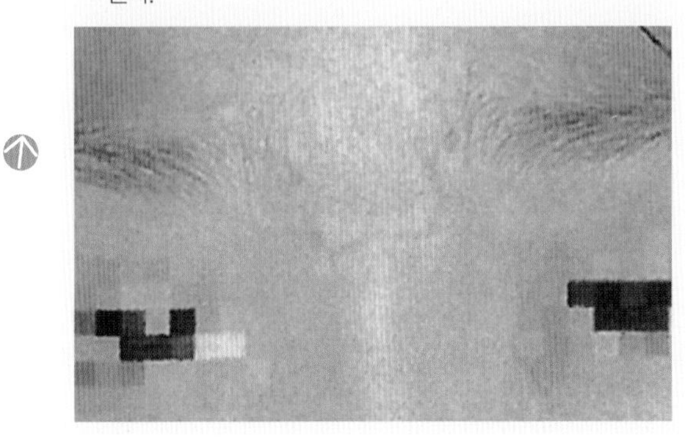

POINT

- 전진피판의 응용에 가장 적합한 경우이지만 이것이 생각나지 않는 경우에는 식피술도 괜찮다.
- 단순한 전진피판에서는 직선적인 디자인으로 하지만, 봉합선이 더욱 눈에 띄지 않게 하기 위해서, 굳이 지그재그봉합선이 되도록 디자인을 연구하였다.

평가 ★★★★

❷ 안검부의 점

Key Points

❶ 안검부의 점은 원칙적으로 방추형 절제법으로, 자연주름의 방향을 따른 봉합선이 되도록 디자인한다.

❷ 눈머리부위의 점은 수평방향의 봉합선이 되도록, 상하를 바싹 붙인 디자인으로 한다.

❸ 눈꼬리부위의 점은 봉합선이 특히 주름방향을 따르도록 주의하고, 미묘한 각도까지 배려한다.

❹ 상당히 큰 점 (모반) 을 절제할 때는 V-Y 전진피판법을 이용하거나, 가로방향으로 긴 방추형 절제도 연장자에게는 좋은 방법이다.

❺ 안검연의 점은 반드시 완전절제 (쐐기모양 절제) 봉합법을 목표로 할 필요는 없고, 미용적으로 융기되어 눈에 띄는 부위를 소작하여 눈에 띄지 않게 하는 것만으로 끝내도 된다. 몇 년 후, 또 눈에 띄게 되었을 때에 소작법으로 처리한다.

❻ 하안검의 큰 점은 단순봉합보다 전진피판을 이용하여 토끼눈(안검외반)을 예방한다.

1 내안각부의 점

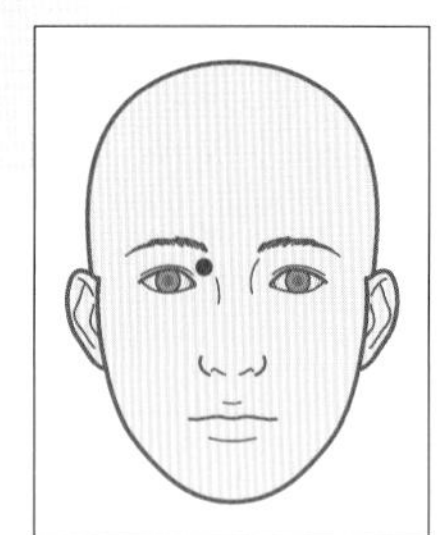

증례
- 25세 · 남성.
- 단순봉합이 가능한 크기의 한계라고 할 수 있는 점이다 (9×10 mm)

방침
- 타원형 절제 봉합의 방침으로 하지만 상안검측은 방추형으로 한다.

수술 & 술후 경과

1 술전

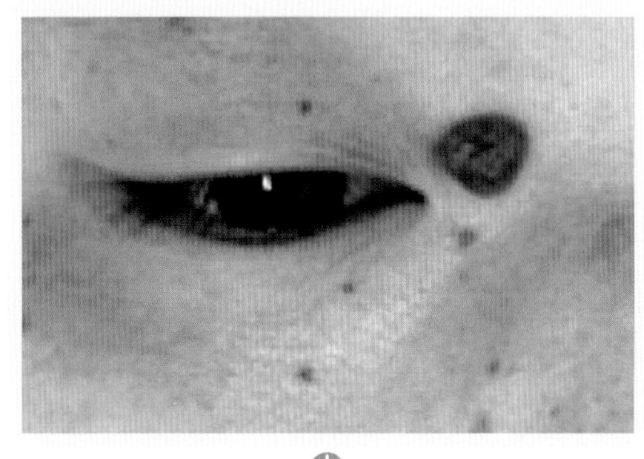

2 피부절개의 디자인

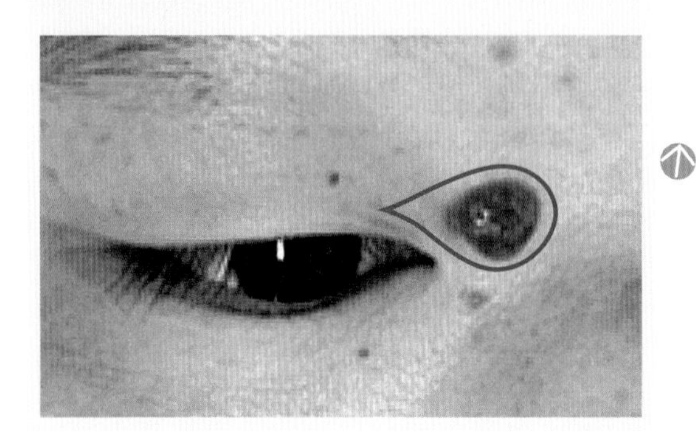

3 피부봉합 종료
절제 후, 2군데를 피하봉합한 후, 피부봉합.

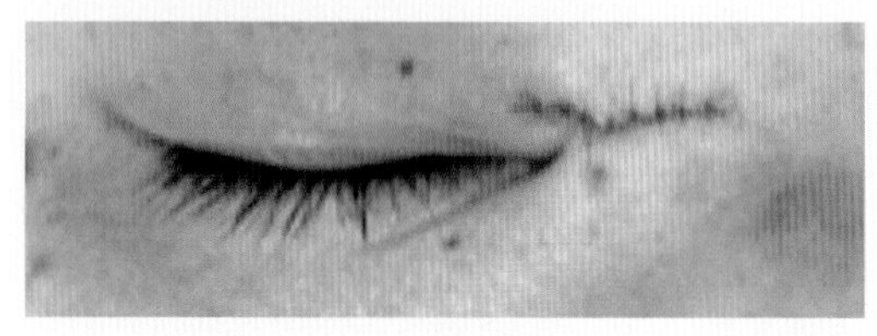

4 술후 1개월째의 상태(개안)

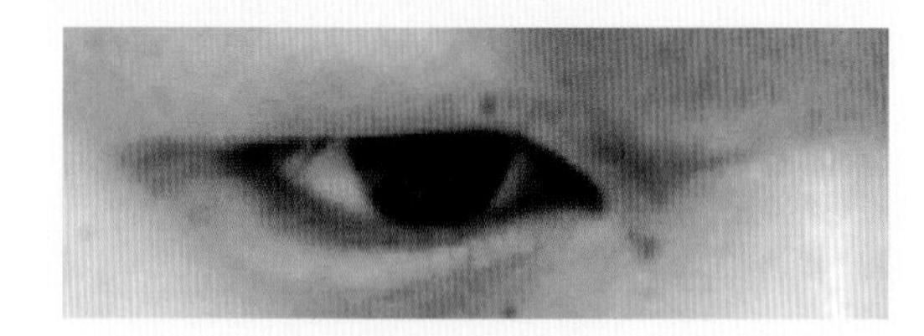

(폐안)

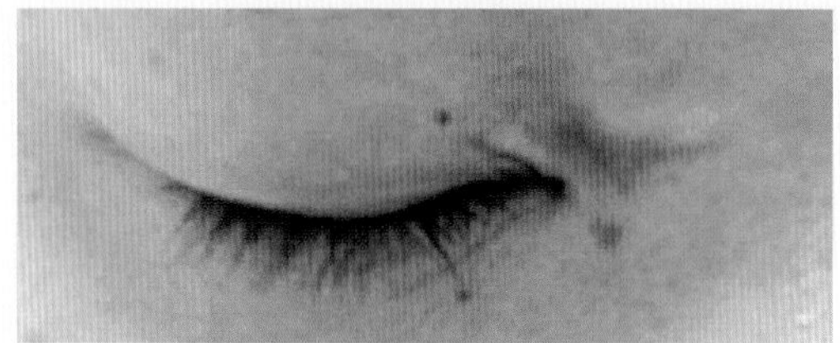

POINT
❶ 눈머리 부위의 점은 상당히 큰 것이라도 단순봉합이 가능하다.
❷ 안검측과 정중측은 피부 두께가 다르며, 안검측은 피부가 얇아서, 방추형 절제처럼 각을 주지 않으면 dog ear를 형성한다.
❸ 마지막으로 tear drop형으로 절제한다(2 피부절개의 디자인).

2 비근부와 안검부 경계부의 점

난이도 ★

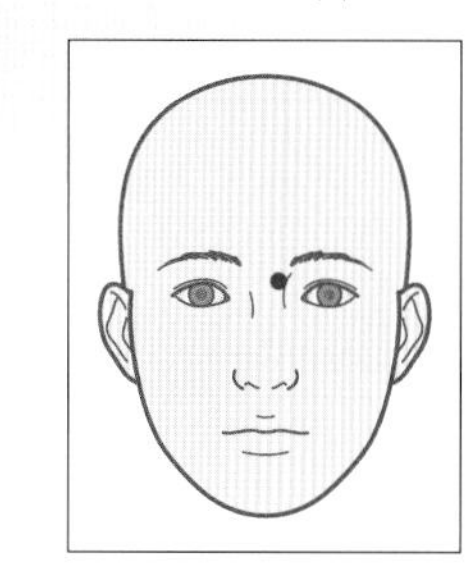

증례
- 35세 · 여성.
- 안검과 비근부 경계부의 점(5×5 mm).

방침
- 수평방향의 방추형 디자인으로 단순봉합의 방침으로 한다.

수술 & 술후 경과

1 술전

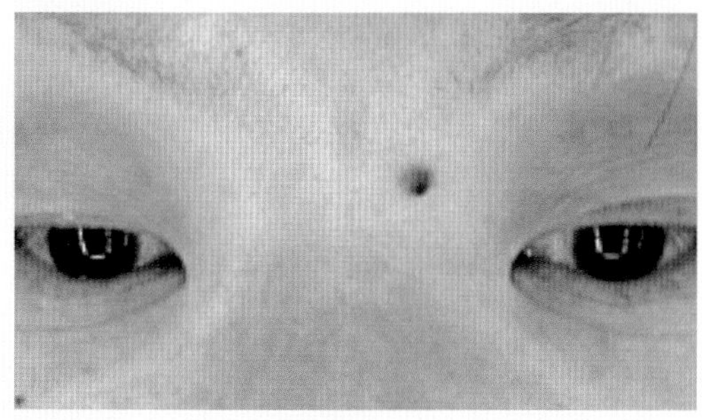

2 피부절개의 디자인
방추형 절제로 한다.

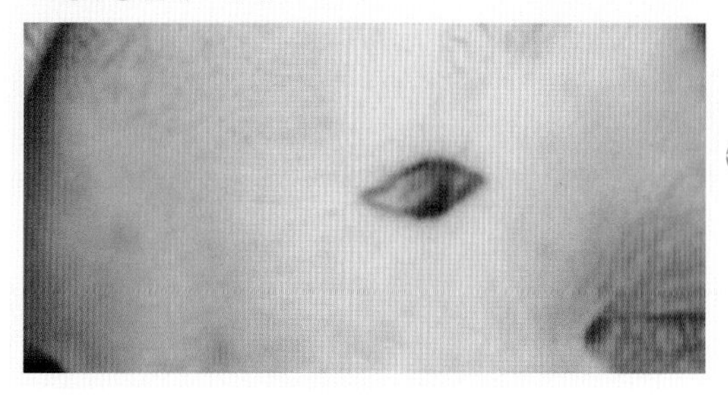

3 점을 절제 후, 봉축 종료
절제 후, 5–0 나일론으로 피하봉합 2바늘, 피부봉합.

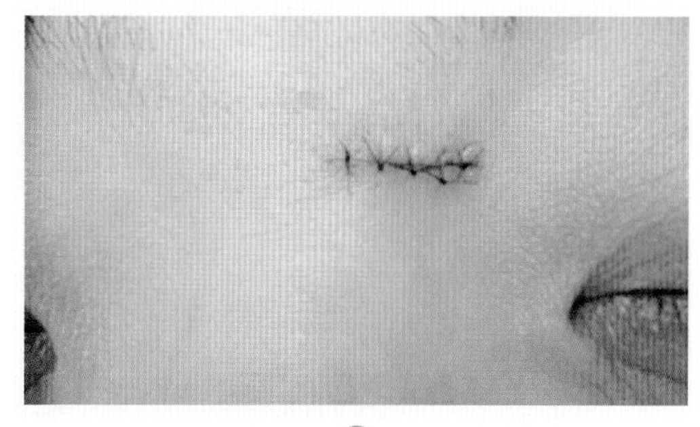

4 술후 1개월째의 상태

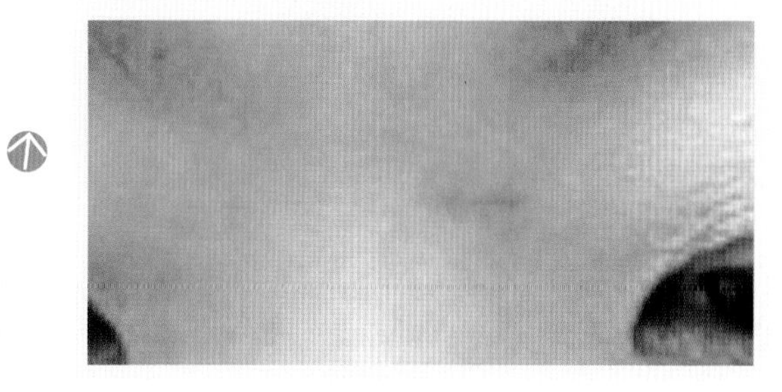

POINT
- 방추형 절제를 했지만, 이 술식이 가장 적합하다고 할 수 있다.
- 반흔의 방향이 수평이든 비스듬히 올라가거나 내려가든 미묘한 부위의 점이지만, 눈에 띄지 않게 안정된 것 같다.

3 상안검부의 점①

난이도 ★

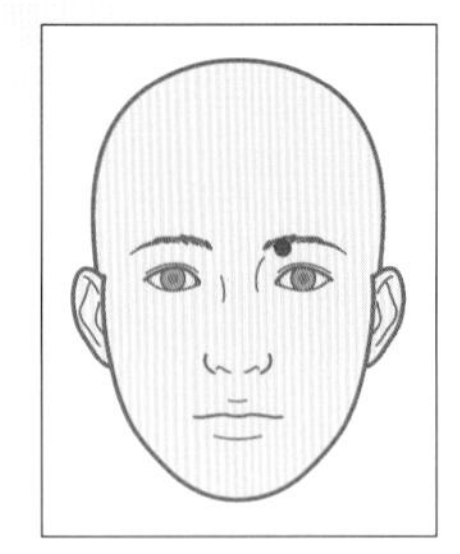

증례
- 25세 · 여성
- 상안검 눈썹 근처의 점 (5×5 mm)

방침
- 방추형 절제가 원칙.

수술 & 술후 경과

1 술전

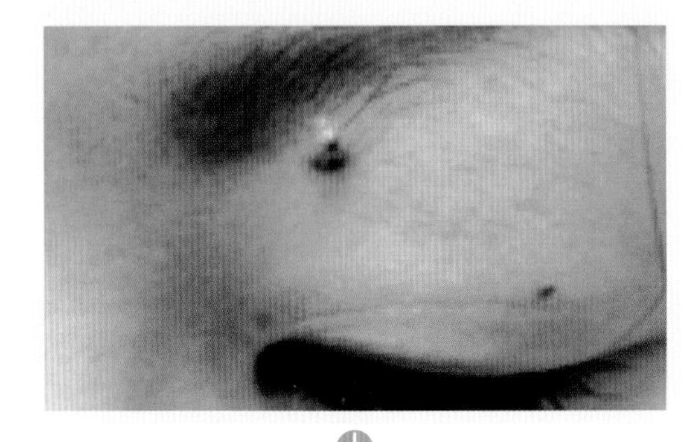

2 피부절개의 디자인

방추형 디자인.

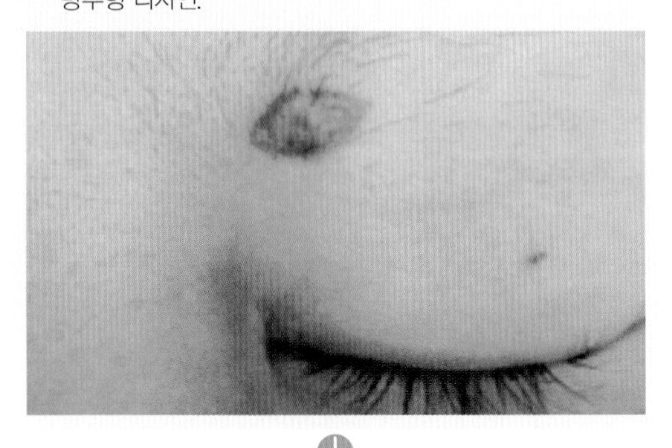

3 점 절제, 봉합 종료

2군데 진피 봉합 후, 피층봉합.

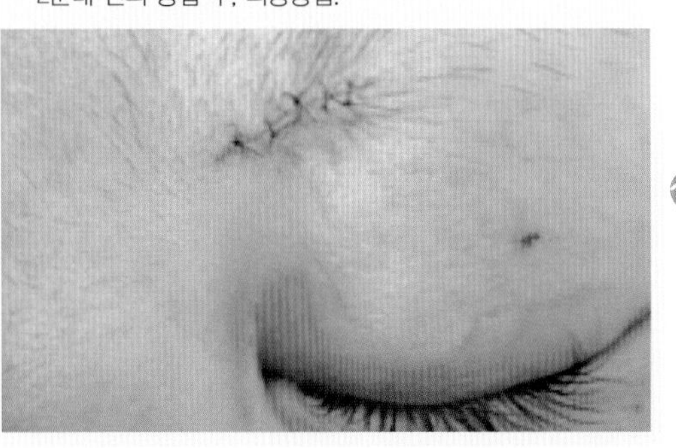

4 술후 1주째 발사 종료

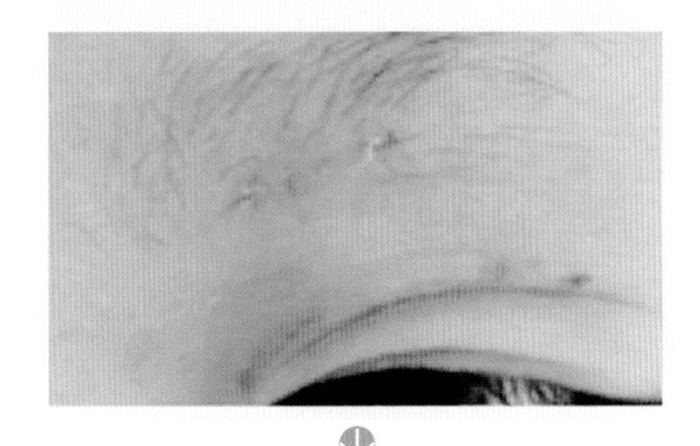

5 술후 1개월째의 상태

이미 반흔의 발적도 소실되고 있다.

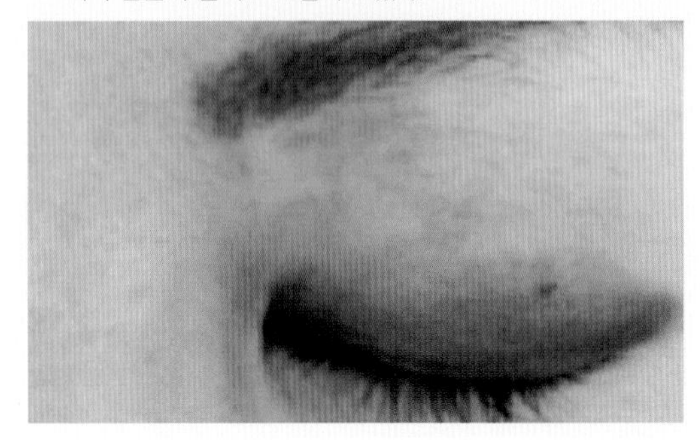

POINT
- 상안검은 피부가 얇아서 방추형 절제가 원칙.

평가 ★★★★

4 상안검부의 점②

난이도 ★

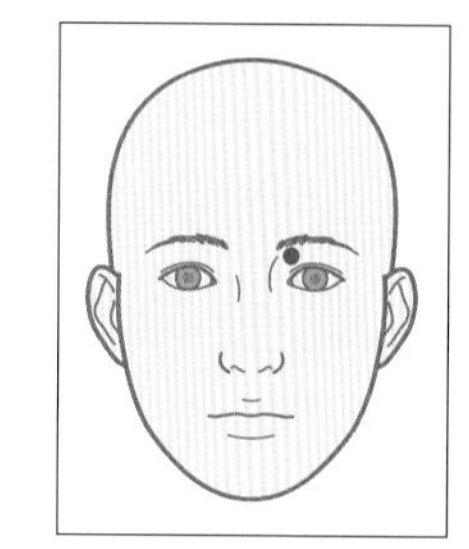

증례
- 46세 · 성.
- 상안검의 점(7×7 mm).

방침
- 도려내기 봉합에 가까운 타원형 절제.

수술 & 술후 경과

1 술전 피부절개의 디자인

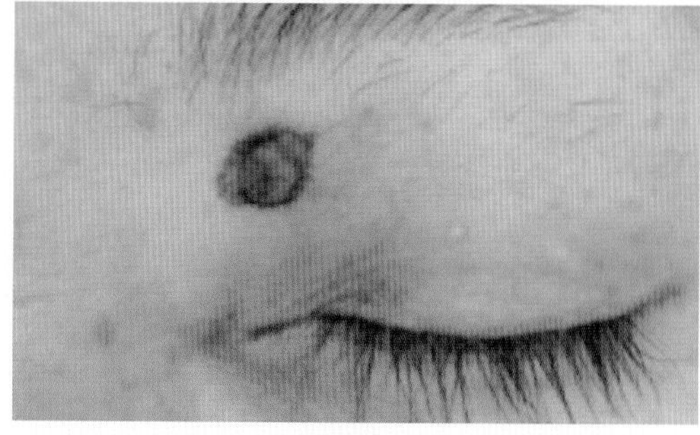

2 도려내어 절제

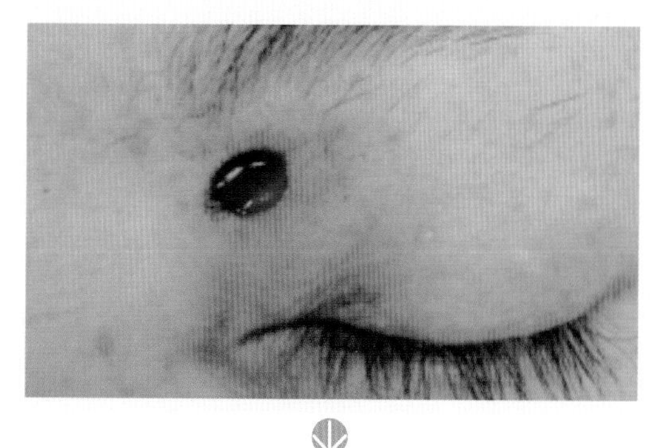

3 단순봉축하고 수술 종료

피하봉합 1바늘 후, 피부봉합.

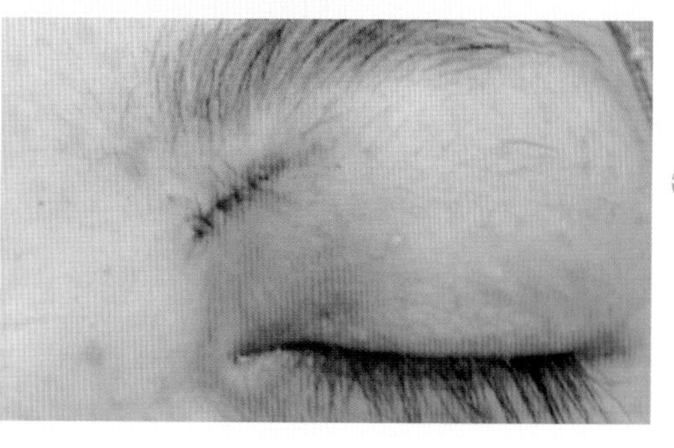

4 술후 1주째 발사 직후

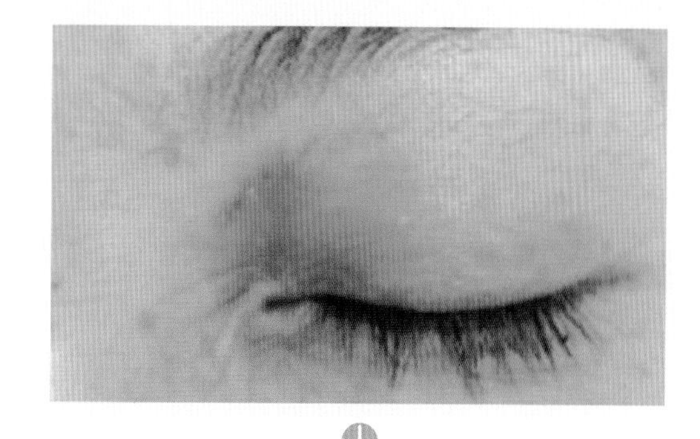

5 술후 3개월의 상태

dog ear 없이, 발적이 상당히 소실.

POINT

- 상안검부의 얇은 피부의 점은 방추형 절제가 원칙이지만, 눈썹 근처는 두께가 있는 피부이므로, 이 부위의 점은 타원형 절제로 한다. 평가 ★★★

5 상안검 외측의 점

난이도 ★

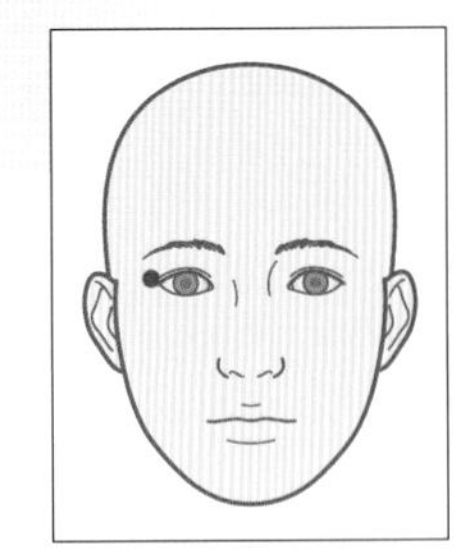

증례
- 47세 · 여성
- 외안각의 외측, 이른바 눈꼬리의 점(5×5 mm).

방침
- 방추형 절제법으로 한다.

수술 & 술후 경과

1 술전

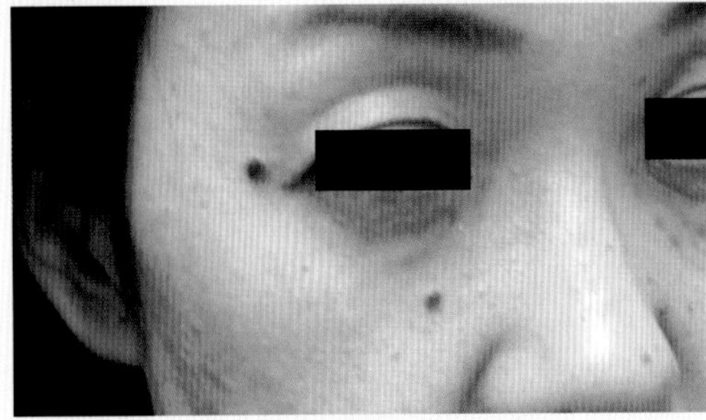

2 피부절개의 디자인
눈꼬리의 주름 방향과 일치하는 방향으로 방추형 절제의 디자인.

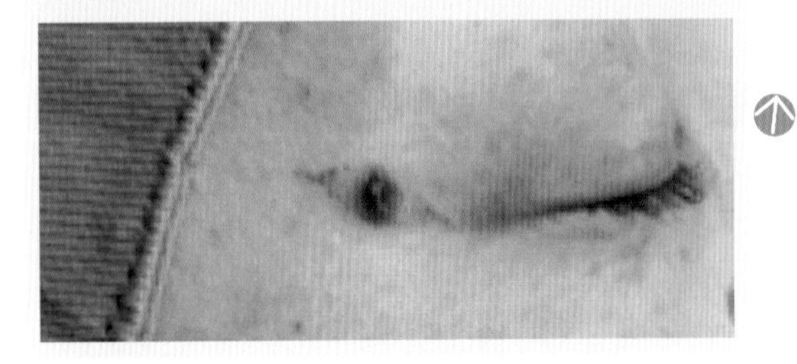

3 피부봉합 종료.
점의 절제→피하봉합→피부봉합.

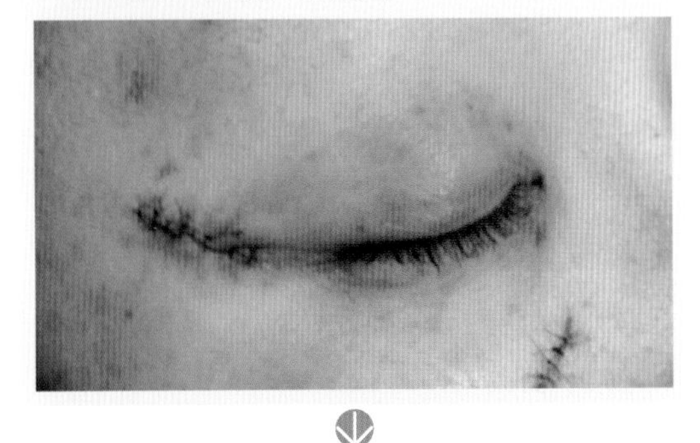

4 술후 **7개월째의 상태**
봉합선의 발적이 소실되고, 거의 눈에 띄지 않는 상태.

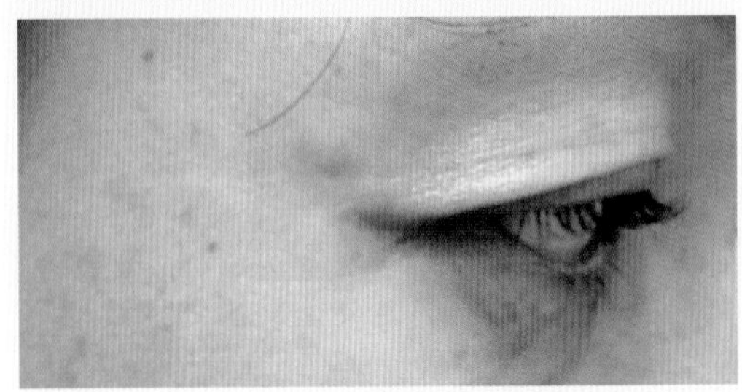

POINT

- ⊙ 눈꼬리부위는 기본대로 방추형 절제로 하는 부위이다.
- ⊙ 그 점의 위치의 미묘한 상하에 대해서 수평, 외측을 향해서 다소 상향, 또는 하향으로, 봉합선의 방향을 상하로 조정해야 한다.
- ⊙ 이 경우는 다소 위로 비스듬한 봉합선이 되었다.

6 하안검 외측의 점

난이도 ★

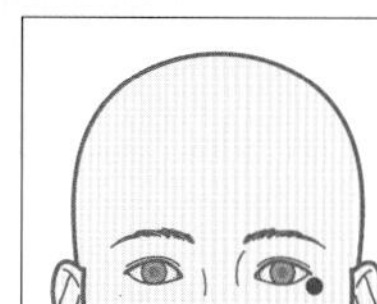

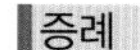

증례
- 56세 · 여성.
- 왼쪽 하안검 외측의 융기상의 점(6×6 mm).

방침
- 눈꼬리의 주름방향을 따라서, 다소 아래로 비스듬한 방추형 절제로 한다.

수술 & 술후 경과

1 술후
원형융기상의 점.

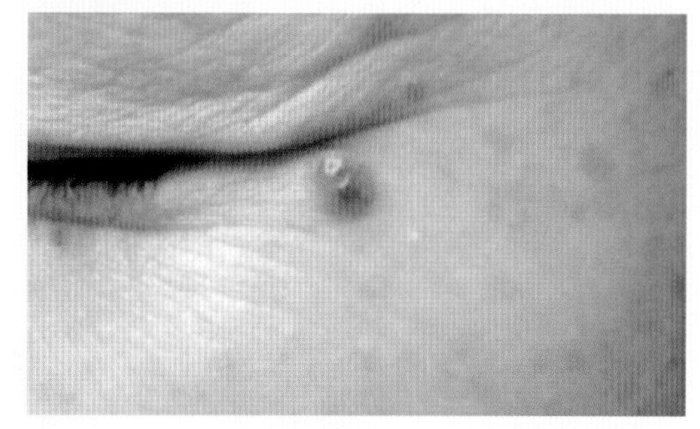

2 피부절개의 디자인

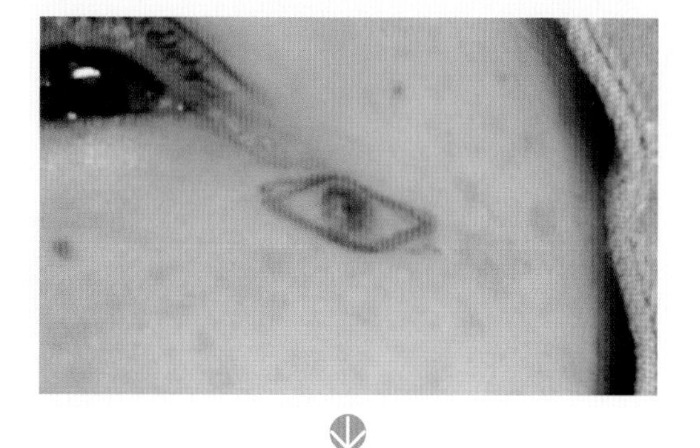

3 점의 절제
1바늘 피하봉합 후, 피부봉합.

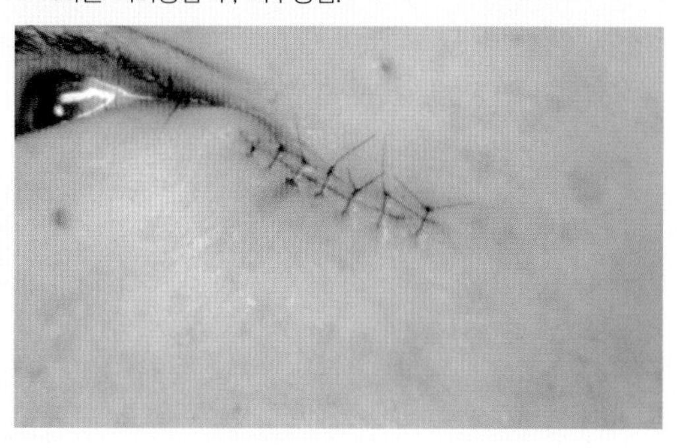

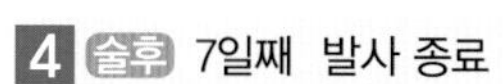

4 술후 7일째 발사 종료

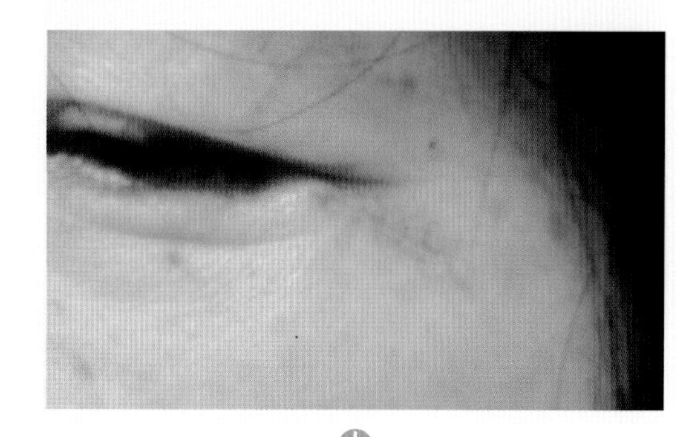

5 술후 1개월째의 상태

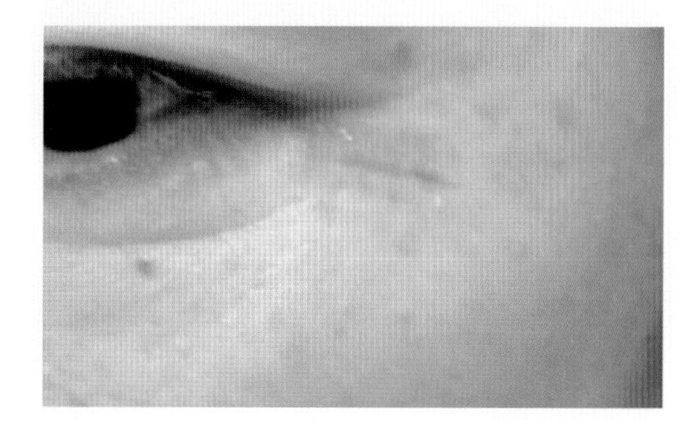

POINT
- 안와부의 점은 원칙적으로 방추형 절제.
- 눈꼬리의 봉합선 방향은 자연주름에 따르게 한다.
- 따라서 수평방향, 위로 비스듬한 방향, 아래로 비스듬한 방향 모두가 있을 수 있다.

평가 ★★★

◎ 안검

7 하안검연의 점①

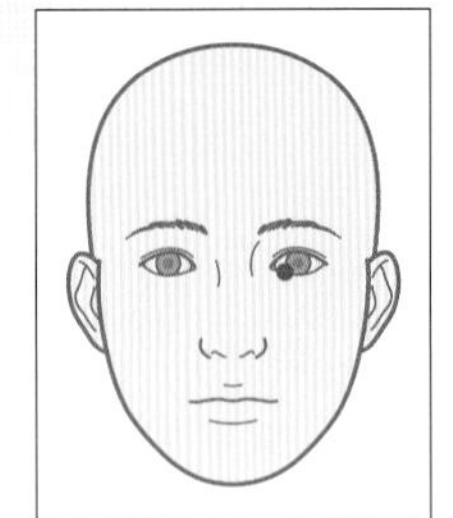

증례
- 40세 · 남성.
- 검연부의 점은 대부분이 융기상(3×6 mm).

방침
- 완전절제하거나 융기가 눈에 띄지 않는 곳까지 소작하는 것으로 끝낼 수 있는가를 생각한다.
- 2가지 방법의 장점, 결점을 확실히 설명한다.

「완전절제법의 장점: 재발할 염려가 없다.
결점: 수술의 어려움, 술후 반흔이 남는 점」
「소작법의 장점: 수기가 간단, 봉합하지 않아서 시술시간이 짧다.
결점: 재발하는 점. 5~10년 후에 재융기할 가능성이 있으며, 그 때에는 다시 소작한다」

수술 & 술후 경과

1 술전

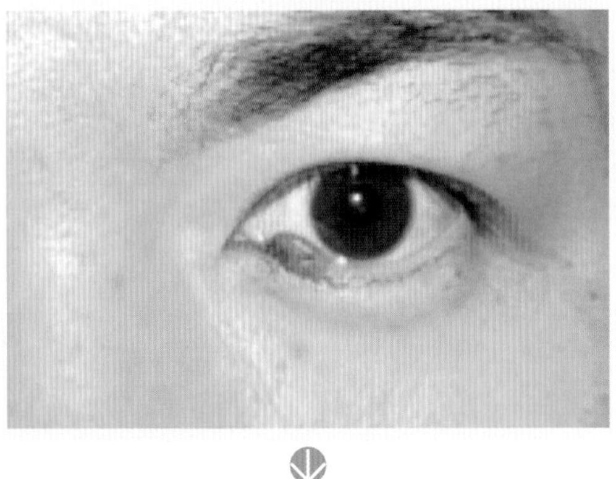

2 술후
수술은 국소마취하에 융기부위를 소작할 뿐. 표면은 검은 소작가피가 남지만, 1주만에 벗겨져서 떨어진다.

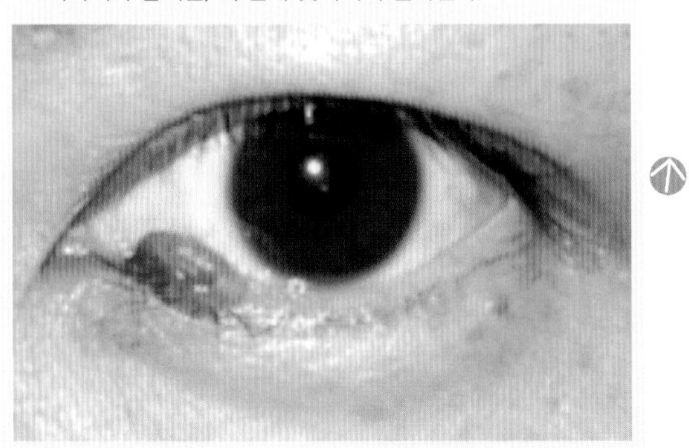

3 술후 1개월째의 상태
점의 융기가 없어져서, 전혀 보이지 않게 되었다.

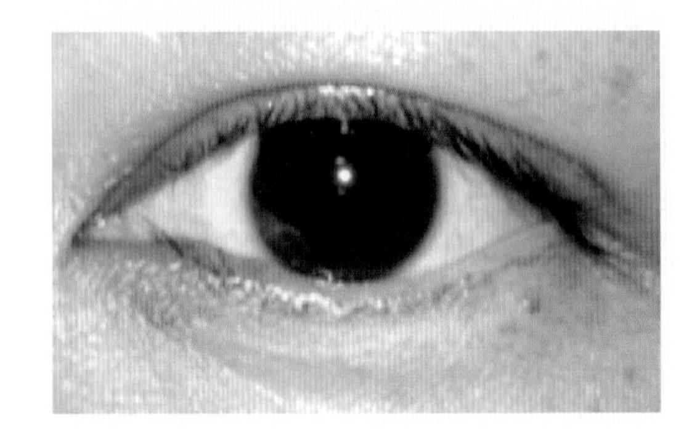

POINT
- ⊙ 검연의 점은 소작하는 것만으로 눈에 띄지 않게 된다.
- ⊙「재발한 경우에는 또 같은 방법으로 태우면 된다」라고 생각하는 사람에게 적당한 시술방법이다(재발속도는 개인차가 있지만, 완만한 경우가 많다).
- ★ 미용적인면을 중시하는 필자는 이 방법을 적극적으로 추천하고 있다.

8 하안검연의 점②

난이도 ★★

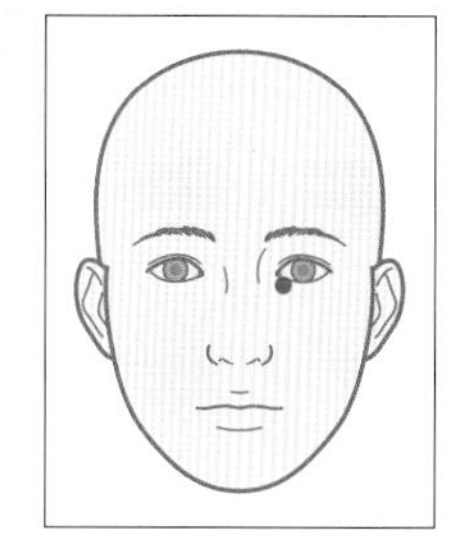

증례
- 77세 · 여성.
- 왼쪽 하안검연의 융기상 점 (3×5mm).

방침
- 절제보다 소작법으로 하기로 하였다.

수술 & 술후 경과

1 술전 (개안)

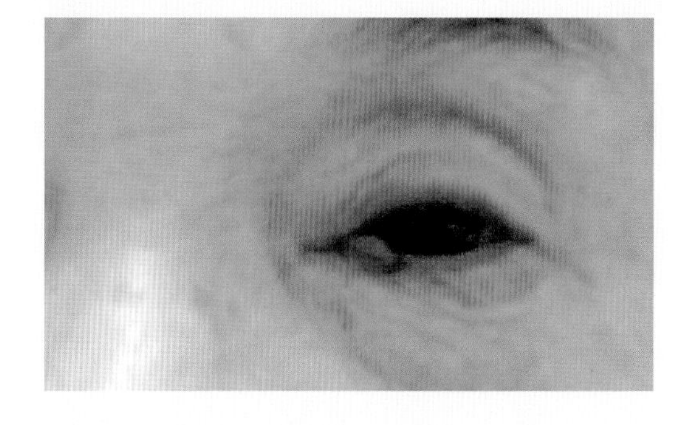

(폐안)
폐안시에는 상안검에 닿을 정도로 커져 있었다.

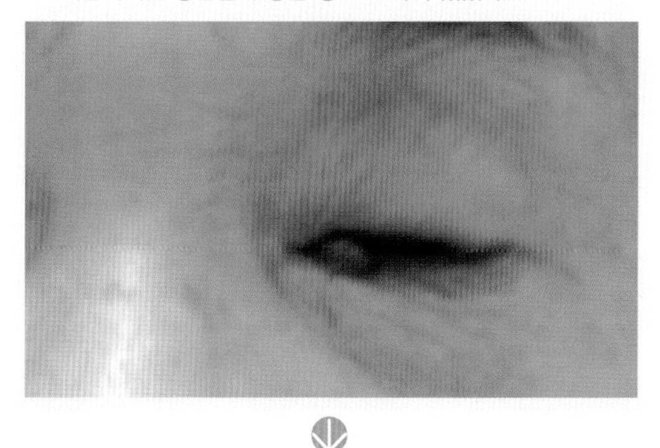

2 소작

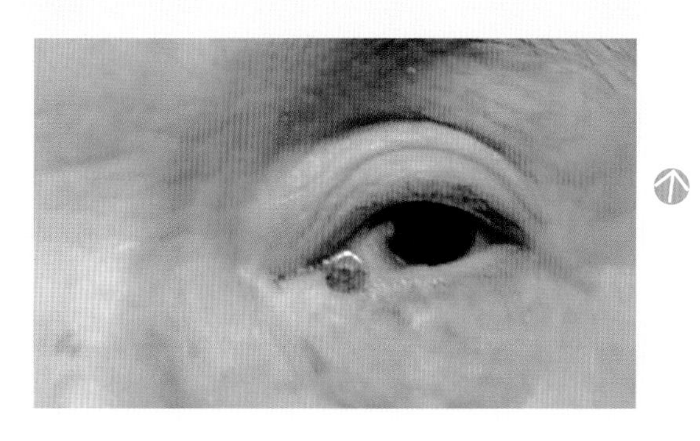

3 소작수술 종료
검게 태워져 있다.

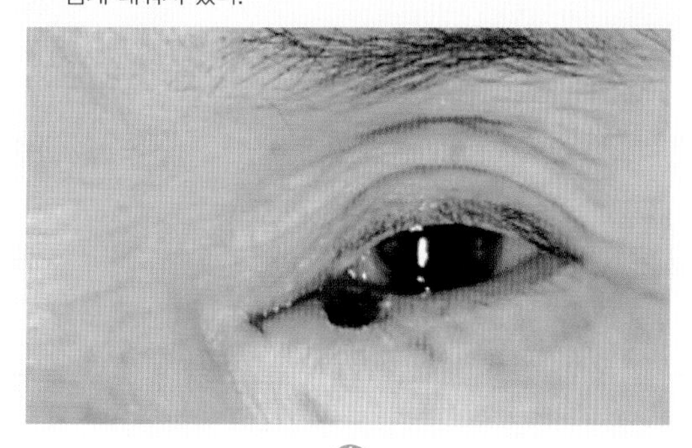

4 술후 1개월째의 상태
융기가 소실되어 있다.

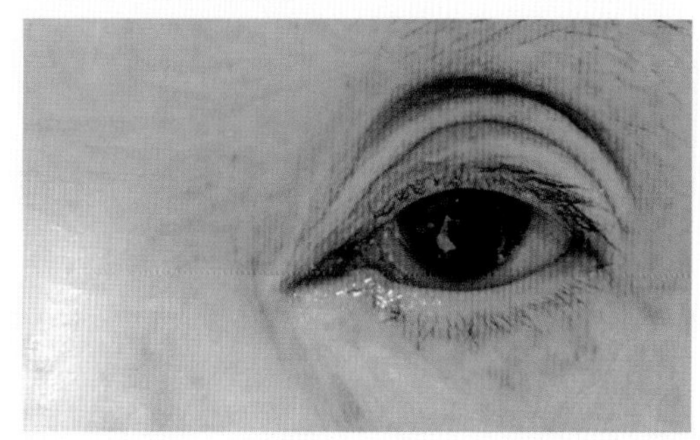

POINT
- 검연의 점은 미용적으로 완전절제를 목표로 하기보다, 소작법만으로 하는 편이 덜 침습적이고 술후 회복시 불쾌감이 적다는 점에서 더 낫다고 할 수 있다.

단, 재발할 가능성이 크다는 점은 미리 설명해 둔다.

평가 ★★★

9 하안검연의 점③

난이도 ★★

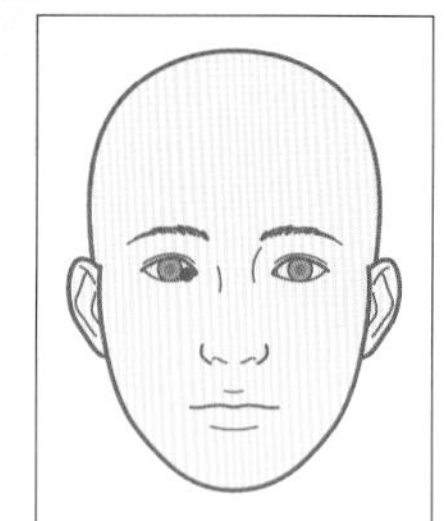

증례
- 38세 · 여성.
- 하안검연의 점 (3×5mm).
- 최근 들어 눈물이 나고, 시야에 들어올 정도의 크기가 되어서, 처리할 결심을 하였다.

방침
- 소작법.

수술 & 술후 경과

1 술전

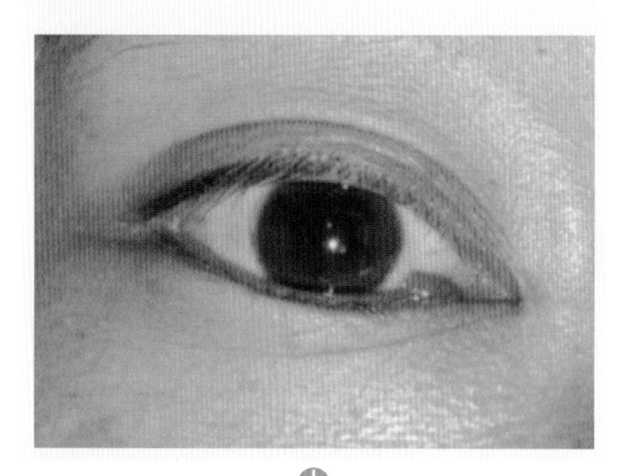

2 하안검을 뒤집은 상태

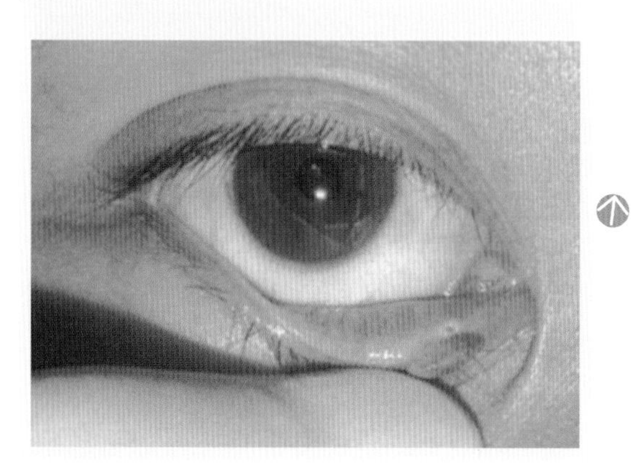

3 소작처리
마취하에 파크렌소작기로 소작을 종료.

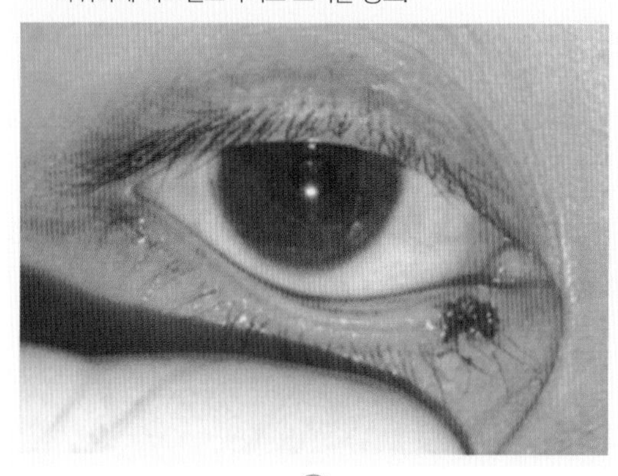

4 술후
약 1주만에 상피화가 완료되었다.

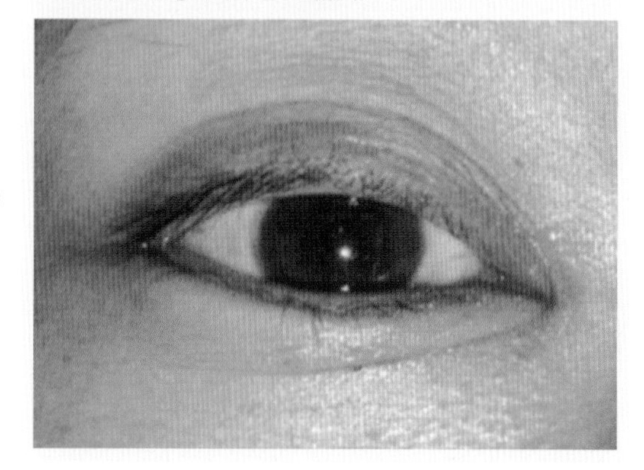

POINT
- 검연의 점이 융기되어 커져서 눈물을 흘리게 되거나, 시야를 막게 되었을 때는 소작법으로 하지만 재발 가능성에 관해서는 반드시 양해를 구해 두어야 한다.
- 완전절제를 목표로 한다면 쐐기상 절제법으로 하지만, 최근에는 거의 하지 않는다.

평가 ★★

10 하안검부의 점①

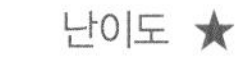
난이도 ★

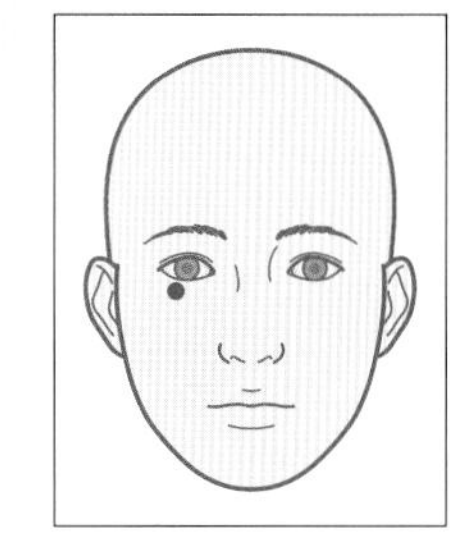

증례
- 41세 · 여성
- 하안검부의 융기상의 점 (6×7mm).

방침
- 방추형 절제봉축.
- 타원형 절제는 이 부위에서는 dog ear를 만들게 되므로 삼간다.

수술 & 술후 경과

1 술전

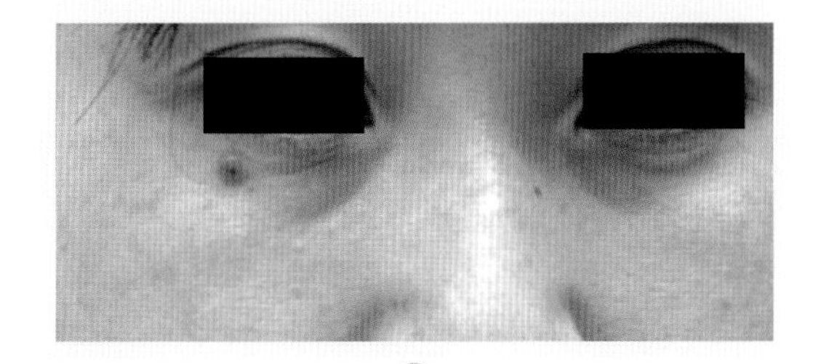

2 피부절개의 디자인
방추형 절제의 디자인으로 한다.

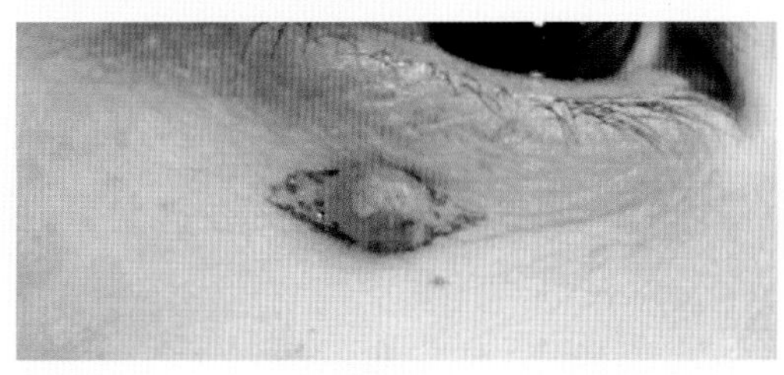

3 피부봉합 종료
피하봉합 6-0 나일론 1바늘 후, 피부봉합.

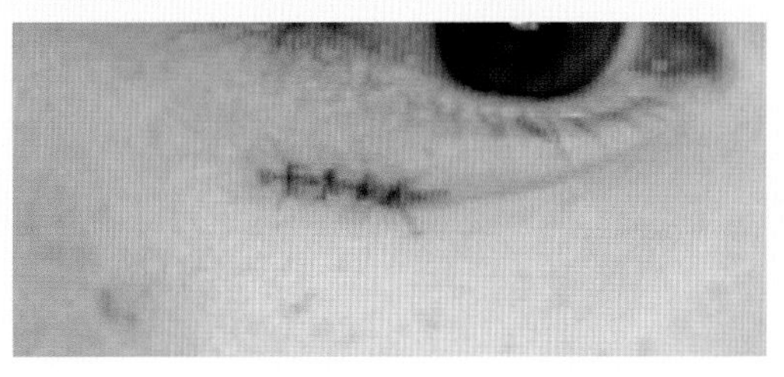

4 술후 발사 직전의 상태
술후 1주째.

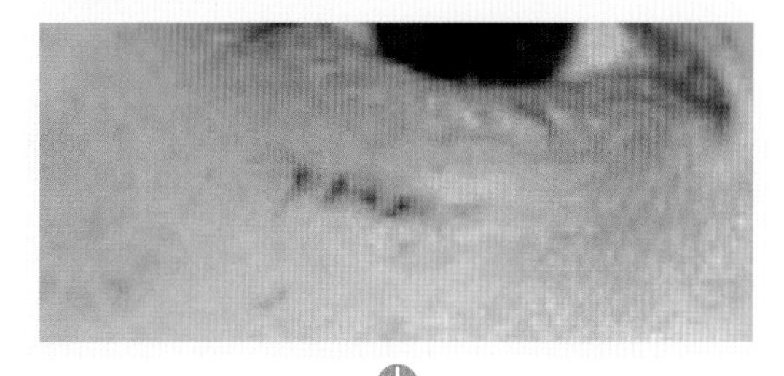

5 술후 1개월째의 상태
아직 반흔의 발적이 눈에 띈다.

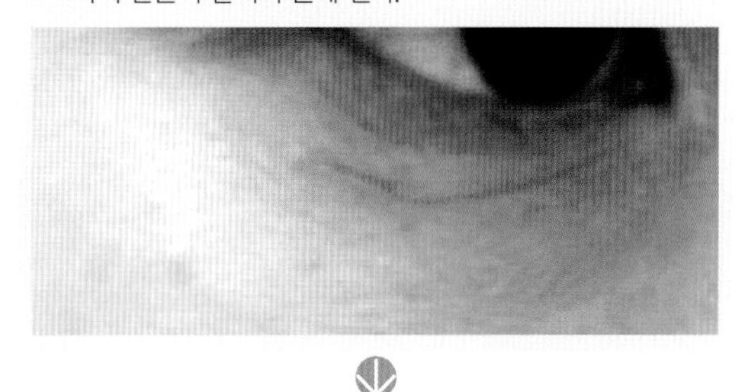

6 술후 3개월째의 상태
발적이 거의 소실.

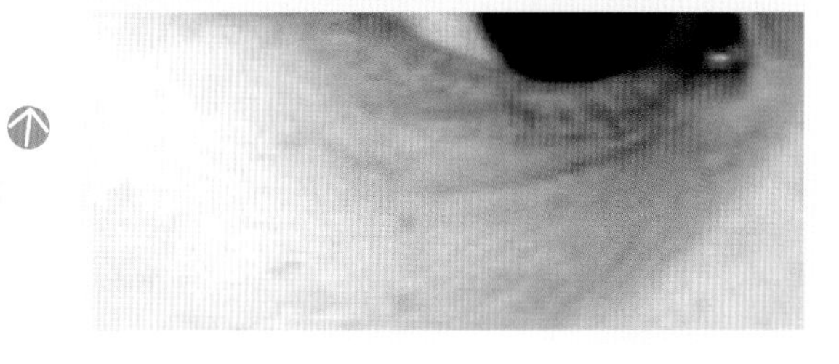

POINT
⊙ 안검과 같이 피부가 부드럽고 얇은 부위는 봉합반흔이 길어져도 방추형 절제가 타당하다.
평가 ★★★★

11 하안검부의 점②

난이도 ★

증례
- 50세 · 남성.
- 하안검의 융기상의 점 (7×10mm).

방침
- 방추형 절제, 단순봉축.

수술 & 술후 경과

1 술전 피부절개의 디자인

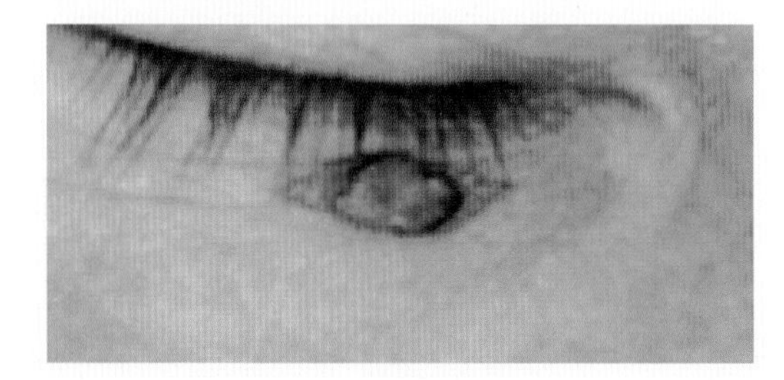

2 절제→피하봉합 (2바늘) →피부봉합
수술종료시의 상태.

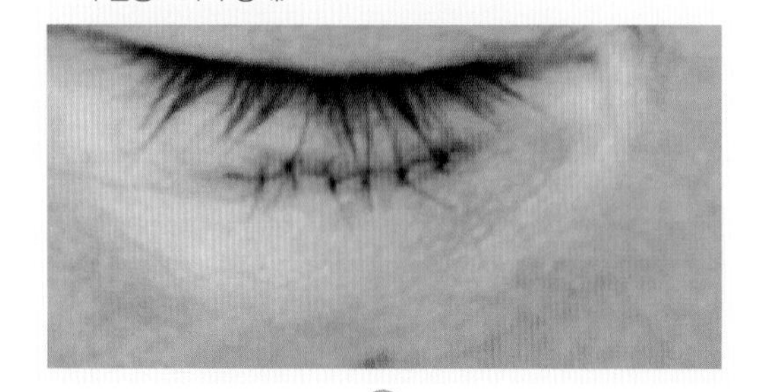

3 술후 1일째의 상태

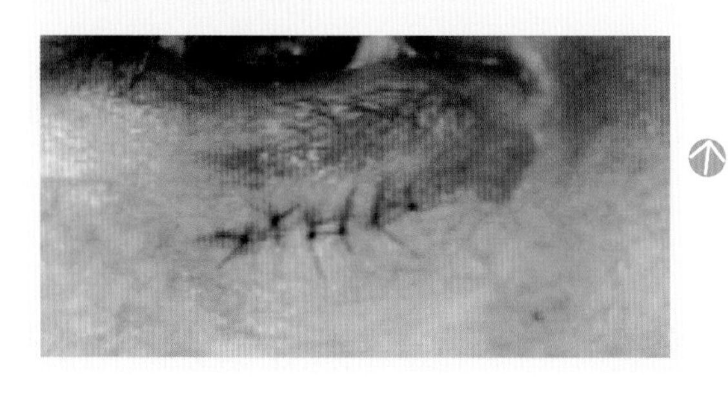

4 술후 1주째 발사 종료시의 상태

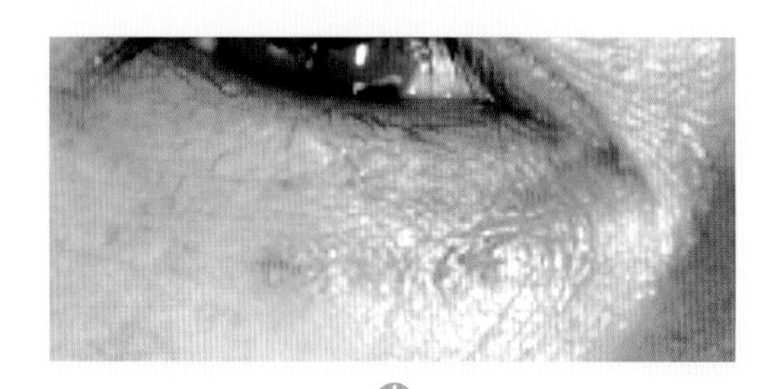

5 술후 1.5개월째의 상태
반흔의 발적은 소실되고 있다.

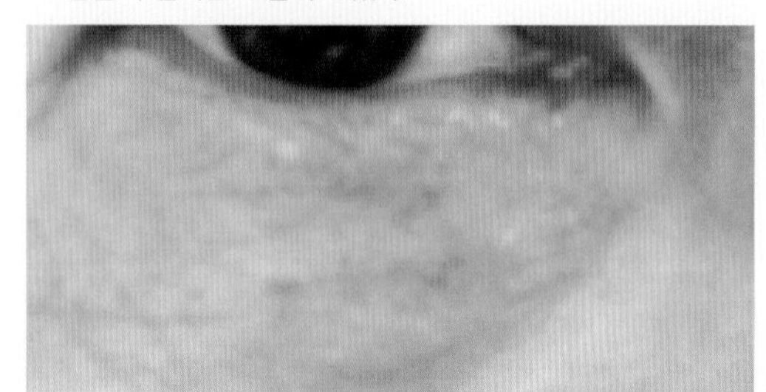

POINT
- 하안검의 점 절제에서는 형태대로 방추형 절제술.

평가 ★★★

12 하안검부의 점③

난이도 ★

증례
- 35세 · 여성
- 왼쪽 하안검의 융기상의 점 (6×8mm).

방침
- 방추형 절제.
- 외측 근처의 위치이다.
- 다소 아래 방향의 봉합선이 되도록 디자인.

수술 & 술후 경과

1 술전 피부절개의 디자인

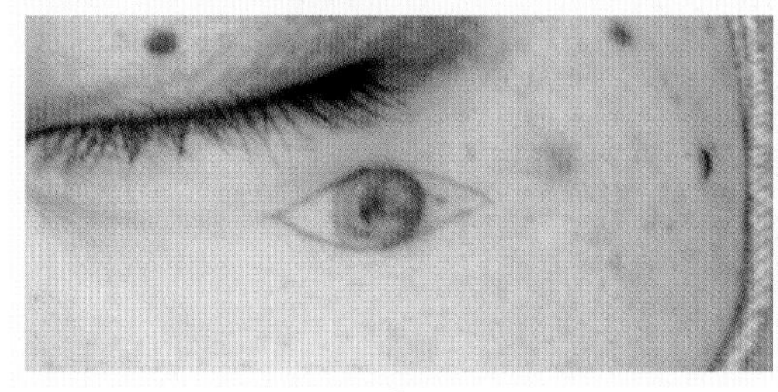

2 수술종료

절제→2바늘 피하봉합 (6-0)→피부봉합 (7-0 나일론).

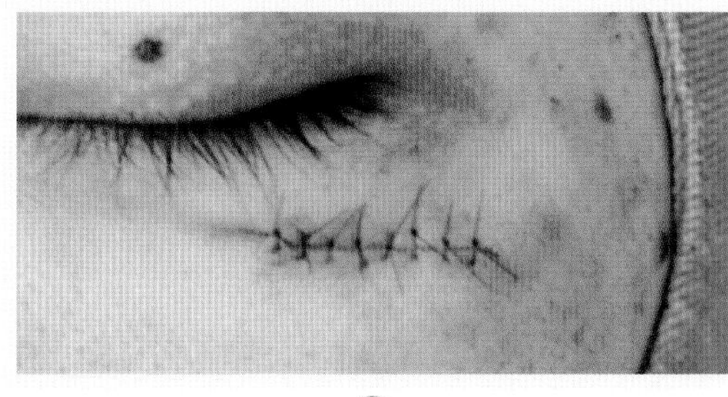

3 술후 1개월째의 상태

dog ear는 없다.

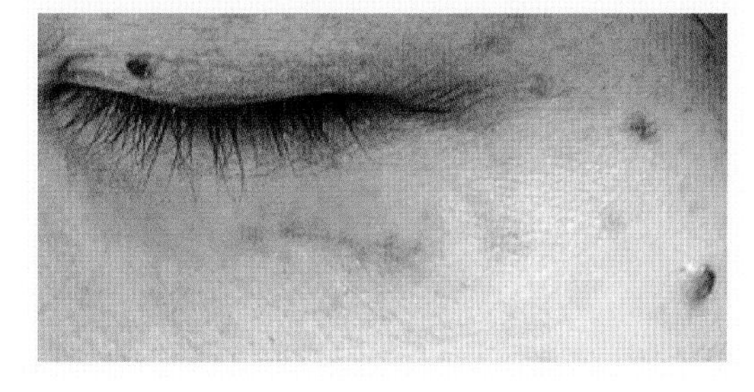

POINT
- 안검부는 방추형 절제봉축이 확실.
- 봉합선의 방향은 가능한 자연주름의 방향에 일치시킨다.
- 큰 점 (10mm이상) 인 경우는 피판 형성을 고려한다.

평가 ★★★

13 하안검부의 점④

난이도 ★★★

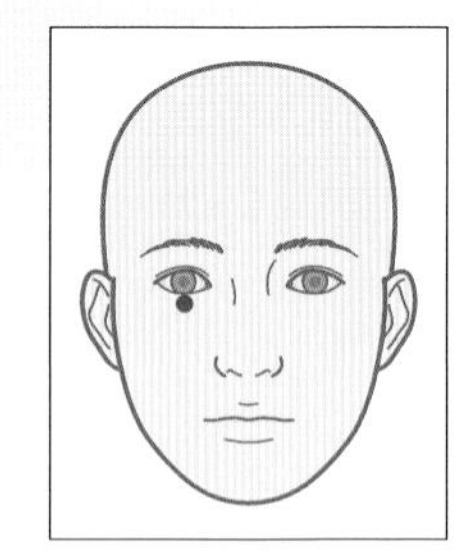

증례
- 67세 · 여성.
- 하안검의 융기상 점 (7×7mm) 으로 속눈썹과 인접해 있다.

방침
- 상하방향의 단순한 절제봉합으로는 토끼눈이 생길 가능성이 있다.
- V-Y피판법이 안전.

수술 & 술후 경과

1 술전

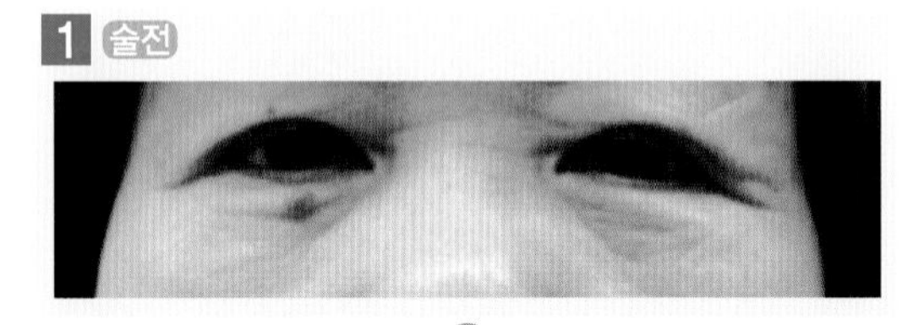

2 피부절개의 디자인과 점의 윤곽

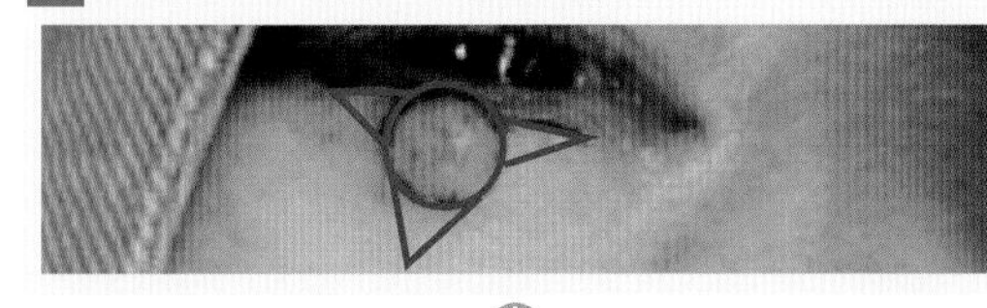

3 점을 도려내어 절제

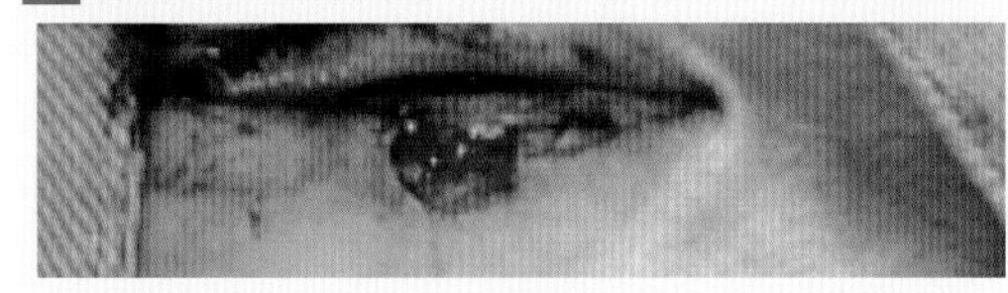

4 V-Y피판법의 디자인

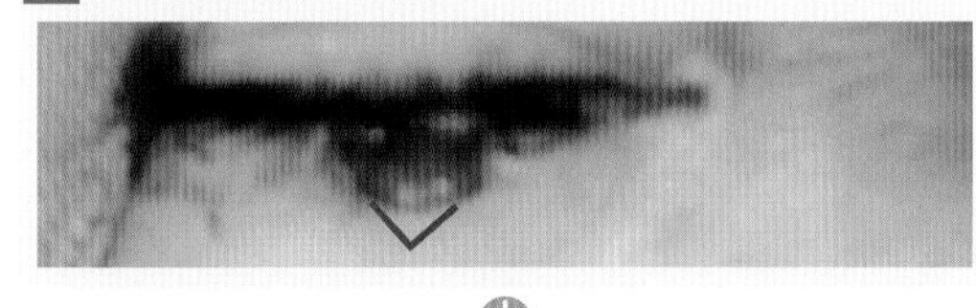

5 V-Y피판의 이동

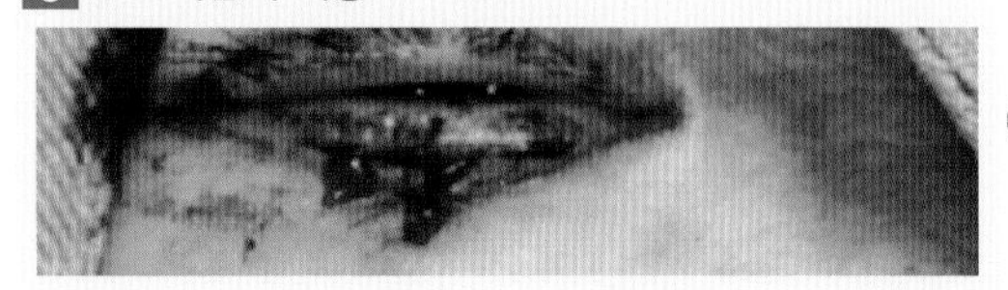

6 봉합 종료

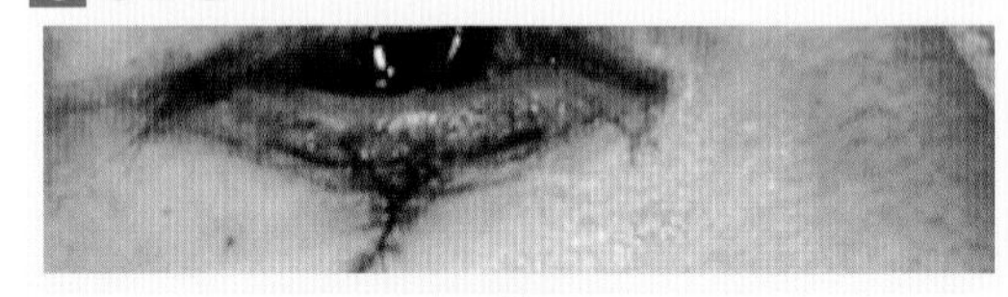

7 술후 1일째의 상태

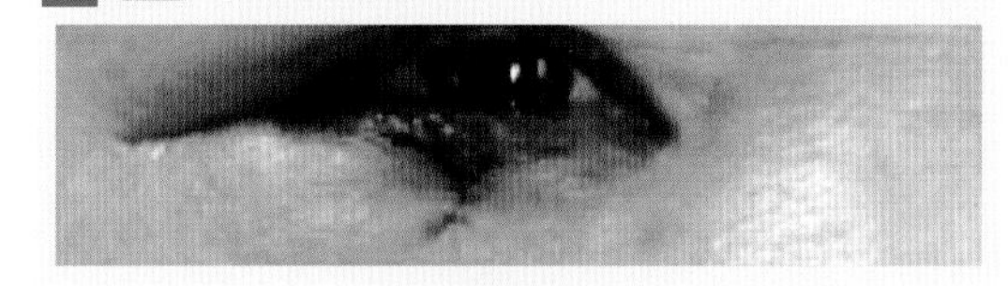

8 술후 3주째의 상태

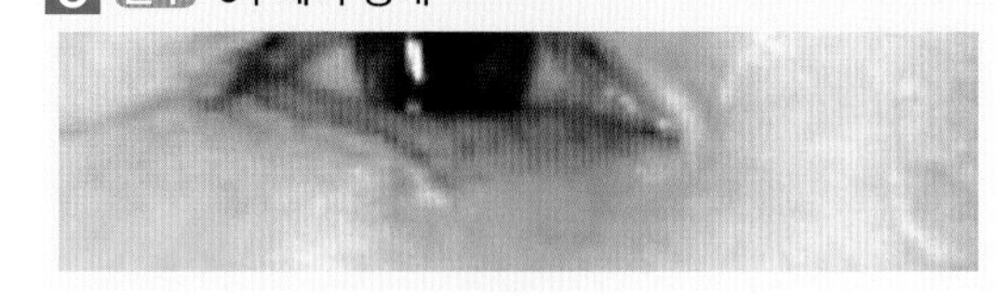

9 술후 1개월째의 상태

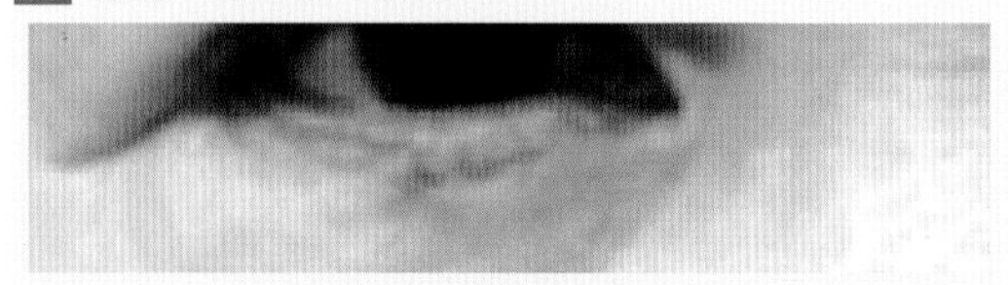

10 술후 6개월째의 상태
반흔의 발적이 소실되어 거의 눈에 띄지 않는다.

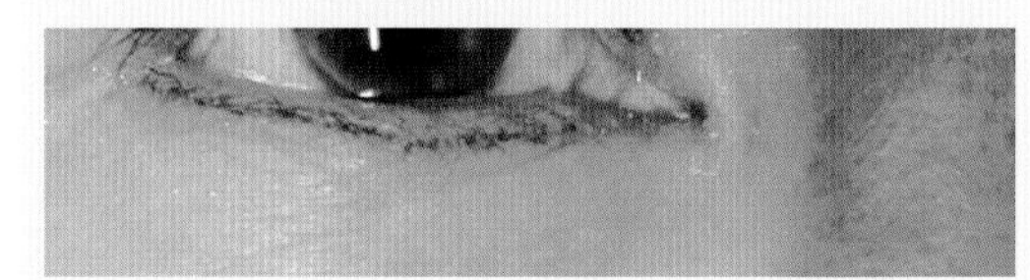

POINT
⊙ 하안검의 큰 점인 경우는 V-Y피판법으로 창상을 닫게 된다. 반흔은 최종적으로는 그다지 문제가 되지 않는다.
평가 ★★★

14 하안검부의 점⑤

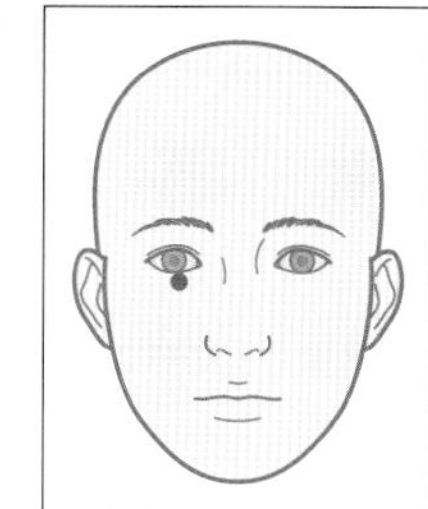

증례
- 59세 · 여성.
- 오른쪽 하안검부의 상당히 큰 점 (8×11mm).

방침
- 단순봉합으로는 무리라고 생각되어 피판성형술로 한다.

수술 & 술후 경과

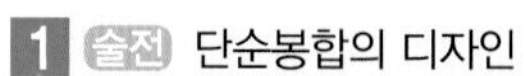

1 술전 단순봉합의 디자인
단순봉합을 하면 토끼눈(안검외반)의 위험성이 있어서 방침 변경.

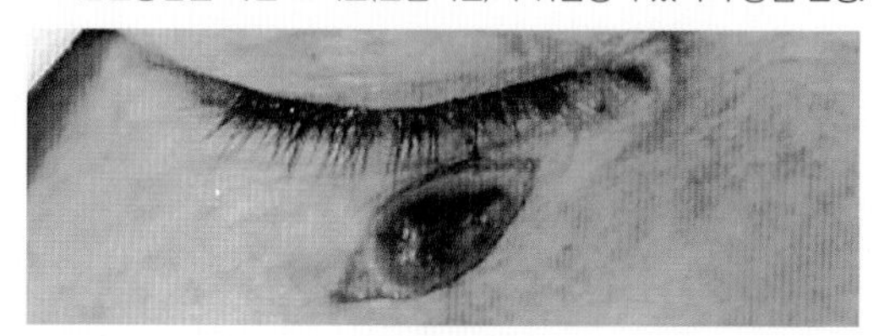

2 피판법의 디자인 (V-Y전진피판법)

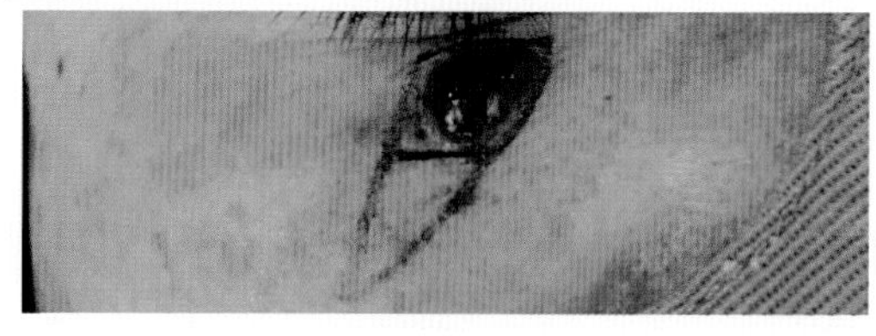

3 점의 절제

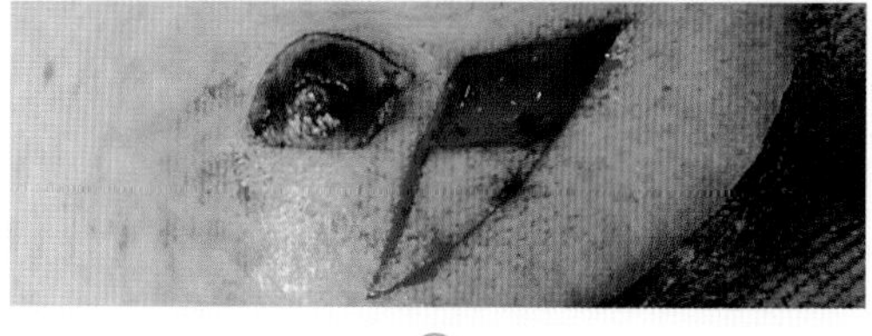

4 피판을 세워서 이동할 수 있는 것을 확인

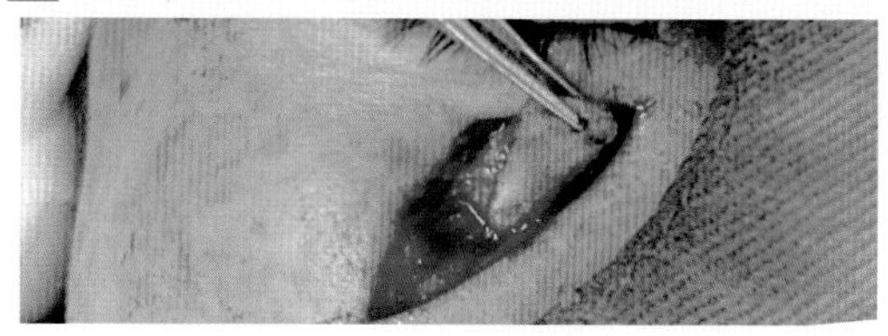

5 피하경피판의 이동
피하봉합만으로 이동할 수 있는 것을 확인한다.

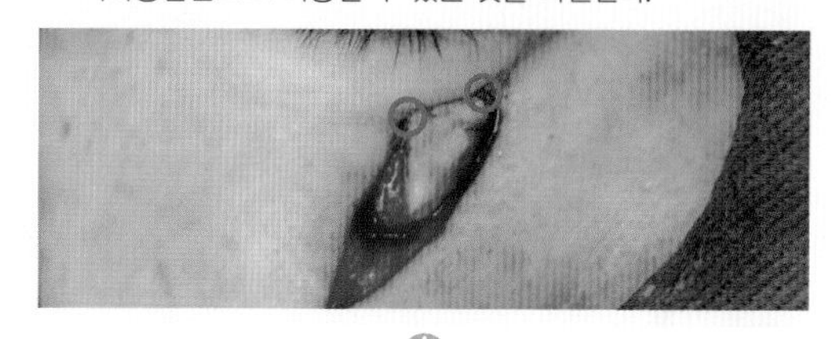

6 4바늘 피하봉합한 상태

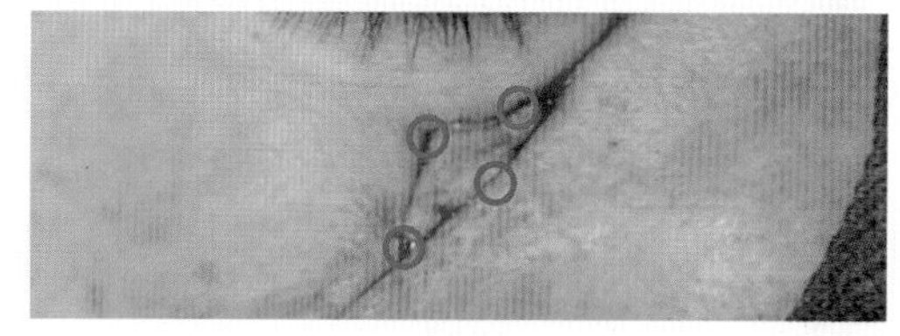

7 피부봉합 종료 (폐안상태)

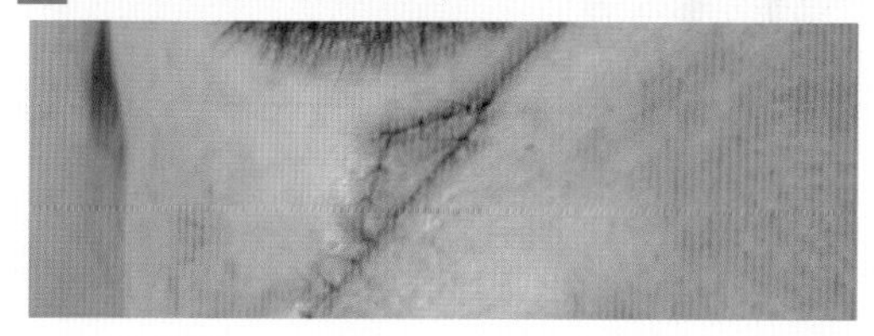

(개안상태)

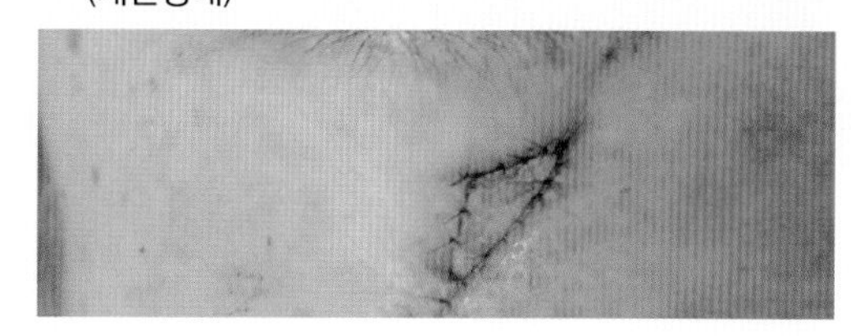

- V-Y피판법도 디자인이 중요하다. 이 부위에서는 수직하방이 아니라 외측하방으로 뻗는 V자를 디자인한다.
- 피하경피판의 줄기는 안륜근을 이용한다.

15 하안검부의 점⑥

난이도 ★★★

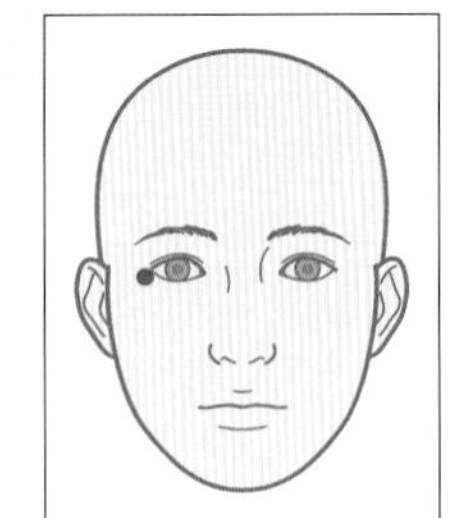

 20세 · 여성.

증례
- 20세 · 여성.
- 하안검 외측부의 점 (10×8mm). 눈꼬리의 큰 점.

방침
- 연령이 젊어서 단순봉합으로는 옥죄이는 느낌이 너무 강하다고 판단하여, 피하경 피판 (V-Y피판법) 으로 처리하기로 했다.

수술 & 술후 경과

1 술전

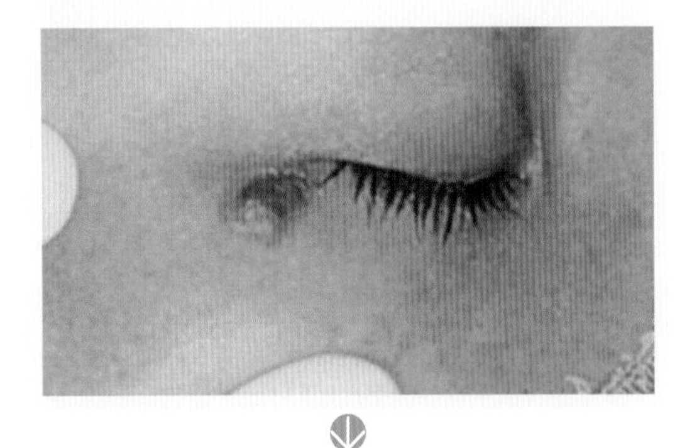

2 피부절개의 디자인
V-Y피판법.

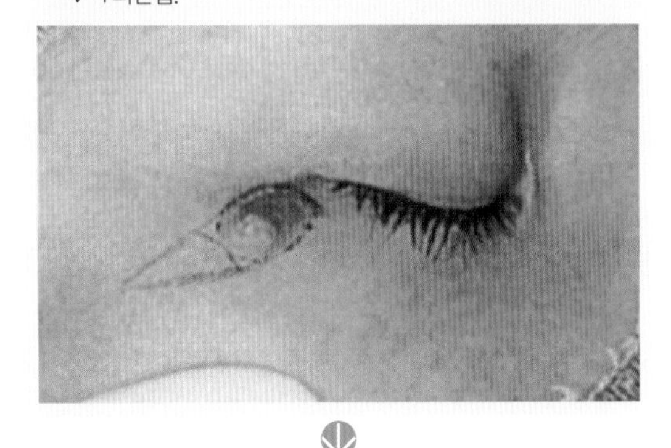

3 피부봉합 종료
피하봉합 4바늘→피부봉합.

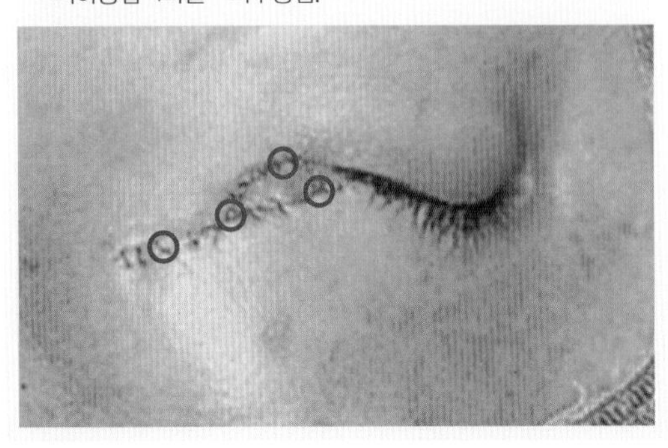

POINT
- 피부결손을 복원하는 피부의 면적으로는 조금 작지만, 이것으로 구축을 일으키지 않고 충분히 결손부가 피복되어 있다.
- 피판성형술을 디자인하는 경우, 실제 점의 크기보다 작은 듯한 피판의 면적으로 해도 된다.

평가 ★★★

16 하안검부의 점⑦

난이도 ★★★

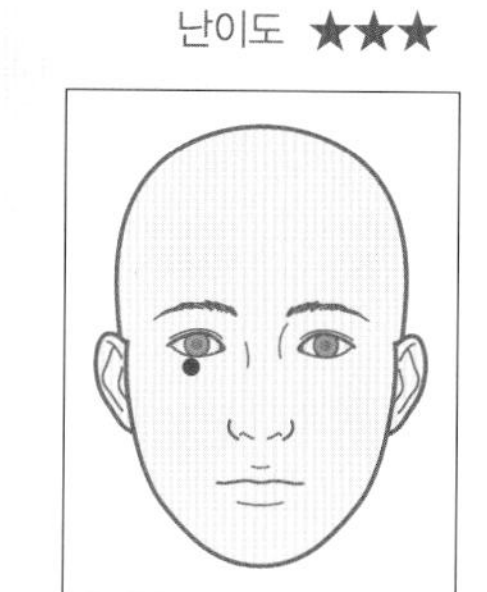

증례
- 23세 · 여성.
- 하안검 피부에 생긴 상당히 큰 점 (8×8mm).

방침
- 단순한 방추형 절제에서는 폐검장애가 일어날 가능성이 크므로, 좌우의 버려도 되는 피부를 피하경 유경피판으로 중앙부위로 바싹 당겨서 이용하기로 하였다.

수술 & 술후 경과

1 술전

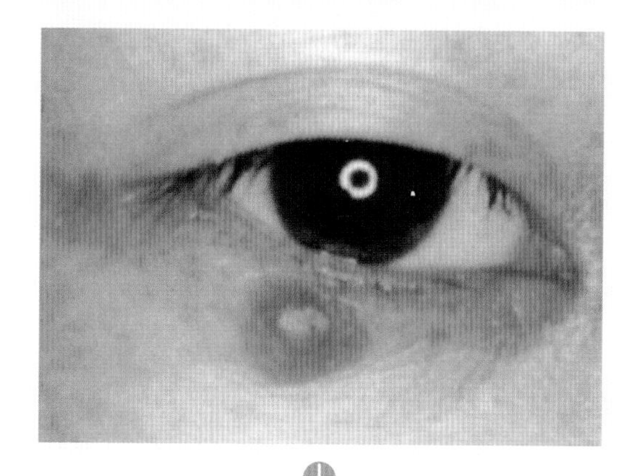

2 피부절개의 디자인

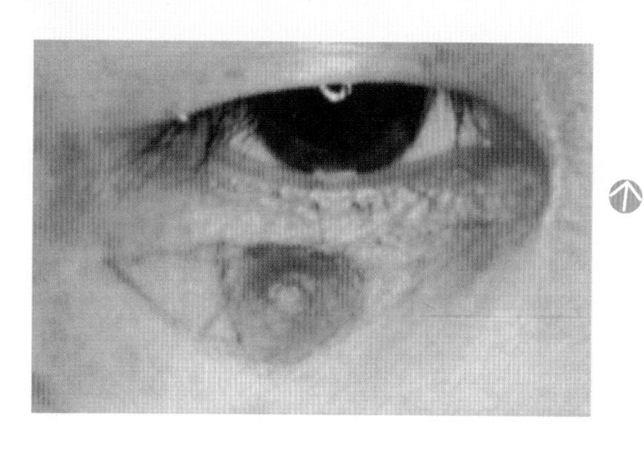

3 피부봉합 종료
안륜근이 피하경의 일부가 되어 있다.

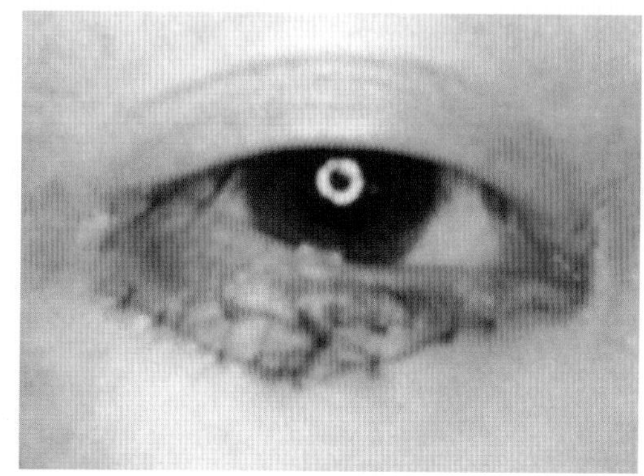

4 술후 1개월째의 상태
피판이 완전히 생착되었다.

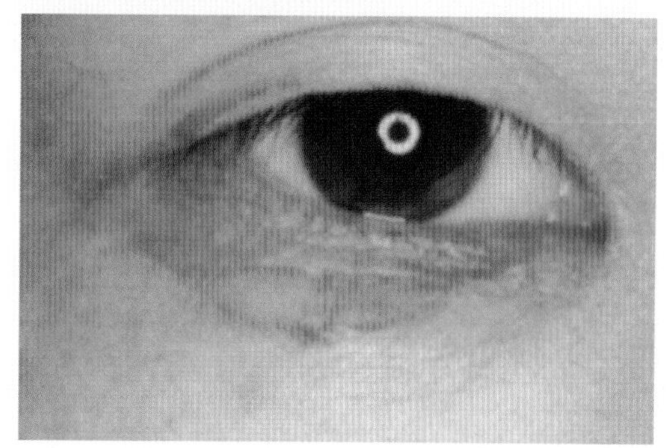

POINT
- 이 크기의 점을 단순히 방추형 절제로 봉축하면 토끼눈이 형성되므로 피판성형술을 생각했다.
- 하안검 중앙부여서, 양측에서의 피판이 최적이라고 생각하여 double V-Y피판법으로 하였다.

평가 ★★★

17 관자놀이 부위의 점

난이도 ★

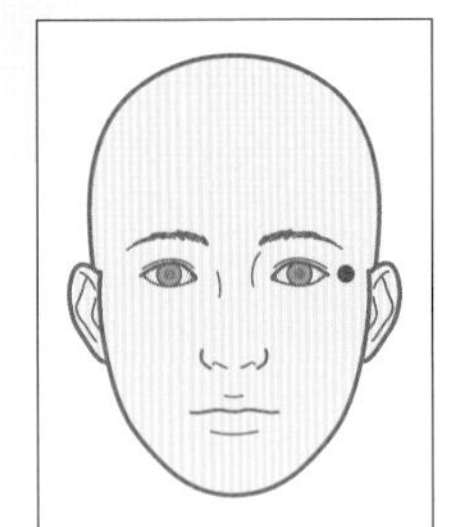

증례
- 82세 · 남성.
- 관자놀이 부위의 융기상의 점 (7×7mm).
- 기왕력이나 외관상으로 악성일 가능성이 높다.

방침 변연에서 5mm는 떨어져서 크게 절제하고 봉축하는 방침.

수술 & 술후 경과

1 술전

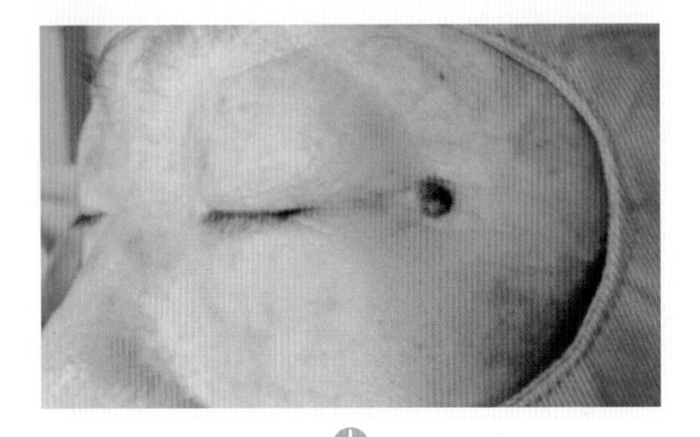

2 피부절개의 디자인
악성화를 예측하여 광범위하게 절제한다.

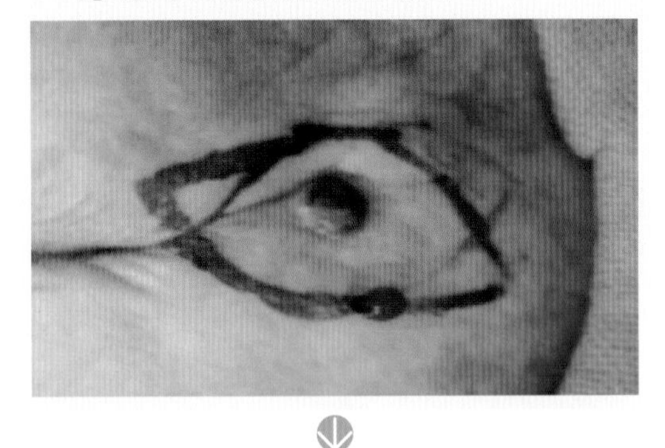

3 봉합 종료

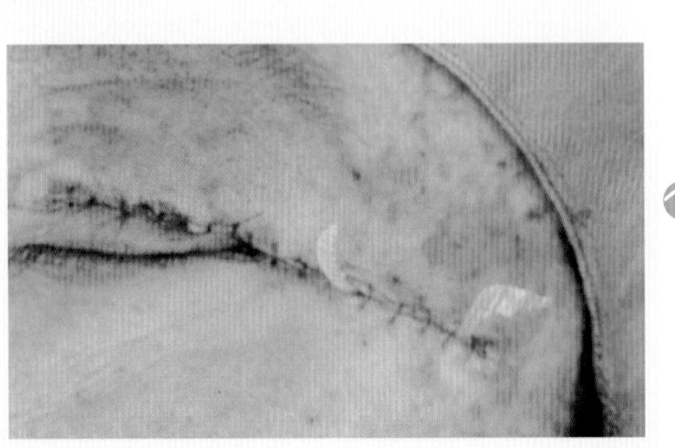

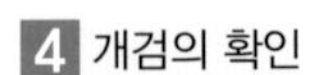

4 개검의 확인

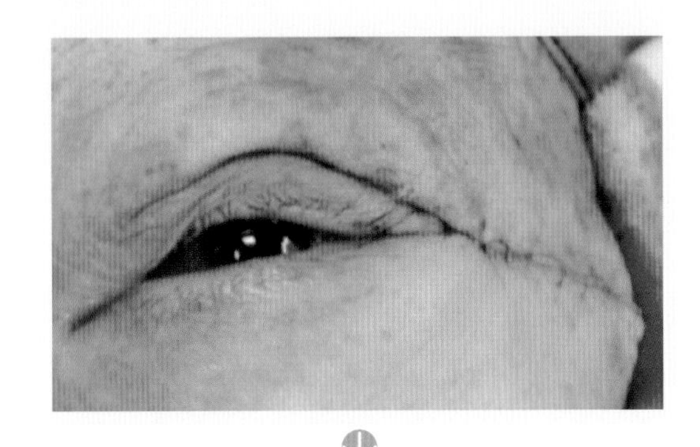

5 술후 10일째 발사 종료

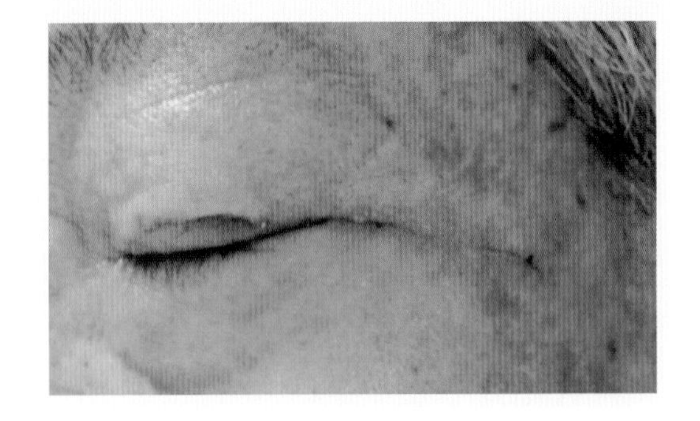

POINT
- 외관의 색조 (검정) 주위의 발적, 기왕력에서 생각하여, 악성화의 가능성이 높아서 광범위하게 절제.
- 병리의 결과는 기저세포암이었지만 완전히 제거되었다. 평가 ★★★

③ 협부의 점

Key Points

❶ 협부의 점의 절제는 방추형 절제법 또는 피부가 두꺼운 부위는 타원형 절제법으로 한다.

❷ 협부의 직선이 아닌 자연스러운 커브의 피부선에 구애받는 경우는 아래쪽이 되는 한쪽만 피하박리한다.

❸ 특히 협골의 최돌출부위의 점의 절제는 dog ear를 형성하기 쉬우므로, 가능한 눈에 띄지 않을 정도로 끝내도록 주의한다.

❹ 협골부의 점은 인상학적으로 좋은 점이 많으므로, 그대로 둘 것을 추천하기도 한다.

❺ 정면에서 본 안면의 윤곽선상에 있는 비교적 큰 점을 절제하는 경우는, 윤곽선을 횡단하는 봉합선이 되도록 절제한다(자연주름을 따라서 세로방향의 봉합선으로 하면 윤곽선에 홈이 생긴다).

❻ 협부의 점 중에서 하안검에 가까운 큰 점의 절제인 경우는 피판성형술을 이용하여, 하안검의 변형을 예방해야 한다.

1 협부의 점①

난이도 ★

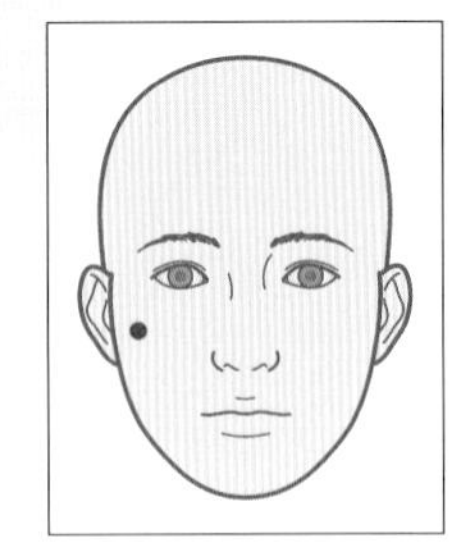

증례
- 48세 · 여성.
- 협부의 융기상의 점 (10×10mm).

방침
- 피판법으로는 봉합선 반흔이 길어지므로 하지 않는다.
- 기본대로 방추형 절제로 한다.

수술 & 술후 결과

1 술전

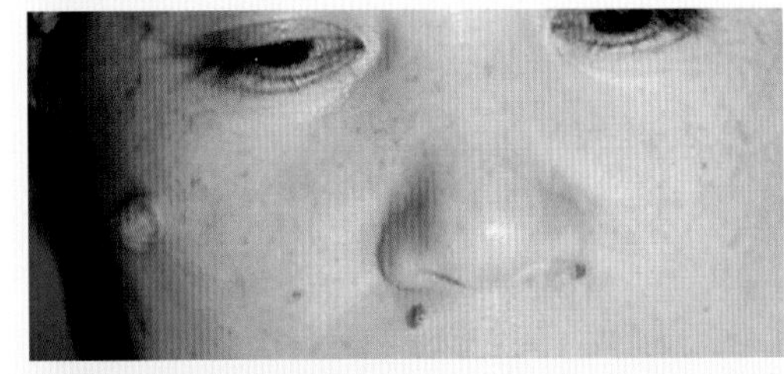

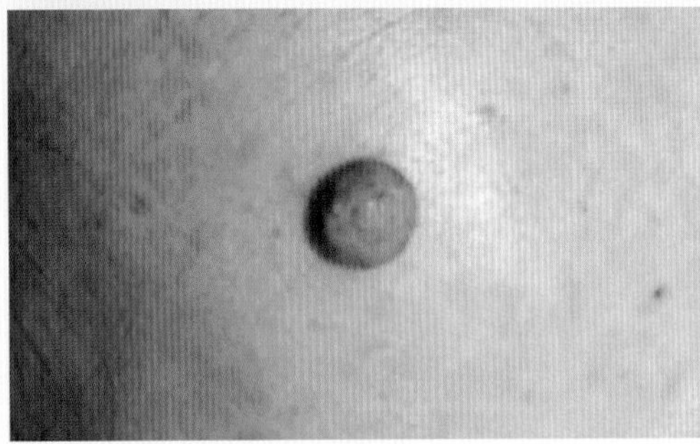

2 피부절개의 디자인
점선은 피하박리.

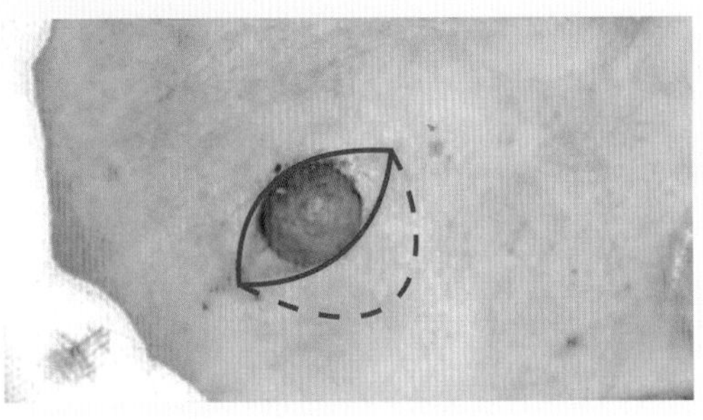

3 피부봉합 종료
피하박리는 아래쪽만 한다.

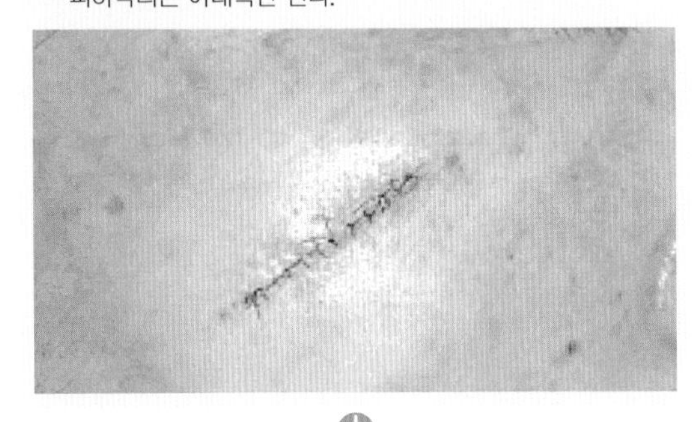

4 술후 술후 2개월째의 상태
반흔이 조금 커버되고 있다.

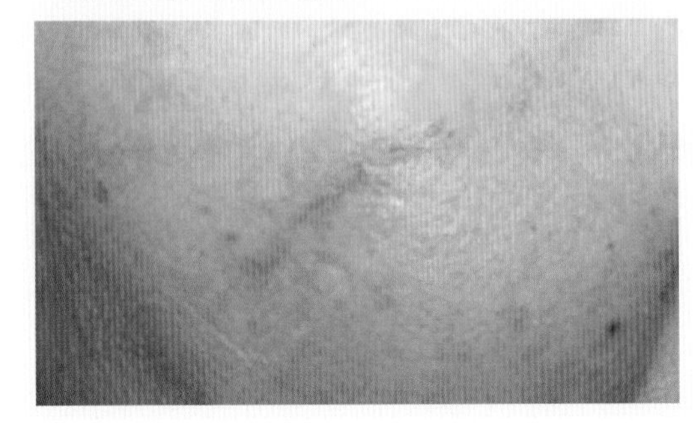

POINT
- 타원형 절제에서는 dog ear가 눈에 띌 가능성이 높으므로, 방추형 절제가 타당하다.
- 피하박리를 한쪽에만 하여, 직후에는 모르더라도 2개월 후에는 미묘하게 위쪽이 볼록한 활모양의 둥근 선상 반흔이 되어 있다.

평가 ★★★☆

2 협부의 점②

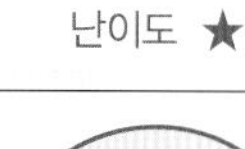
난이도 ★

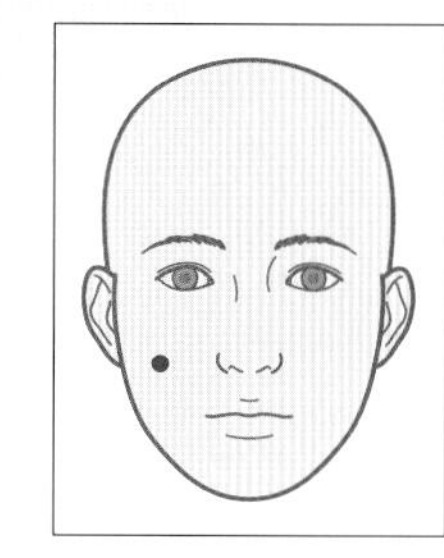

증례
- 49세 · 여성.
- 뺨의 중앙부의 점 (9×9mm).

방침
- 방추형 절제.

수술 & 술후 경과

1 술전

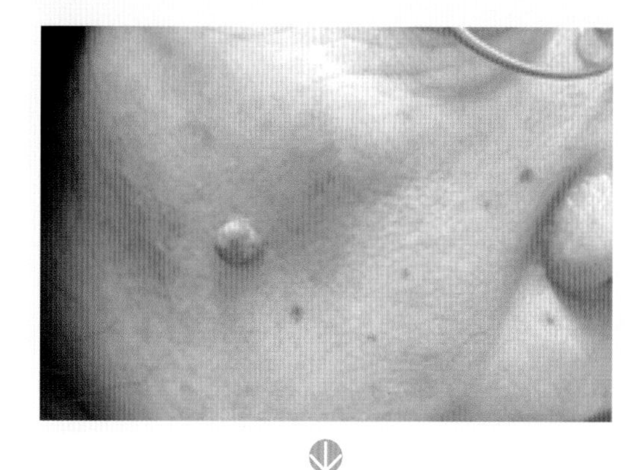

2 피부절개의 디자인
화살표는 아래쪽만 박리하여 창상을 덮는 것을 의미한다.

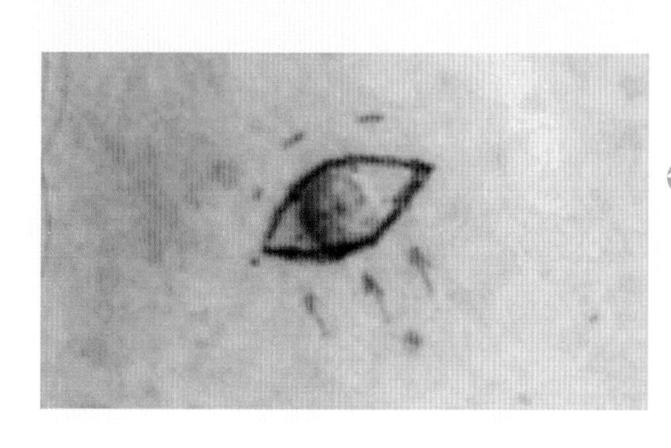

3 피부봉합 종료
위쪽에 볼록한 활모양의 둥근 봉합선이 되어 있는 것을 알 수 있다.

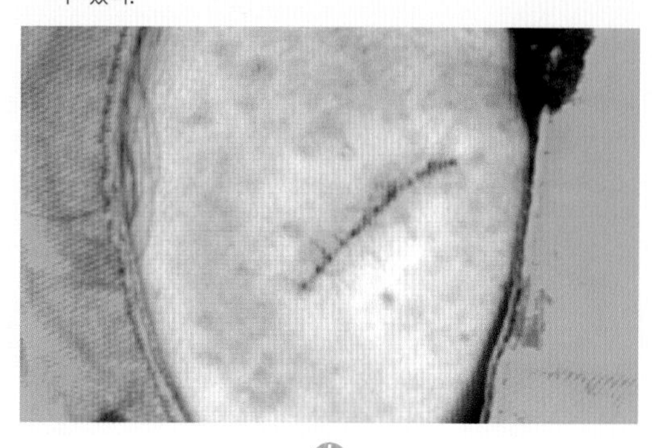

4 술후 1주일째 발사 종료

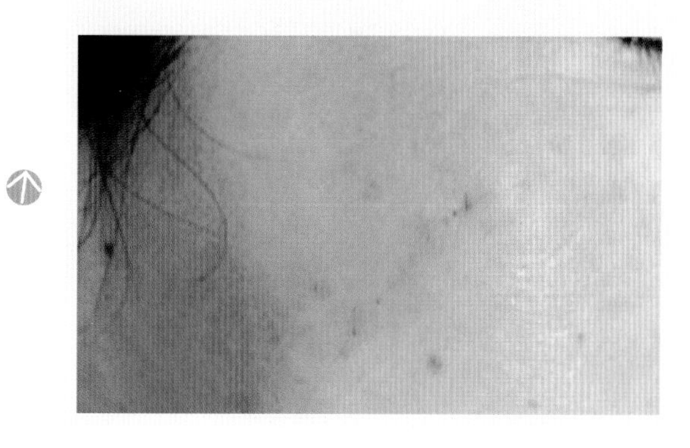

POINT
- 방추형 절제에서도 협부에서는 단순히 직선적 반흔보다 약간 활모양의 둥근 반흔이 더욱 자연스런 마무리가 된다. 평가 ★★★

3 협부의 점③

난이도 ★

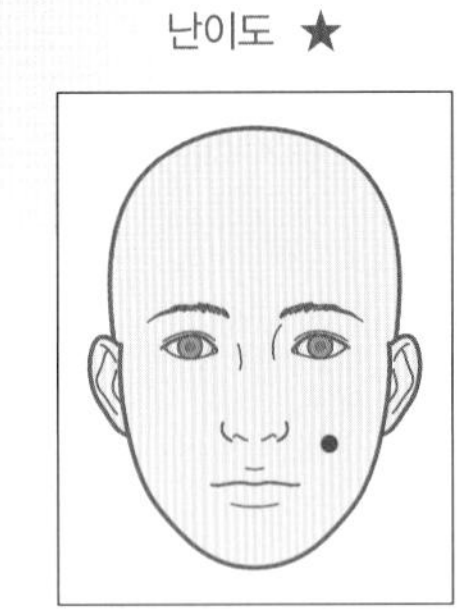

증례
- 58세 · 여성.
- 협부의 경도 융기된 원형의 점 (직경 7mm)

방침
- 방추형 절제의 디자인으로 절제하는 것도 나쁘지 않다.
- 타원형 절제.

수술 & 술후 경과

1 술전 피부절개의 디자인

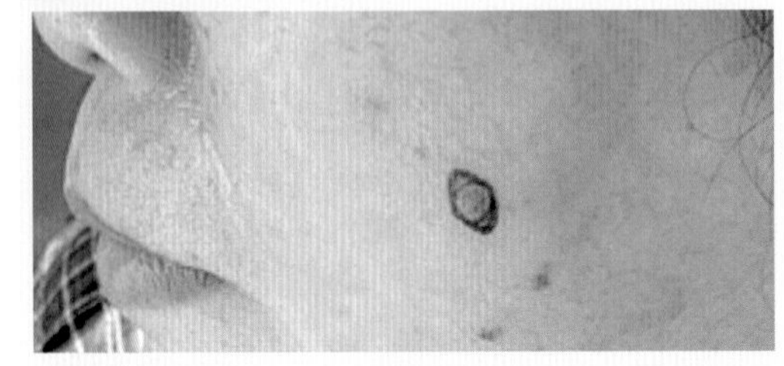

2 피부절개의 디자인과 박리범위

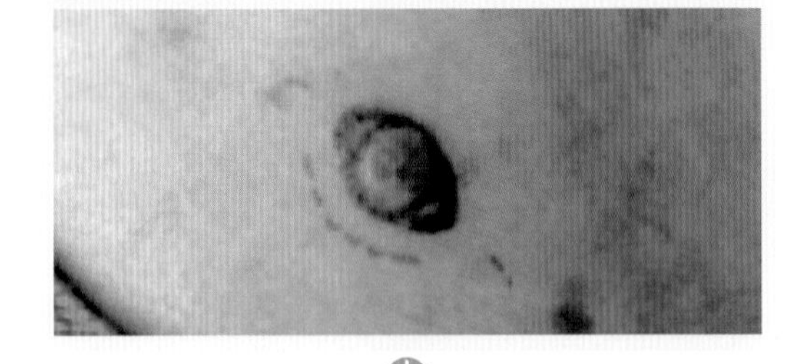

3 도려내어 절제한 후, 한쪽만 피하박리

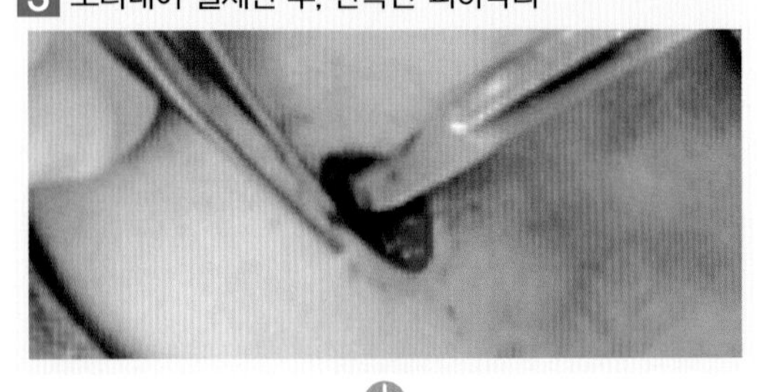

4 박리를 끝내고 피하봉합 전의 상태

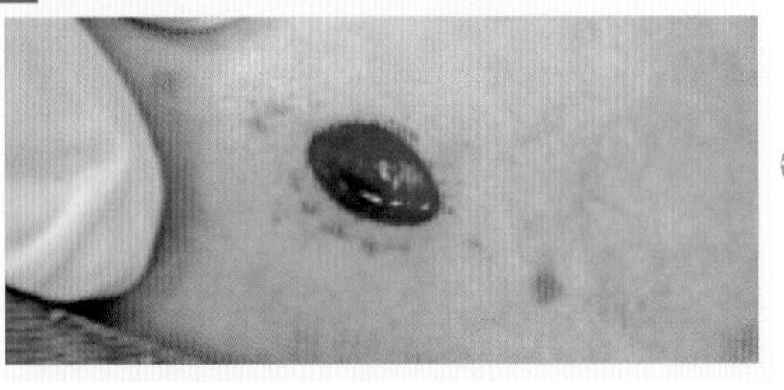

5 피부봉합 종료

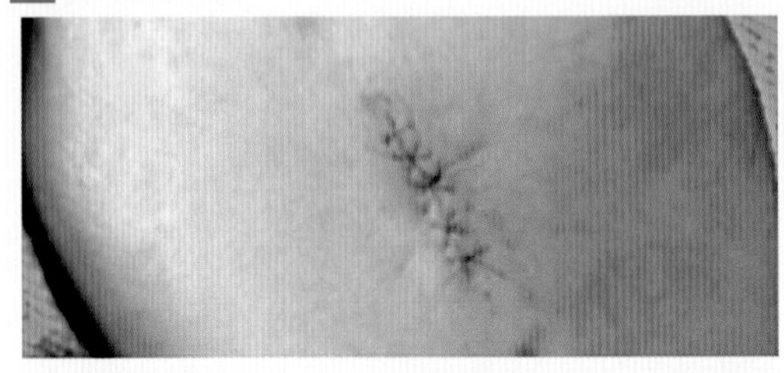

6 술후 1일째

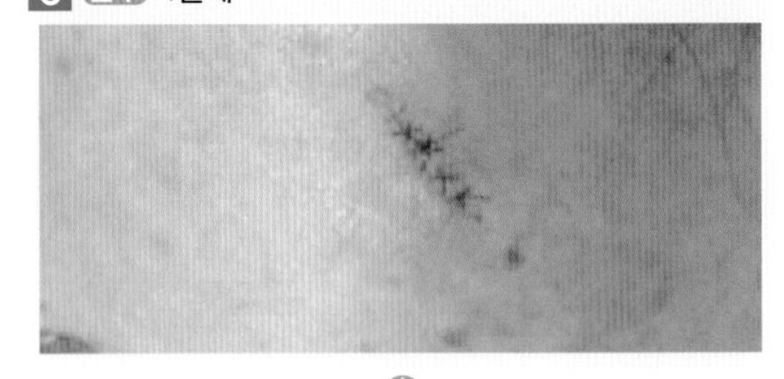

7 술후 1주일째의 상태

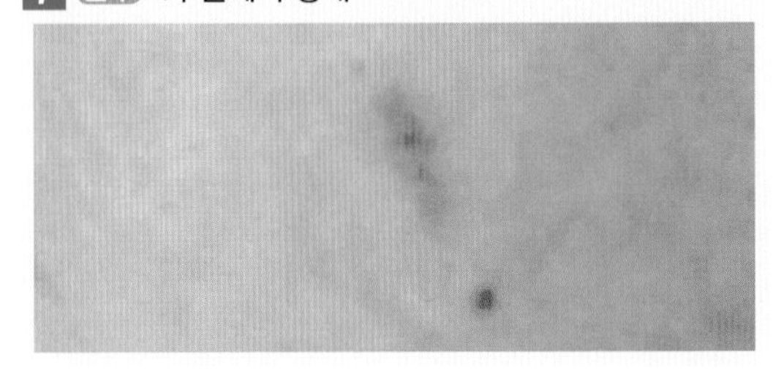

POINT

- 타원형 절제에서도 곡선반경이 작으면 dog ear가 생기지 않을 것을 기대하여 수술한 경우.

평가 ★★★★

4 협부의 점④

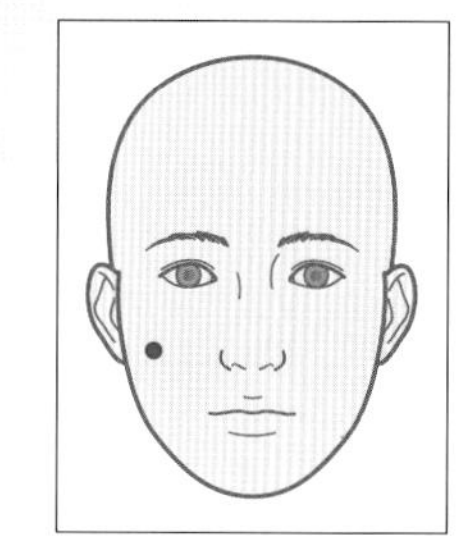

증례
- 47세 · 여성.
- 협부의 융기상의 점 (9×9mm).
- 비교적 커지는 속도가 빠르다.

방침
- 신경은 쓰이지만 없애고 싶지 않다고 하였다.
- 조금만 남겨 두는 방법도 있다고 설명하자 그 방법으로 수술할 것을 희망하였다.
- 일부를 남겨두고 절제하는 수술법으로 하기로 하였다.

수술 & 술후 경과

1 술전

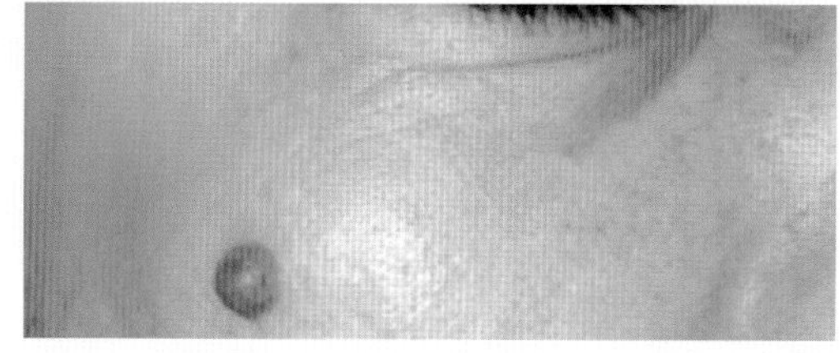

2 피부절개의 디자인
위쪽으로 2mm정도의 점을 남겨 둔다.

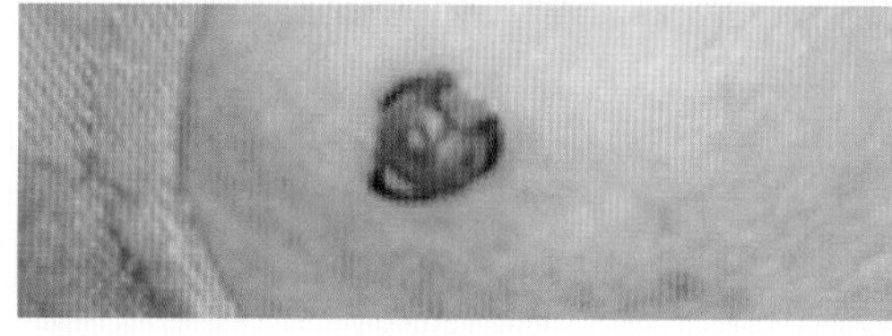

3 점의 절제
일부만 남기고 (1/10정도) 절제한 모습.

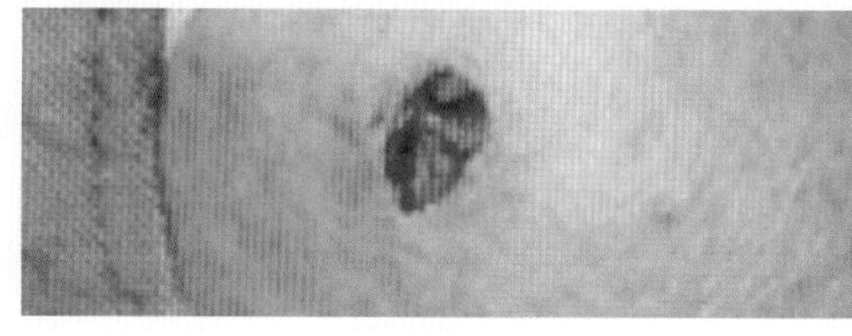

4 수술의 schema

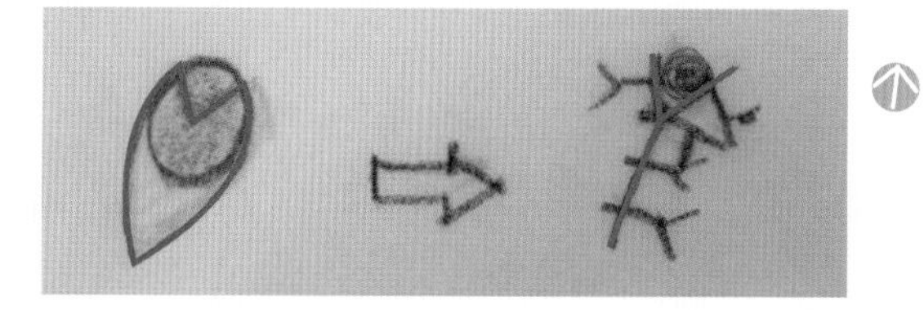

5 피하봉합 종료

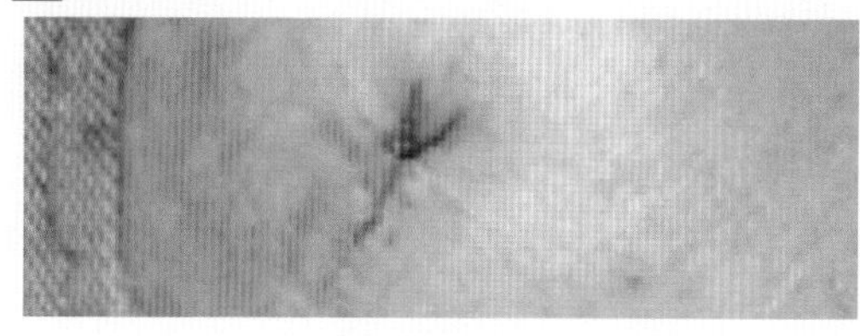

6 술후 1주일째 발사 종료

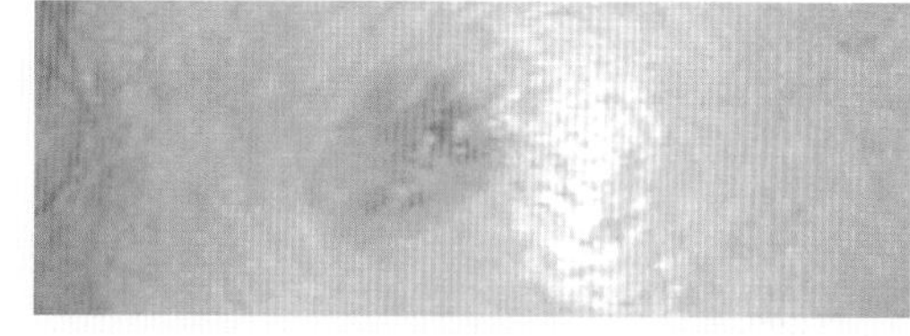

7 술후 1개월째의 상태
작은 점으로 변신하였다.

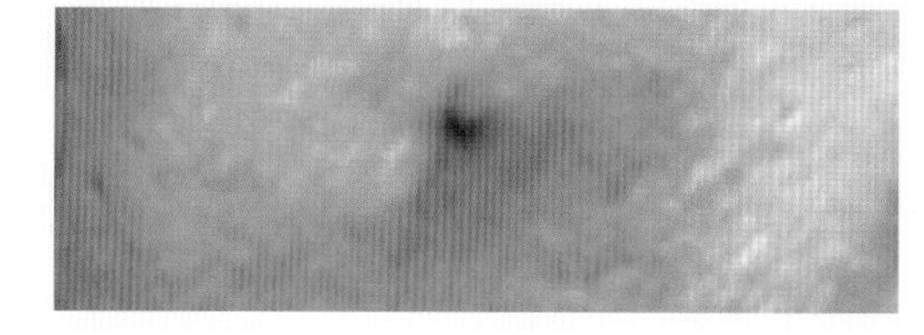

POINT
- 점을 완전 절제하는 것이 아니라, 「현재 큰 점이 싫어서 작게 하고 싶다」는 사람이 상당히 많다.
- 희망하는 크기를 확인하고, 그에 따라서 디자인을 생각한다.
- 수술직후는 삼각형을 나타내고 있어도, 1년 정도면 원형에 가까워진다. 평가 ★★★★

5 협부의 점⑤

난이도 ★★

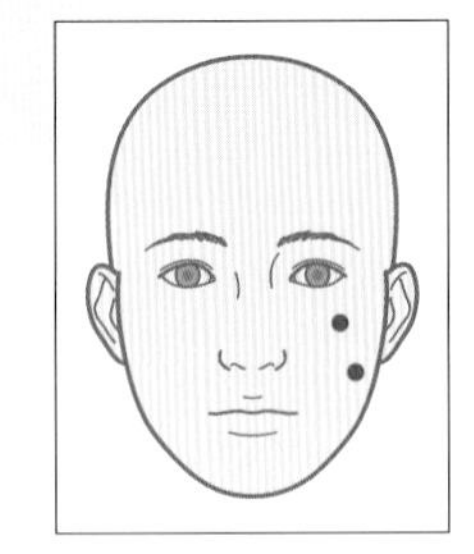

증례
- 38세 · 여성.
- 협부의 외측 점 (위쪽 : 직경 5mm, 아래쪽 : 8×6mm).

방침
- 기본적으로 방추형 절제.
- 아래쪽의 큰 점을 타원형 절제로 하기로 하였다.

수술 & 술후 경과

1 술전

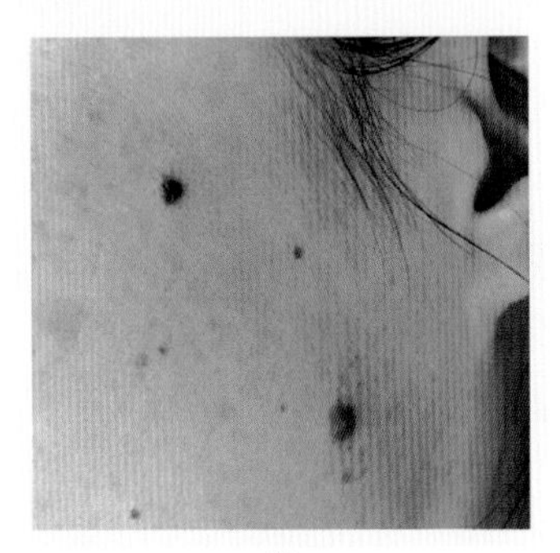

2 피부절개의 디자인

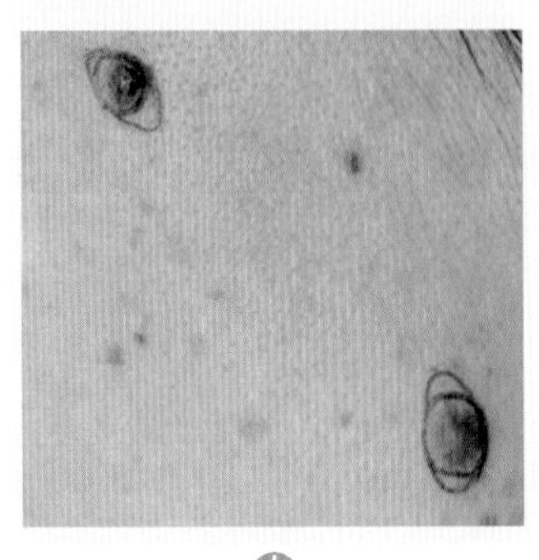

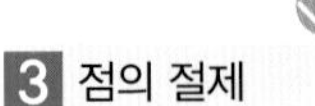

3 점의 절제

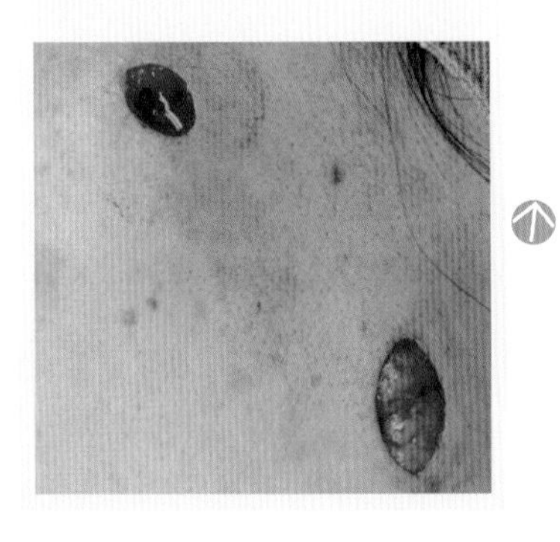

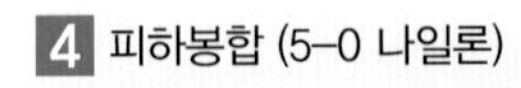

4 피하봉합 (5-0 나일론)

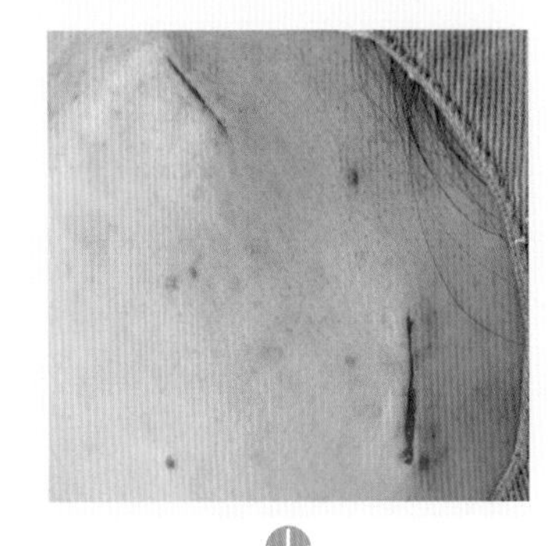

5 피부봉합 종료
dog ear가 걱정되지만 방치.

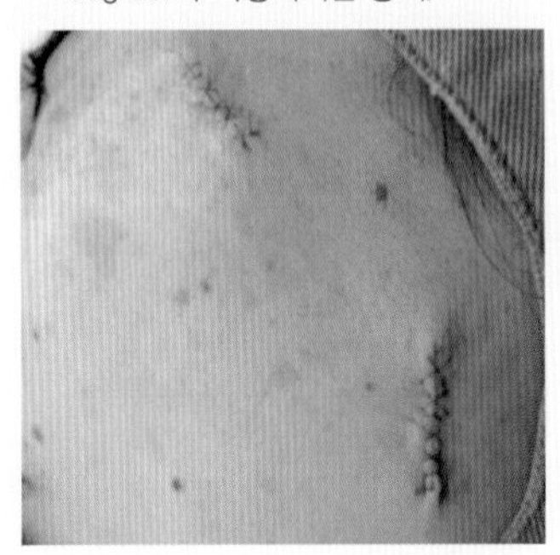

6 술후 2주째
특히 아래쪽의 반흔에 경도 dog ear 상태가 보인다. 그 dog ear 부위에 스테로이드 (케나콜트) 소량 주사.

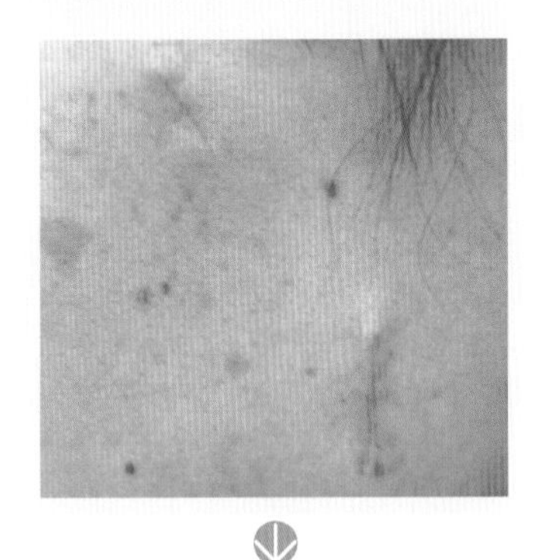

7 술후 20일째의 상태
스테로이드의 효과가 있어서 dog ear가 소실되었다.

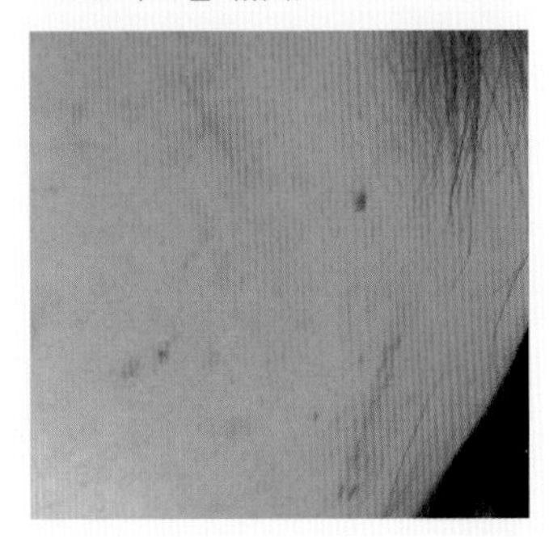

POINT

- 협부 외측부는 방추형 절제에서도 장축이 짧으면 dog ear가 형성되기 쉽다.
- dog ear 수정의 수단으로 우선 장기작용형 스테로이드를 소량으로 국주하면 효과적인 경우가 많다.
- 점 절제 후의 dog ear는 비교적 간단히 수정할 수 있으므로, 그다지 걱정할 필요가 없다.

평가 ★★

6 협부의 점⑥

난이도 ★

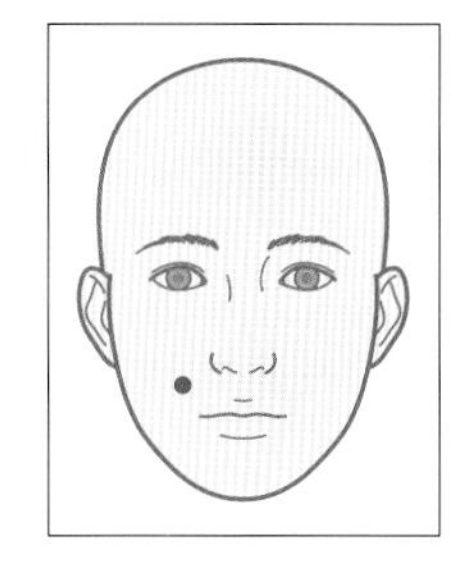

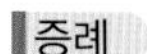

증례
- 20세 · 남성.
- 협부의 타원형 점 (8×10mm).

방침
- 방추형 절제로 한다.

수술 & 술후 경과

1 술전

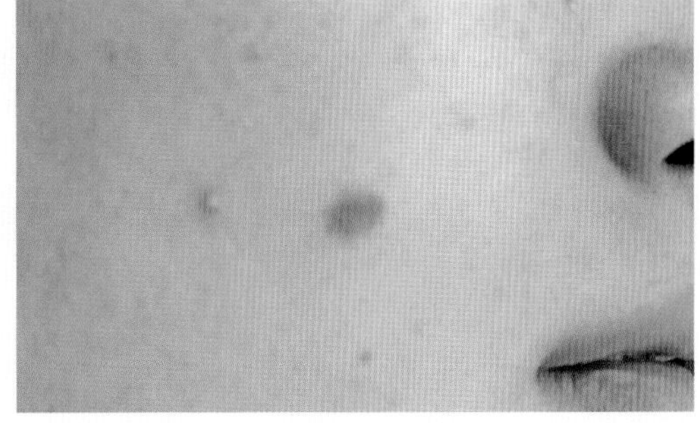

2 방추형 절제의 디자인

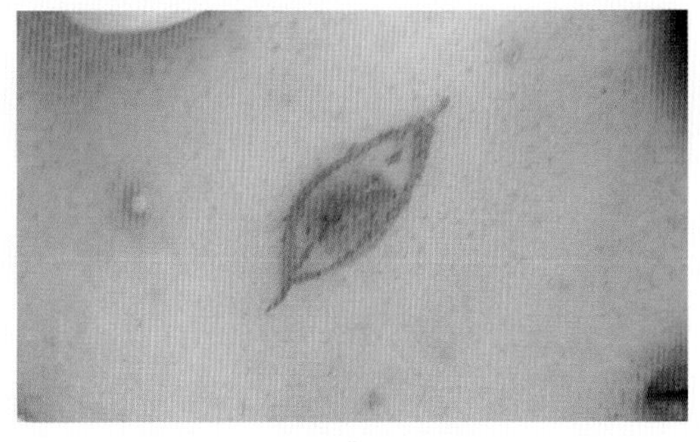

3 피부봉합 종료

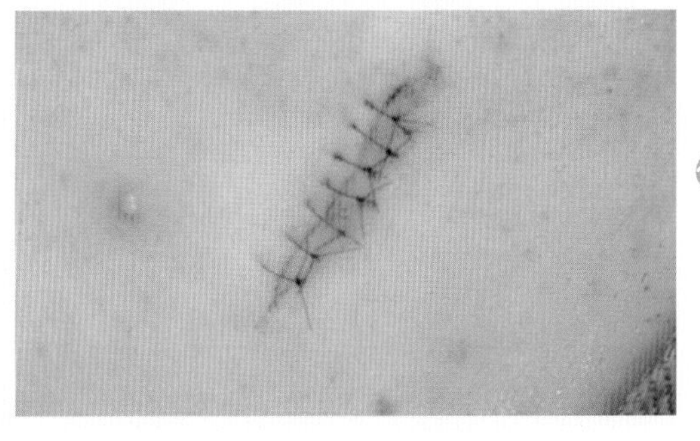

4 술후 1주째 발사 종료
이 시점에서는 stitch mark가 눈에 띈다.

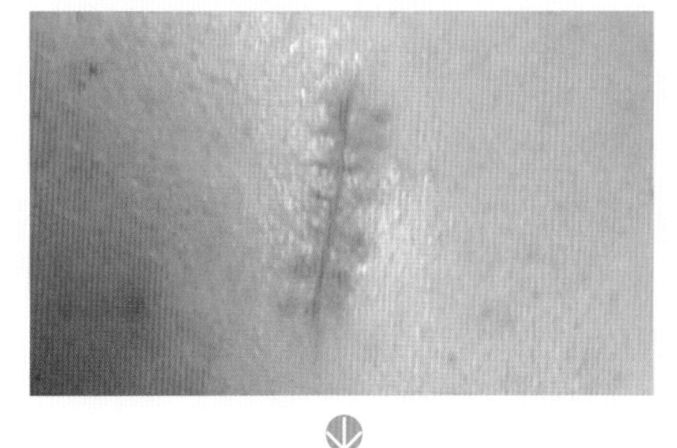

5 술후 1개월째의 상태
stitch mark는 거의 소실.

POINT
- 비순구에 가까운 점은 방추형 절제의 디자인이 무난하다. 평가 ★★★

7 협부의 점⑦

난이도 ★★

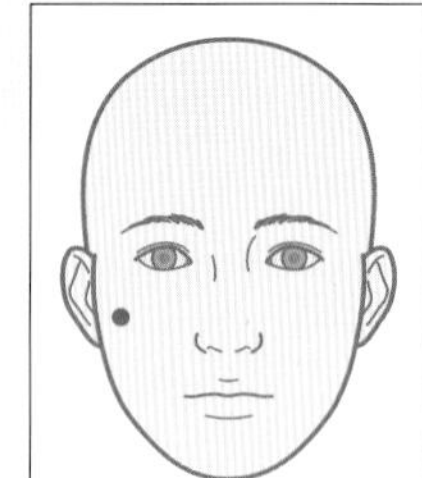

증례
- 38세 · 여성.
- 협부 중앙의 융기상의 점 (직경 9mm).

방침
- 방추형 절제.

수술 & 술후 경과

1 술전

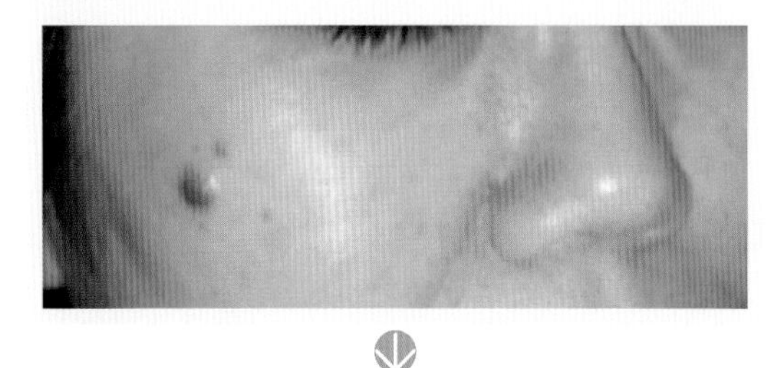

2 피부절개의 디자인
봉합선은 비스듬히 아래쪽으로 오도록 디자인.

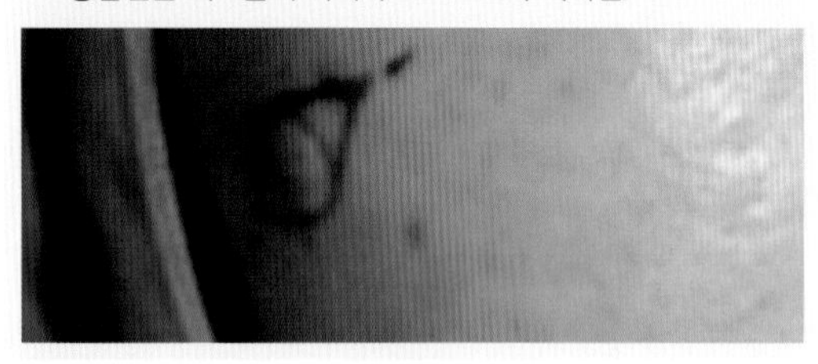

3 피부봉합 종료

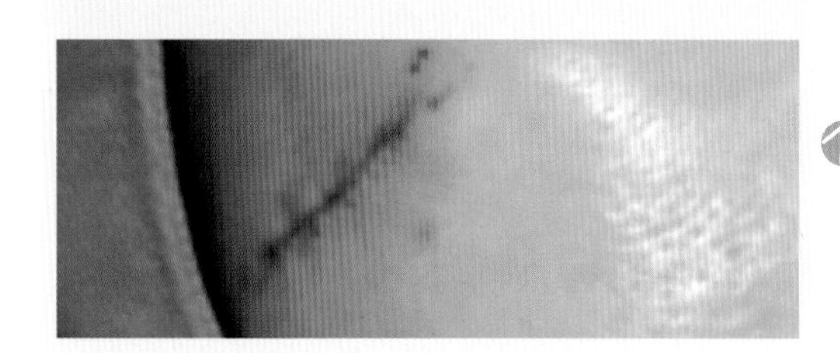

4 술후 2.5개월의 상태 (비스듬한 방향)

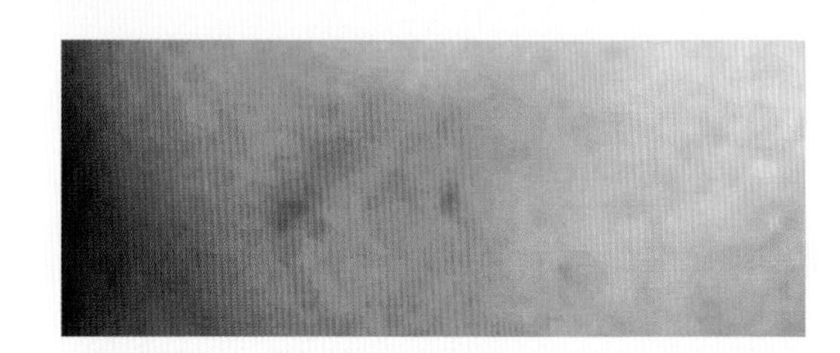

(정면)
윤곽선의 흐트러짐은 거의 없다.

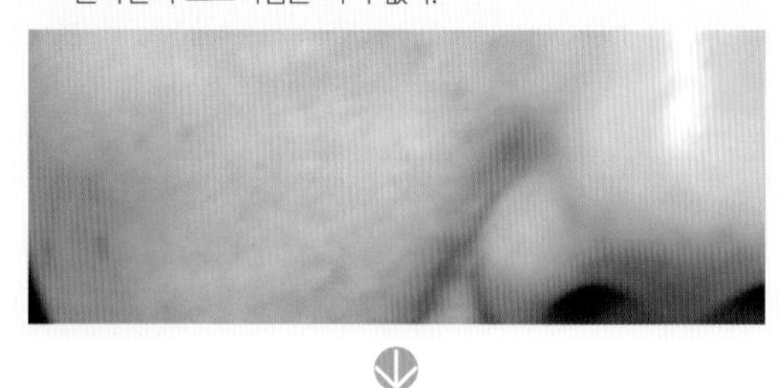

5 술후 3개월째

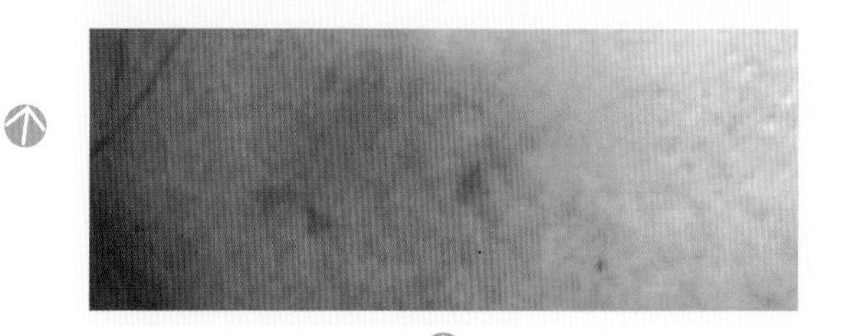

6 술후 5개월째의 상태
붉은 기는 거의 소실.

POINT
- 협부의 큰 점은 원칙적으로 방추형 절제를 한다. 평가 ★★★

8 협부의 점⑧

난이도 ★

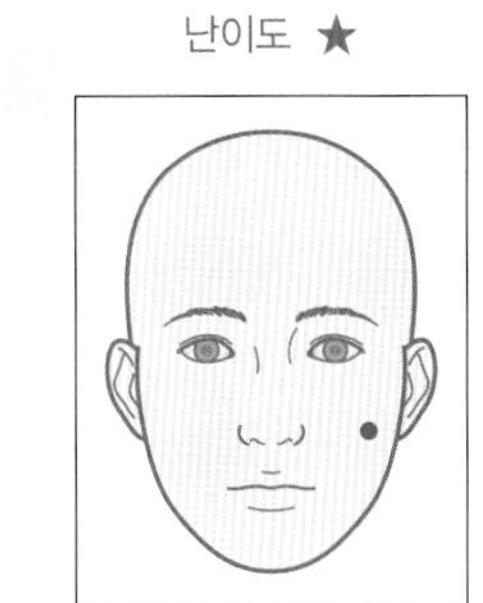

증례
- 21세 · 여성.
- 왼쪽 협부 중앙부의 점 (5×5mm).

방침
- 방추형 절제.

수술 & 술후 경과

1 술전

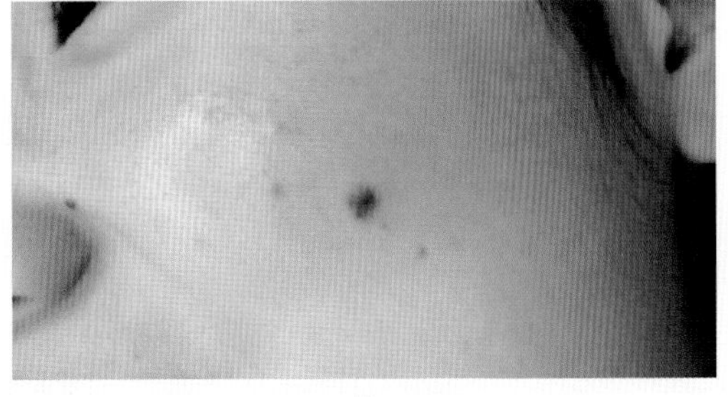

2 피부절개의 디자인

화살표는 전방의 피판을 화살표 방향으로 이동시켜서 창상을 폐쇄할 방침이라는 의미.

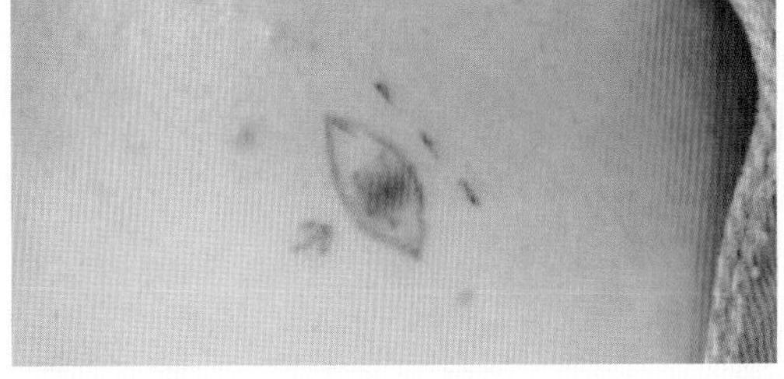

3 피부봉합 종료

약간 후방으로 볼록한 곡선이 자연스러워 보인다.

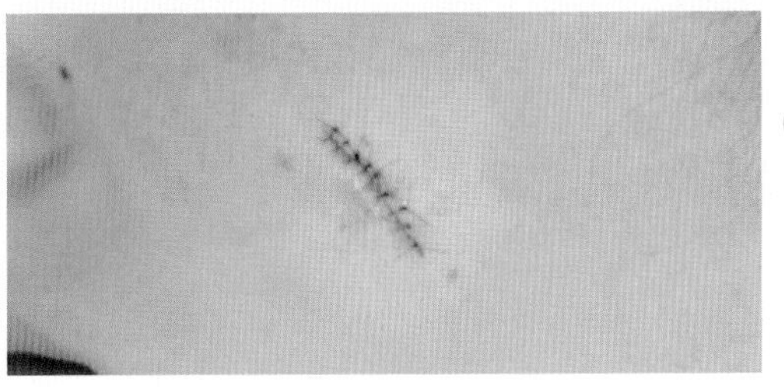

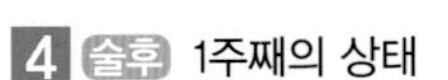

4 술후 1주째의 상태

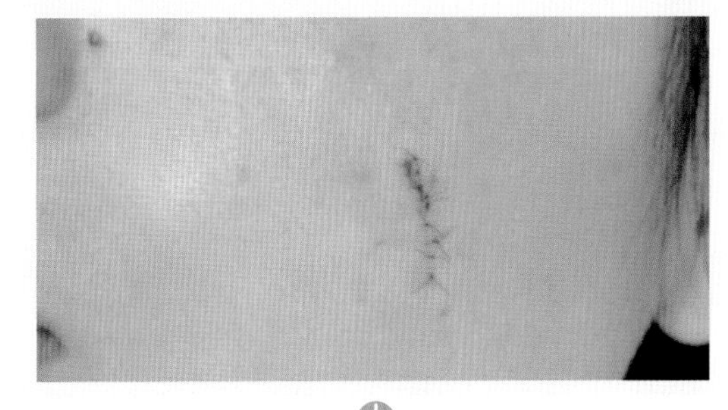

5 술후 1주째 발사 직후의 상태.

POINT
- 방추형 절제봉축이 최선.
- 완전한 직선상이 아니라, 활모양의 둥근 봉합선의 모습이 편측 박리봉축술의 효과이다. 평가 ★★★

9 협부의 점(다수)⑨

난이도 ★

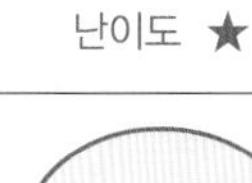

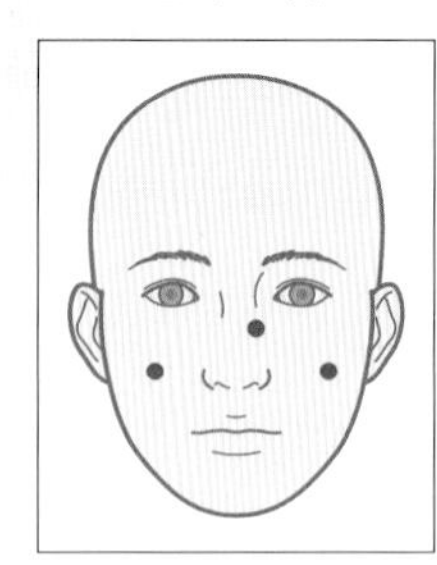

증례
- 44세 · 여성.
- 협부의 작은 점 (직경 1~2mm) 이 여러 개.

방침
- 작은 점은 레이저 조사.
- 큰 점은 도려내고 봉합한다.

수술 & 술후 경과

1 술전 비스듬한 방향 (좌안면)

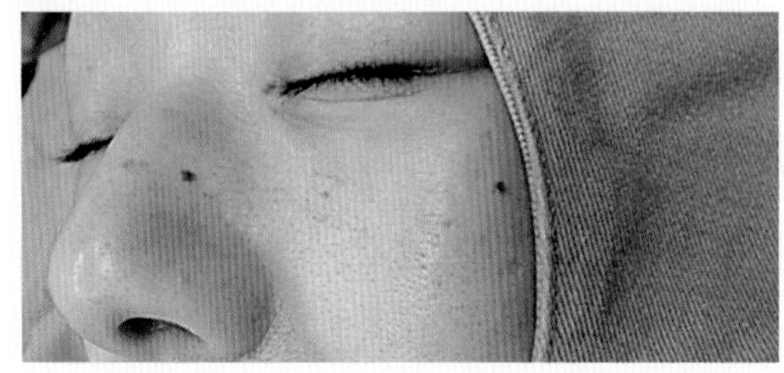

2 레이저조사와 도려내고 봉합

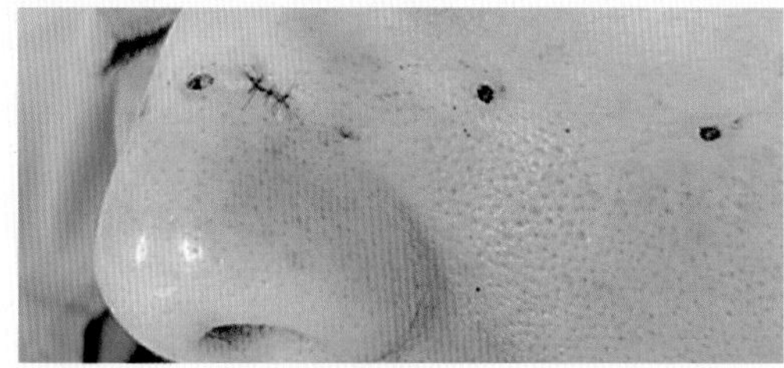

3 술후 술후 5개월째의 상태

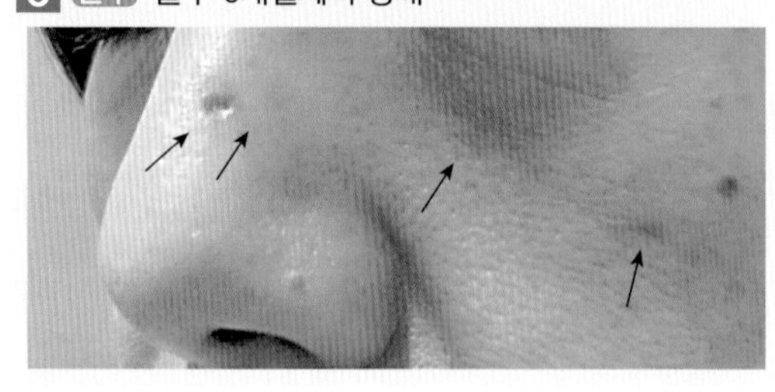

4 술전 (오른쪽 안면)

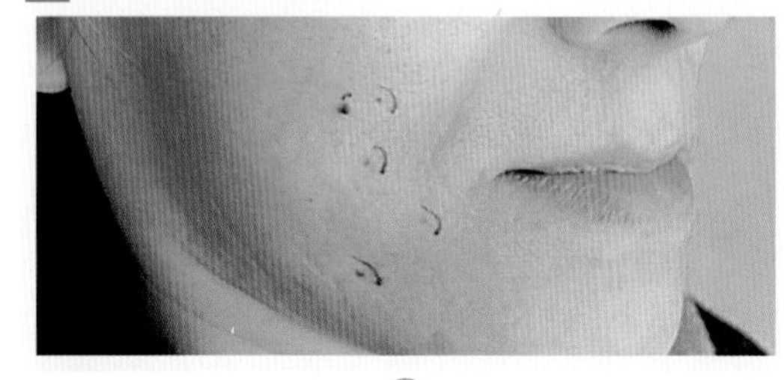

5 레이저조사와 도려내고 봉합

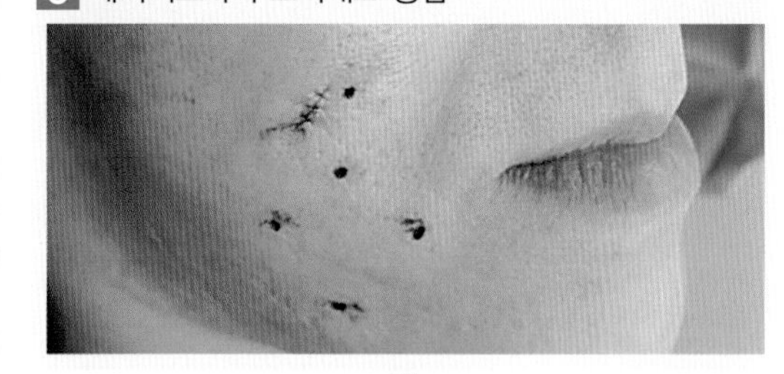

6 술후 5개월째의 상태

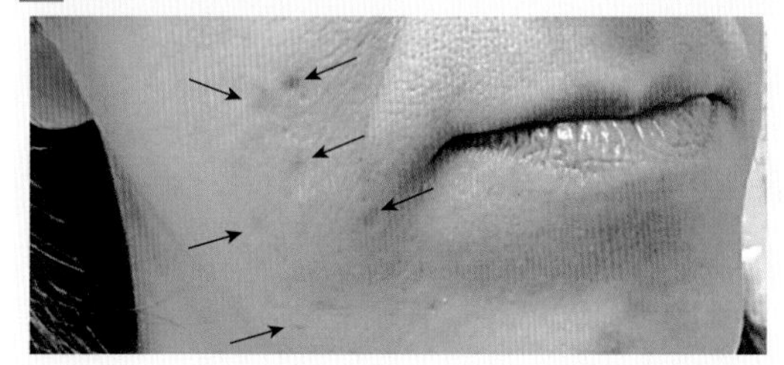

POINT
- 레이저에 의한 점의 소작은 수기는 간단해도 결과는 그다지 좋지 않다.
- 함요반흔이 될 가능성이 크다는 점을 미리 설명해 두어야 한다.
- 도려내기 봉합법이 수고하는 만큼, 반흔이 깨끗하다.

평가 ★~★★

10 비익 상방의 점

난이도 ★★★

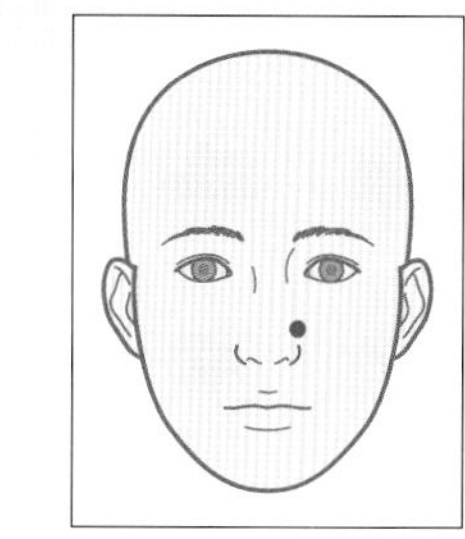

증례
- 27세 · 남성.
- 코와의 경계에 가까운 융기상의 점 (10×8mm).

방침
- 코에 가깝고 피부가 두꺼운 부위여서, 도려내기봉합으로 하기로 하였다.

수술 & 술후 경과

1 술전

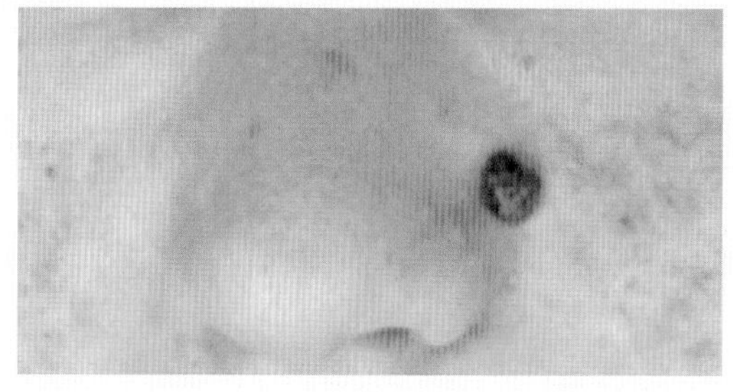

2 피부절개의 디자인

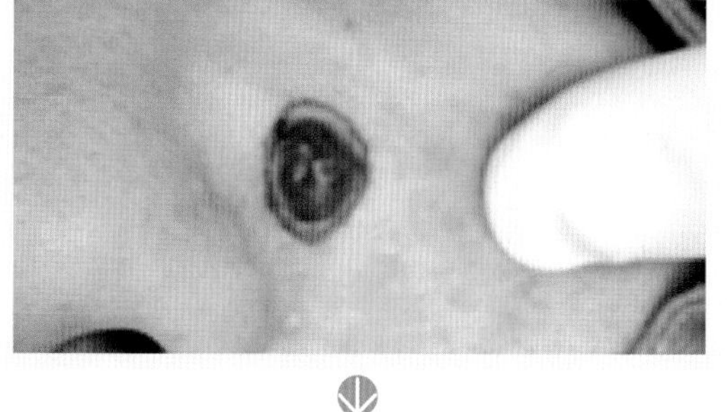

3 피부절개

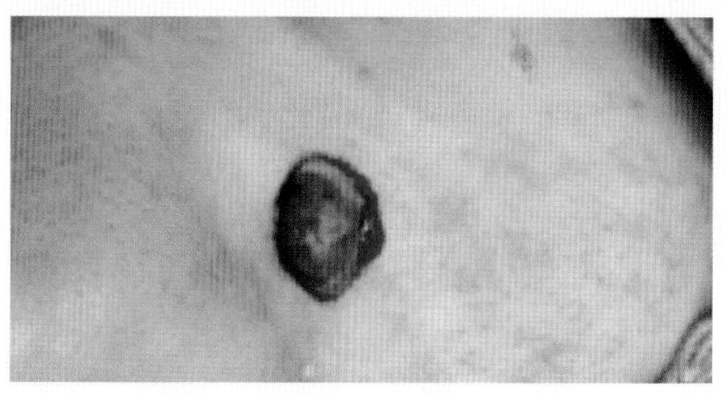

4 피부봉합 종료
피하봉합 3바늘 후, 피부봉합.

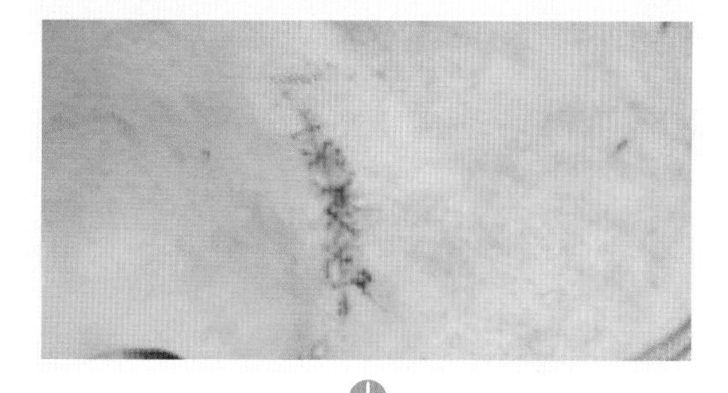

5 술후 1주일째 발사 종료
dog ear는 생기지 않았다.

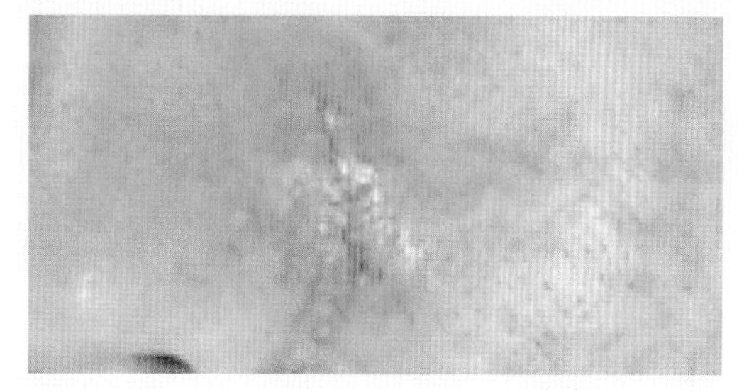

POINT

- 피부가 두꺼운 코나 그 주변에서는 곡선반경이 상당히 큰 타원형 절제라도 dog ear를 형성하지 않고 창상을 닫을 수 있다. 평가 ★★★

11 하안검 하방의 점

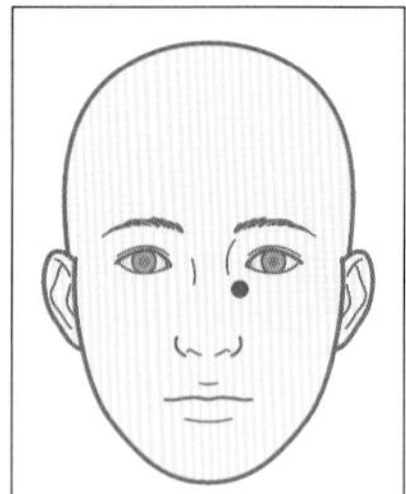

증례
- 24세 · 여성.
- 내안각부 아래쪽의 융기상의 점 (직경 8mm).

방침
- 방추형 절제.

수술 & 술후 경과

1 술전

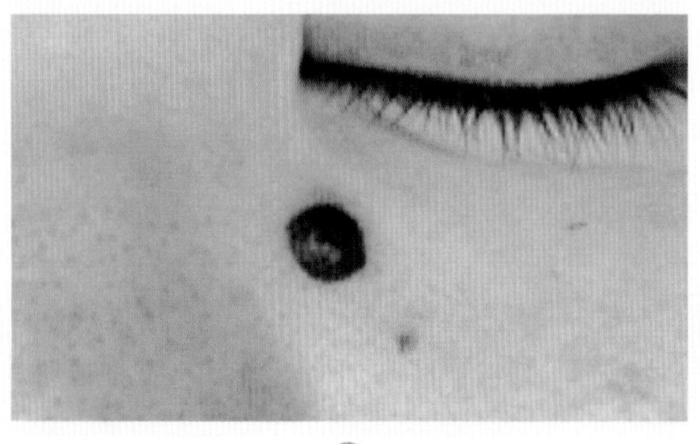

2 피부절개의 디자인

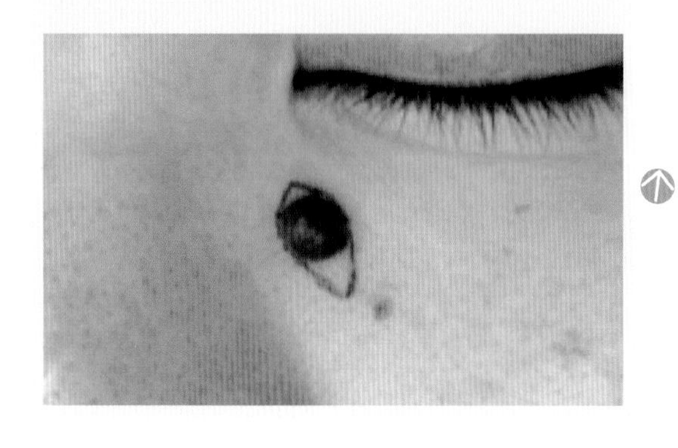

3 피부봉합 종료

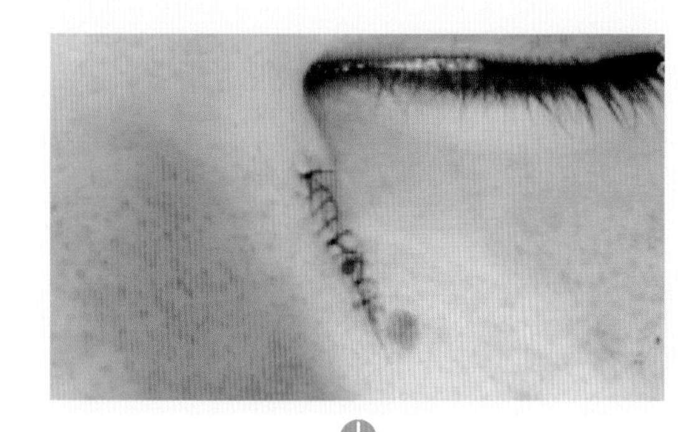

4 술후 1주째 발사 종료

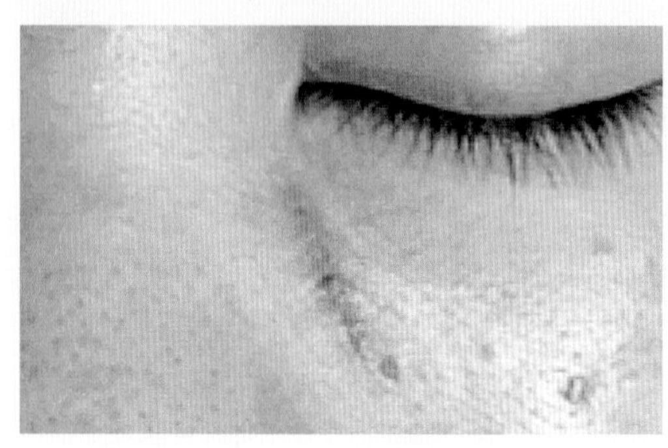

- 하안검에 가까운 부위에서, 봉축하여 토끼눈 등이 생기지 않을 크기의 한계에 가까운 큰 점.
- 더 이상 큰 것은 피판성형술로 처치한다.
- 조금 더 경사진 봉합선으로 디자인했으면 좋았겠다.

12 협부 외측의 점①

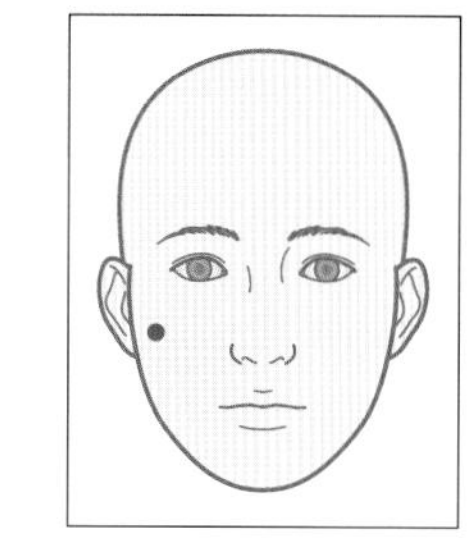

증례
- ●19세 · 남성.
- 정면에서 보면 윤곽선상에 있는 점 (직경 5mm).

방침
- 부위적으로는 봉합선이 세로방향이 되는 디자인도 괜찮다.
- 아래쪽으로 비스듬이 도려내고 봉합한다.

수술 & 술후 경과

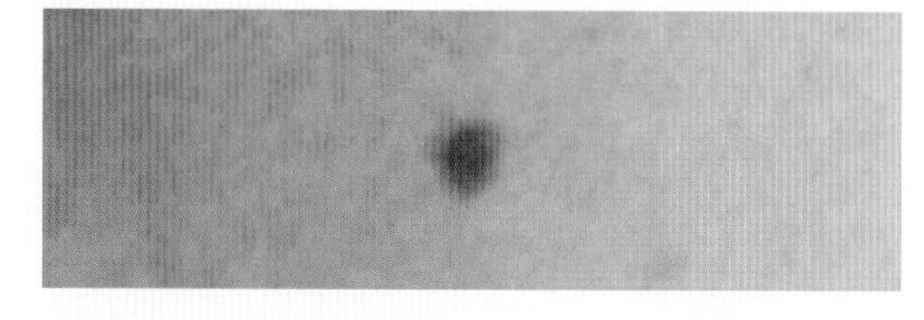

(정면)
윤곽에 가까운 위치이다.

2 도려내어 절제한 상태

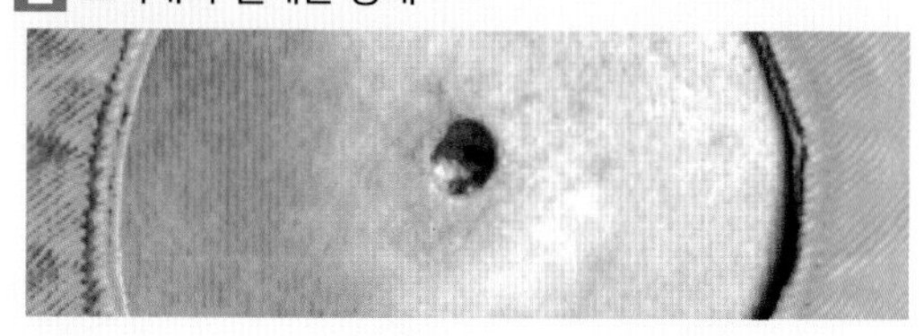

3 피하봉합 개시

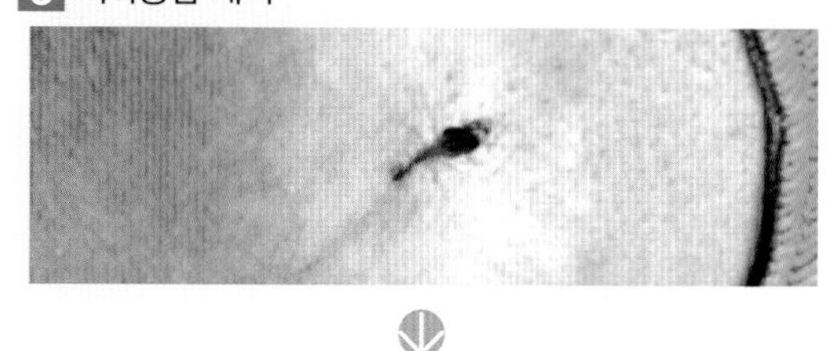

4 피하봉합 종료

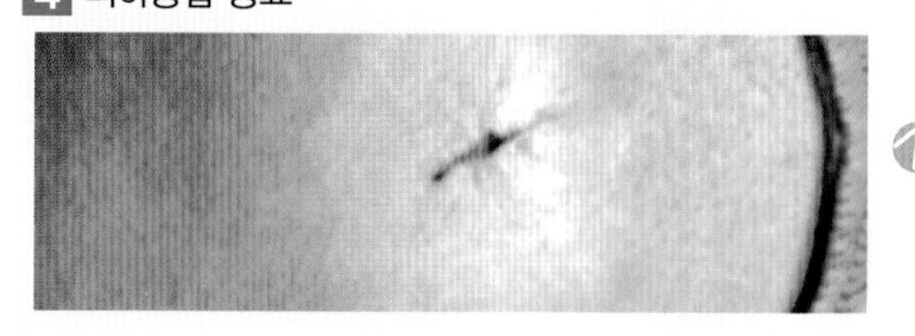

5 피부봉합 종료 (측면)

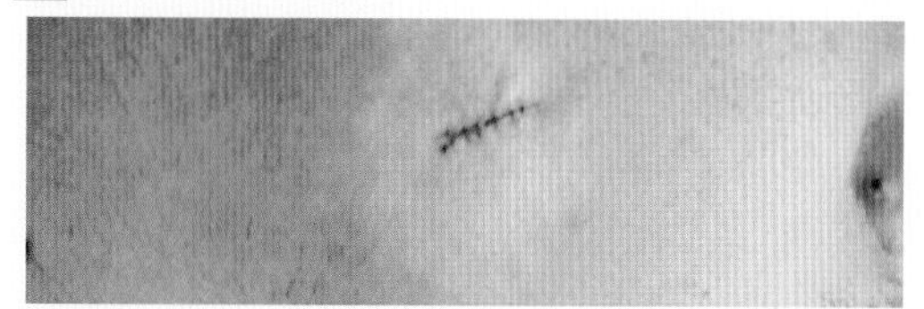

(정면)

6 술후 6일째 발사 직전

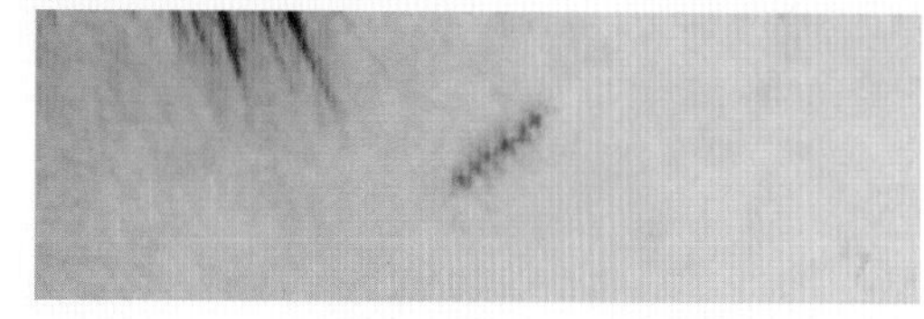

7 술후 윤곽선에 흐트러짐이 없이 창상 치유

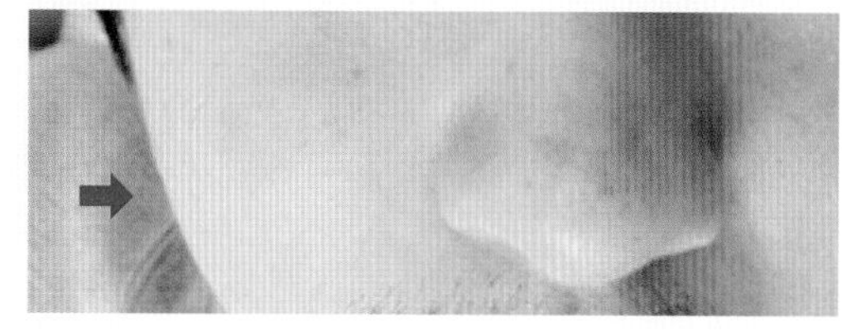

POINT

- 협부에서 윤곽선 부위에 있는 점을 제거하는 경우, 윤곽선에 있는 점은 윤곽을 크로스하는 봉합선으로 하는 편이 윤곽이 무너지지 않는다. 평가★★★

13 협부 외측의 점②

난이도 ★

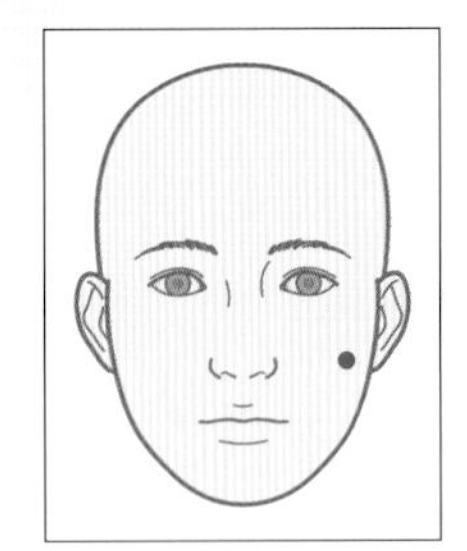

증례
- 50세 · 여성.
- 좌협부 외측의 점 (8×8mm).

방침
- 방추형 절제. 피하박리는 아래쪽만 한다.

수술 & 술후 경과

1 술전 (측면)

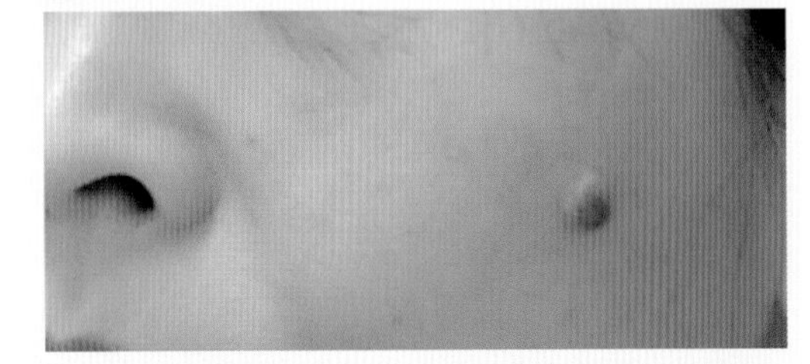

(정면)

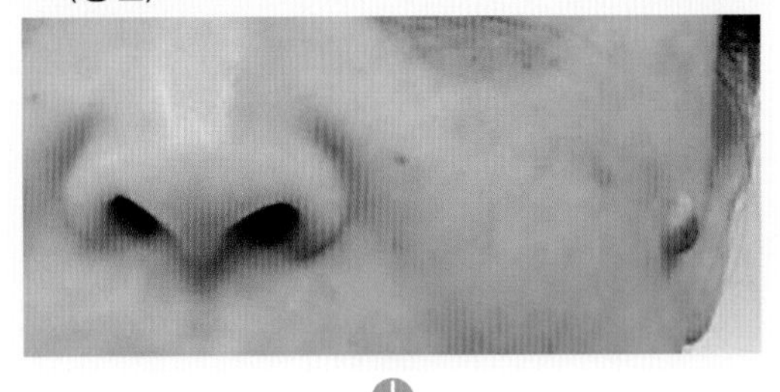

2 피부절개의 디자인과 박리범위

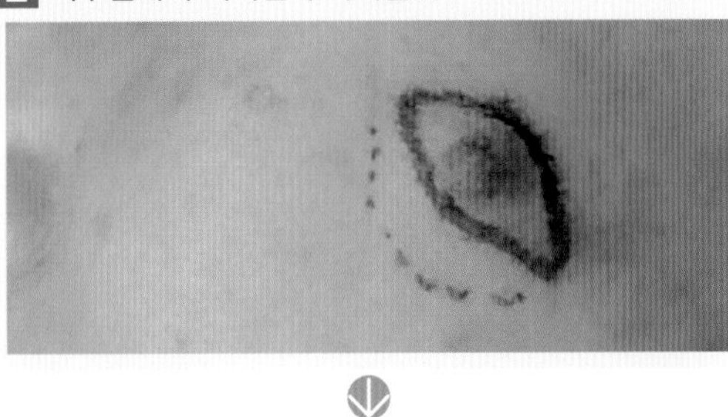

3 피부절개

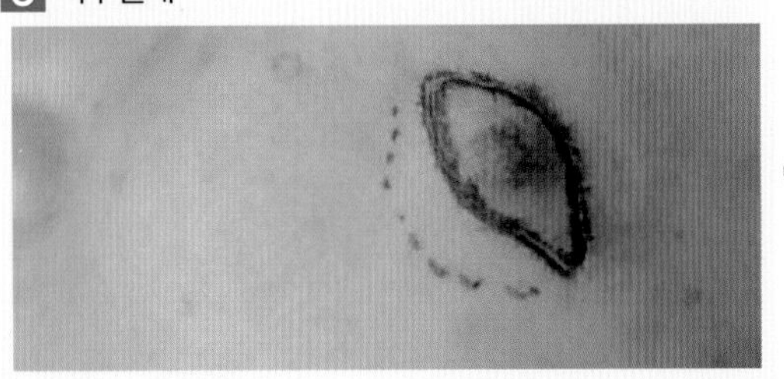

4 전하방측만 피하박리

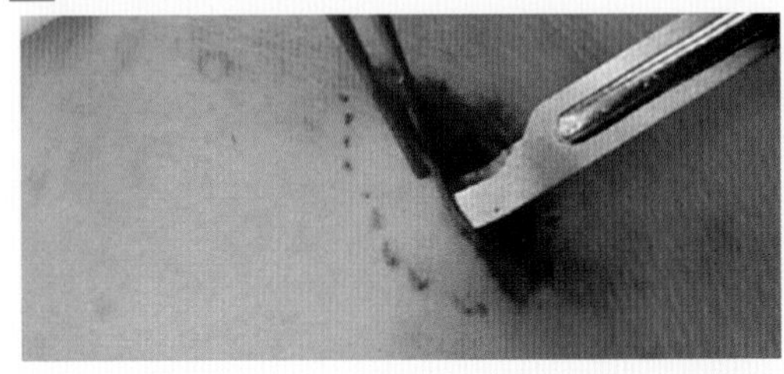

5 피하봉합 후, 피부봉합

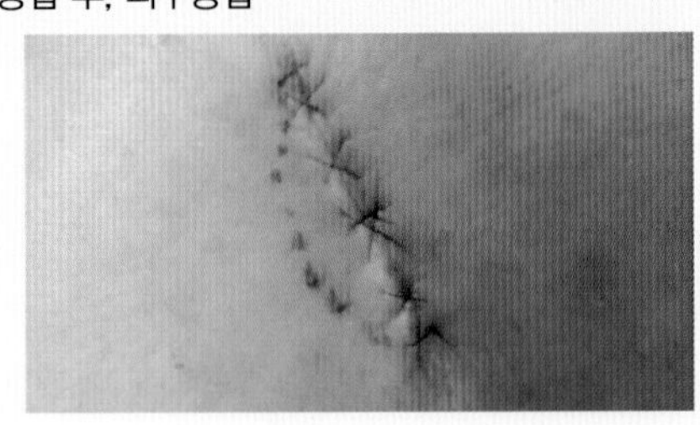

6 술후 1개월째의 상태

조금 위쪽으로 볼록한 봉합선이 되어 있다.

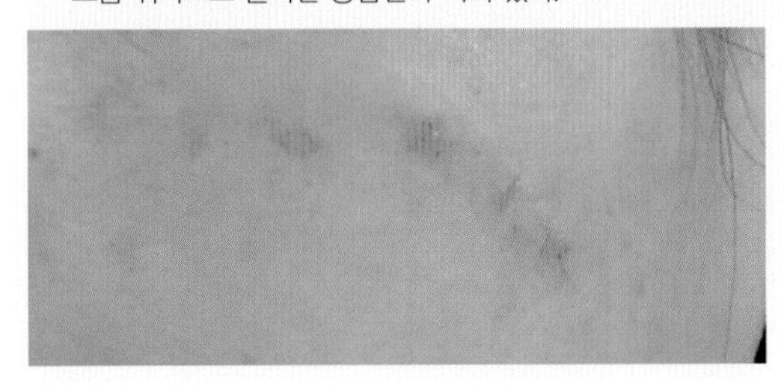

POINT

- 협부 외측의 점을 절제봉합할 때에 아래쪽만 박리하여 피하봉합하면, 약간 위쪽으로 볼록한 활모양의 둥근 라인이 나타난다.

평가 ★★★☆

14 하악 부근의 점

난이도 ★★★

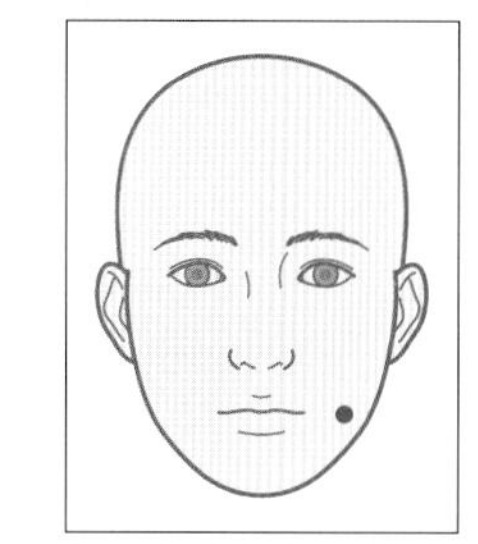

증례
- 26세 · 여성.
- 하악부 정면시에 윤곽부의 점 (10×5mm).

방침
- 윤곽을 비스듬한 방향으로 가로지르듯이 후하방으로 비스듬한 봉합선이 되도록 디자인한다.
- 방추형 절제의 디자인으로 한다.

수술 & 술후 경과

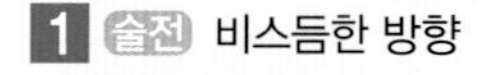
1 술전 비스듬한 방향

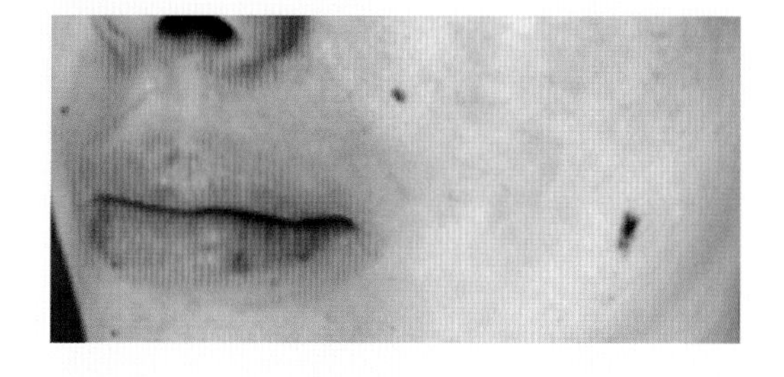

정면

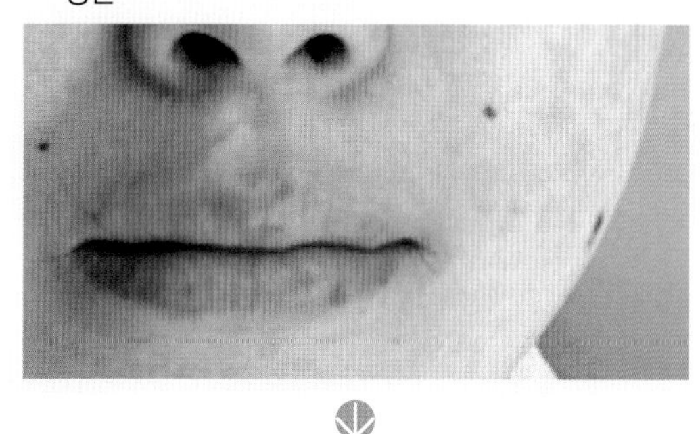

2 피부절개의 디자인
방추형 절제의 디자인.

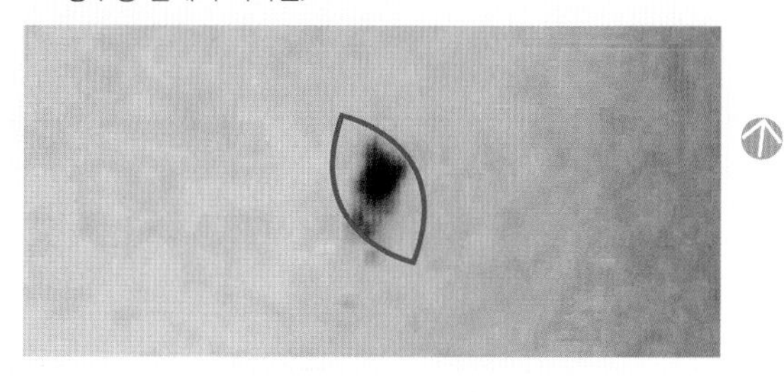

3 피부봉합 종료
피하봉합 2바늘→피부봉합.

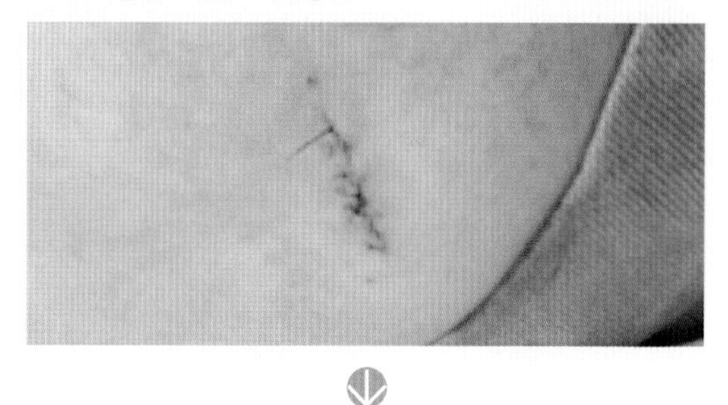

4 술후 5개월째
발적이 거의 소실되어 있다.

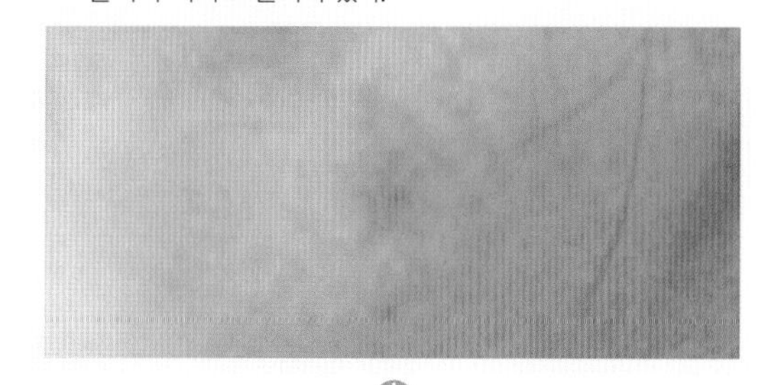

5 술후 6개월째인 상태 정면
윤곽의 홈 등의 이상은 보이지 않는다.

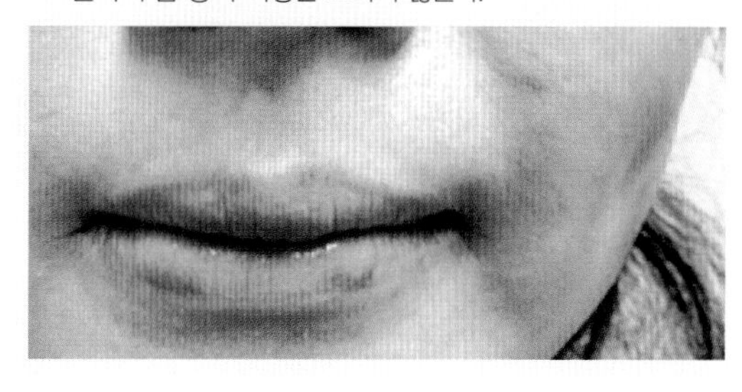

POINT
- 정면시에서 윤곽선 부근에 있는 점은 그 윤곽선에 평행이 아니라, 횡단하는 봉합선이 되도록 디자인하여 절제한다. 평가 ★★★

15 협부 상방의 점①

난이도 ★★

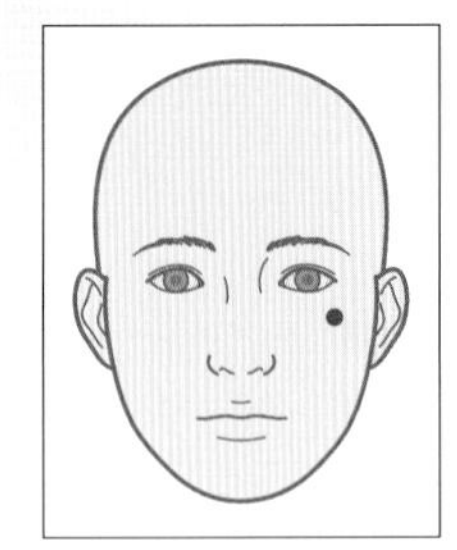

증례
- 49세 · 남성.
- 협부 상방, 외안각 하방의 큰 점 (10×10mm).

방침
- 방추형 절제술.

수술 & 술후 경과

1 

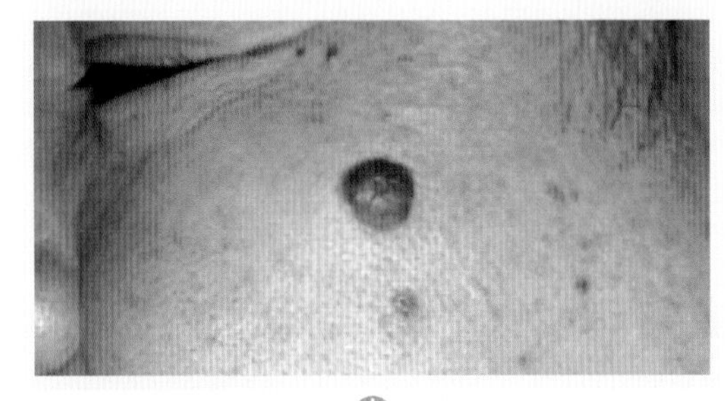

2 피부절개의 디자인
상하의 피하를 박리하였다.

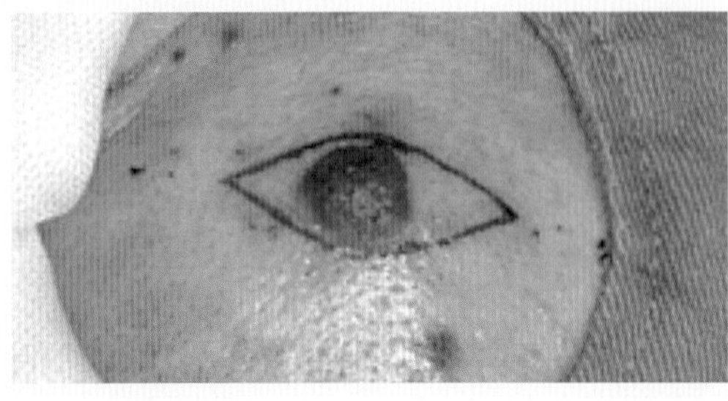

3 피부봉합 종료
직선상이라기보다 약간 아래쪽으로 볼록한 봉합선이 되어 있다.

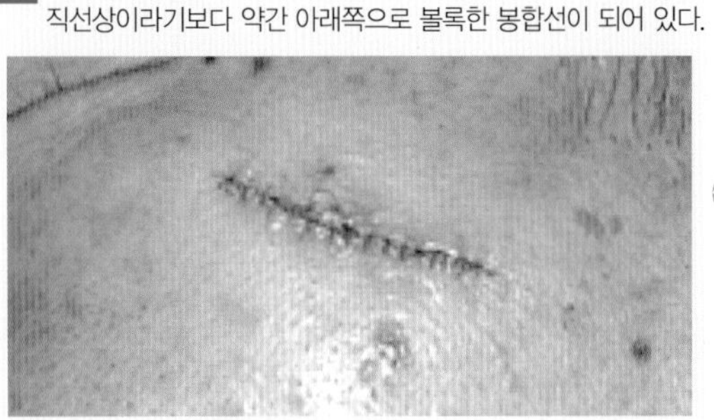

4 술후 1주일째 발사 직후
반흔이 남지 않았다.

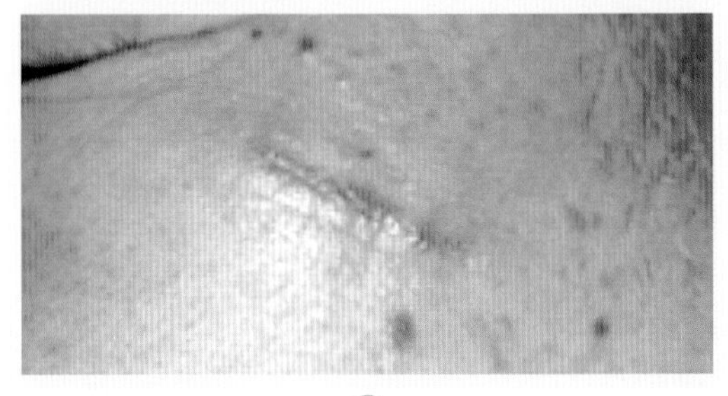

5 술후 2개월째의 상태
반흔은 거의 눈에 띄지 않는 상태이다.
dog ear도 형성되지 않았다.

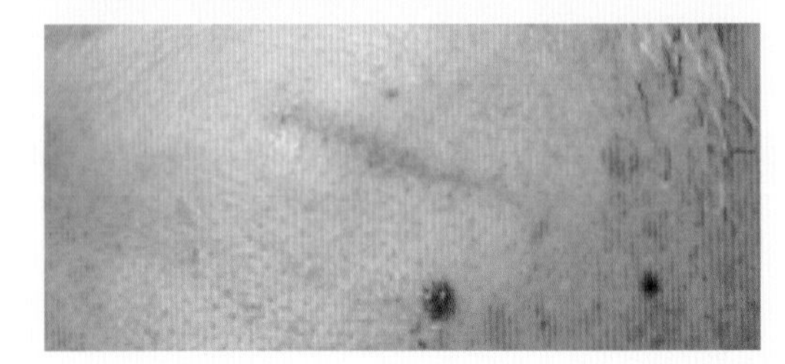

POINT
⊙ 협부의 점을 절제 봉축했을 때에는 위쪽으로 볼록한 활모양의 둥근 봉합선이 이상적인데, 이 경우에는 오히려 아래쪽으로 볼록한 봉합선이 되어 있다는 점에서, 그다지 좋은 결과는 아니다.

평가 ★☆☆☆

16 협부 상방의 점②

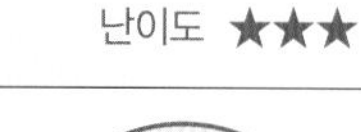
난이도 ★★★

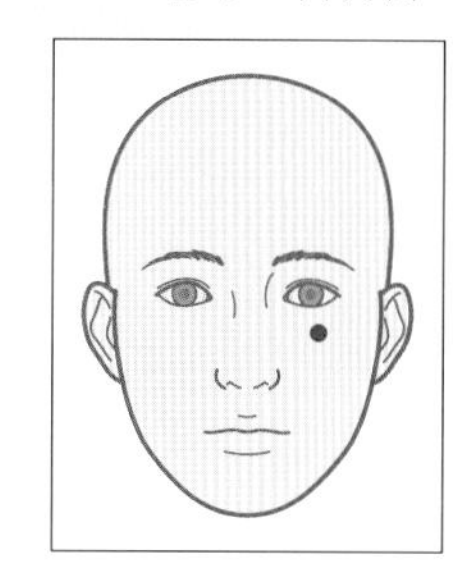

증례
- 18세 · 남성.
- 하안검 하부의 거대한 점 (15×10mm).

방침
- 하안검에 가까운 점이므로, 봉합해도 토끼눈이 되지 않고, 반흔이 그다지 눈에 띄지 않는 방향이 되어야 한다.
- 3차로상의 반흔이 되도록 디자인한다.

수술 & 술후 경과

1 술전

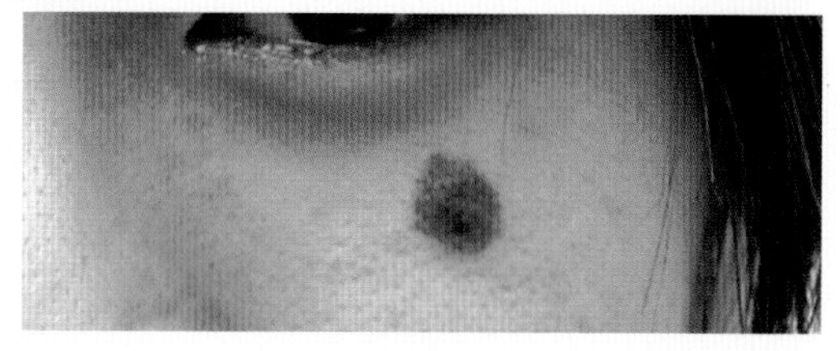

2 피부절개의 디자인 (crown excision 디자인)

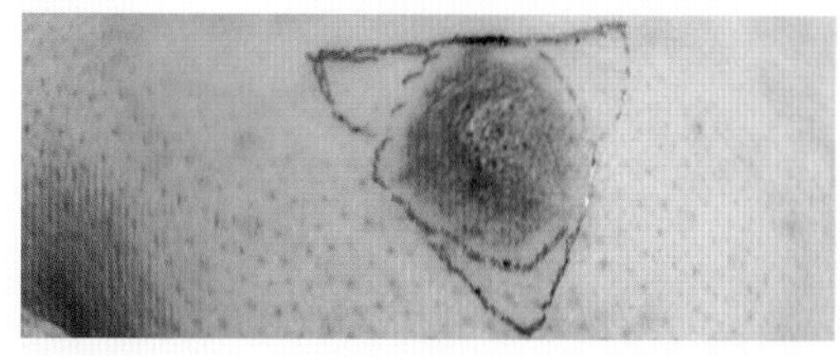

3 점의 절제

도려내어 절제하고 가장 세게 당겨서 붙여야 할 부위를 피하 봉합으로 붙여 보았다.

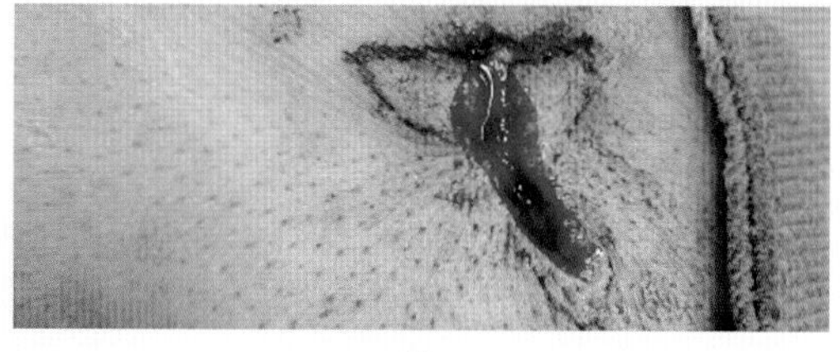

4 피하봉합

아래쪽을 예정한 피부절개의 디자인대로 절제하고, 피하봉합을 한 상태. 그 후, 위쪽도 예정대로 절제하였다.

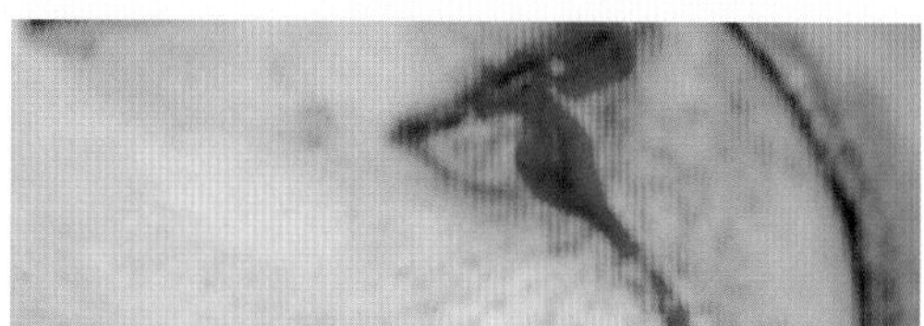

5 피부봉합 종료

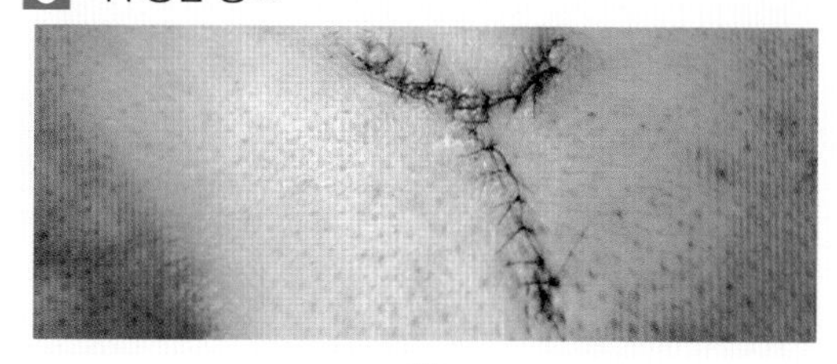

6 술후 1주째

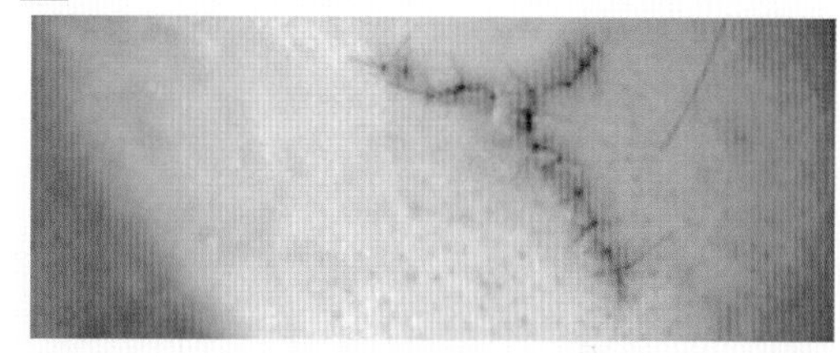

7 술후 1개월째의 상태

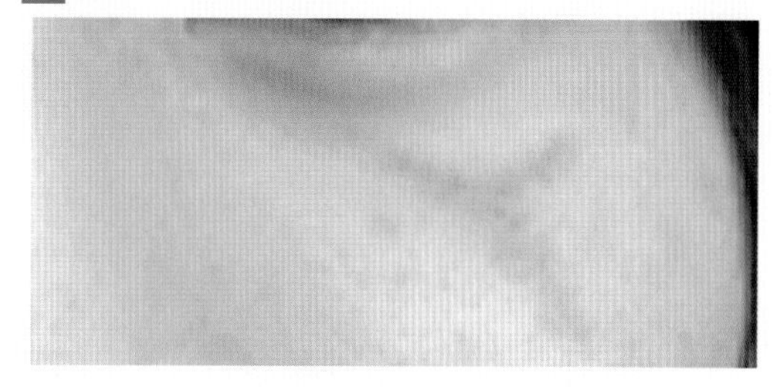

- 방추형 절제만으로는 어느 방향으로 해도 반흔이 너무 길어지거나 토끼눈이 될 위험성이 있으므로 부적당.
- 피판성형술보다 이 crown excision 디자인이 더 낫다. 평가 ★★★★

17 협부 상방의 점③

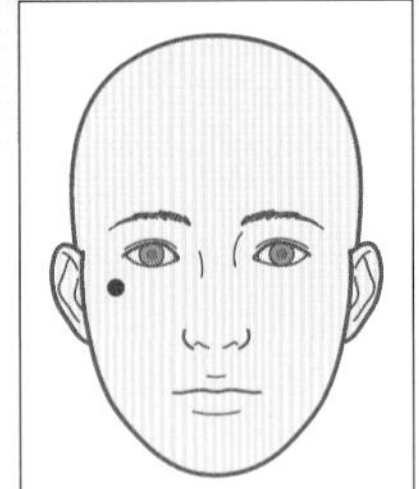

증례
- 26세 · 여성.
- 정면에서 보아 윤곽부에 위치하는 큰 점 (10×8mm).

방침
- 전형적인 방추형 절제술이 타당.
- 피하박리는 아래쪽만 하면, 봉합선이 위쪽으로 조금 오목한 활모양의 둥근 선을 그리게 된다.

수술 & 술후 경과

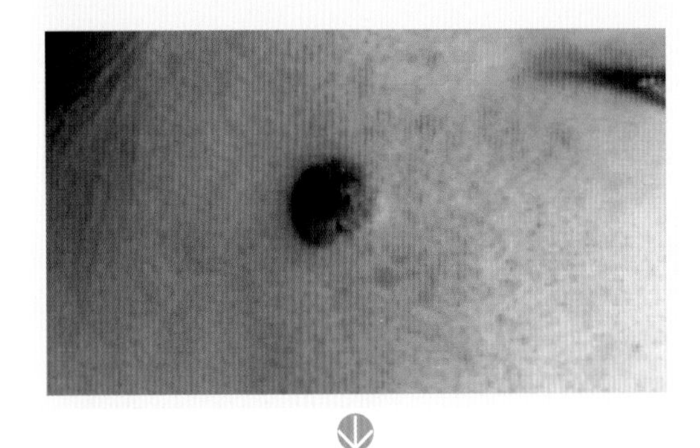

2 피부절개의 디자인
빨간 점선은 박리 범위.

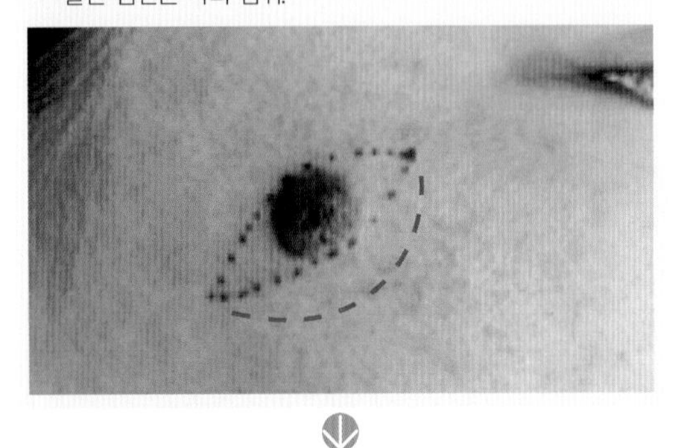

3 피부봉합 종료
위쪽으로 조금 볼록한 봉합선이 되었다.

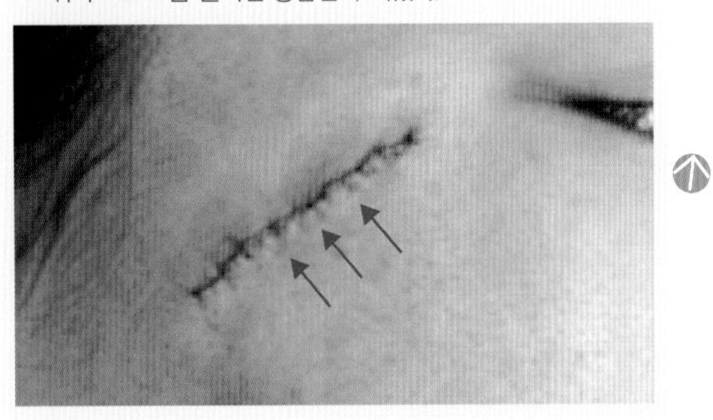

4 술후 5개월째의 상태 (측면)
발적은 거의 소실.

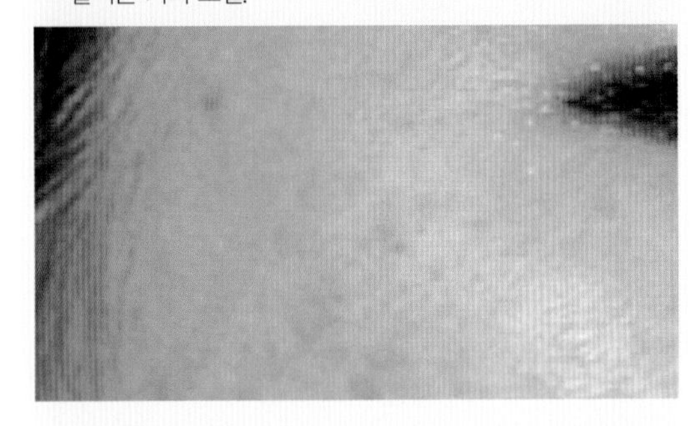

사방향(斜方向)

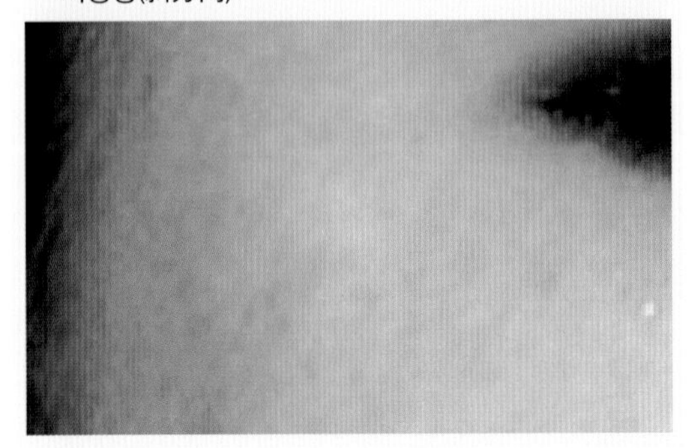

POINT
- 윤곽부의 점 절제는 충분히 긴 장축의 방추형 디자인으로 dog ear 형성을 예방할 수 있다.
- 수술직후에는 확실히 알 수 없지만, 반흔이 직선상이 아니라 상방으로 약간 오목한 활모양의 둥근 선이 되어 좀 더 자연스러운 커브를 그린다. 평가 ★★★☆

④ 비부의 점

Key Points

❶ 코의 점 절제에는 코의 변형을 초래하지 않는 봉합이 중요하다.

❷ 코의 점 절제는 도려내기 봉합법이 기본이다.

❸ 코의 점 절제인 경우, 봉합선의 방향은 그다지 구애받지 않는다. 그보다 능선이나 자유연의 변형을 일으키지 않도록 배려해야 한다.

❹ 변형을 일으키지 않기 위해서는 완전봉합을 목표로 하기보다 조금 당기는 것만으로 끝내는 「반폐쇄법」으로 하면 된다.

❺ 비익부위의 점은 피하봉합으로 이미 변형, 좌우비대칭을 일으켜서는 폐쇄법이 잘못 되어 있어서, 꿰매는 방향을 연구해야 한다.

❻ 정중선상의 점의 절제는 특히 프로필라인의 변형되지 않도록 주의한다.

❼ 코의 점은 비근부 이외는 인상적으로 좋은 것이 아니므로, 없는 편이 낫다는 방향으로 대처한다.

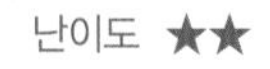

1 비근부의 점①

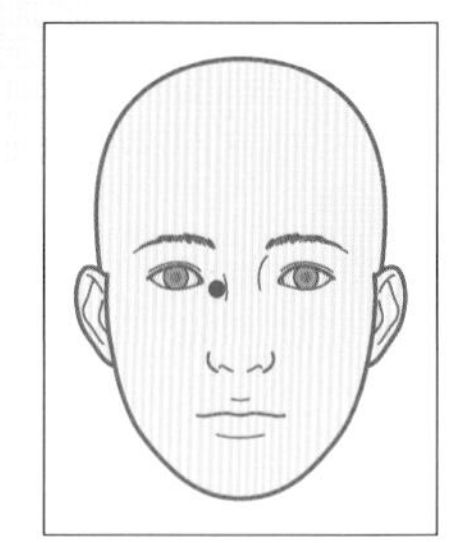

증례
- 54세 · 여성.
- 비근부의 융기상의 점 (6×10mm).

방침
- 수평방향으로 긴 점은 이 부위에 적합하다.
- 방추형 절제로 수평방향의 반흔이 되도록 한다.

수술 & 술후 경과

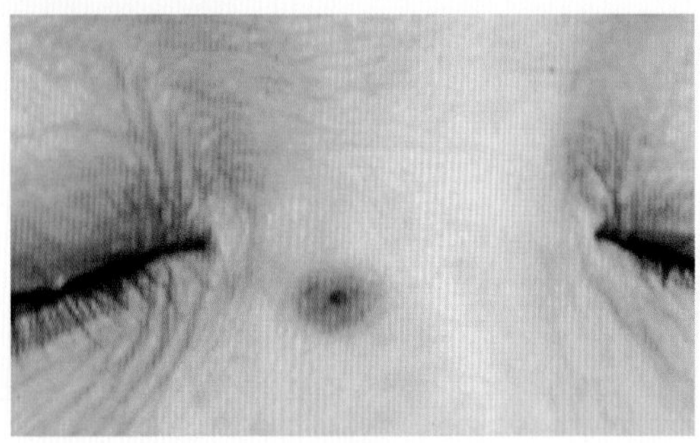

2 피부절개의 디자인
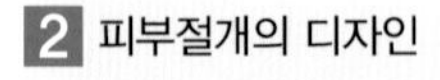

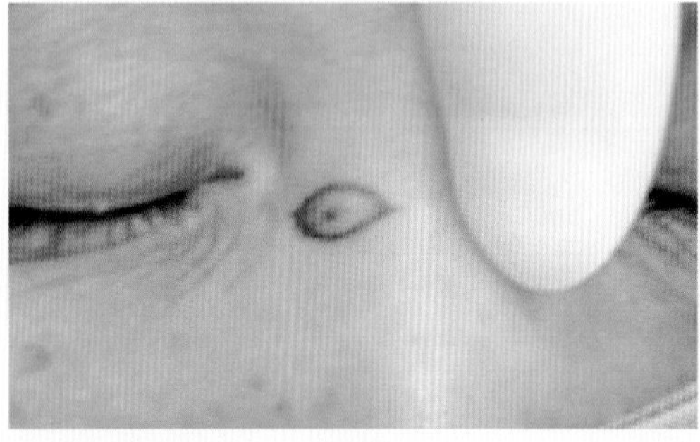

3 피부봉합 종료

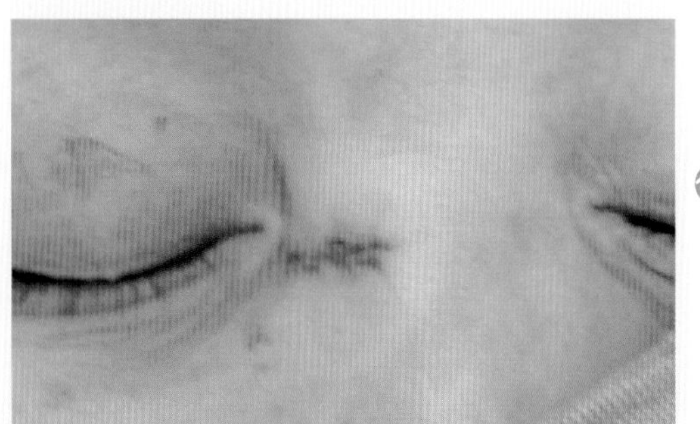

4 술후 1개월째의 상태

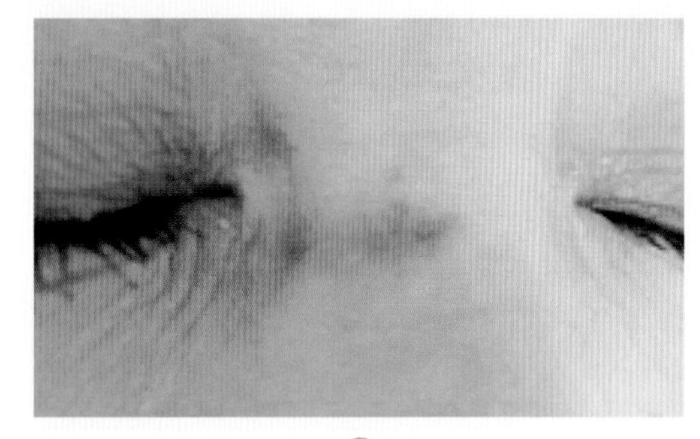

5 술후 2개월째의 상태
거의 눈에 띄지 않는다.

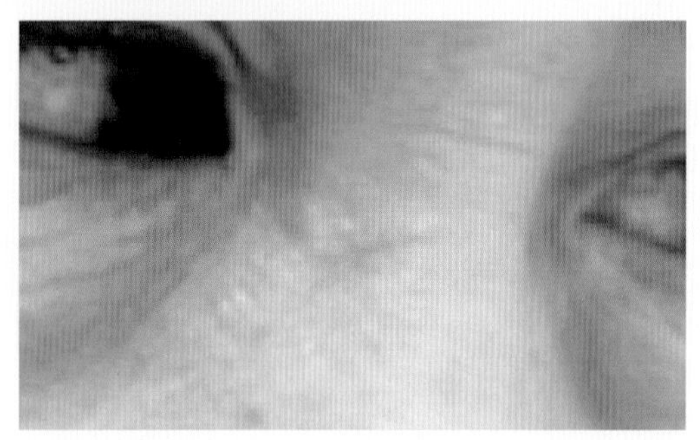

◉ 중년 이후가 되면 비근부에 수평방향의 주름이 생기게 되므로, 이러한 연령의 점을 절제할 때에는 반흔도 수평방향이 되도록 절제봉합한다. 평가 ★★★★

2 비근부의 점②

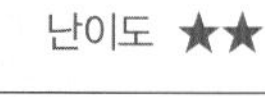
난이도 ★★

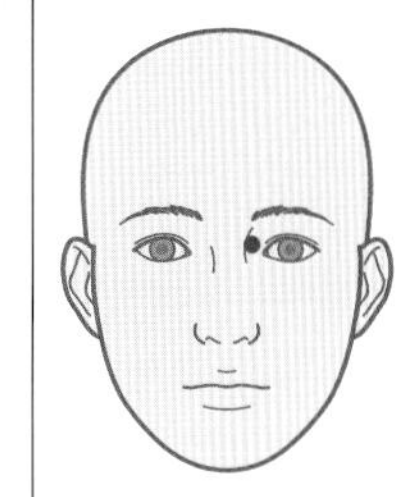

증례
- 15세 · 여성.
- 왼쪽 내안각부 외측의 점 (8×10mm).

방침
- 도려내어 절제, 봉축.

수술 & 술후 경과

1 술전

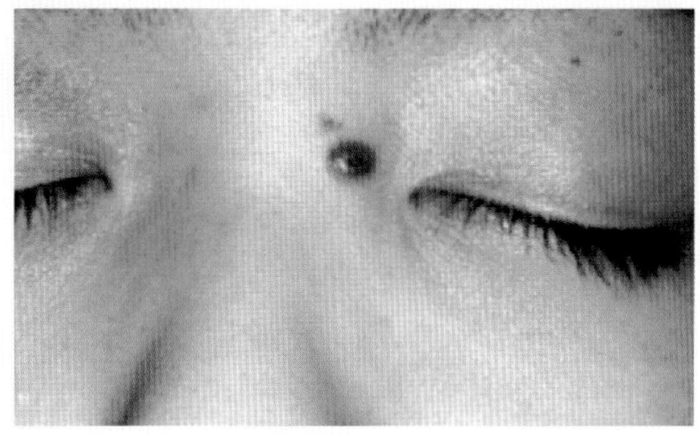

2 피부절개의 디자인
도려내고 봉합할 때 3방향에서 꿰매는 것을 생각하였다.

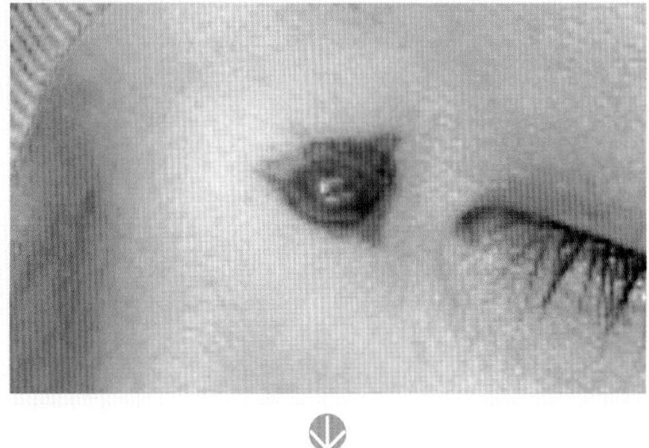

3 점의 절제

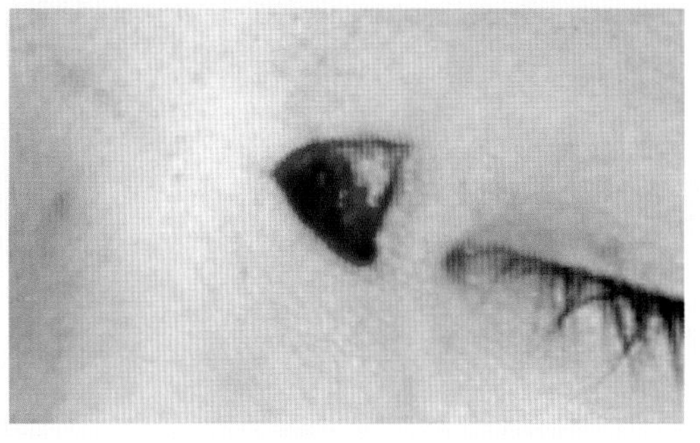

4 수술 종료 (폐검시)
피하봉합 후, 피부봉합하여 창상을 완전 폐쇄하였다.

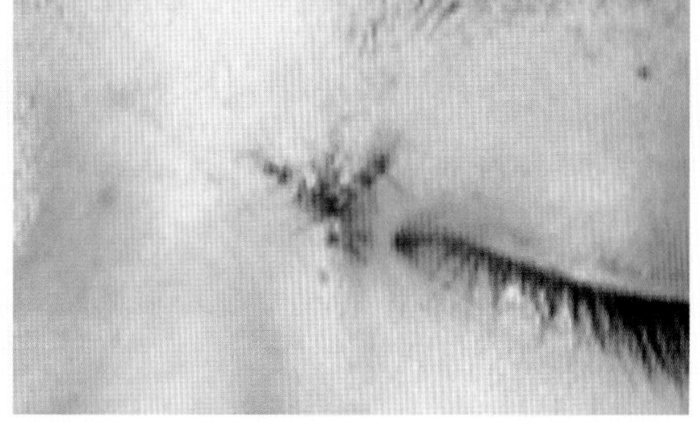

(개검시)

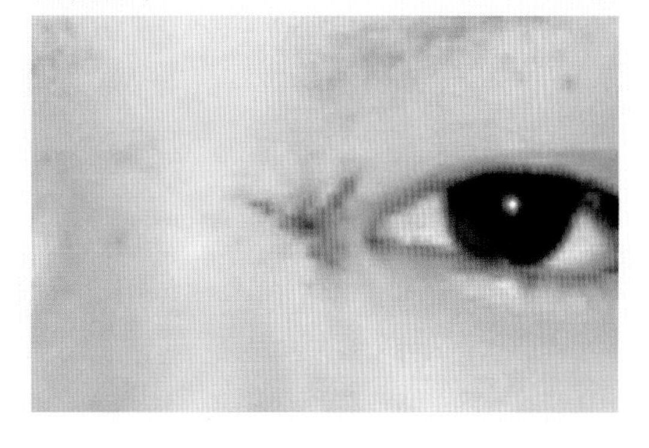

POINT
- 비근부는 피부가 얇아서, 상당히 큰 점이라도 수술로 완전 폐쇄하는 것이 가능.
- 단 청소년인 경우에는 비근부에 아직 주름이 생기지 않아서, 수평방향의 방추형 절제만 고집하지 말고 이 경우와 같은 디자인도 괜찮다. 평가 ★★★

3 비근부의 점③

난이도 ★★

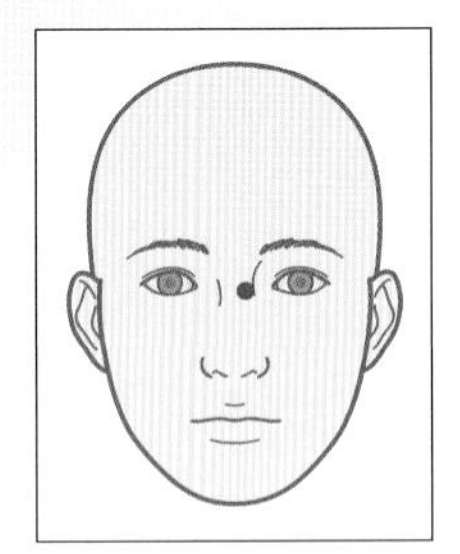

증례
- 13세 · 남성.
- 비근부의 약간 아래쪽의 점 (5×4mm).

방침
- 방추형 절제, 봉축술.
- 피부절개 디자인의 끝이 정중선에 이르는 디자인으로 한다.

수술 & 술후 경과

1 술전

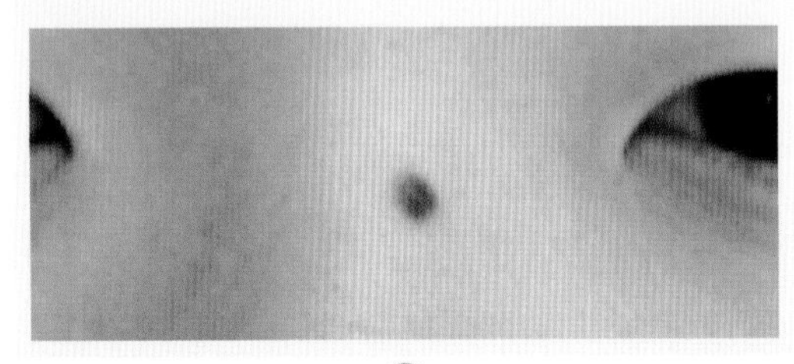

2 피부절개의 디자인

디자인의 끝이 정중선에 이르도록 축의 방향을 조절하였다.

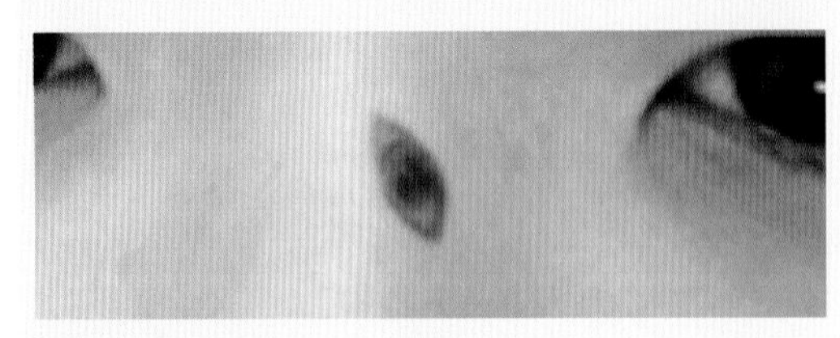

3 점의 절제, 피하봉합

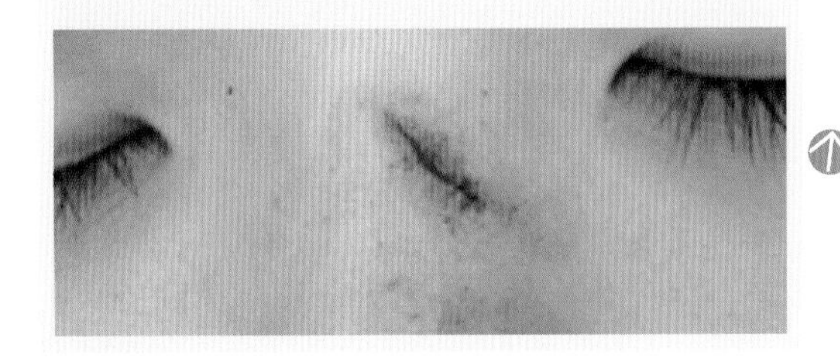

4 피부봉합 종료

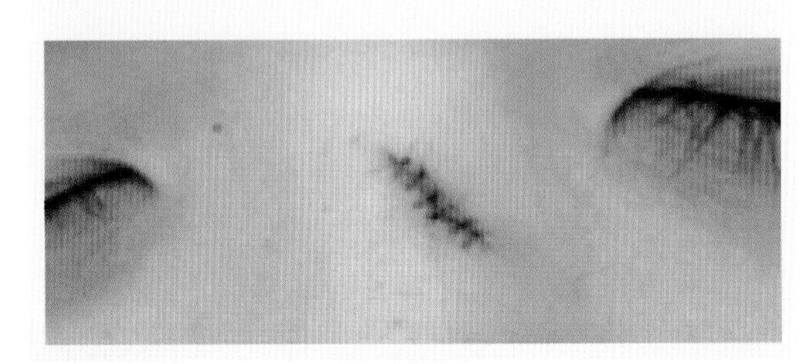

5 술후 1주째의 상태

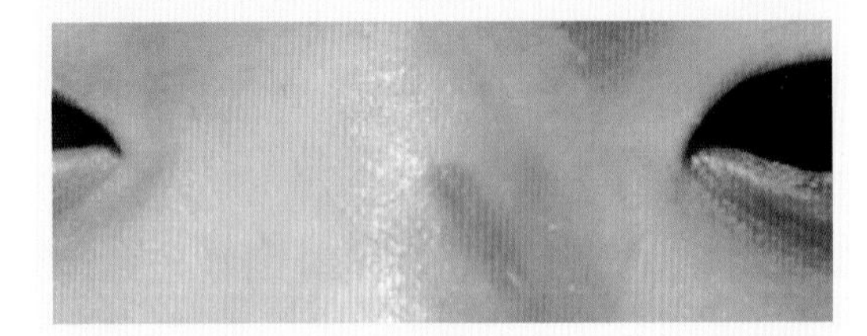

6 술후 1개월째의 상태

dog ear의 형성은 없다.

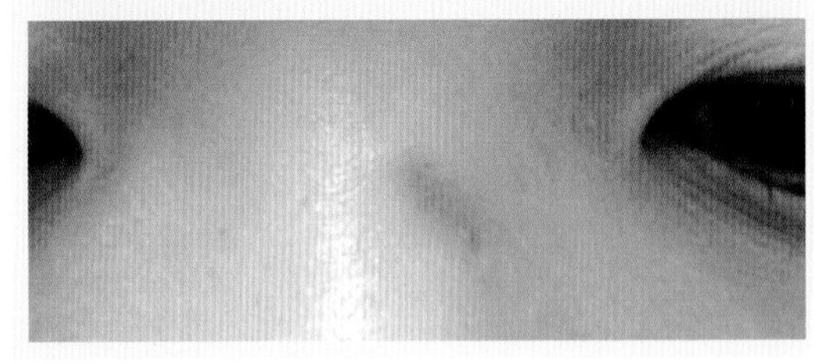

POINT

- 비근부의 정중을 조금 벗어난 위치의 점을 절제할 때의 디자인은 절제피부의 자른 부분이 정중에 걸치도록 디자인하면, 프로필라인의 변형을 예방할 수 있다.
- 이와 같이 어린 나이일수록 방추형 절제의 디자인 방향은 정중선이나 검연의 형상이 흐트러지지 않는 것을 제1필요조건으로 생각하고 결정하는 것이 중요하다.

평가 ★★★

4 비근부의 점④

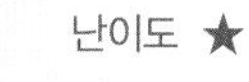
난이도 ★

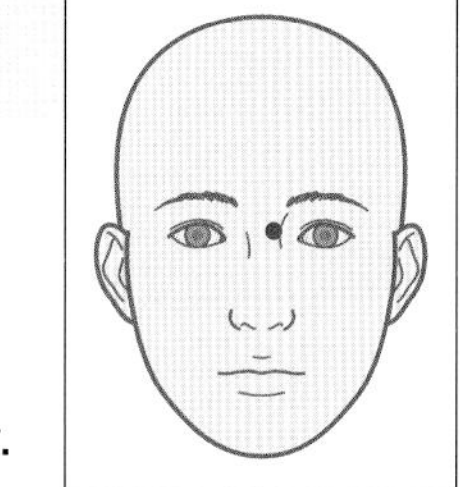

증례
- 37세 · 여성.
- 비근부의 점 (4×4mm).

방침
- 이 정도의 작은 점이면, 도려내는 봉합에 가까운 타원형 절제법으로 한다.

수술 & 술후 경과

1 술전

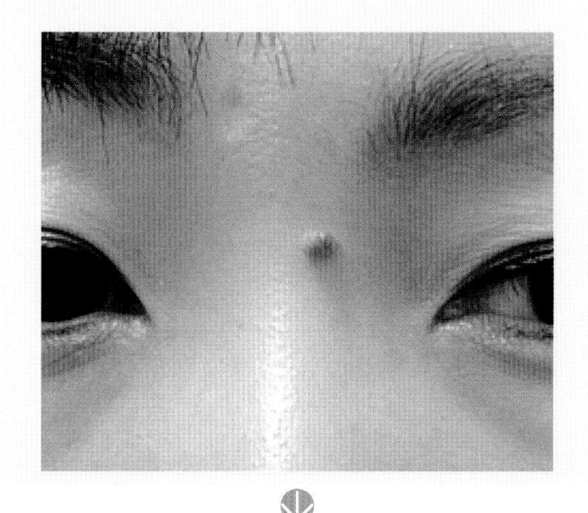

2 피부절개의 디자인

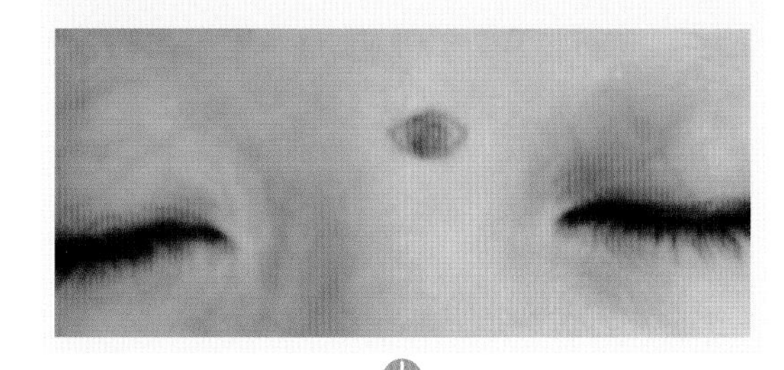

3 피부봉합 종료
피하봉합 1바늘.

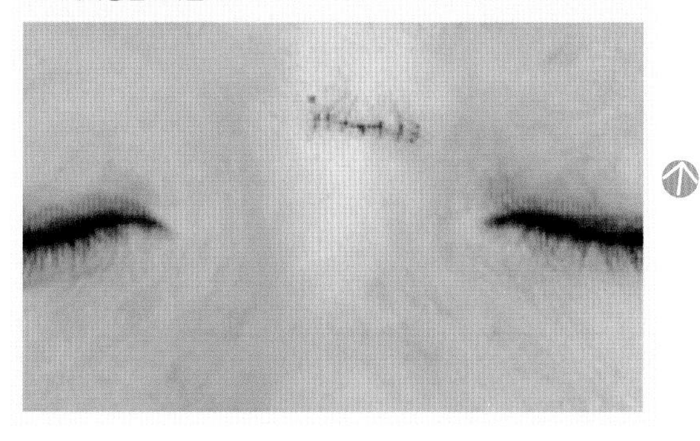

4 술후 1주후 발사 직전

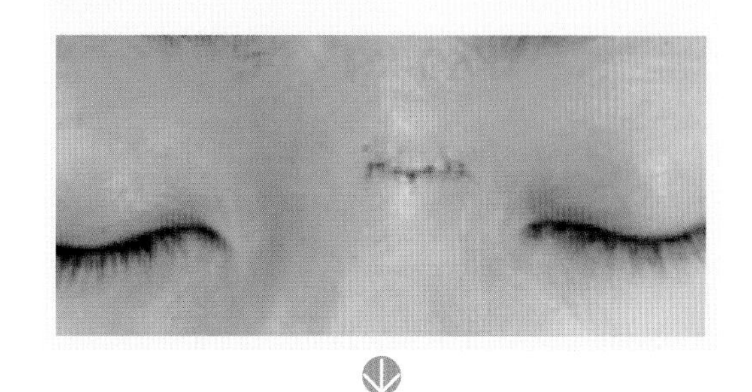

5 술후 발사 종료
dog ear의 형성은 없다.

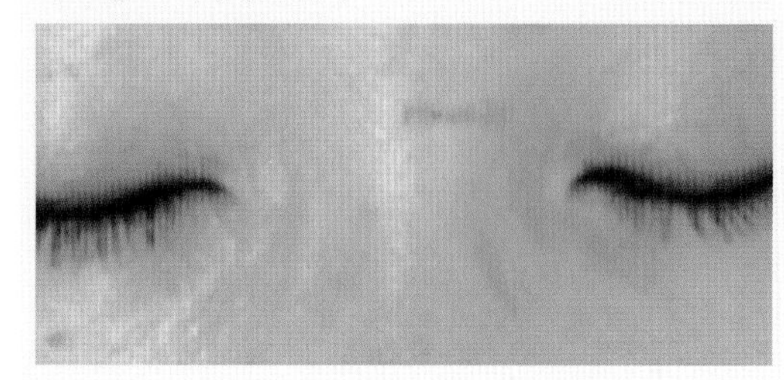

POINT
- 이 피부절개의 디자인은 타원형 절제와 도려내기 절제의 중간이다.
- 도려내고 피하 1바늘 봉합하는 방법이 상피화가 빨리 완료된다는 점에서 좀 더 나은 방법이라고 할 수 있다. 평가 ★★★

1 비배 정중부의 점①

난이도 ★★★

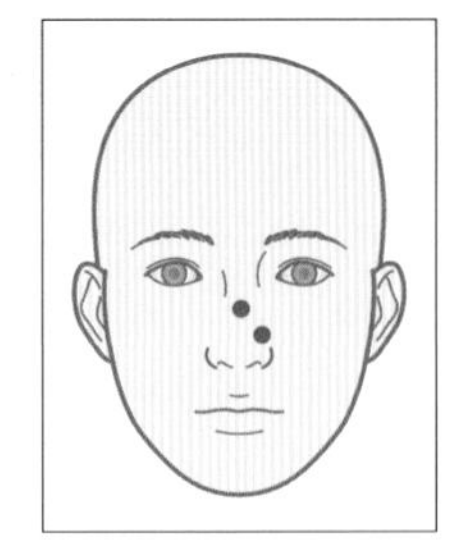

증례
- 38세 · 여성.
- 비배, 비첨 경계부 정중부의 융기성 점 (6×6mm, 3×3mm).

방침
- 방추형 절제 플러스 반폐쇄법으로 한다 (완전히 폐쇄해 버리면, 프로필 라인의 함몰이 눈에 띄게 된다).

수술 & 술후 경과

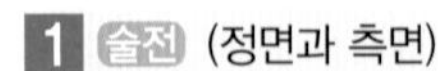

1 술전 (정면과 측면)

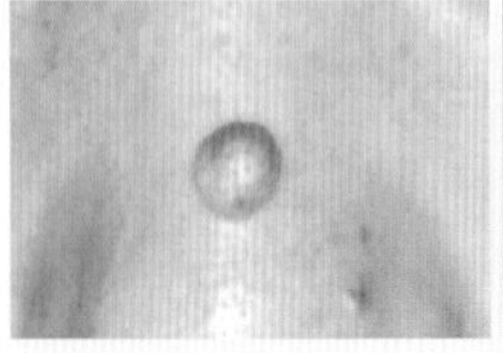
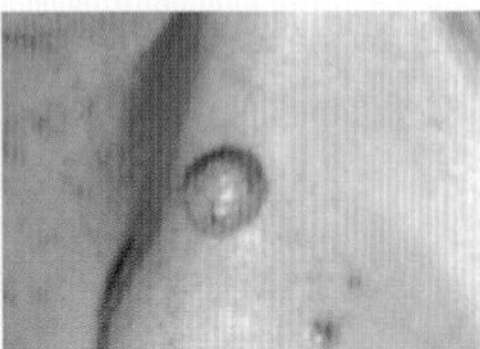

2 피부절개의 디자인
비첨측은 타원형, 비배측은 방추형.

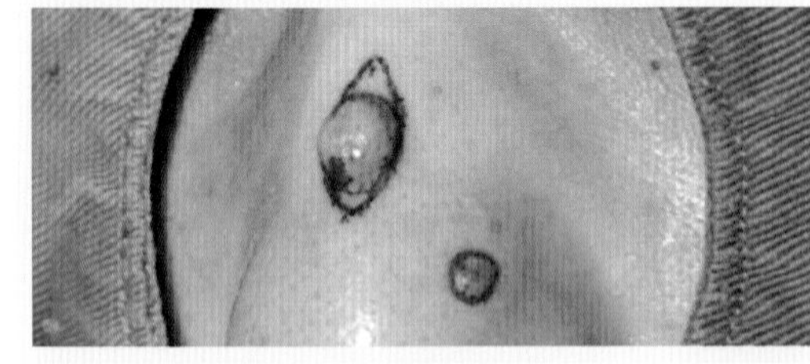

3 점의 절제

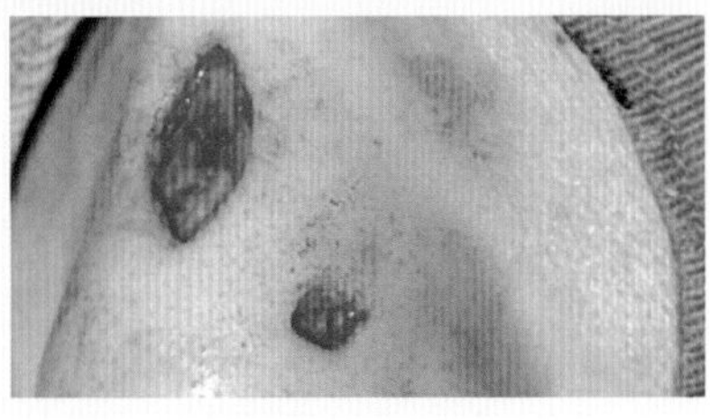

4 반폐쇄피부봉합
2군데에 피하봉합, 피부봉합은 완전히 폐쇄하지 않는다.

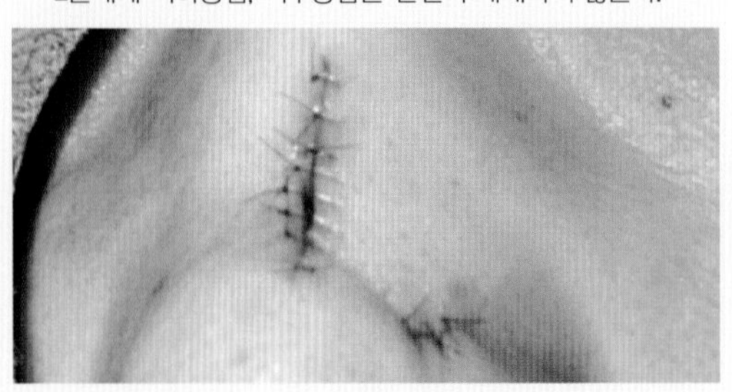

5 수술종료 (측면)
측면에서 보면 상당히 라인이 오목해 있다 (국소마취의 영향으로 울퉁불퉁한 것이 눈에 띈다).

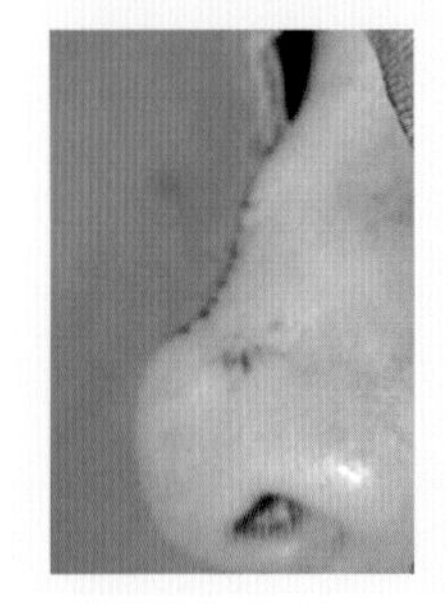

6 술후 2개월째의 상태 (정면)

(사면)

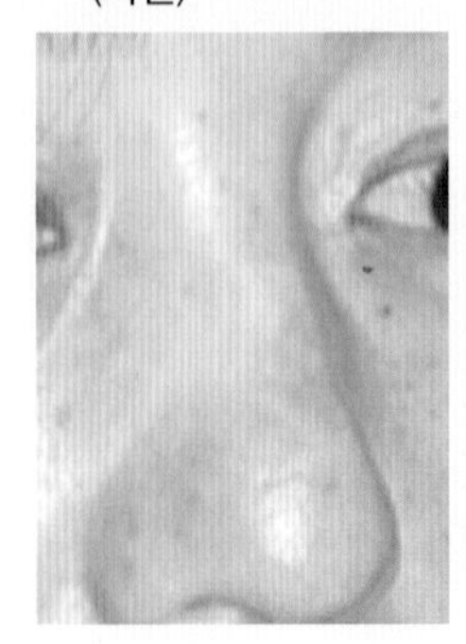

(측면) 약간 오목한 상태가 되었다.

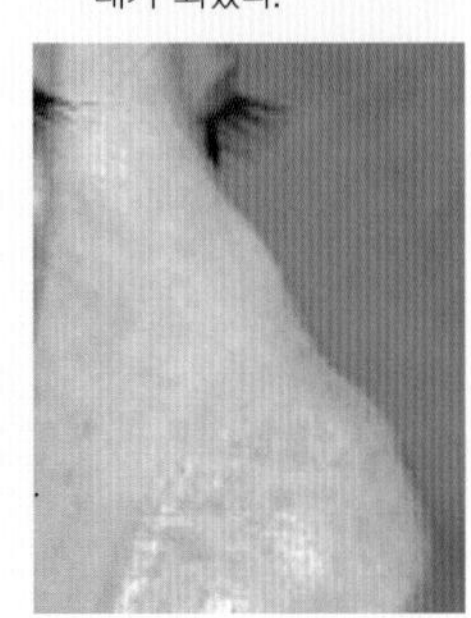

POINT
- 정중부의 점 절제에는 프로필라인의 변화를 최소한으로 해야 한다.
- 본 경우에는 함몰변형을 예방하기 위해서 반폐쇄법으로 했지만, 불충분하며, 역시 V-Y피판법으로 해야 했다.
- 도려내고 건착봉합 반폐쇄법만으로도 좋았다.

평가 ★★★★

2 비배 정중부의 점②

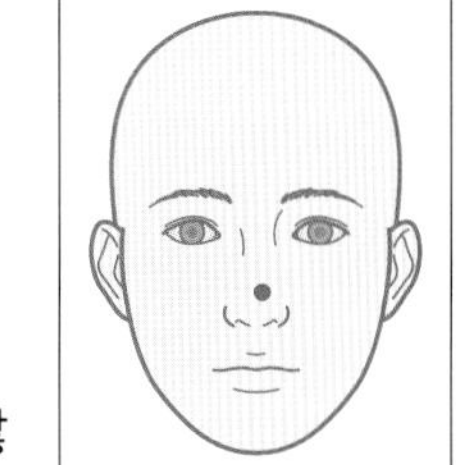

증례
- 58세 · 여성.
- 비배 정중부의 점 (7×7mm).

방침
- 이 부위의 점은 단순한 절제봉축이 프로필라인에 크게 영향을 미치지 않는다.
- 상하방향에서 V-Y전진피판으로 피부결손을 커버하는 디자인이 가장 좋다.

수술 & 술후 경과

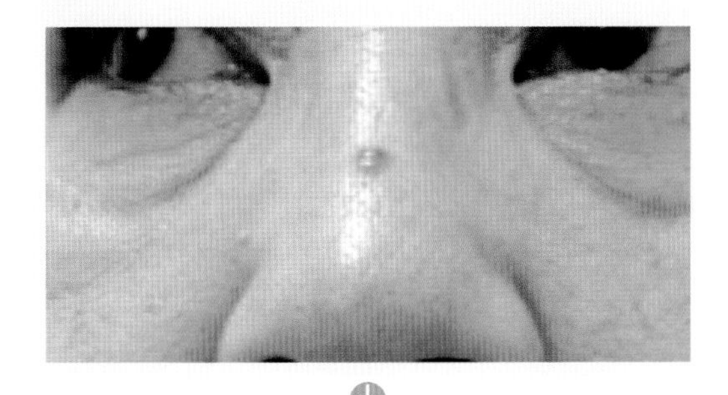

2 피부절개의 디자인 (양측 V-Y 전진피판)

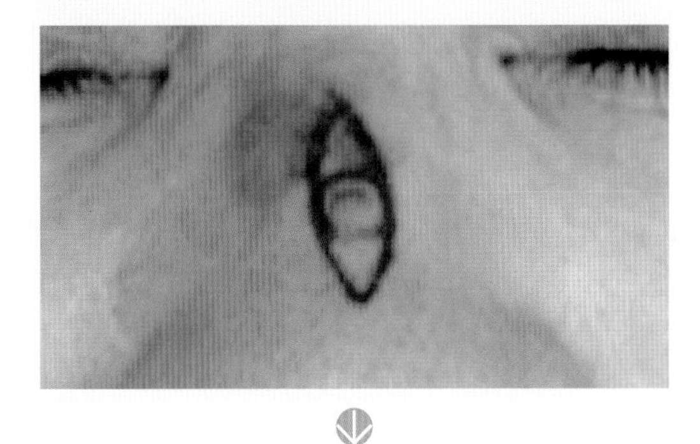

3 점을 도려내어 절제

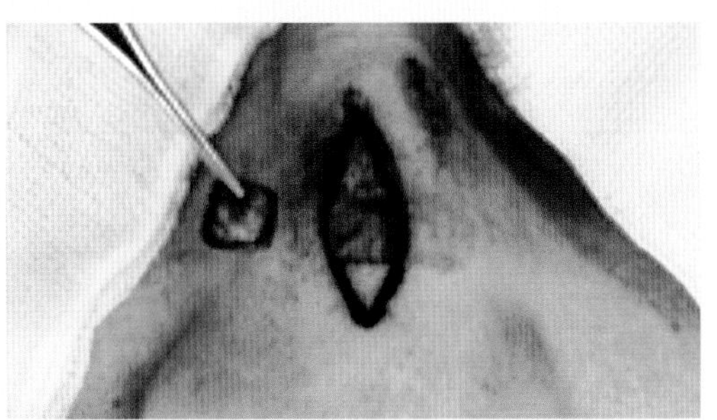

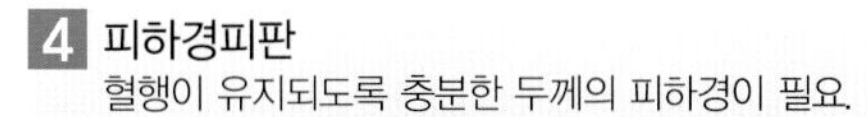

4 피하경피판
혈행이 유지되도록 충분한 두께의 피하경이 필요.

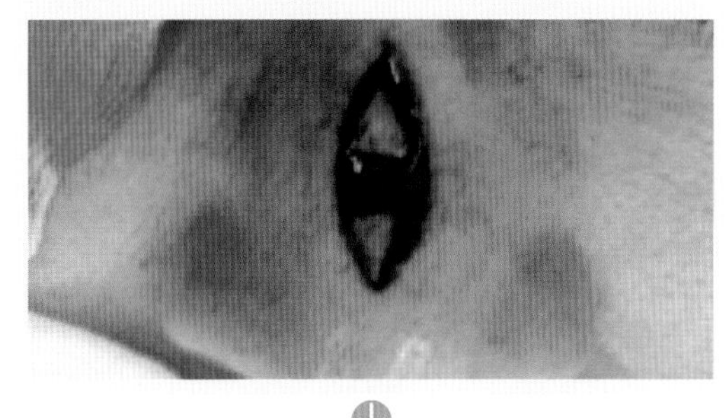

5 피판의 이동
상하 양측의 삼각판을 피하봉합으로 꿰맨다. 양 절단부도 피하 봉합.

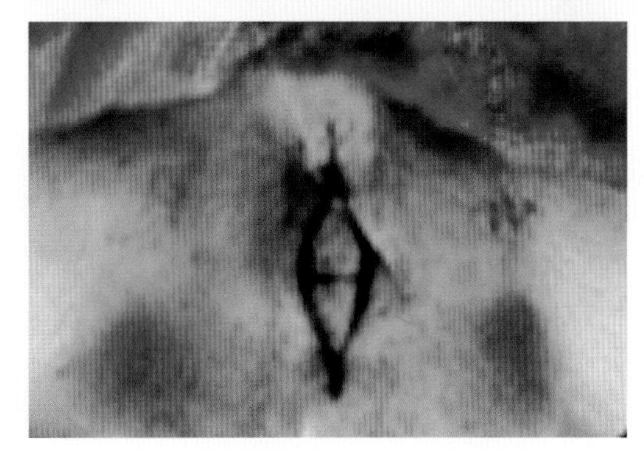

6 피하봉합

3바늘로 상하의 피판에 의해서 피부결손이 닫혀진 상태가 된다.

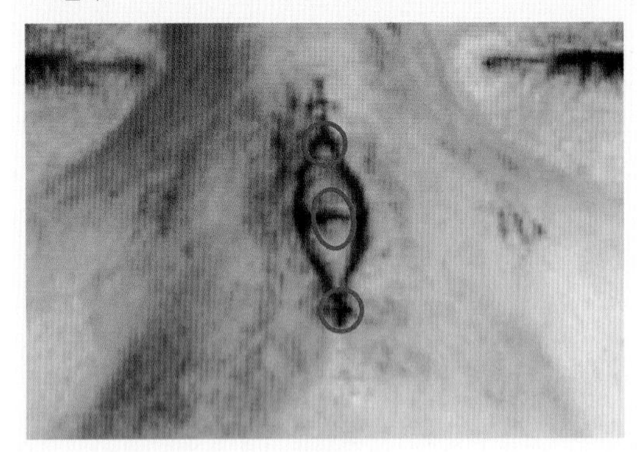

7 피부봉합 종료

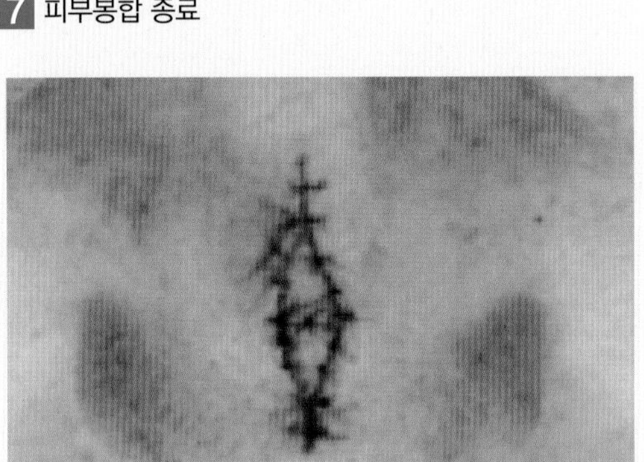

8 술후 1주째 발사 개시

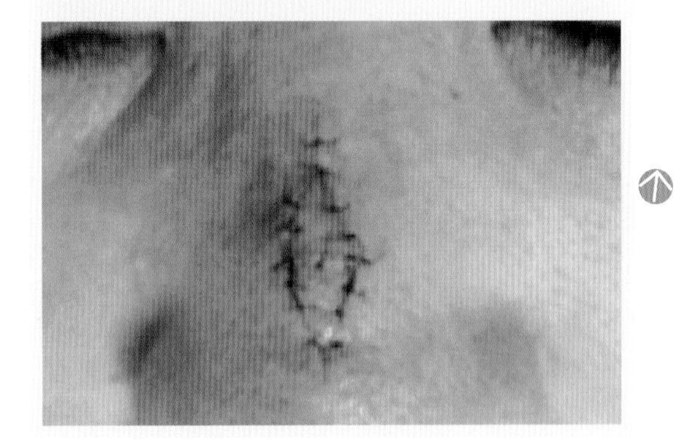

9 발사 종료

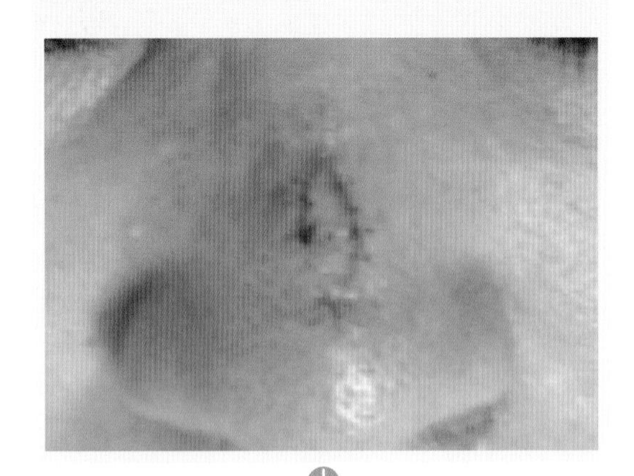

10 술후 1개월째의 상태 정면

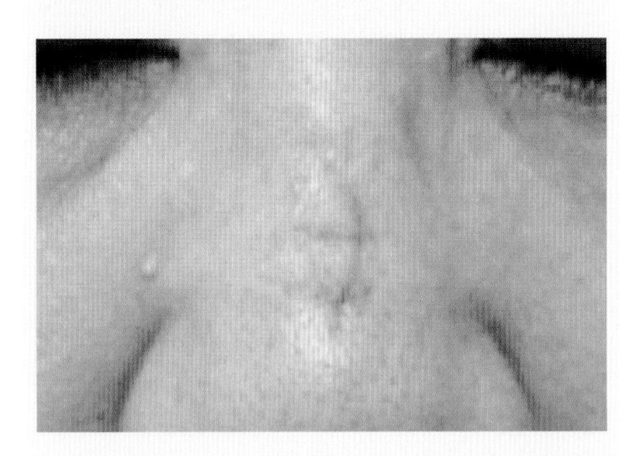

측면

양호한 프로필라인을 얻게 되었다.

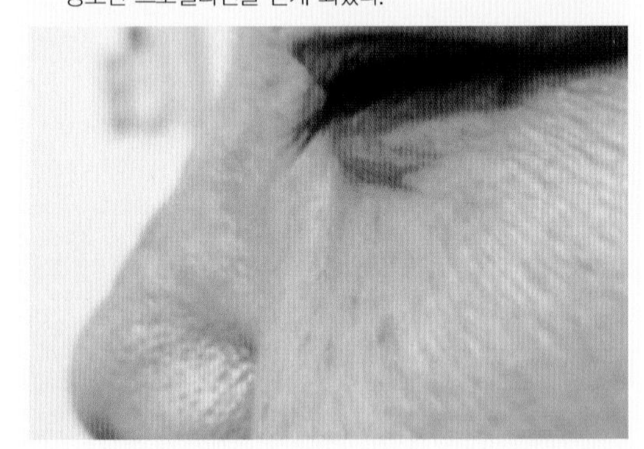

- 비배 정중부의 점을 절제 후 창상 폐쇄에는 이 상하에서의 double V-Y 피판이 가장 이상적이다.
- 피하경피판으로, 혈행이 유지되도록 주의하여 피판을 세워야 한다.

 비배 정중부의 점③

난이도 ★★

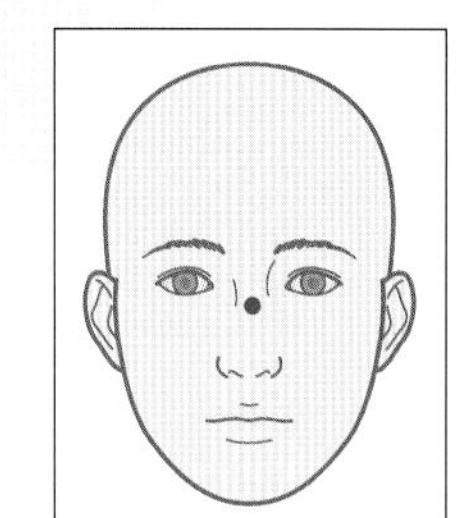

증례
- 45세 · 여성.
- 비배 정중부의 점 (5×5mm).

방침
- 도려내기 봉합법이나 피판법을 검토한다.
- 이번에는 도려내고 반폐쇄법으로 한다.

수술 & 술후 경과

1 

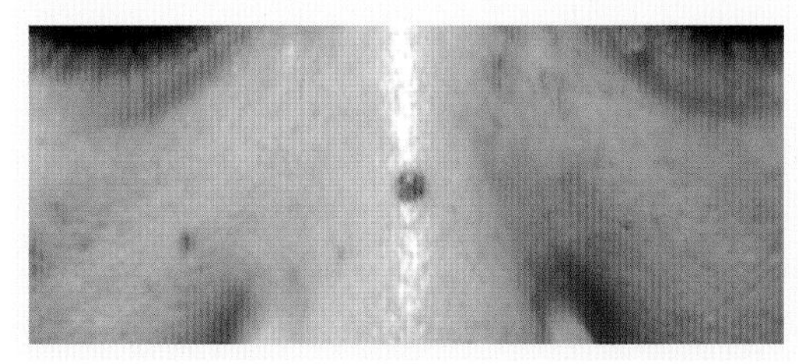

2 피부절개의 디자인
도려내고 반폐쇄법의 방침.

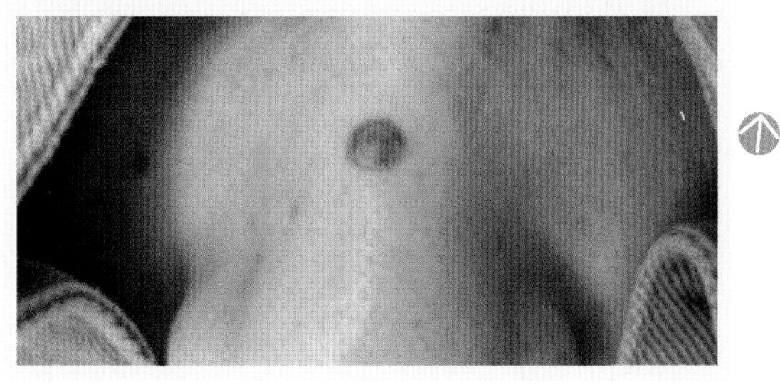

3 피부봉합
완전폐쇄하지 않고 반폐쇄한 채 종료.

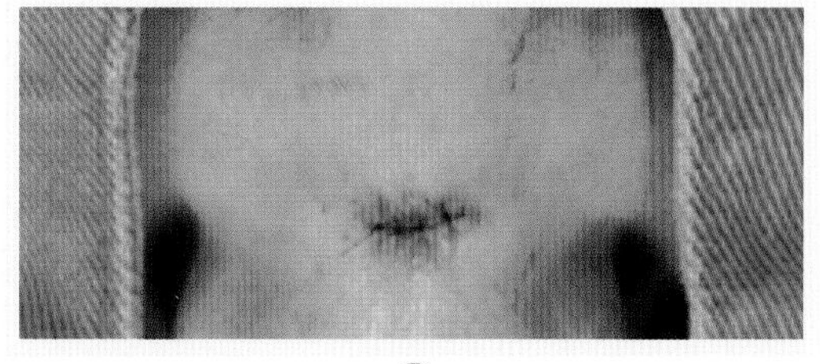

4 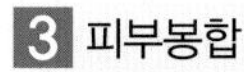 2주째의 상태
반흔이 선상이 아니라 폭이 있지만 dog ear가 눈에 띄지 않는다.

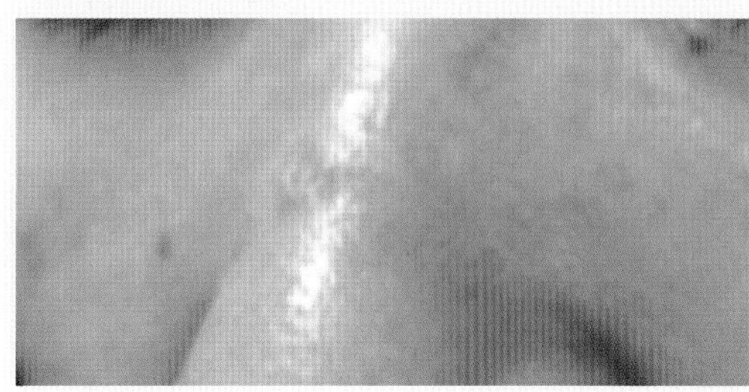

POINT
- 도려내는 범위가 5mm정도이면, 도려내고 단순봉합법 (수평방향) 또는 반폐쇄법으로도 충분히 깨끗하게 치유된다.
- 좀 더 큰 점인 경우에는 양끝에서의 V-Y 전진피판법으로 한다.

난이도 ★★★

4 비배 정중부의 점④

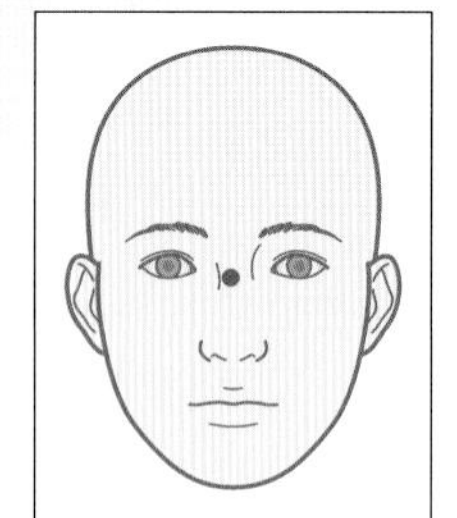

증례
- 21세 · 남성.
- 비배 정중부의 상당히 큰 점 (6×6mm).

방침
- 도려내기 봉합법으로 봉축하는 것만으로는 프로필라인이 울퉁불퉁해지는 부위.
- 3방향에서 꿰맨다.

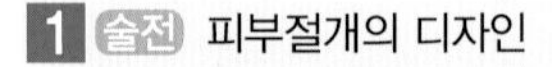

수술 & 술후 경과

1 술전 피부절개의 디자인

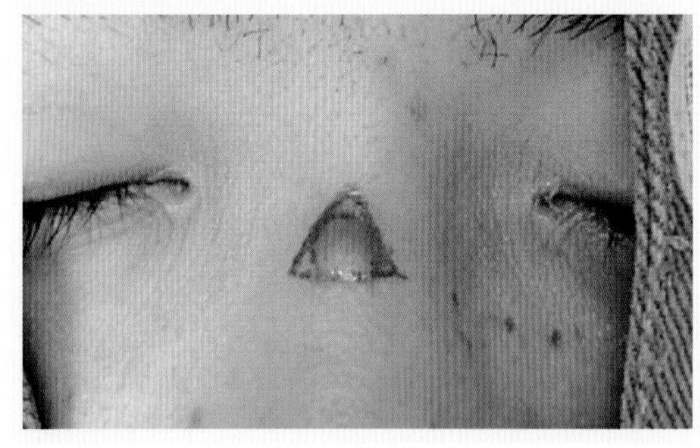

2 점의 절제
3방향에서 꿰매는 피하봉합 (5–0) 에 착수한다.

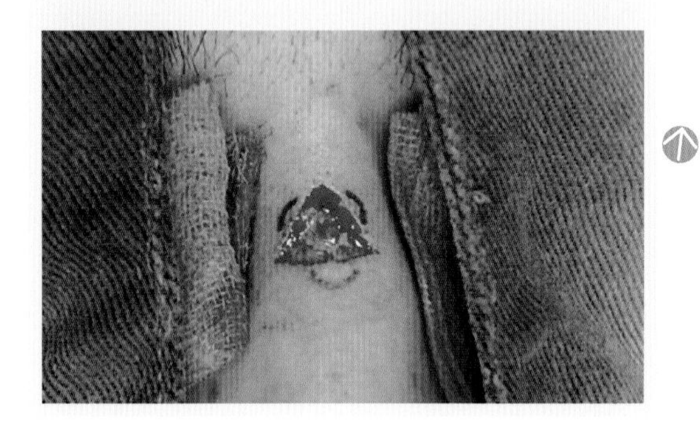

3 피부봉합 종료
3방향에서 피하봉합.

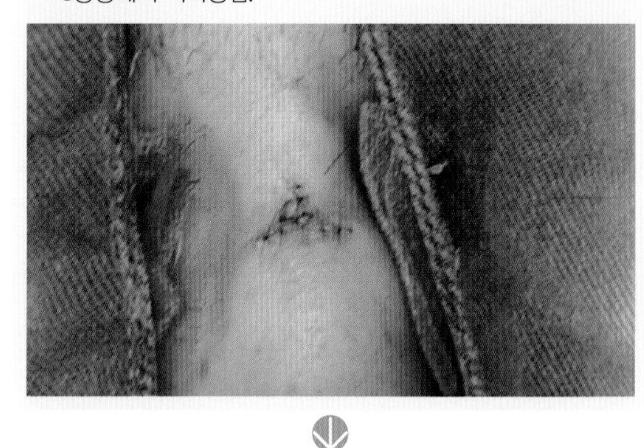

4 술후 1개월째의 상태
반흔은 아직 눈에 띄지만, 반흔의 범위가 좁아서 코의 변형이 거의 없다.

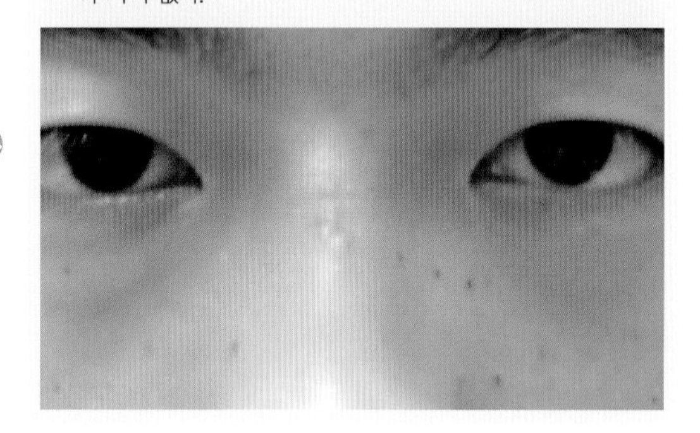

POINT
- 정중부의 상당히 큰 점은 좌우폐쇄나 상하폐쇄도 반흔이나 변형의 정도가 커진다.
- 그것을 최소화하기 위해서는 3방향에서 꿰매는 방법이 현명하다.

평가 ★★★

5 비배부 정중 부근의 점①

난이도 ★★★

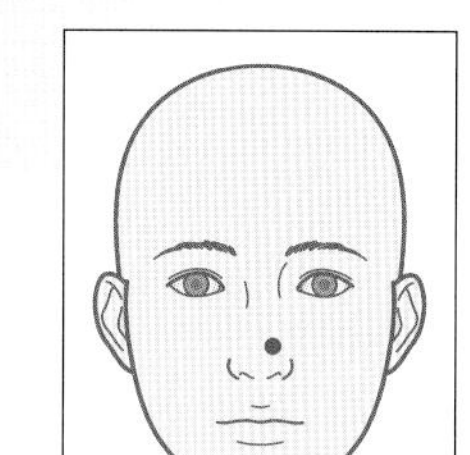

증례
- 40세 · 여성.
- 비배부 중앙 왼쪽 근처의 점 (8×8mm).

방침
- 비첨부에 가까워 피부가 두꺼우므로 타원형 절제에 가까운 디자인도 좋지만, 정중측은 정중라인에 바싹 붙여서, 전체적으로 tear drop형 피부절개 디자인으로 한다.
- 축방향은 비순구방향에 준하여 위로 비스듬한 방향을 선택.

수술 & 술후 경과

1 술전

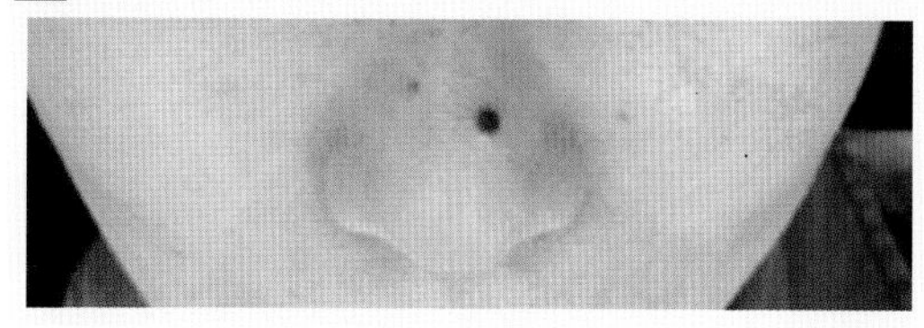

2 피부절개의 디자인

먼저 점의 윤곽을 marking, 정중선까지 (1~2mm 근처까지) 선단의 포인트를 설정하여 tear drop형 디자인으로 한다.

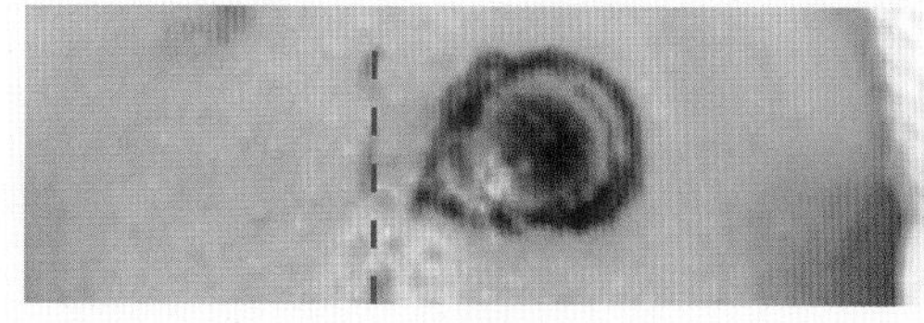

3 점을 도려내어 절제

바깥쪽의 둥근 라인은 피하봉합사를 꿰매는 위치로 표시되어 있다.

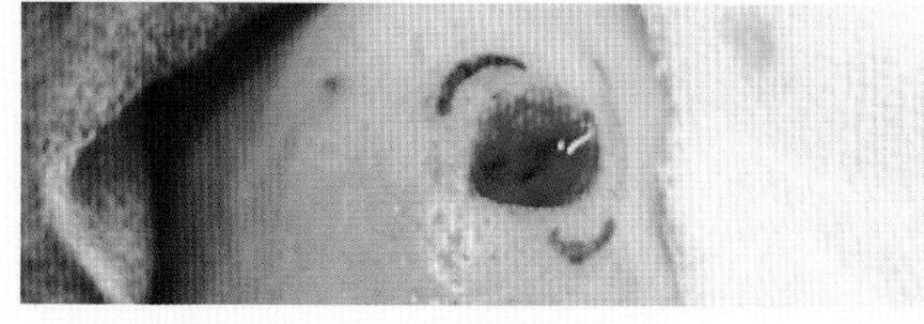

4 피하봉합

피부에 두께가 있어서, 바깥쪽도 평탄한 채 피부가 꿰매져 있다.

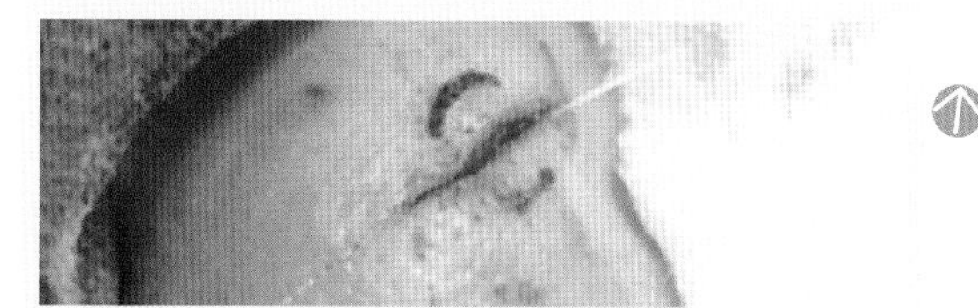

5 피부봉합 종료

dog ear의 염려 없음.

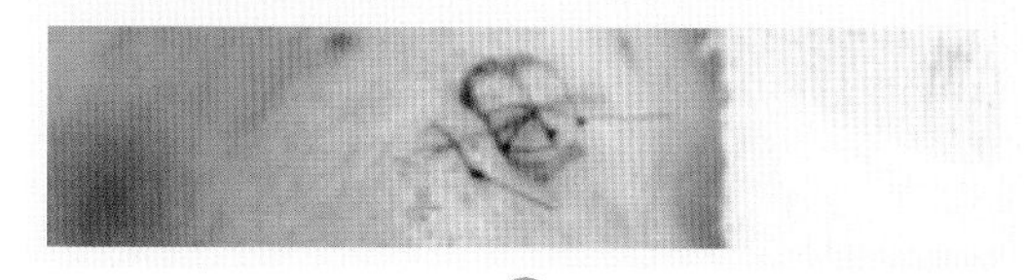

6 술후 1개월째

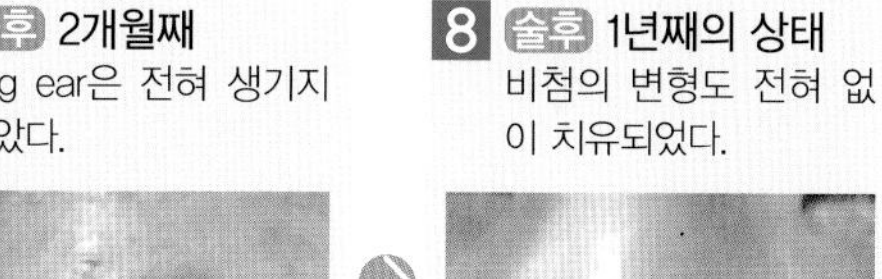

7 술후 2개월째

dog ear은 전혀 생기지 않았다.

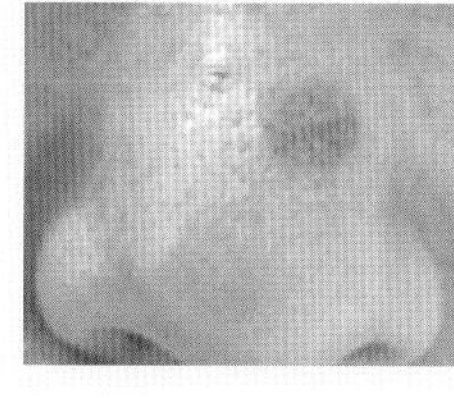

8 술후 1년째의 상태

비첨의 변형도 전혀 없이 치유되었다.

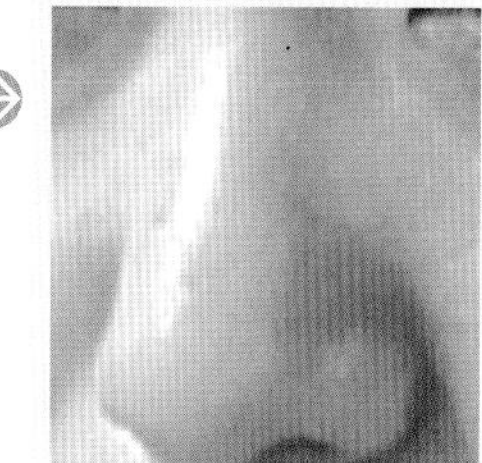

POINT

- 비첨부는 비근부에 비해서 진피의 두께가 매우 두꺼운 점이 다행이며, 상당히 큰 곡선반경의 피부절개 디자인에서도 꿰맸을 때에 dog ear가 형성되지 않는다.
- 따라서 비첨부는 방추형 절제가 거의 필요 없다. 정중선에서 벗어난 점의 정중 근처의 디자인만 방추형 형상으로 한다.

6 비배부 정중 부근의 점②

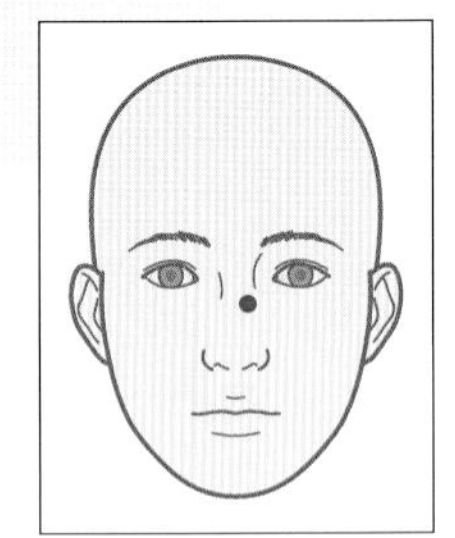

증례

- 26세 · 여성.
- 비릉부의 점 (5×5mm) 으로 정중에서 다소 왼쪽 근처이다.

방침

- 장축의 짧은 방추형 절제로 봉축하기로 한다.
- 이 부위는 반흔의 방향에 관해서는 생각하지 않아도 된다 (어떤 방향으로도 문제가 되지 않는다).
- 절제피부의 정중측 끝의 위치가 정중선을 넘지 않도록 디자인한다.

수술 & 술후 경과

1 술전

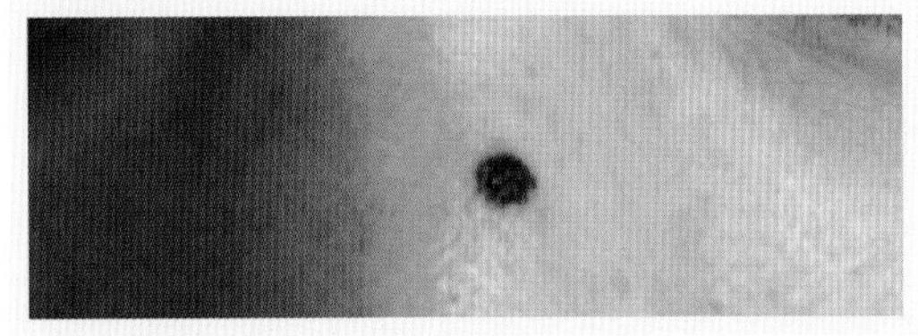

2 피부절개의 디자인

정중측이 정중선에 이르는 비스듬한 방향의 방추형 절제로 한다.

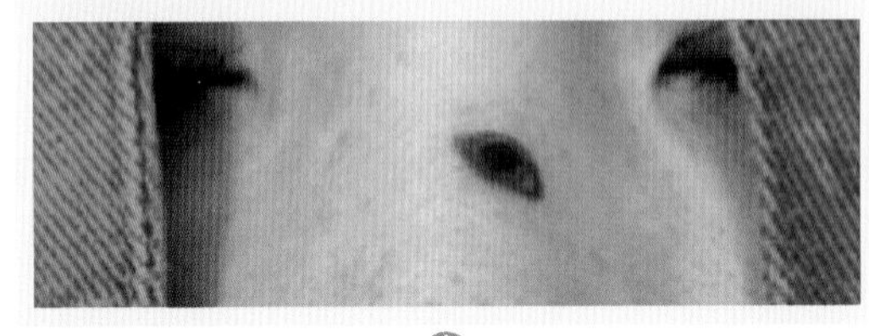

3 점의 절제

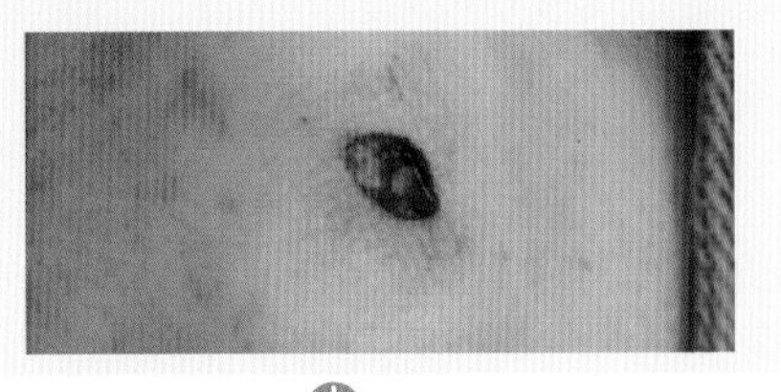

4 피하 (진피) 봉합

5-0 흰 나일론으로 2바늘.

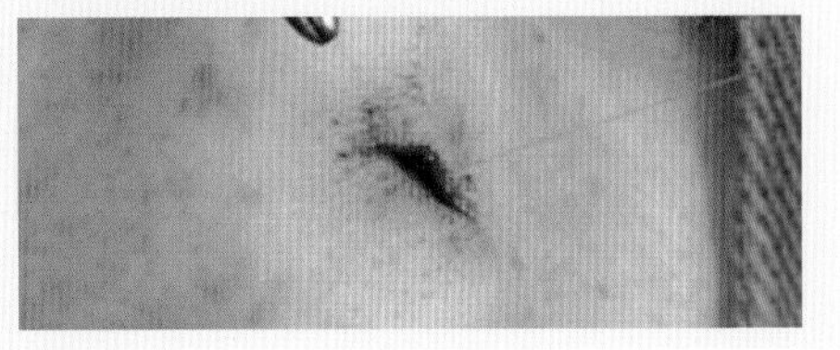

5 피부봉합 종료

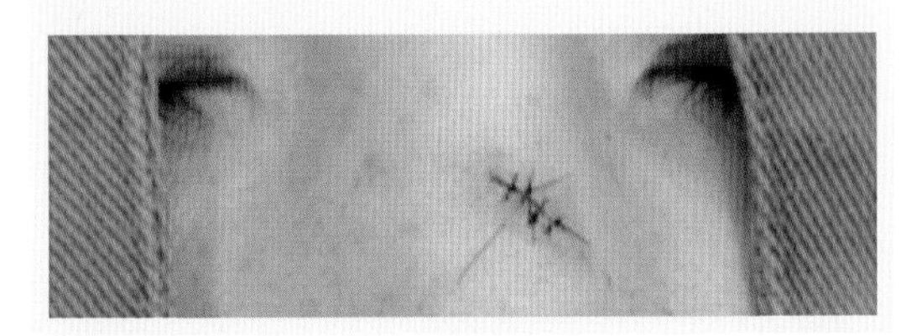

6 술후 1주째 발사 종료시의 상태

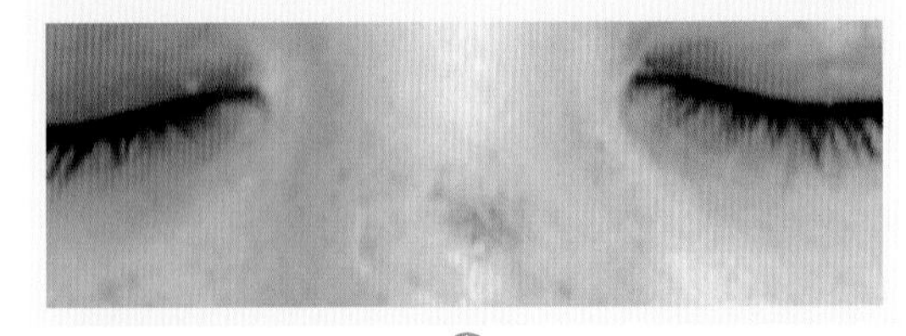

7 술후 2개월째의 상태

dog ear 형성 없이 반흔도 그다지 눈에 띄지 않게 되었다.

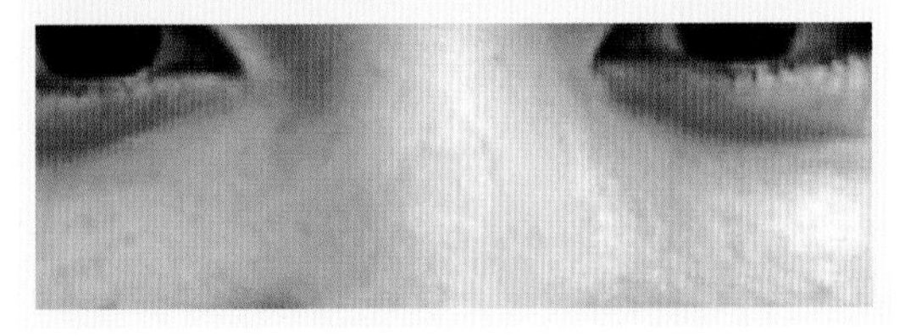

POINT

- 비배부의 봉합선은 비스듬한 방향이든 수평방향이든 상관없다. 무리하게 수평방향에 구애받지 말고, 봉합선이 정중을 넘으면 dog ear를 형성하기 쉬우므로 주의.

평가 ★★★

7 비배부 정중 부근의 점③

난이도 ★★★

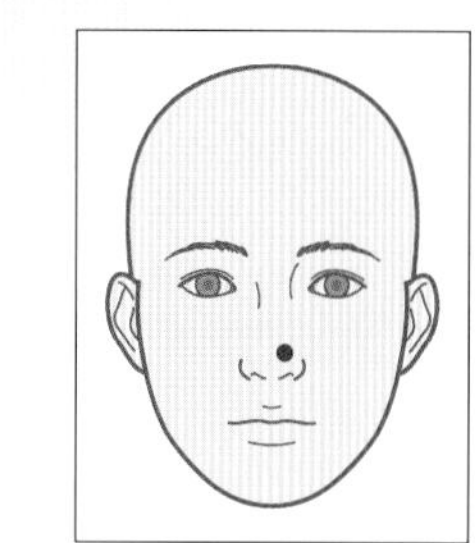

증례
- 59세 · 여성.
- 비첨에 가까운 비배의 큰 융기상 점 (13×13mm).

방침
- 도려내기 봉합법으로 한다.
- 완전봉축에 구애받지 말고 반폐쇄로 한다.

수술 & 술후 경과

1 술전 피부절개의 디자인
봉합하여 꿰매는 방향을 고려하여 조금 타원형의 디자인으로 한다.

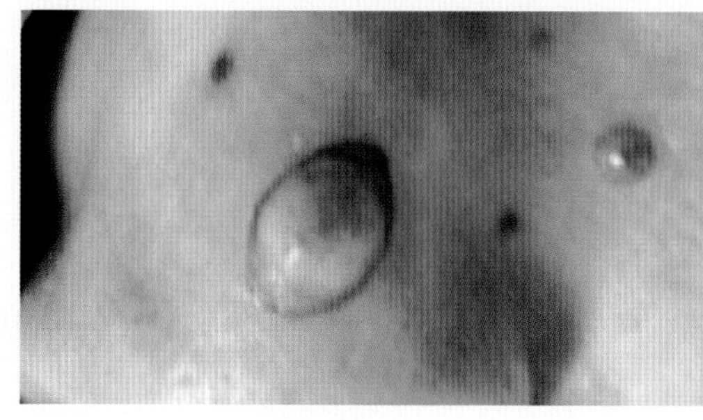

2 피부봉합 종료 (반폐쇄상태)
선단부 부근은 완전히 봉축하지 않아도 된다.

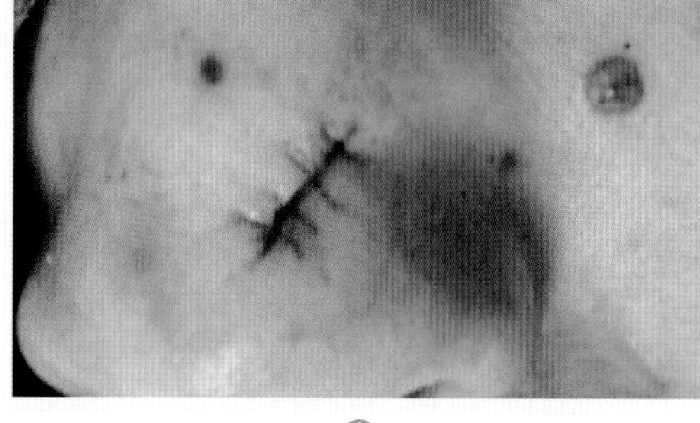

3 술후 1개월째의 상태
조금 오목하게 남아 있지만, 상피화는 완전히 종료되었다.

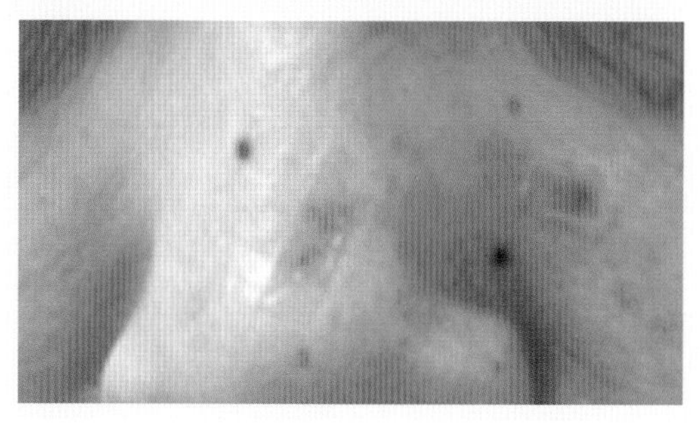

POINT
- 도려내기 봉합으로 상피화가 잘 완료된 경우지만, 이것은 연령적으로 주변 피부에 여유가 있어서 큰 점에서도 절제봉축이 가능했다고 생각한다.
- 이와 같이 커진 점의 경우를 보면, 점의 주변이 넓어진 것처럼 보인다.
- 따라서 상당히 큰 점이라도 도려내듯이 점을 제거하면, 실제 피부결손의 면적이 매우 작다고 할 수 있다.
- 단, 이 정도의 큰 점은 이것이 만일 20대 독신여성이라면, 역시 V-Y 전진피판법에 의한 창상 폐쇄를 생각해야 했을 것이다.

평가 ★★☆☆

8 비측면의 점

난이도 ★★★

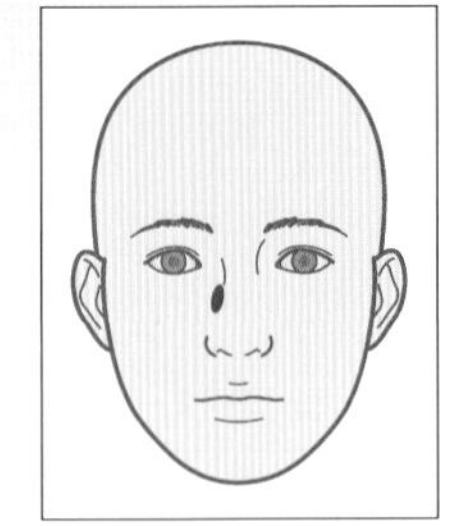

증례
- 6세 · 남아.
- 비측면의 큰 점 (22×10mm) 이라기보다 모반. 「초등학교 입학 전에 제거하고 싶다」고 스스로 절제를 희망했다고 한다.

방침
- 연속봉합술 (2회) 로 한다.

수술 & 술후 경과

1 

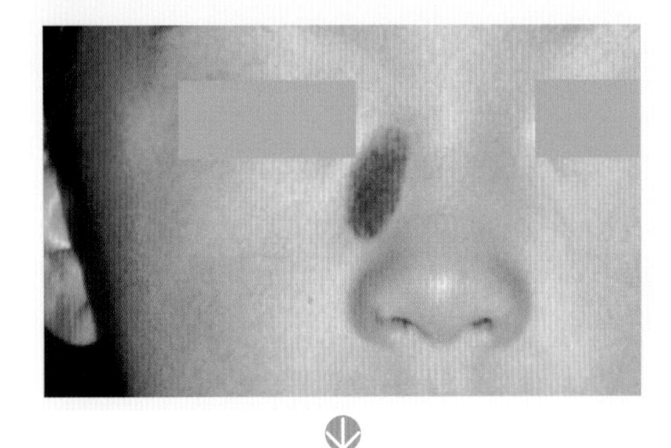

2 1회째 수술의 디자인

부위적으로 한 번의 절제로는 어렵다고 판단하여, 연속봉합술을 선택하였다.

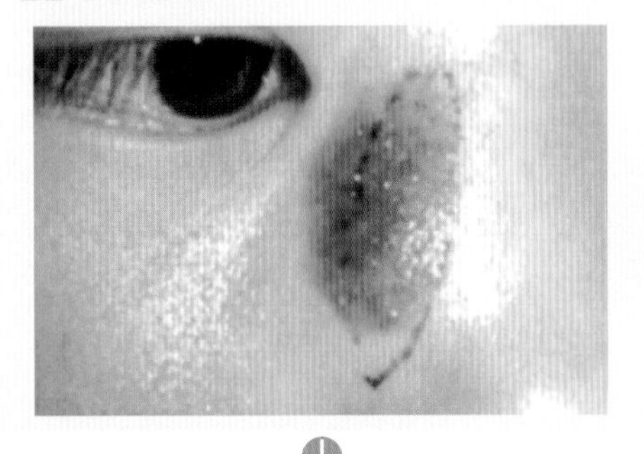

3 임시로 끝낸 상태

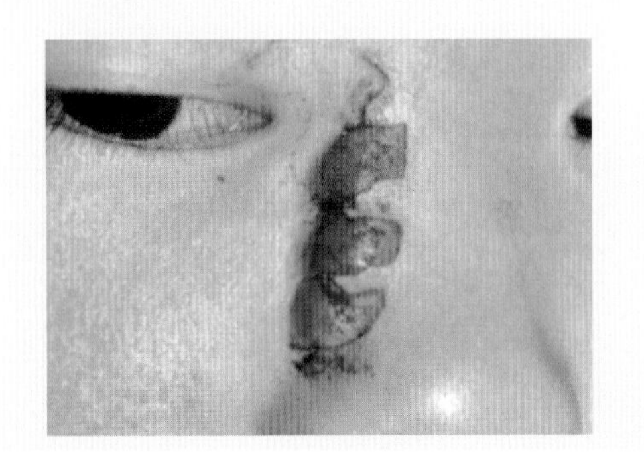

4 피부봉합 종료

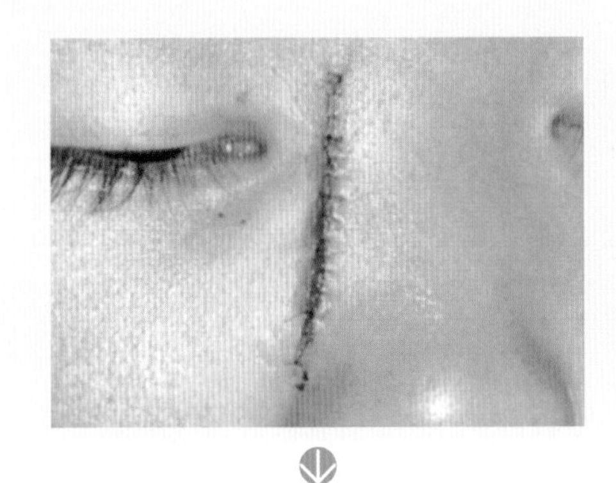

5 2개월 후의 상태

2회째 수술을 한다.

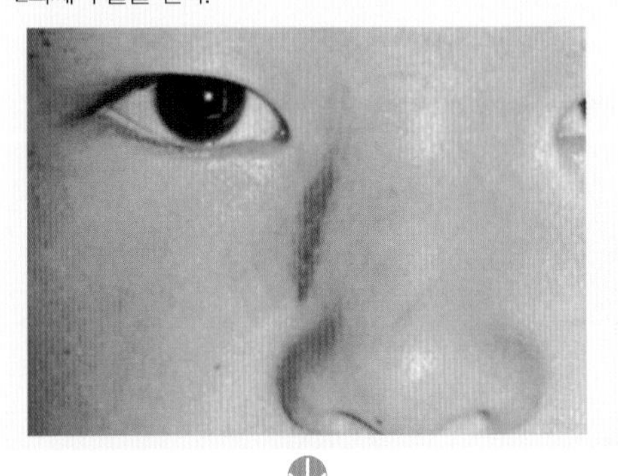

6 2회째 수술의 디자인

2개월만에 주위 피부에 상당히 여유가 생겼다고 판단하여, 지그재그 피부절개를 디자인하였다.

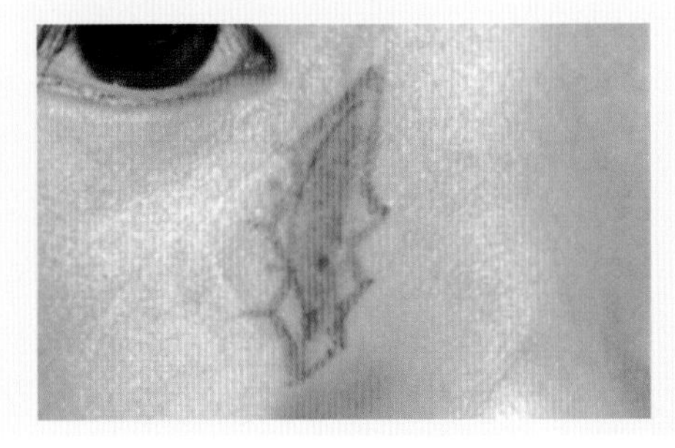

7 점을 완전히 절제
지그재그 디자인.

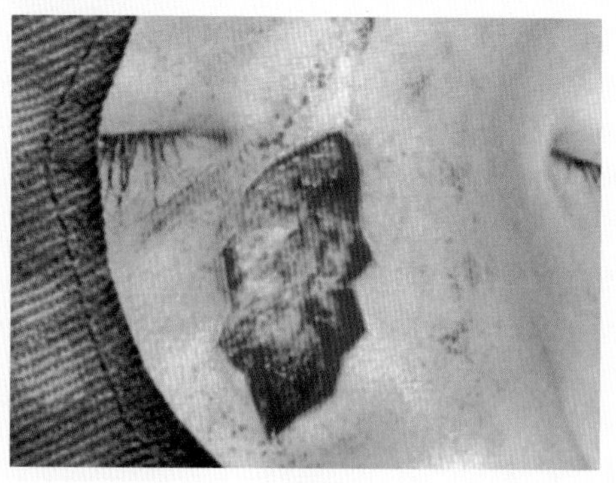

8 피부봉합 종료
진피봉합도 확실히 하였다.

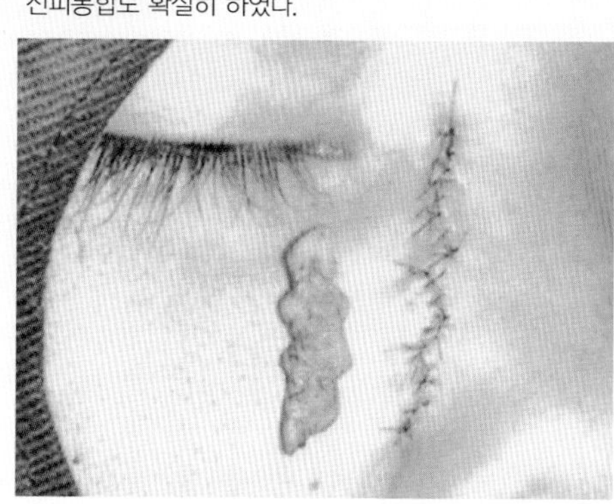

9 술후 6일째
전발사 종료.

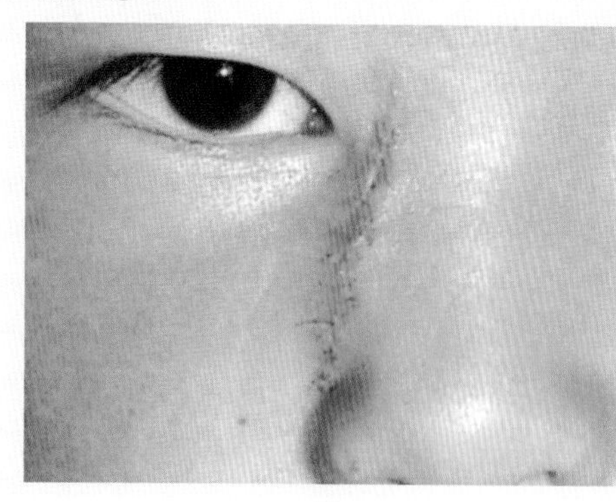

10 술후 6주째의 상태

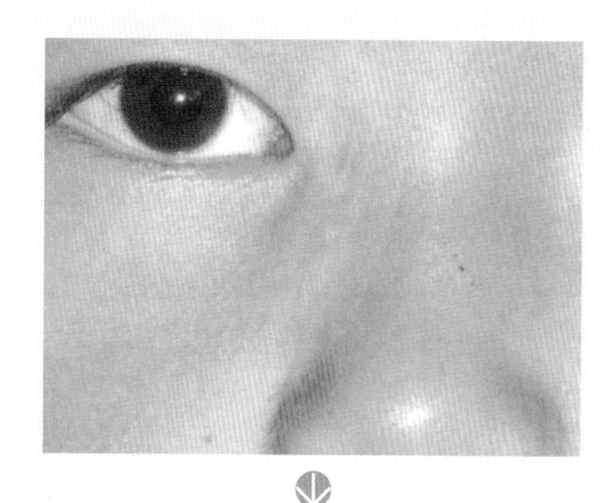

11 술후 3개월째의 상태
발적이 거의 소실되고 오른쪽 내안각의 형상도 좌우 차가 거의 없어졌다.

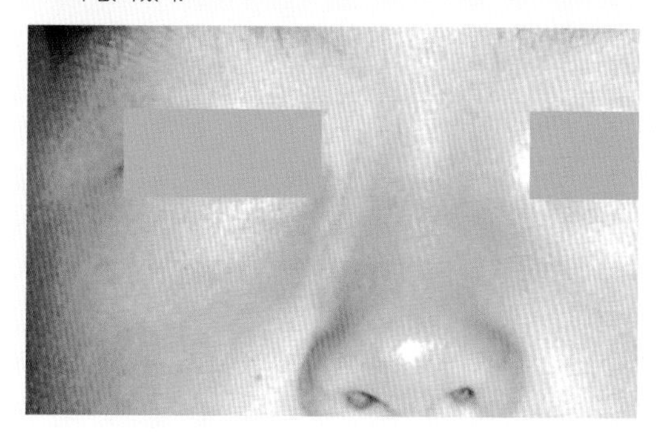

POINT

- 한 번에 봉축하기가 어려운 점에서, 소아인 경우는 연속봉합술이 효과적이다.
- 연속봉합술에서는 1회 봉합술에 비해서, 봉합선의 길이를 짧게 정리할 수 있다. 단, 치료기간이 길어지는 것이 결점이다.
- 마지막 절제술일 때에는 디자인상, 지그재그라인이 되도록 하는 것도 중요하다.

평가 ★★★

9 비배부·비첨부의 점

난이도 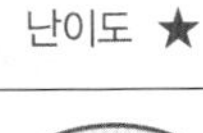

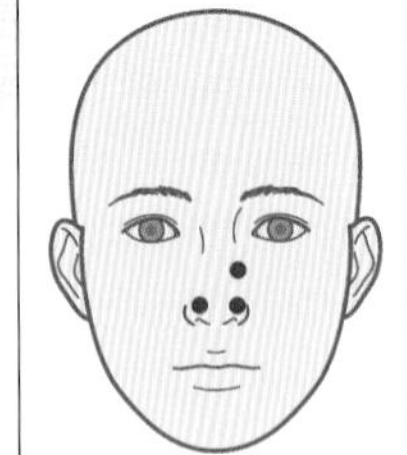

증례
- 22세 · 여성.
- 비배부의 점 (5×3mm). 비첨부의 작은 점 (1.5×1.5mm와 1×1mm).

방침
- 도려내고 봉합. 큰 점은 피하봉합도 하지만, 작은 (2mm이하) 점은 도려내고 봉합만.

수술 & 술후 경과

1 술전

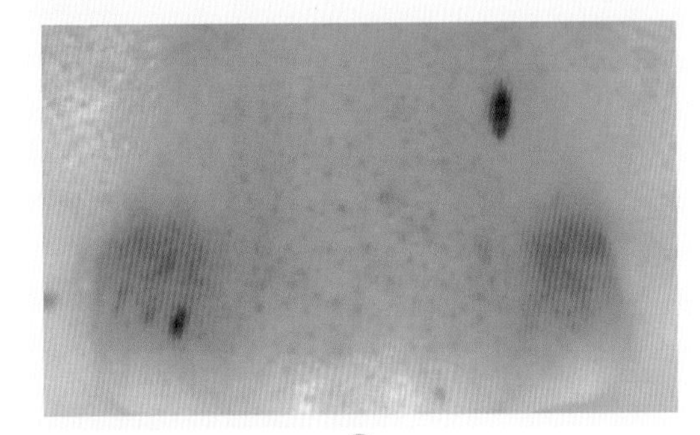

2 피부절개의 marking

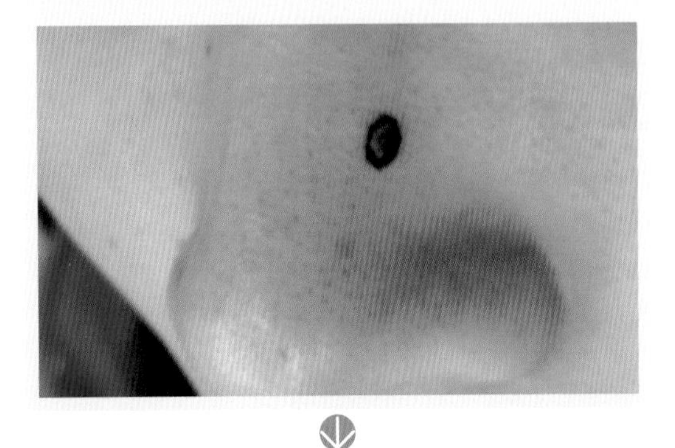

3 도려내어 절제

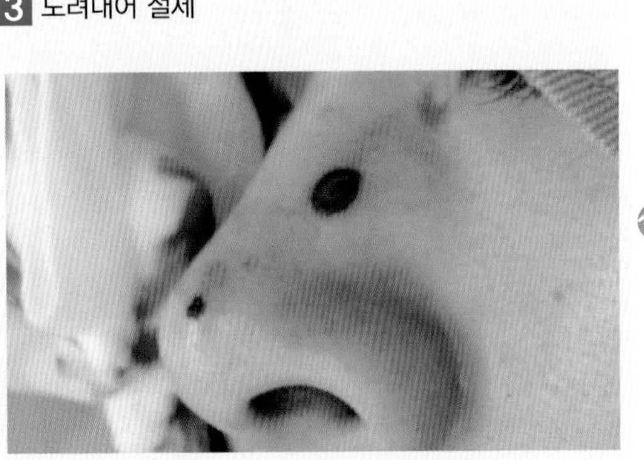

4 피하봉합 1바늘 후, 피부봉합
비첨부는 도려내고 봉합한다.

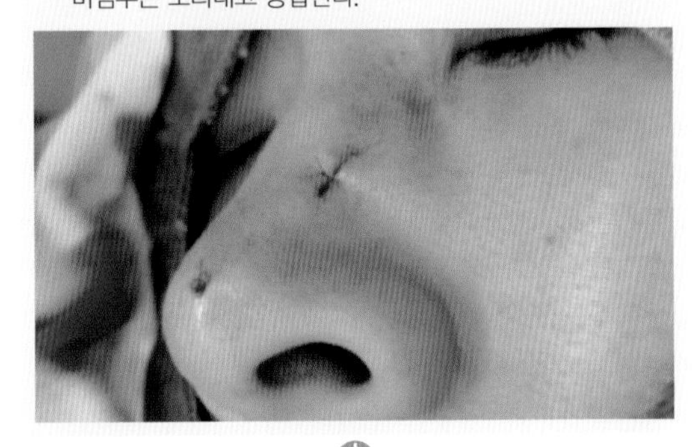

5 술후 1.5개월째의 상태
반흔의 발적이 아직 남아 있다.

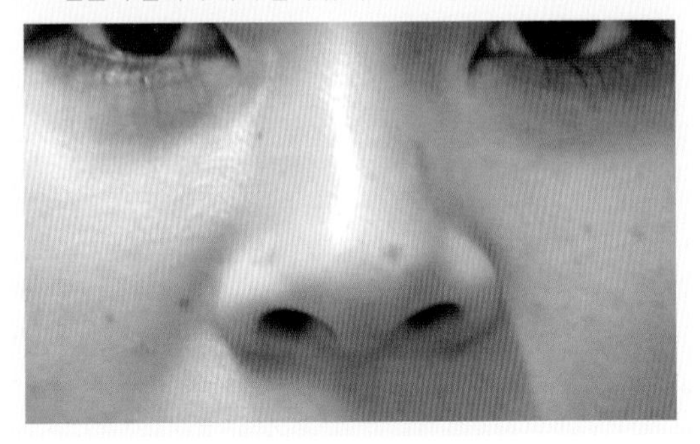

POINT
- 코의 점은 기본적으로 방추형 절제로 할 필요가 없다. 점의 형상에 맞추어 원형 또는 타원형 절제로 하면 된다.

평가 

1 비첨부의 점①

난이도 ★★★

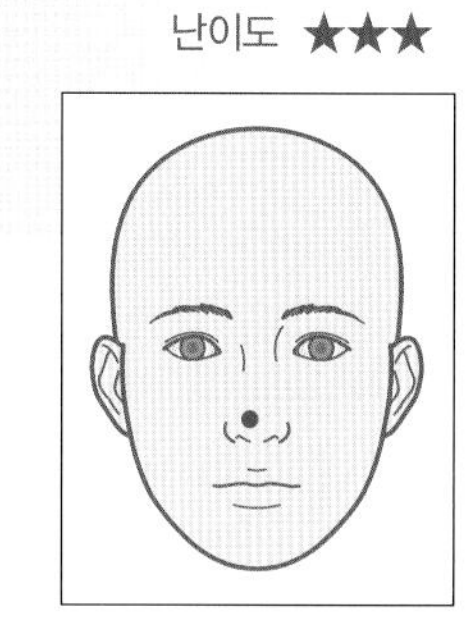

증례
- 43세 · 여성.
- 비첨부 오른쪽 근처의 점 (5×5mm).

방침
- 도려내어 절제봉축 또는 반폐쇄법으로 한다.

수술 & 술후 경과

1 술전

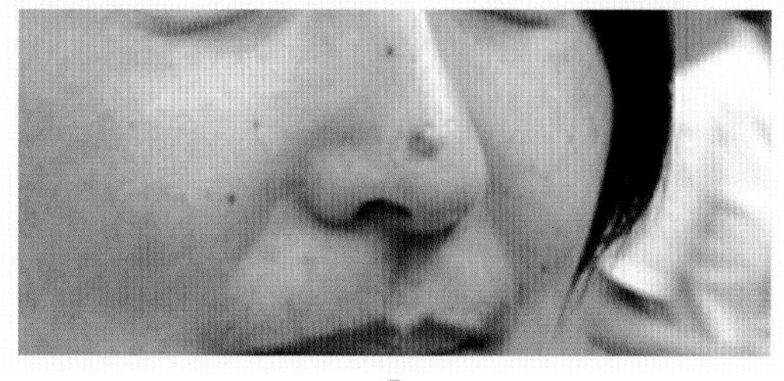

2 피부절개의 디자인

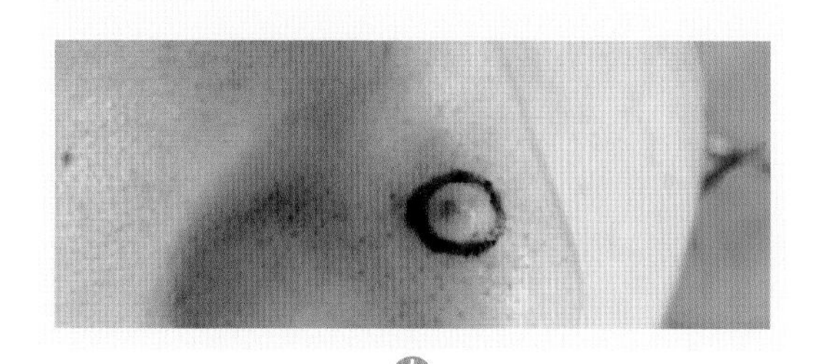

3 점을 도려내고 전 절제

표시한 3방향에서 건착봉합.

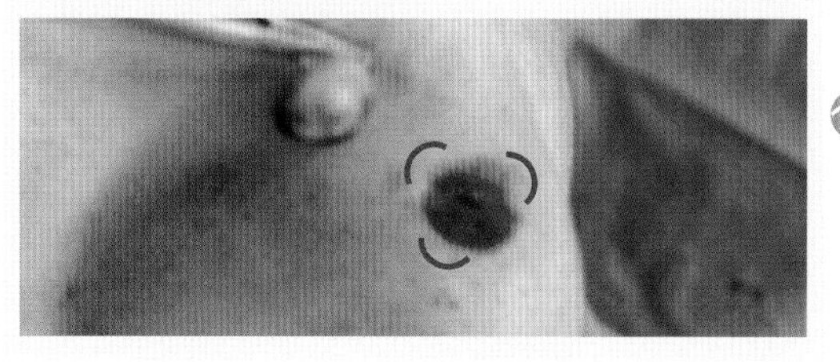

4 반폐쇄피부봉합

3방향에서 피하건착봉합 후, 반폐쇄상태에서 수술을 종료.

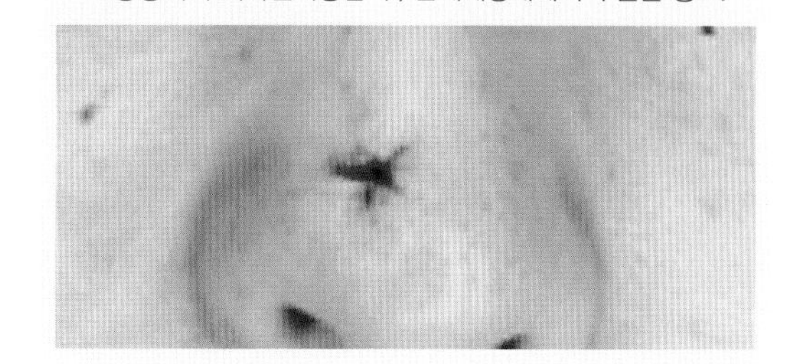

측면에서 본 상태

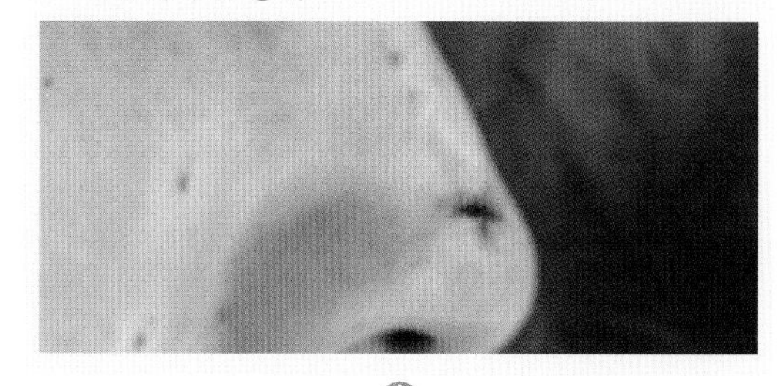

5 술후 1주째의 상태

아직 완전하지 않지만 거의 상피화되어 있어서 발사했다.

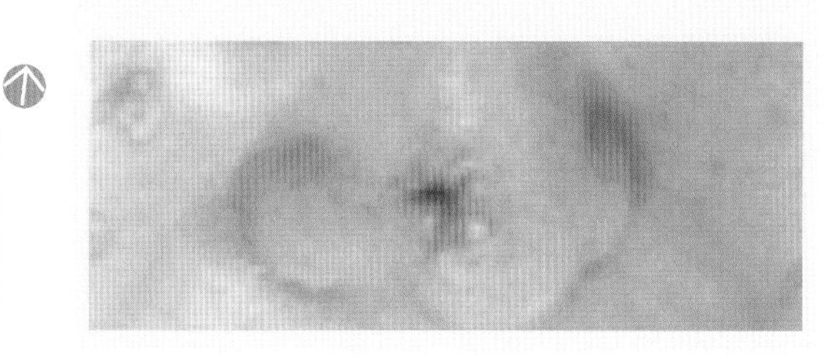

POINT

- 비첨부의 도려내기 봉합수술은 무리하게 폐쇄하지 말고 반폐쇄법으로 충분하다.
- 피하봉합에서 비익의 변형이 눈에 띌 정도로 꿰매어, 비익연이 변형되어 좌우가 불균형이 되면 의미가 없어진다. 반폐쇄만으로 충분히 좋아진다.

평가 ★★★☆

2 비첨부의 점②

난이도 ★★★

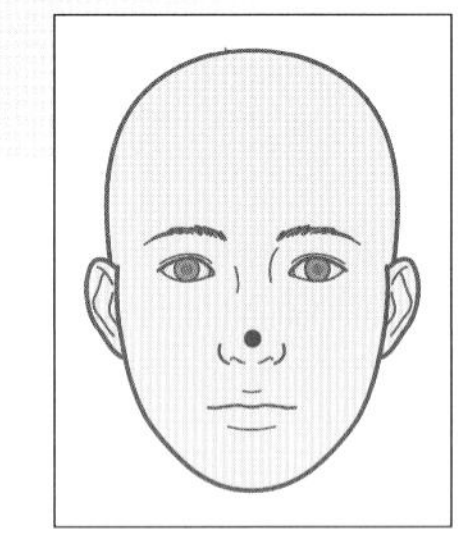

증례
- 45세 · 여성.
- 비첨 정중부의 점 (5×5mm)

방침
- 도려내기 봉합법으로, 반폐쇄로 한다.

수술 & 술후 경과

1 술전 정면

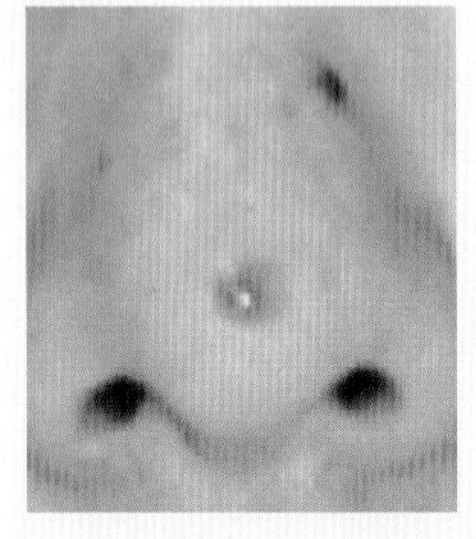

측면

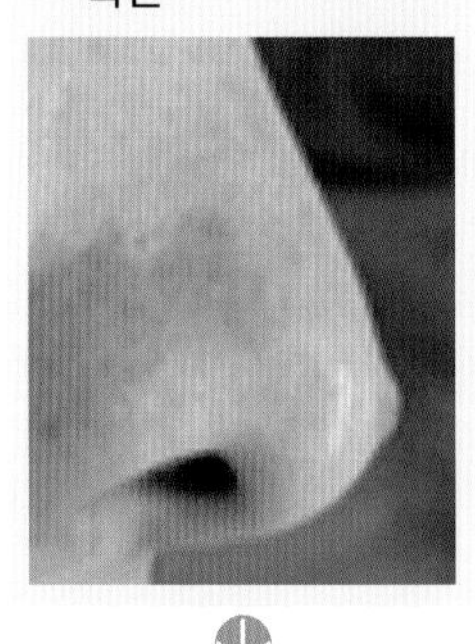

2 피부절개의 디자인
점은 원형이라도 세로가 조금 긴 타원형으로 디자인한다.

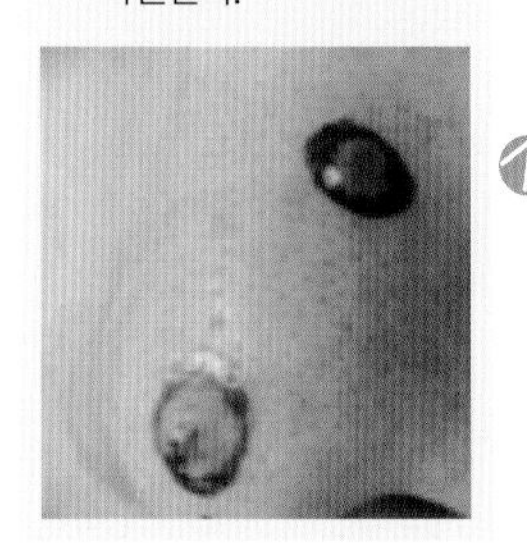

3 도려내어 절제

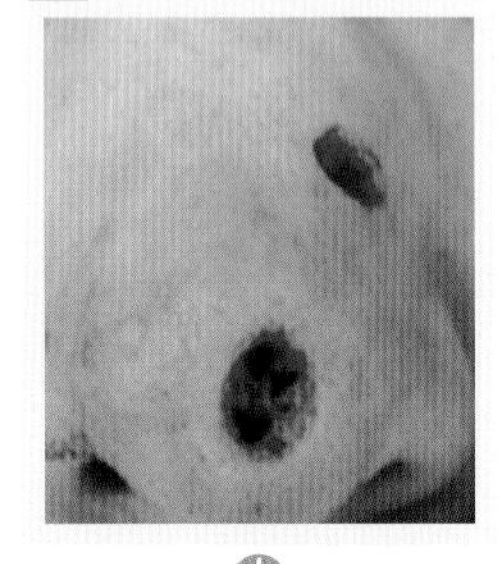

4 피하봉합
1바늘 후, 피부봉합으로 한다.

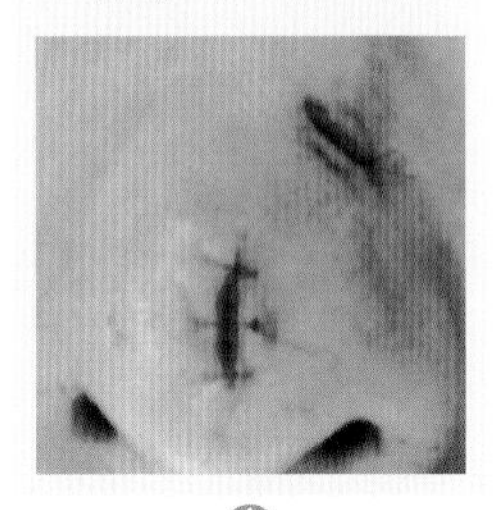

5 피부봉합 종료
완전히 밀착될 때까지 꿰매서는 안된다. 1mm 정도는 열어 둔다.

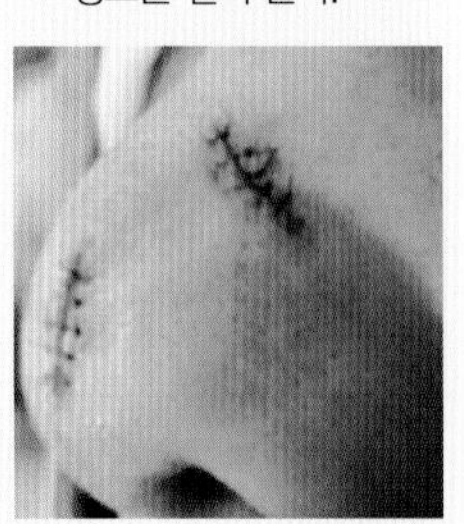

6 술후 1개월째 정면

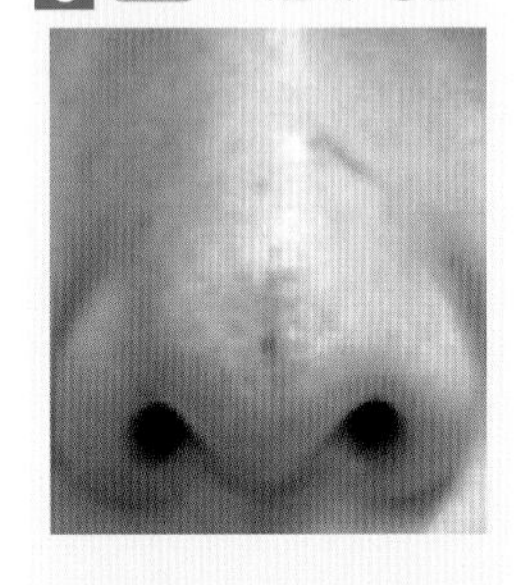

측면
조금 평탄화되었다.

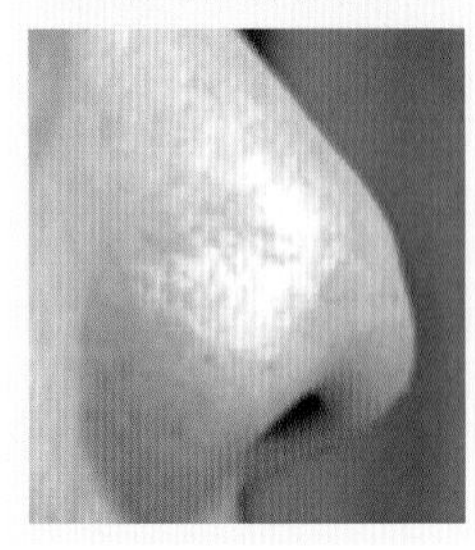

7 술후 2개월째의 상태
정면

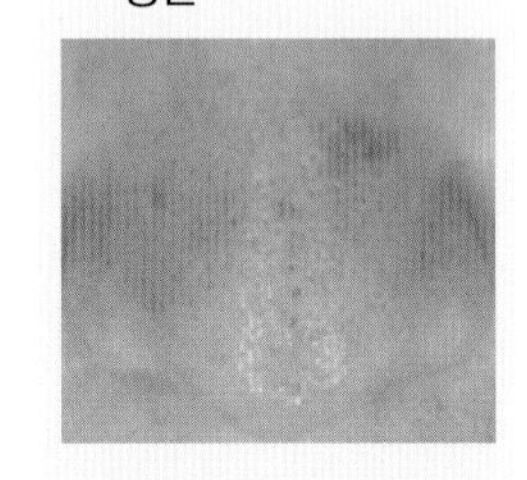

측면
조금 평탄화되어 있지만 1개월보다는 개선되었다.

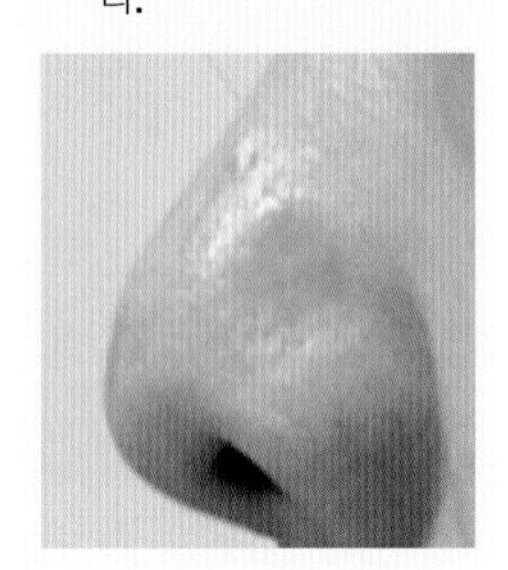

POINT
- 비첨부의 점은 도려내기법이 제1선택.
- 크기에 따라서 수술시에 완전폐쇄를 하지 않고 "반폐쇄법" 으로 한다.
- 어느 정도의 변형(평탄화)은 어쩔 수 없다.

평가 ★★★

3 비첨부의 점③

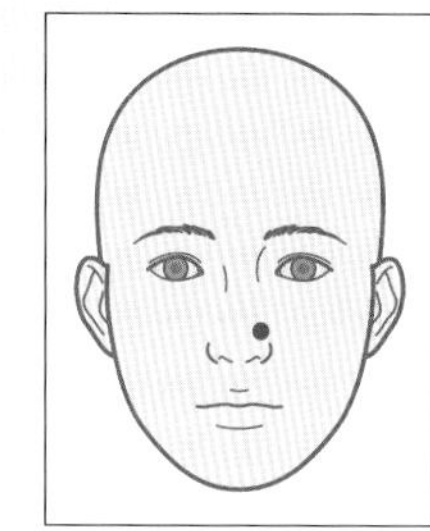

증례
- 61세 · 여성.
- 왼쪽 비익부에 융기상의 점 (8×6mm).

방침
- 2개의 점이 융합되어 있다.
- 함께 절제한다.

수술 & 술후 경과

1 술전

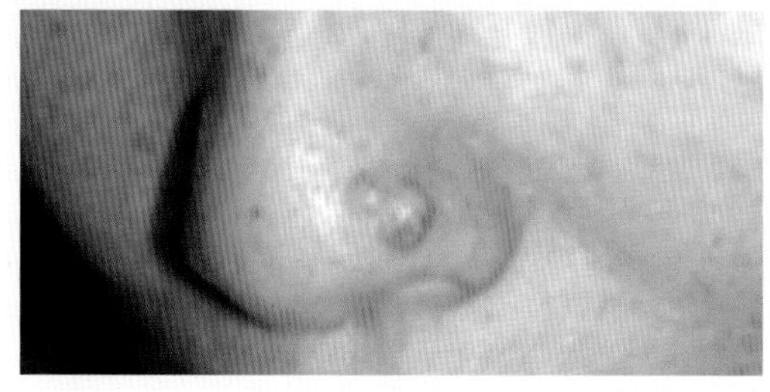

2 점을 도려내어 절제

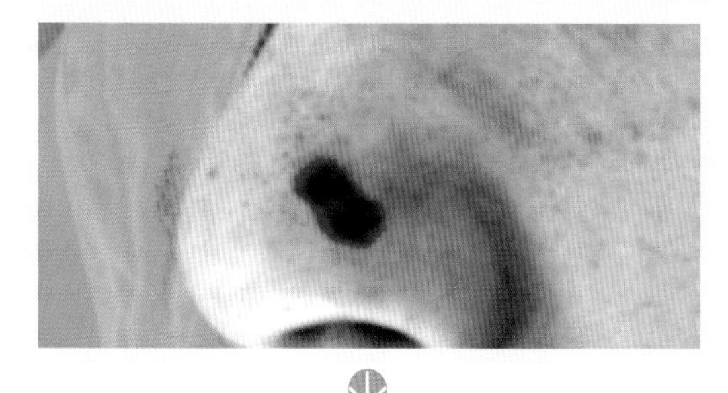

3 피하봉합
1/3의 면적까지 종료.

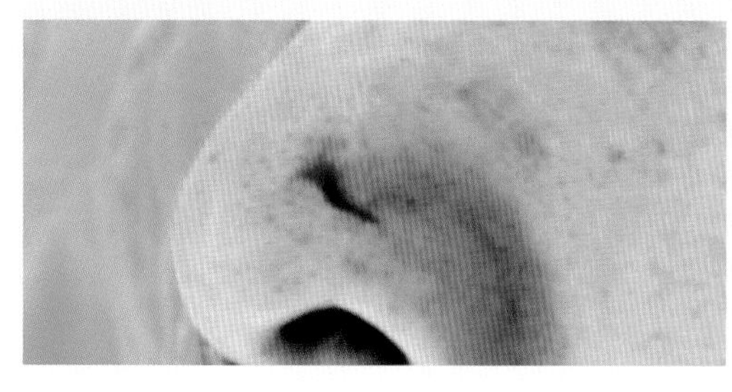

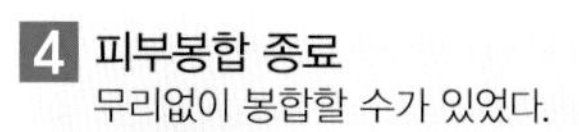

4 피부봉합 종료
무리없이 봉합할 수가 있었다.

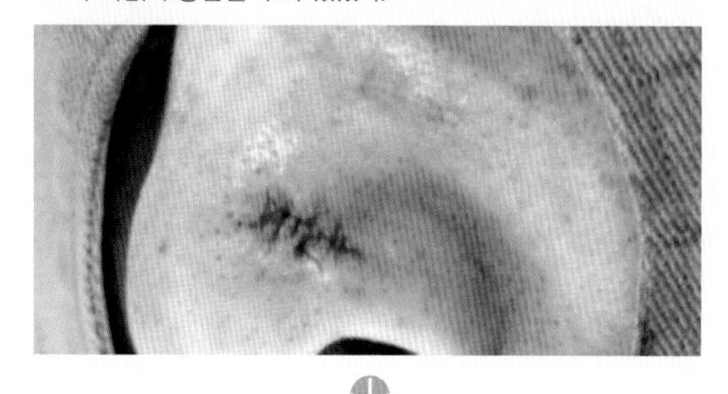

5 술후 2개월째의 상태

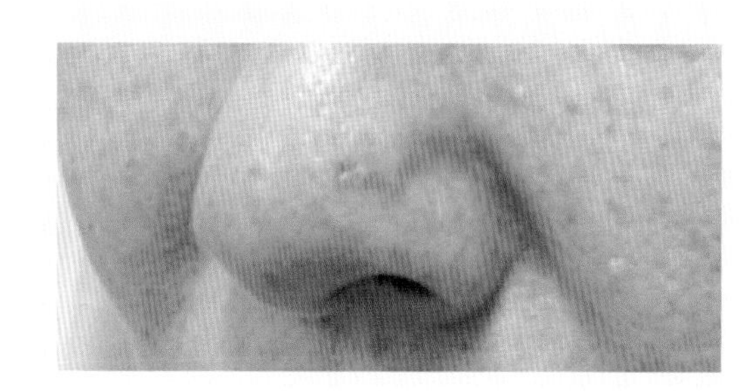

- 비익부의 점 제거에는 도려내기 봉합법이 가장 적합하다.
- 피하봉합이 적당하며 너무 세게 봉합하지 않도록 한다(비익의 윤곽선이 변형되므로).
- 피부봉합도 반폐쇄법으로 한다.

4 비첨부의 점④

난이도 ★★★

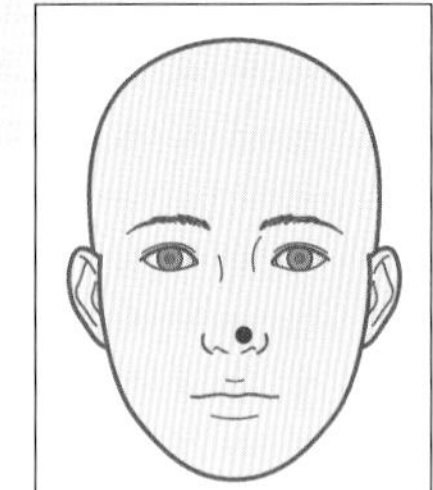

증례
- 60세 · 여성.
- 비첨부의 약간 큰 점 (7×7mm).

방침
- 도려내기 봉합법이 가장 적당.

수술 & 술후 경과

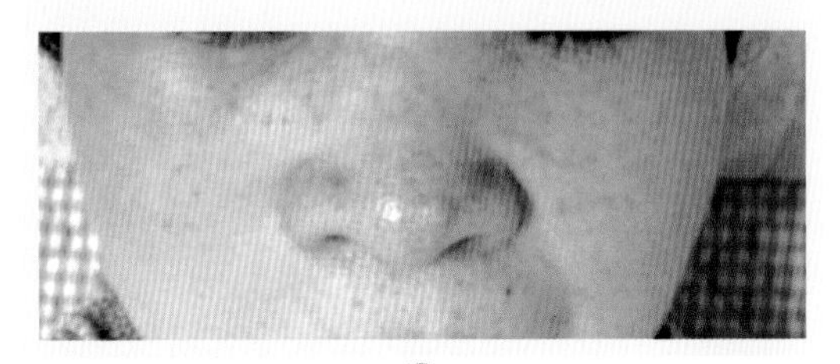

2 피부절개의 디자인

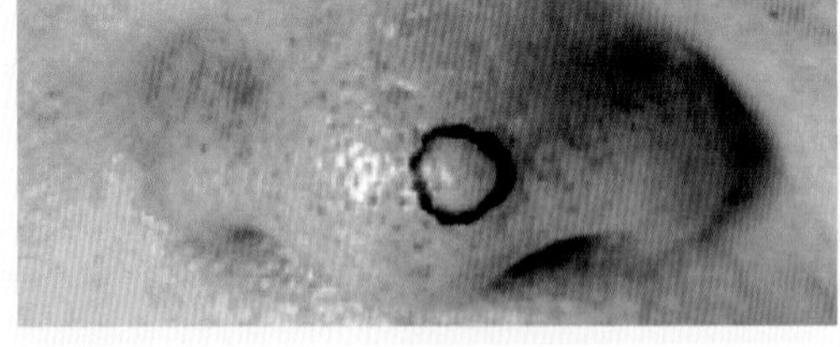

3 도려내어 절제

파란선 3줄은 피하건착 봉합실을 꿰매는 위치.

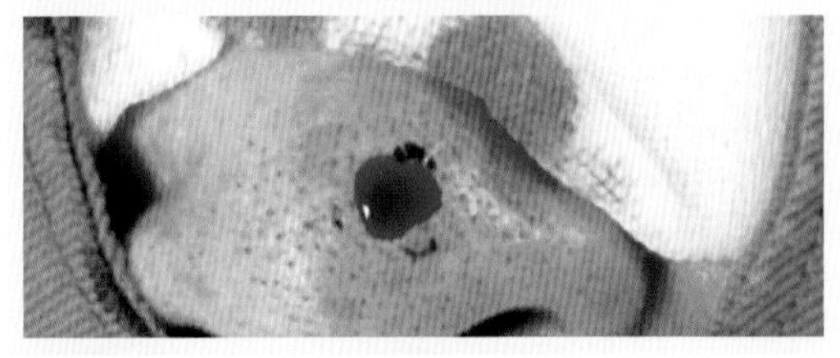

4 피하에서 어느 정도 꿰매고 피부봉합

중앙부는 봉합하지 않는다.

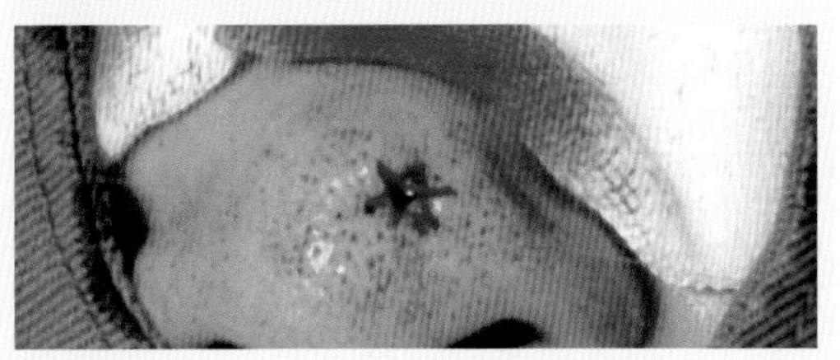

5 술후 9일째 발사 직후

중앙부의 가피는 아직 남아 있다.

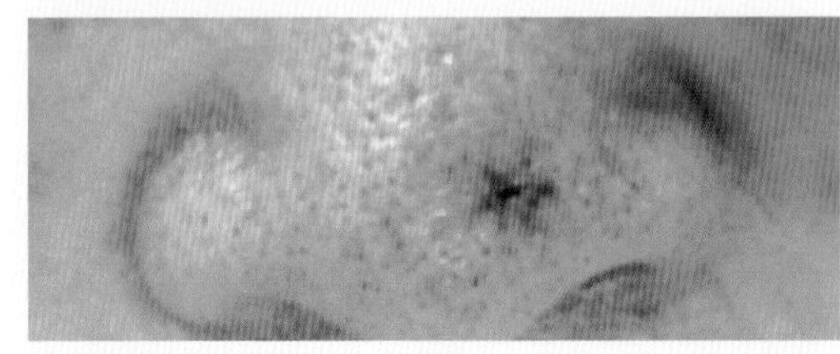

6 술후 2개월째

발적이 상당히 소실되어 있다.

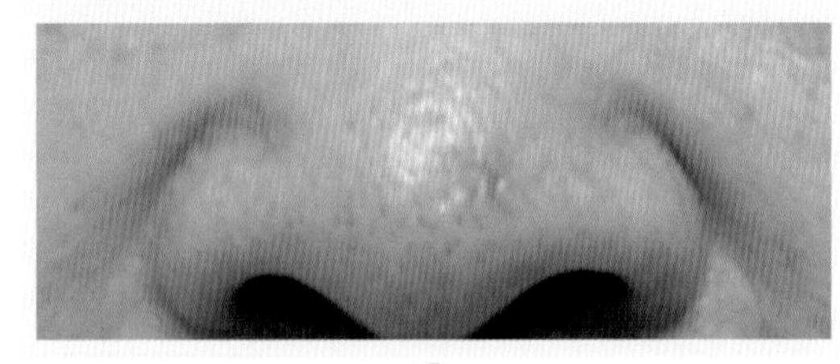

7 술후 3개월째의 상태

발적이 거의 소실되어 있다.

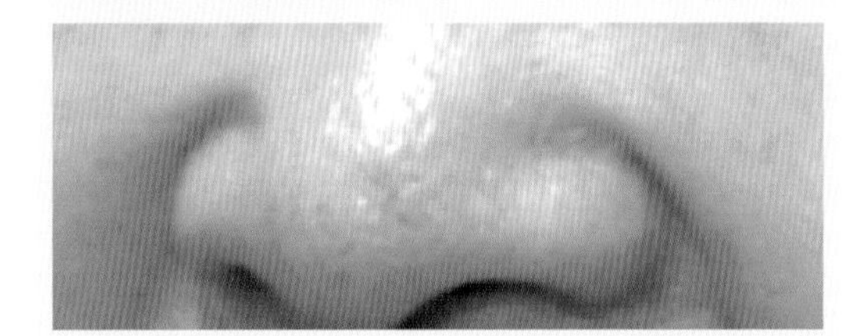

- 비첨부는 상당한 크기 (직경 10mm) 의 점까지 도려내기 봉합법이 효과적이다.
- 완전폐쇄를 하는 것에 구애받지 않아도 된다 (반폐쇄법).

평가 ★★★

5 비첨부의 점⑤

난이도 ★★★

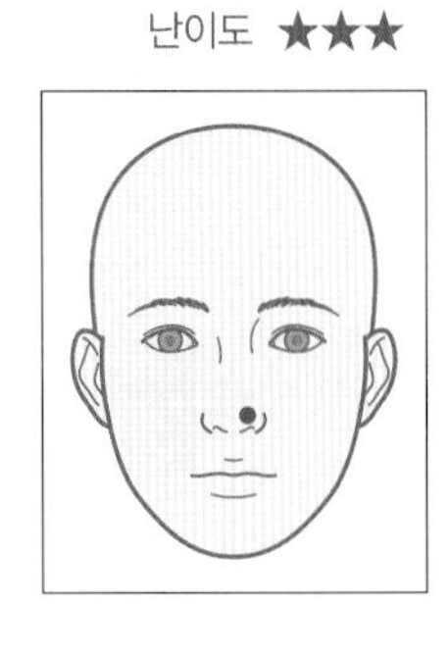

증례
- 32세 · 여성.
- 비첨부에서 정중을 벗어난 점 (5×7mm).

방침
- 도려내고 봉합법으로 수술.

수술 & 술후 경과

1 술전

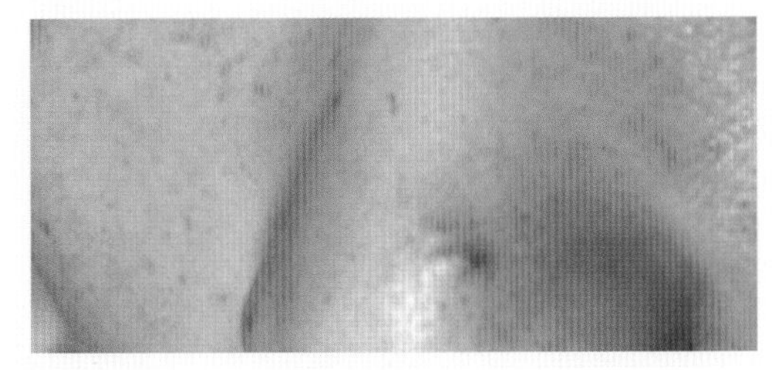

2 피부절개의 디자인

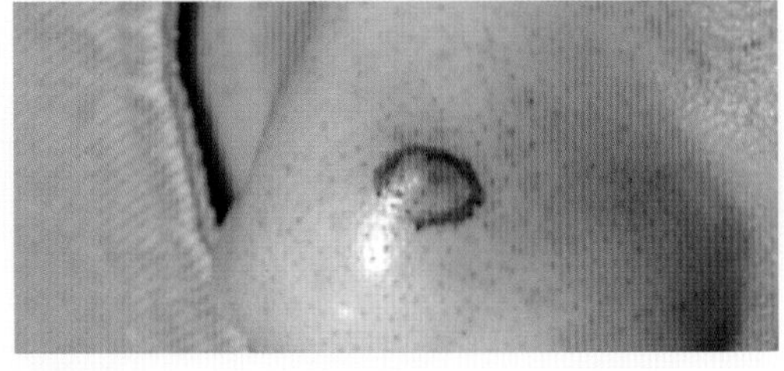

3 도려내고 절제

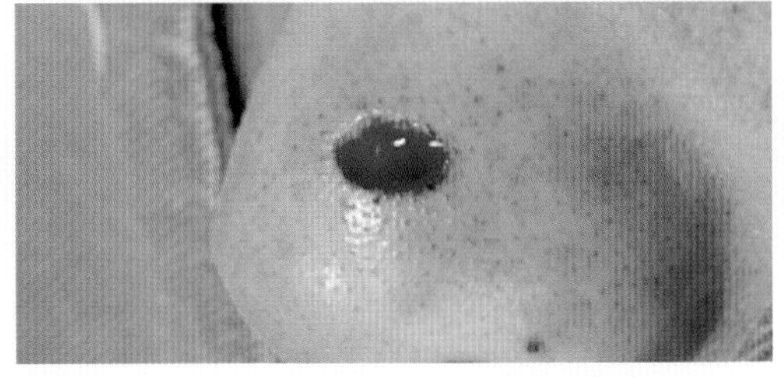

4 피하봉합
5-0 흰 나일론 1바늘로 여기까지 꿰맬 수가 있었다.

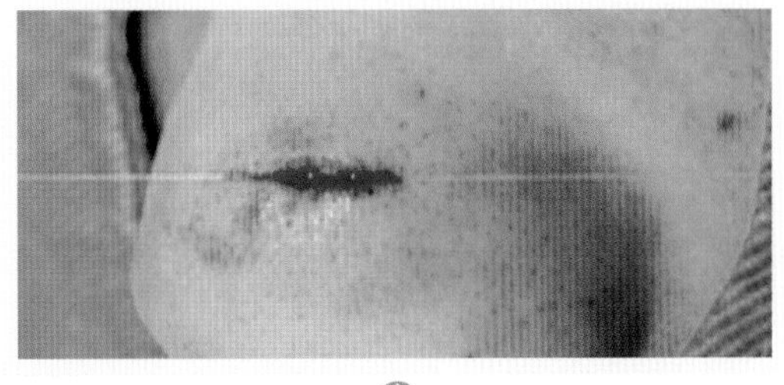

5 피부봉합 종료
7-0나일론.

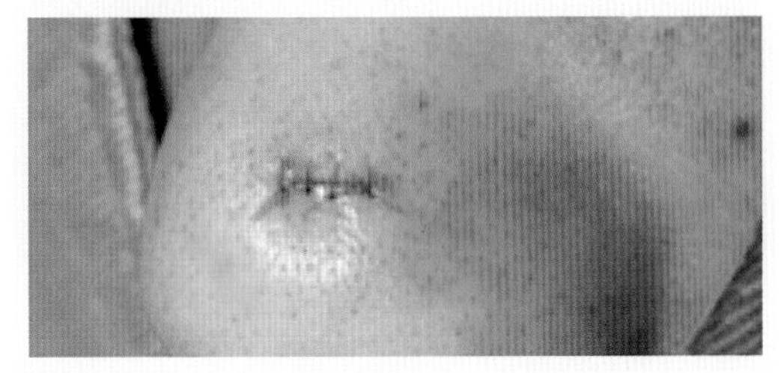

6 술후 술후 2개월째의 상태
반흔이 거의 눈에 띄지 않는다.

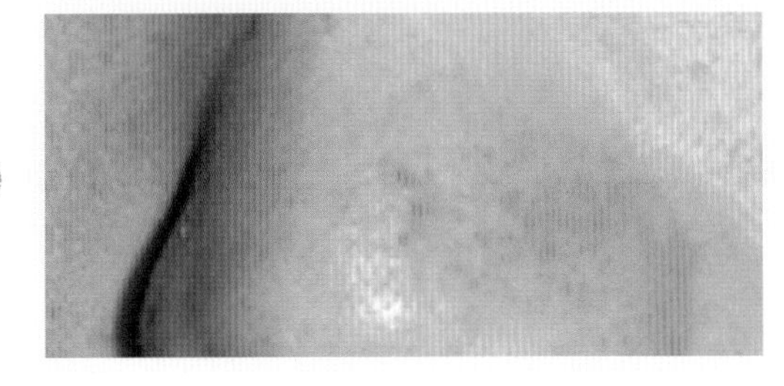

POINT
- 점의 형상에 맞춘 타원형 절제로 dog ear도 없이 치유되었다.
- 이 부위는 도려내기 봉합법이 반흔이 짧고, dog ear를 형성하지 않아서 가장 잘 된 경우라고 할 수 있다.

평가 ★★★

6 비첨부의 점⑥

난이도 ★★

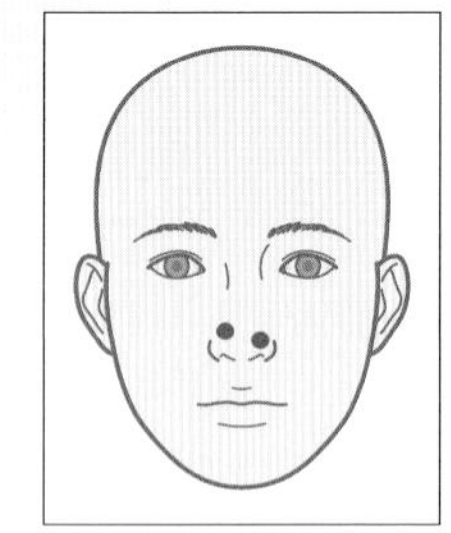

증례
- 19세 · 여성.
- 비첨부의 작은 점 (5×4mm와 3×2mm).

방침
- 3mm이내의 점은 레이저소작도 가능하지만, 도려내기 봉합법 (피하봉합 없이) 이 더 낫다.

수술 & 술후 경과

1 술전

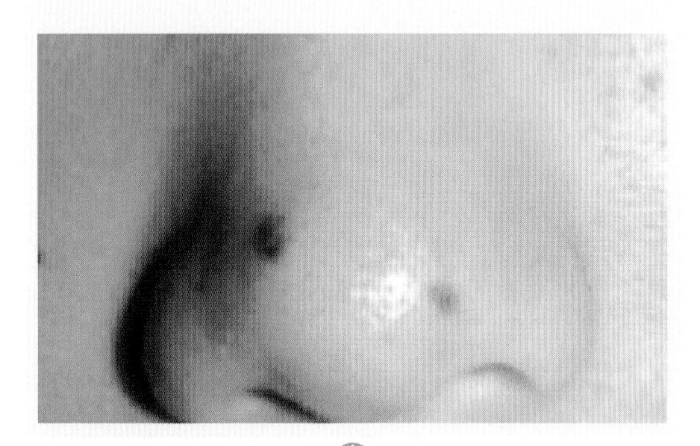

2 피부절개의 디자인

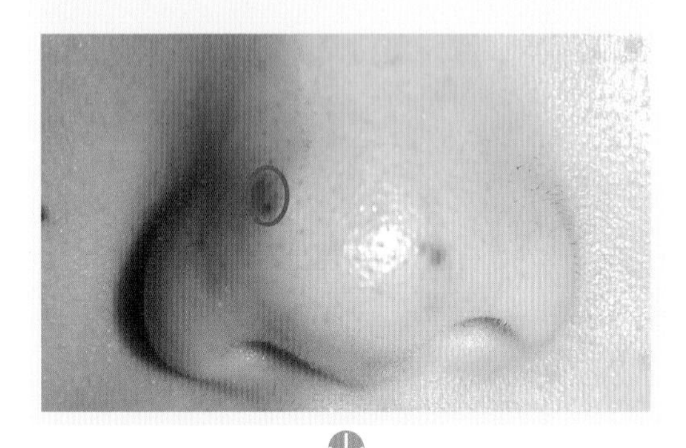

3 오른쪽 점 : 피하봉합 1바늘, 피부봉합
왼쪽 점 : 도려내고 단순 피부봉합

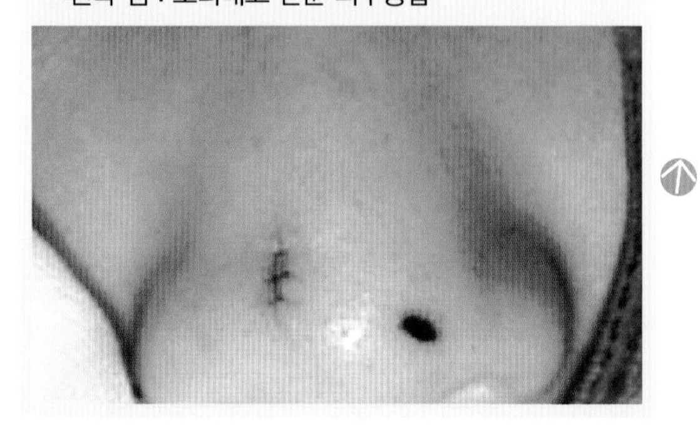

4 술후 2개월째 (정면)

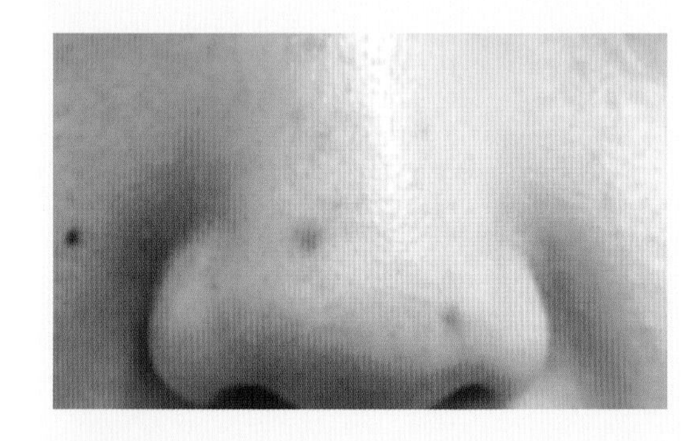

(사방향)

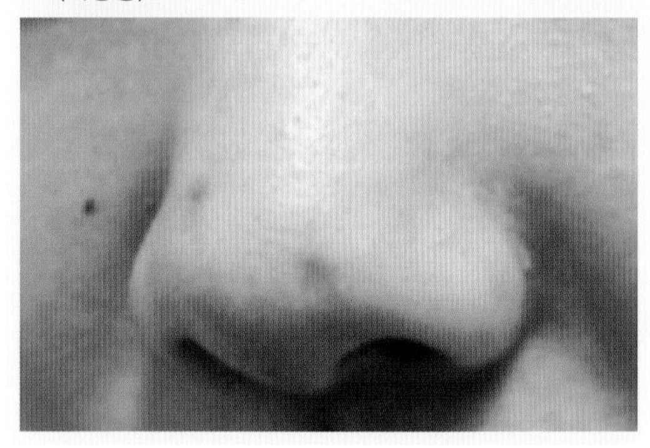

POINT
- 비첨부에서는 어지간히 큰 점이 아니면 도려내기 봉합법으로 처리하여, 반흔의 길이를 짧게 끝낼 수 있다. 평가 ★★★★

비첨부의 점⑦

난이도 ★★

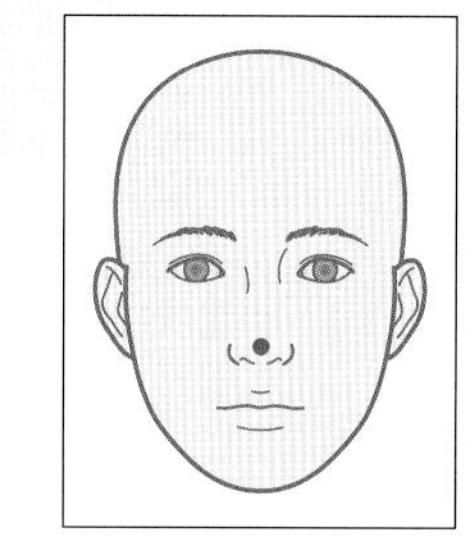

증례
- 32세 · 여성.
- 비첨부의 점 (색소가 출현하지 않은 부위도 포함하여 8×6mm).

방침
- 타원형 절제 디자인으로 한다.
- 방추형 절제로 해서 긴 반흔이 되도록 하지 않는다.

수술 & 술후 경과

1 술전

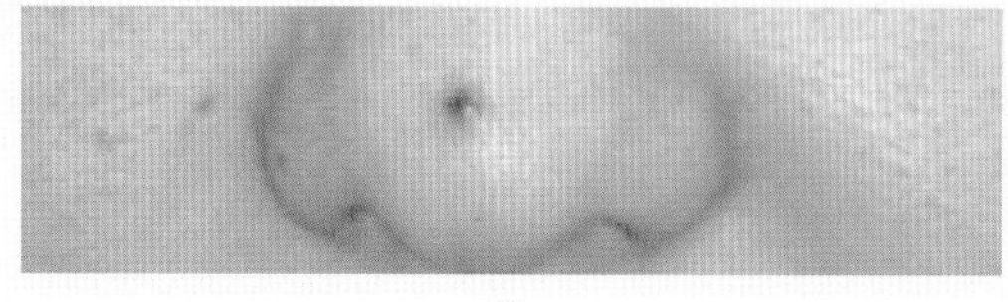

2 피부절개의 디자인 (타원형 절제)

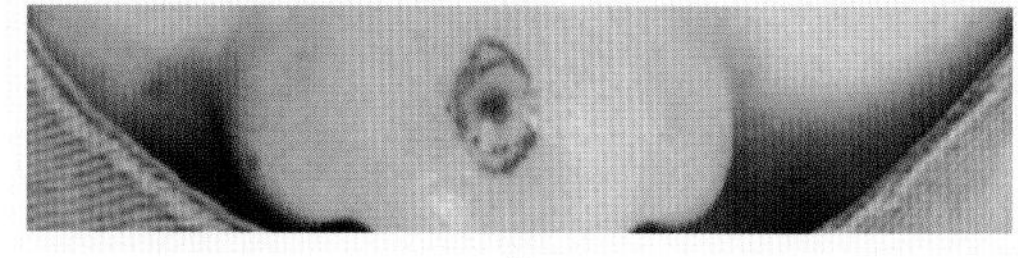

3 도려내어 절제

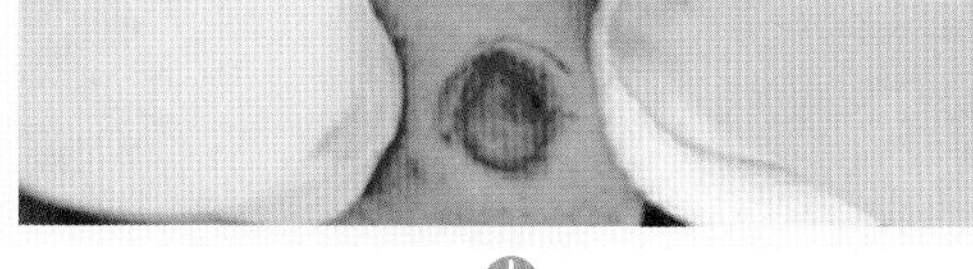

4 피하봉합 예정라인

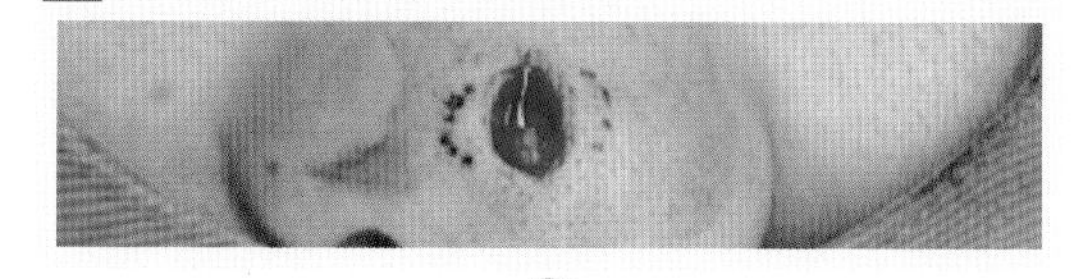

5 5-0 나일론으로 1바늘 피하봉합으로 꿰맨다

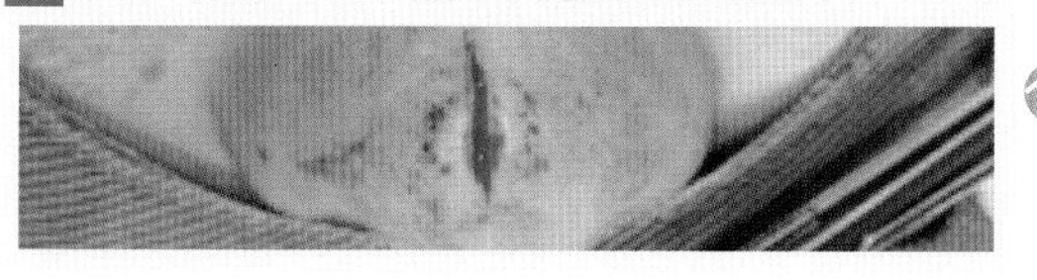

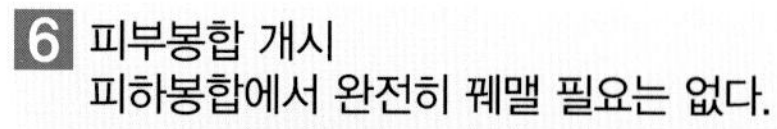

6 피부봉합 개시
피하봉합에서 완전히 꿰맬 필요는 없다.

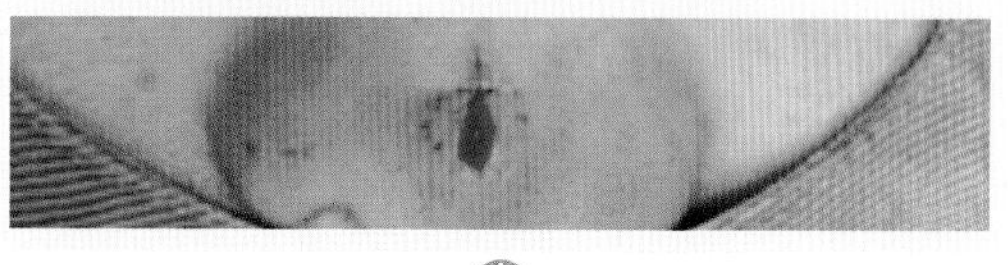

7 피부봉합 2바늘째

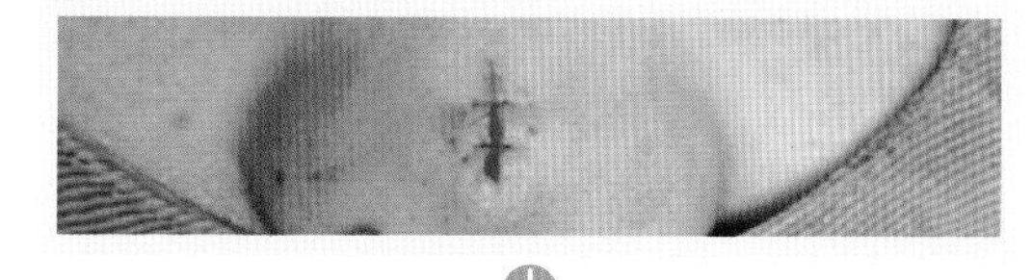

8 피부봉합 종료

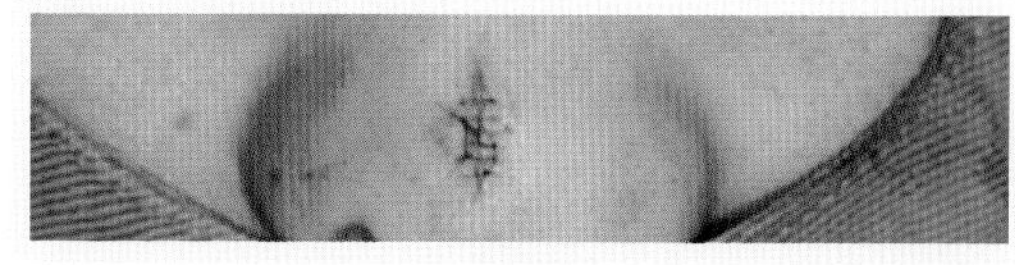

9 술후 1주일째 발사 직전의 상태 (정면)

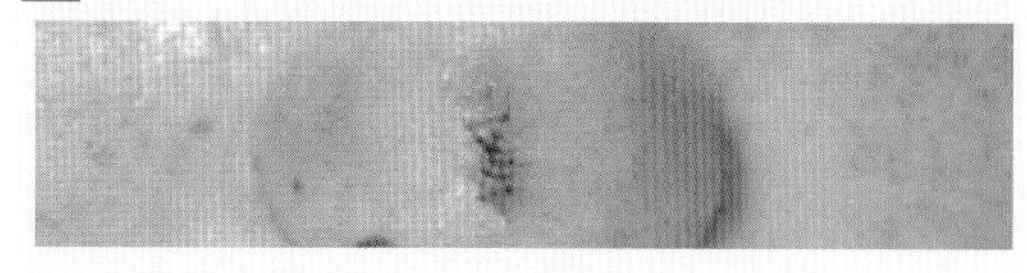

(측면)
현저한 변형은 보이지 않는다.

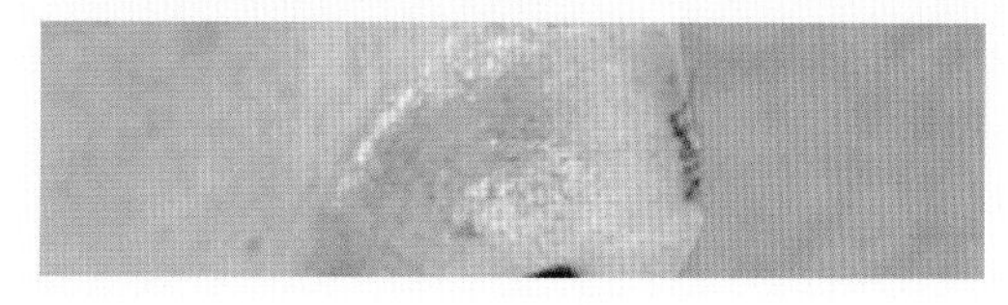

POINT

- 비첨부의 점이 상당히 커진 후, 절제를 희망하여 내원하는 경우가 많다.
- 이전에는 방추형 절제가 당연하다고 생각했는데, 단순히 도려내어 절제하거나 타 원형 절제로, 반흔이 짧고 dog ear도 형성하지 않는 상당히 양호한 결과를 얻을 수 있다. 평가 ★★★

8 비첨부의 점⑧

난이도 ★★★

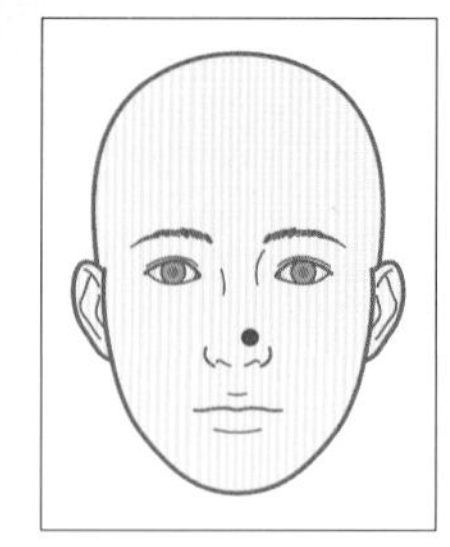

증례
- 33세 · 여성.
- 비첨부 왼쪽 근처의 융기상의 점 (9×10mm).

방침
- 작은 코에 비해 상당히 큰 점으로, "도려내고 반폐쇄법" 으로 하여, 비익의 변형을 최소화한다.

수술 & 술후 결과

1 술전

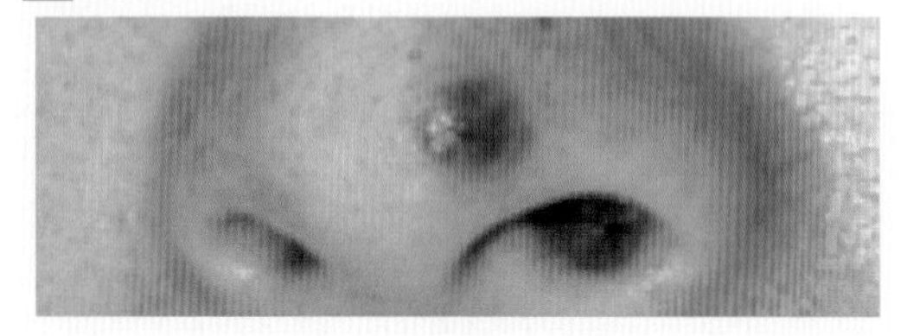

2 도려내고 절제하는 디자인

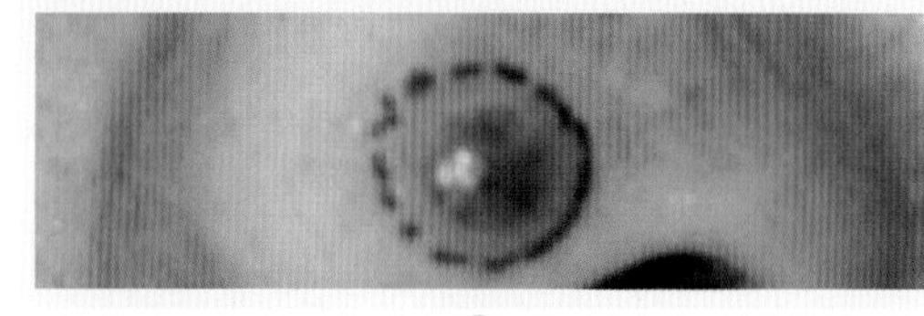

3 도려내어 절제

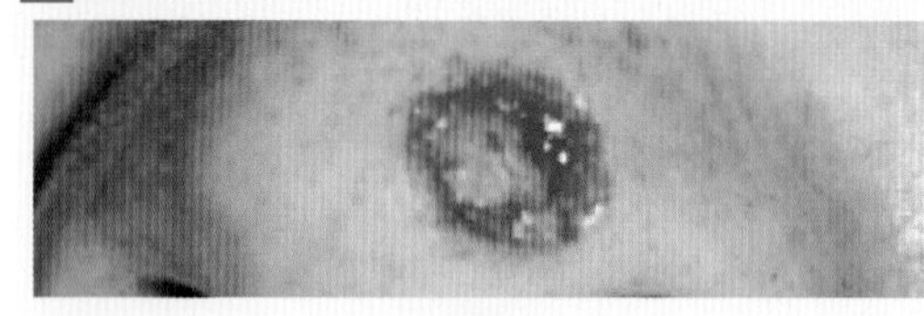

4 피하봉합

1바늘로 raw surface 면적을 축소한다.

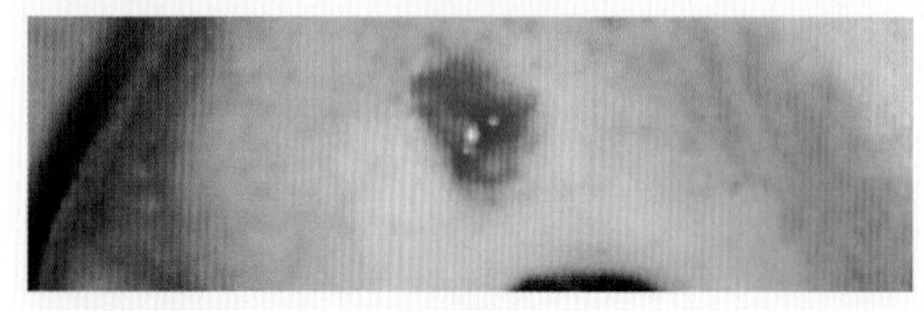

5 반폐쇄상태에서 수술 종료

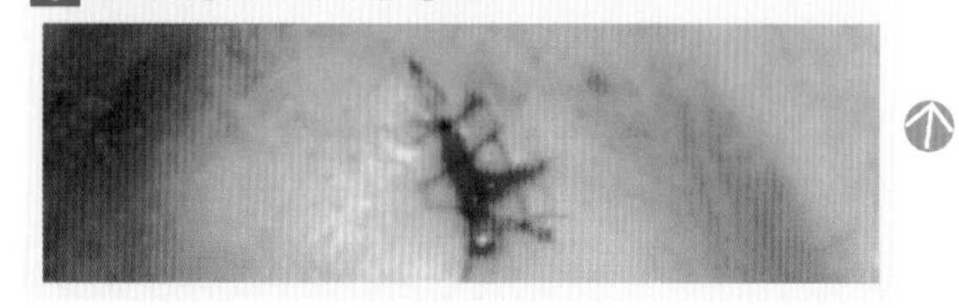

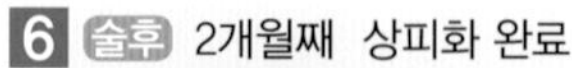

6 술후 2개월째 상피화 완료

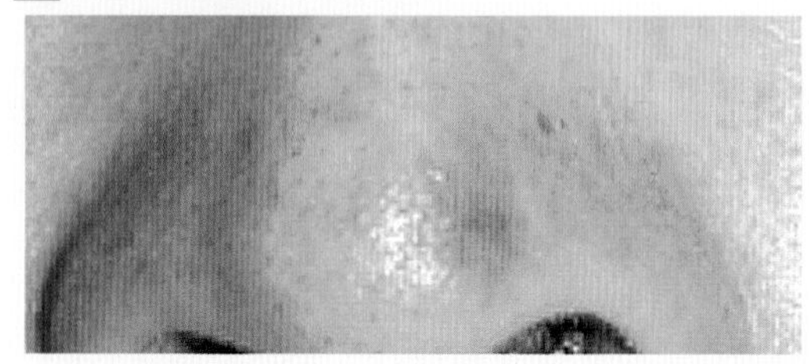

7 술후 6개월째의 상태

발적도 거의 소실되어 있고, 비첨의 변형도 없다.

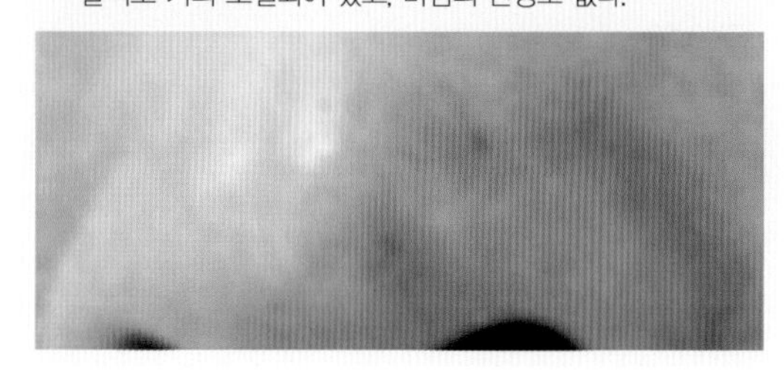

POINT

- 비첨부에서 정중부에 걸치지 않은 비익 근처의 점은 상당히 큰 것이라도 수술방침은 "도려내고 반폐쇄법" 으로 충분히 대처할 수 있다.
- 비익이 변형되지 않을 정도로 반폐쇄한 후, 자연히 폐쇄되기를 기다리며, 완전 폐쇄에 집착하지 말 것.
- 수술부 반흔의 발적은 반년~1년으로 체질에 따라서 큰 차가 있지만, 반드시 없어진다.
- 무리하게 완전창상 폐쇄를 목표로 할 필요가 없다고 하면, 심리적으로도 편하다.

평가 ★★★☆

9 비첨부의 점⑨

난이도 ★★★

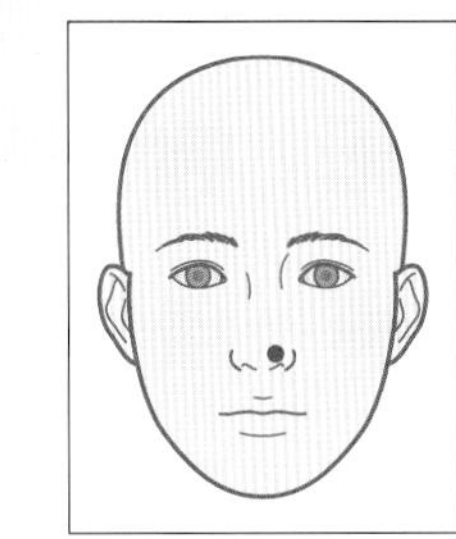

증례
- 15세 · 남성.
- 비첨부의 다소 왼쪽 근처의 원형의 점 (직경 8mm).

방침
- 타원형 절제봉합법.

수술 & 술후 경과

1 술전

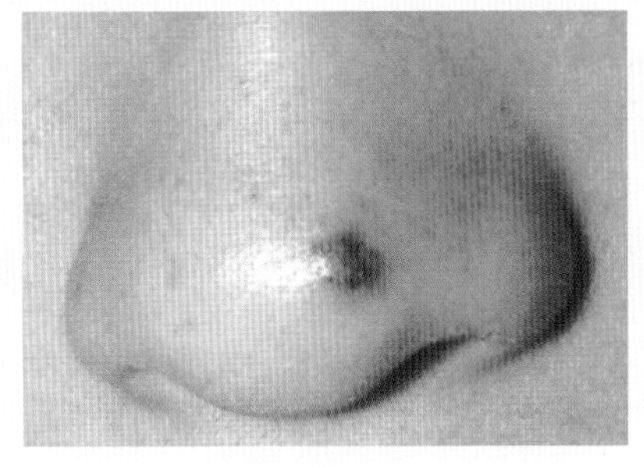

2 피부절개의 디자인

도려내어 절제할 때는 타원형으로 하고, 그 장축의 방향은 정중선과 각도가 30°정도가 되게 하였다 (정중선과 비공선이 이루는 각의 약 반정도를 기준으로 하여).

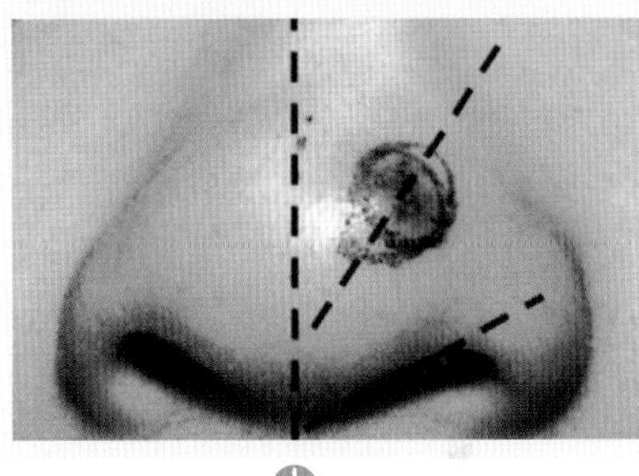

3 도려내어 절제

완전히 터원형 피부결손이 되어 있다.
(꿰매는 것이 어려워 보이지만, 비첨부 피부가 예상이상으로 신전이 가능하다).

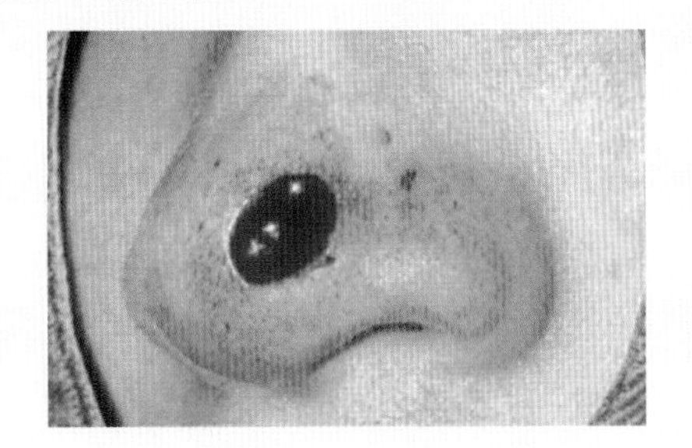

4 심층에서의 중간 꿰맴 1바늘

도려내어 절제했을 때는 7mm였던 공간이 3.5mm까지 줄었다. 더 이상 피하 봉합을 시행하지 않는다. 오히려 비공연의 변형이 눈에 띄게 된다.

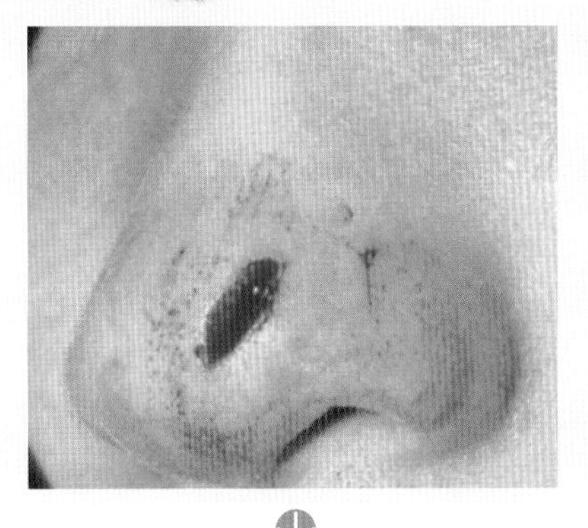

5 피부봉합 종료

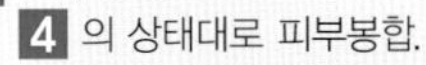
4 의 상태대로 피부봉합.

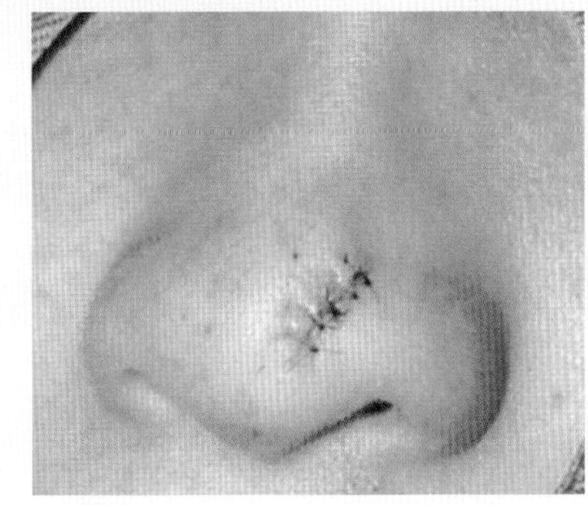

⊙ 이 경우에는 완전히 폐쇄했지만, 비공연이 좌우비대칭으로 변형되지 않도록 하기 위해서는 "반폐쇄법" 으로 해도 된다. 즉 코가 변형되지 않을 정도로 봉합하는 것이다.

평가 ★★★★★

10 비첨부의 점⑩

난이도 ★★★

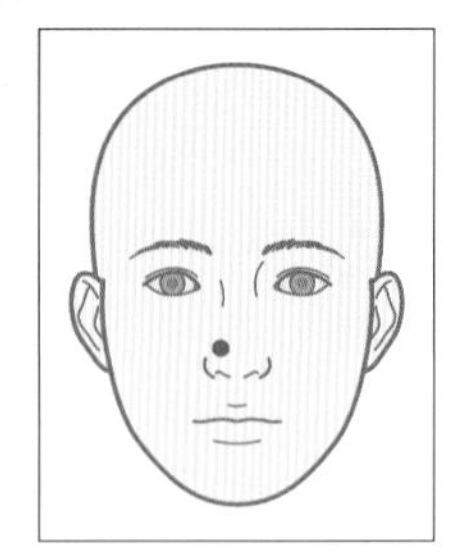

증례
- 18세 · 여성.
- 비첨부의 상당히 큰 점 (18×14mm).

방침
- 피판 형성으로 반흔을 많이 만들기보다 식피법을 선택한다.

수술 & 술후 경과

1 술전

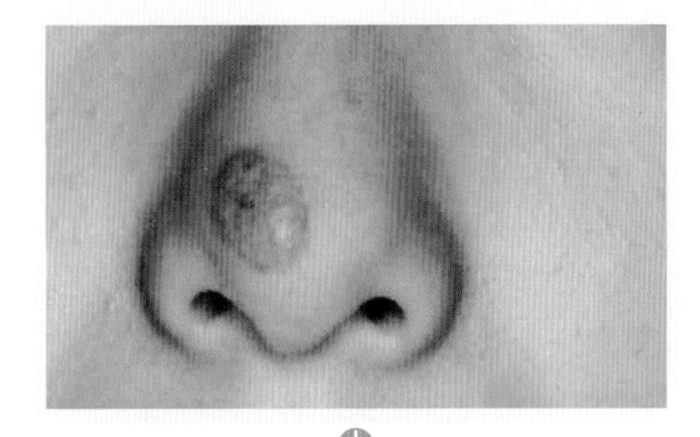

2 피부절개의 디자인

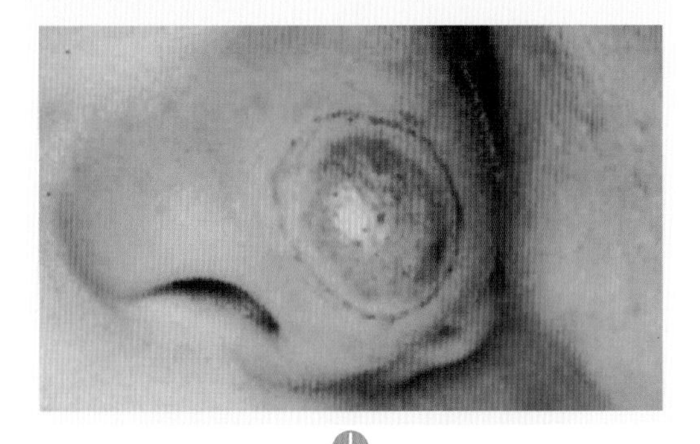

3 채피부의 디자인

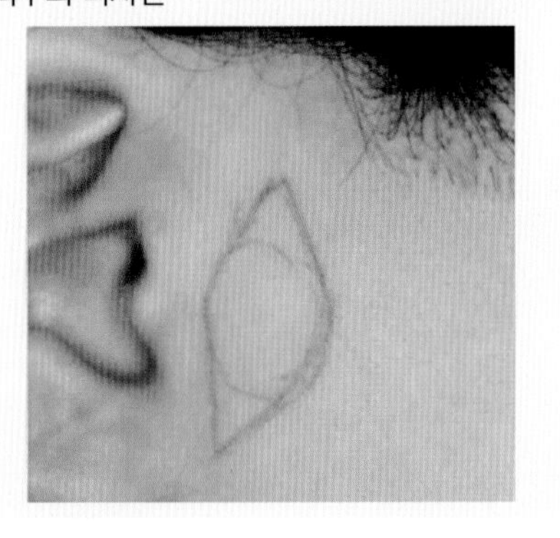

4 식피술 종료
식피편이 오목하지 않은 한 tie over는 하지 않아도 된다.

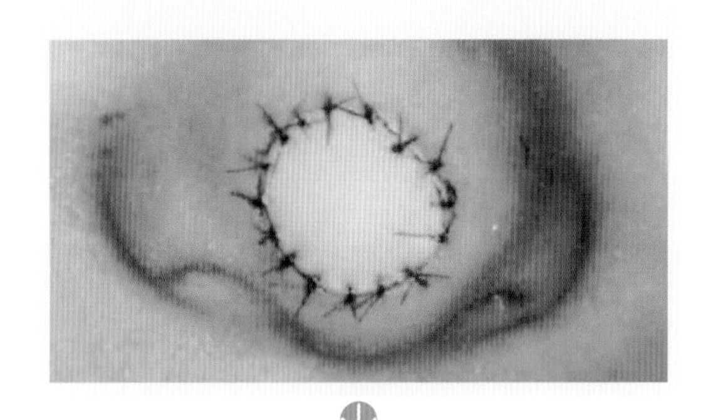

5 술후 1개월째의 상태
식피가 완전히 생착되었다.

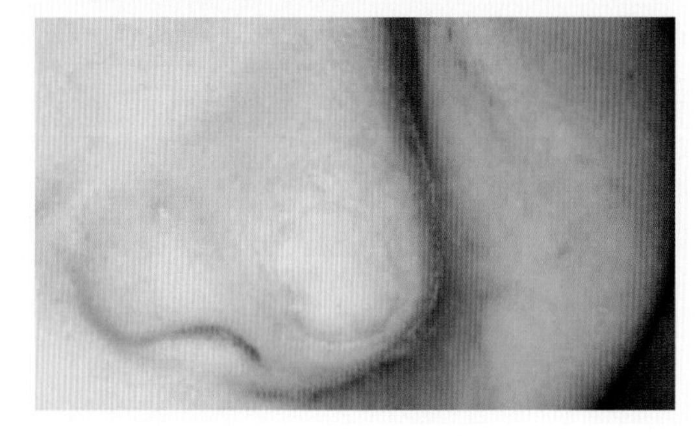

POINT
- 이렇게 큰 점은 과감히 식피술을 선택하는 편이 더 낫다.
- 점을 절제할 때, 너무 많이 잘라내지 말 것, 볼록면이 절제 후에 오목해져서는 안된다.

평가 ★★★☆

비익부의 점①

난이도 ★★

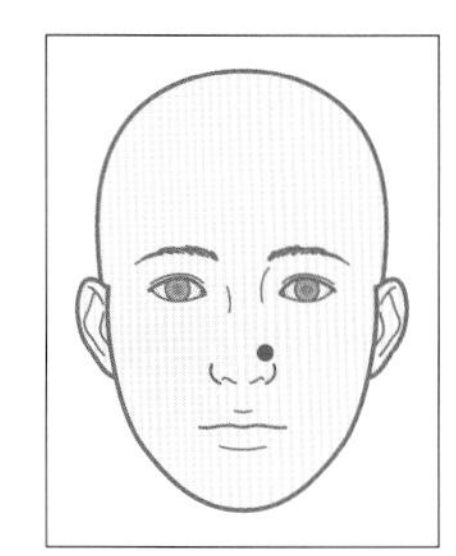

증례
- 21세 · 여성.
- 왼쪽 비익부의 점 (6×5mm).

방침
- 중등도 크기의 원형 점으로, 도려내기 봉합법으로 한다.

수술 & 술후 경과

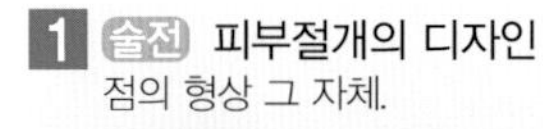

1 술전 피부절개의 디자인
점의 형상 그 자체.

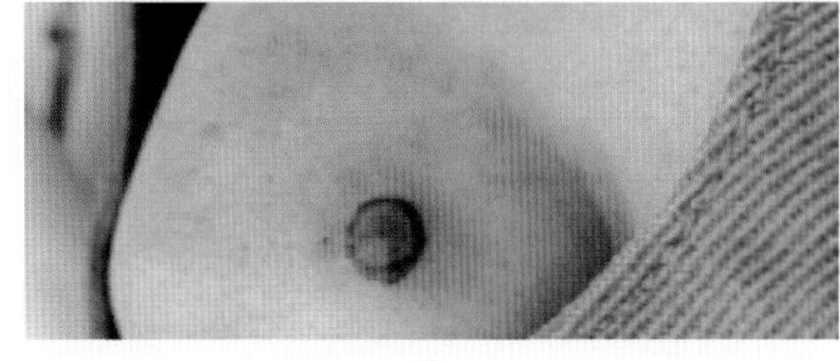

2 도려내어 절제 종료
파란 줄은 피하봉합의 예정라인.

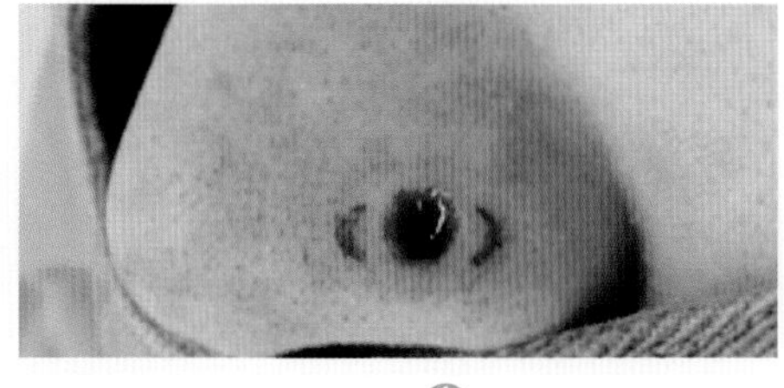

3 피하봉합
1바늘 (5-0 나일론) 로 이 정도까지 봉합한다. dog ear의 염려 없음 ! 그 다음, 피부봉합 (7-0).

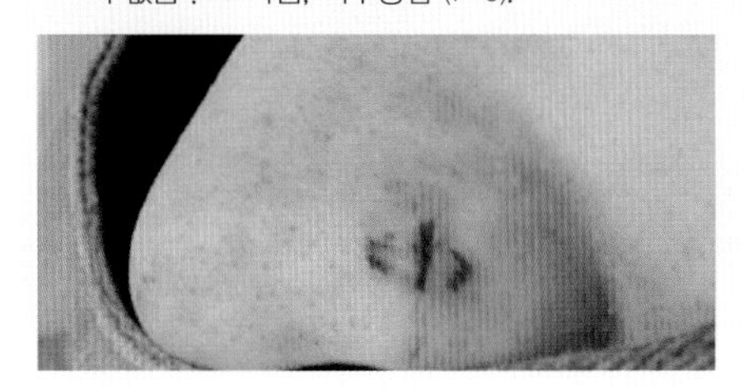

4 피부봉합 종료

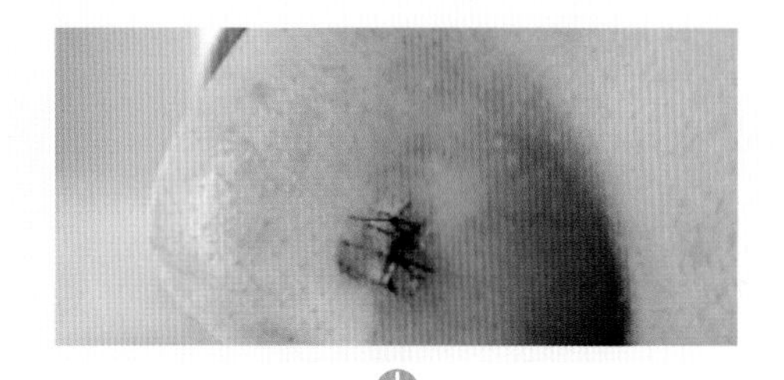

5 술후 1주째 발사 종료 (정면)

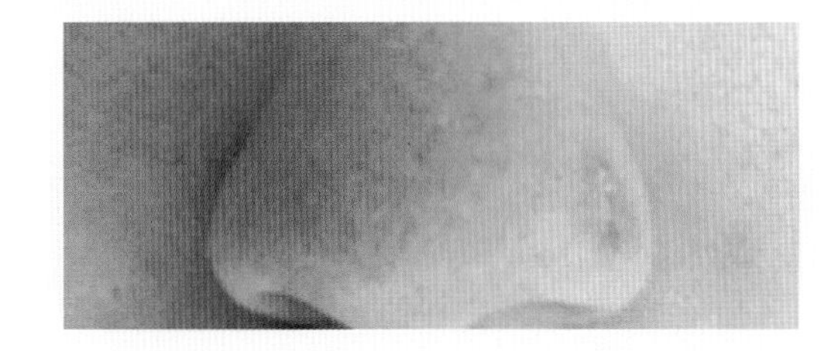

(사방향)
dog ear 형성도 눈에 띄지 않는다.

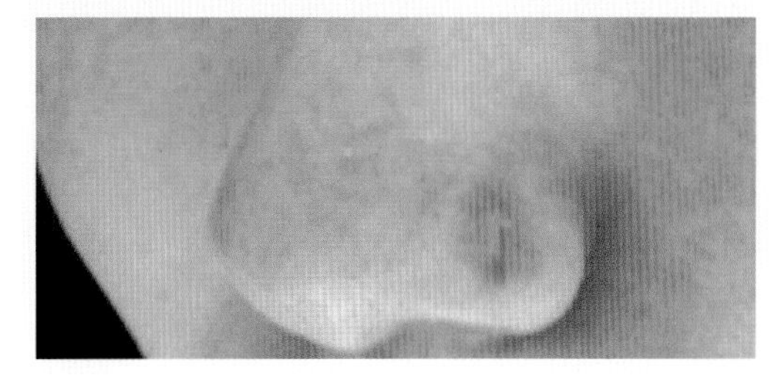

POINT
- 도려내기 봉합법이 가장 효과적인 부위이다.
- 피부가 두껍고 단단한 부위이지만, 예상 이상으로 피부도 잘 신전된다.

평가 ★★★

2 비익부의 점②

난이도 ★★★

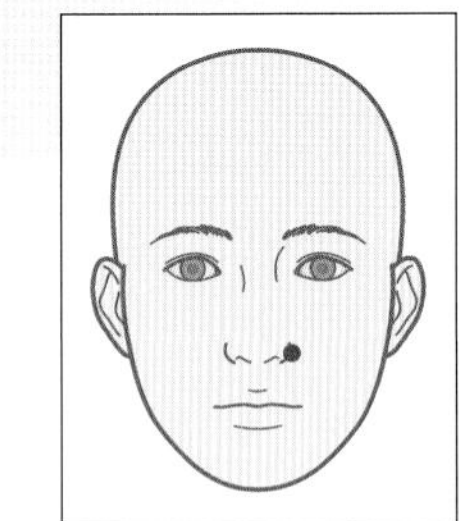

증례
- 62세 · 여성.
- 비익부의 상당히 커진 점 (5×6mm).

방침
- 도려내기+반폐쇄법으로 한다.

수술 & 술후 경과

1 술전

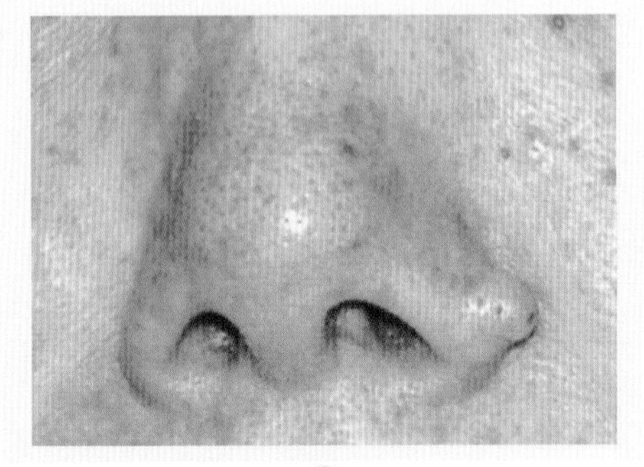

2 피부절개의 디자인
비익부 면적률의 30%라고 생각될 정도의 큰 점.

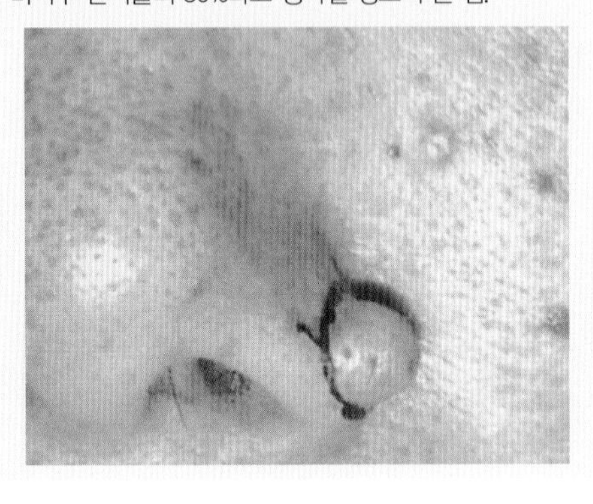

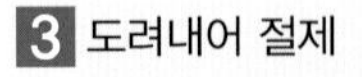

3 도려내어 절제

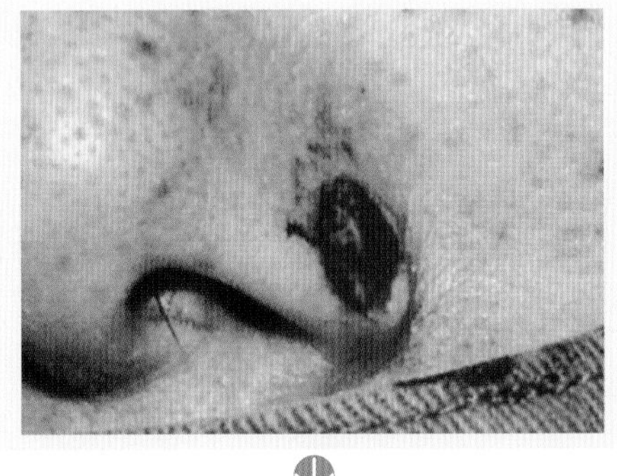

4 피부봉합 종료
비익의 자유연 형상을 잘 유지할 수 있는 방향으로 봉합하도록 한다. 붉게 보이는 삼각모양의 부위는 굳이 폐쇄하지 말고 open인 채 남겨두었다가, 자연 폐쇄를 기다렸다 (반폐쇄).

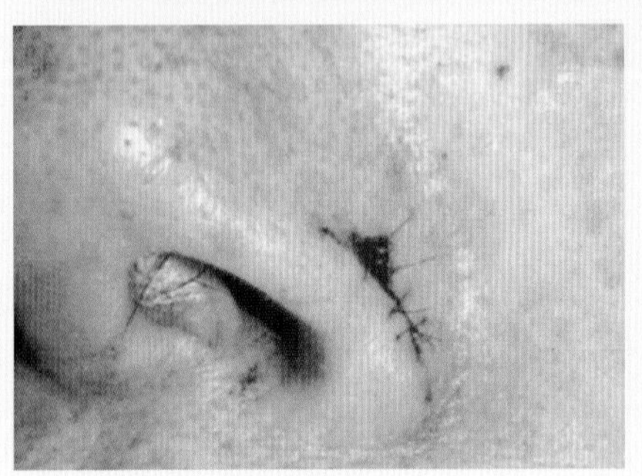

- 비익부의 점은 면적비율이 크므로 변형을 일으키지 않을 정도로 반폐쇄로 하고, 피부 봉합한다.
- 술후는 예상이상으로 빨리 창상이 닫힌다.

3 비익부의 점③

난이도 ★★

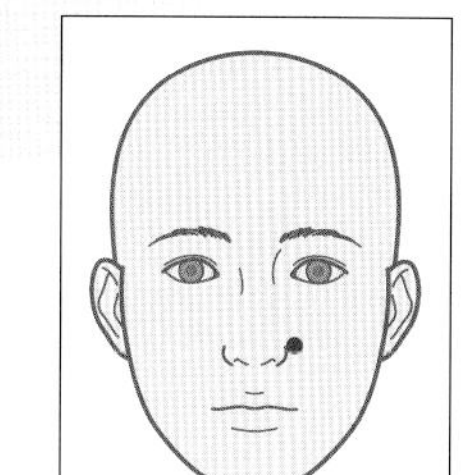

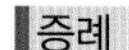

증례
- 39세 · 여성.
- 좌비익부와 협부 경계부의 점 (7×5mm).

방침
- 도려내기 봉합법에 가까운 타원형 절제법으로 한다.

수술 & 술후 경과

1 술전 정면

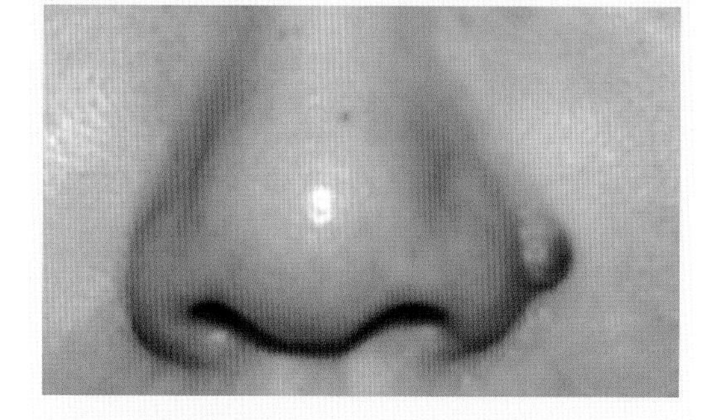

사방향
비익부에서 협부에 걸쳐 있다.

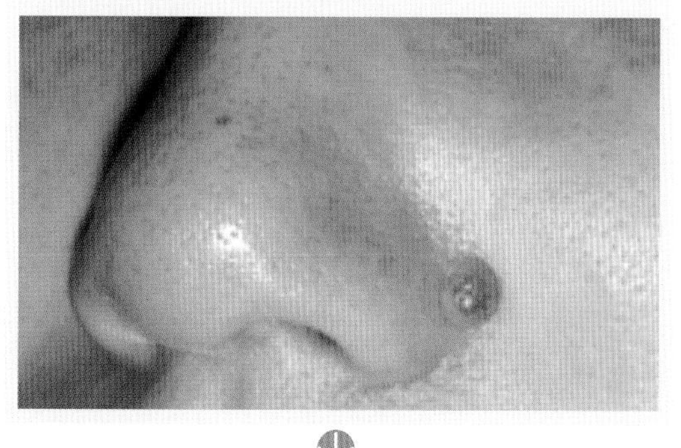

2 피부절개의 디자인
타원형 절제의 디자인으로 한다.

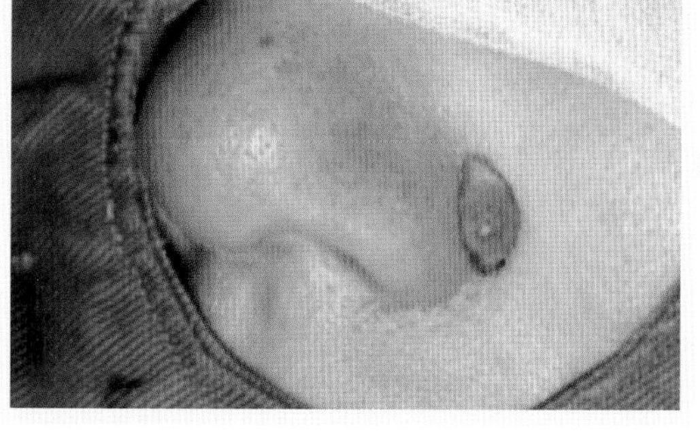

3 점의 절제봉합
절제→피하봉합→피부봉합.

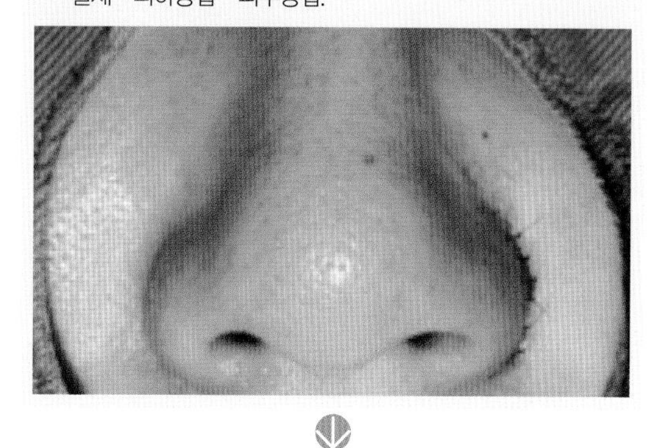

4 피부봉합 종료
봉합선은 비익과 협부의 경계선상에 있다.

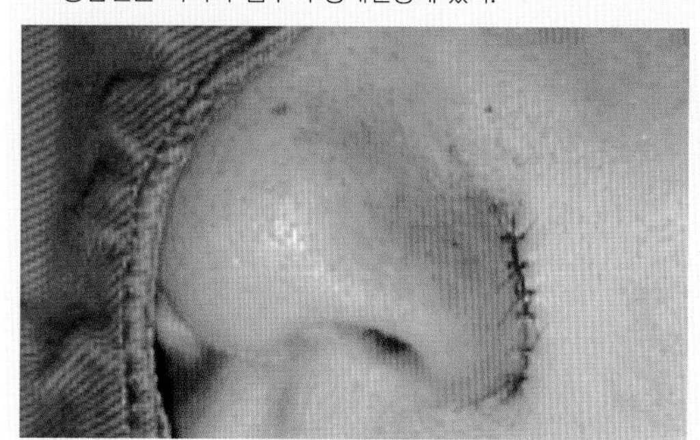

POINT
- 경계선상의 점은 봉합선이 경계선에 일치하는 것이 바람직하다.
- 경계선은 반흔이 가장 눈에 띄지 않는다.

평가 ★★★★

4 비익부 상연의 점①

난이도 

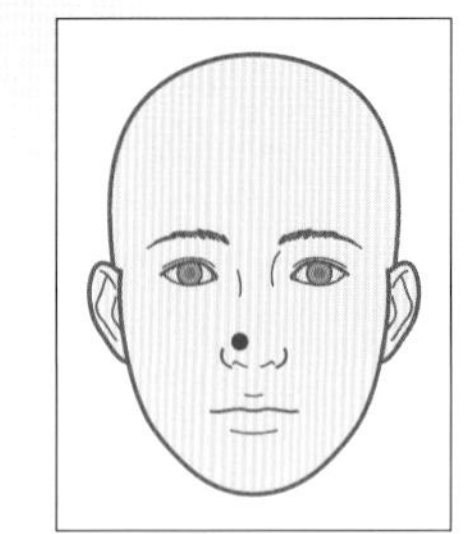

증례
- 45세 · 여성.
- 오른쪽 비익부 바로 위의 흰점 (6×6mm).

방침
- 도려내어 절제 봉합법으로 한다.
- 반폐쇄법으로 한다.

수술 & 술후 경과

1 술전 도려내고 절제하는 디자인

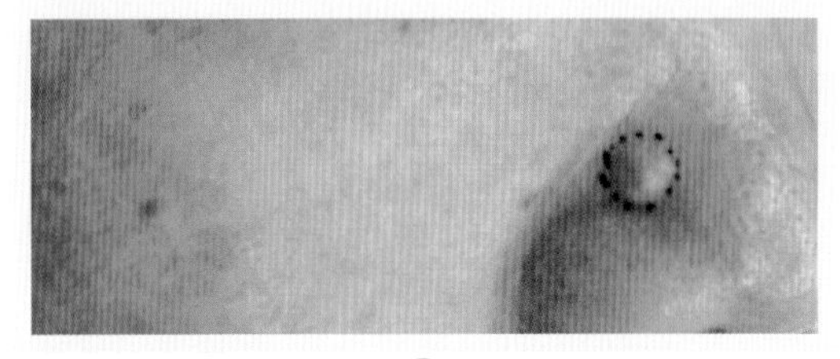

2 피부절개를 한 모습

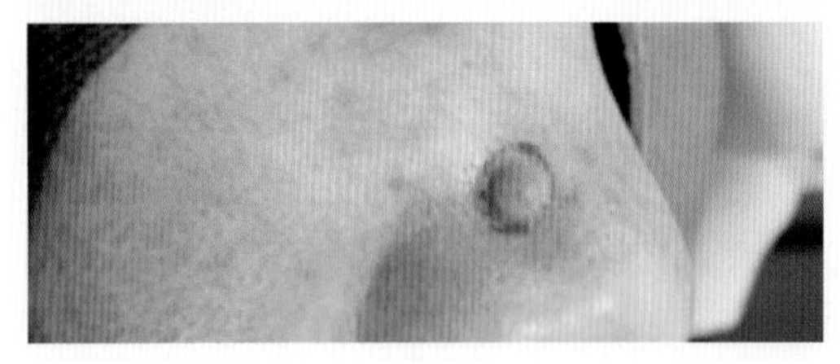

3 도려내어 절제

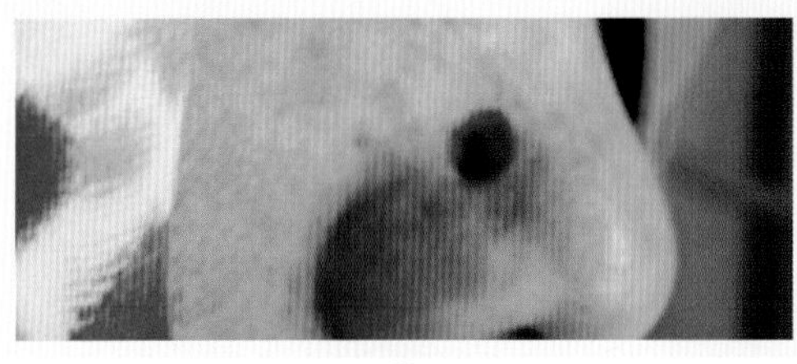

4 피하봉합
1바늘로 피부결손이 작아졌다.

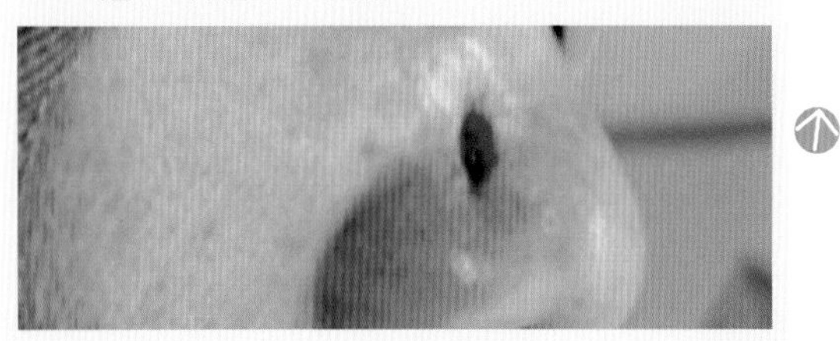

5 피부봉합
무리없이 당겨서 꿰맬 수 있는 만큼 꿰매고, 간격이 남아 있는 (반폐쇄) 상태로 수술 종료.

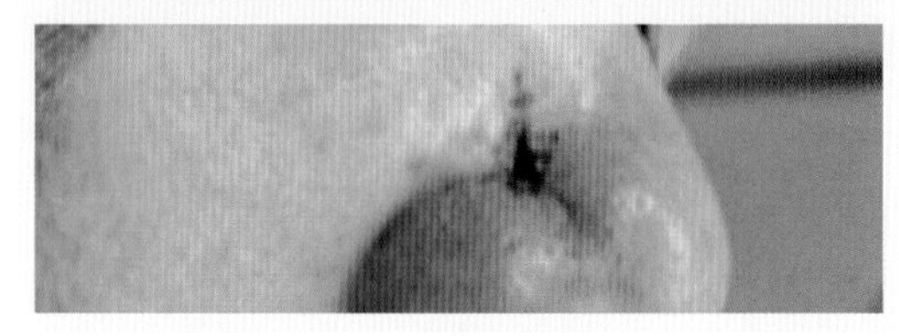

6 술후 1주째 발사
이 시점에서 상피화가 겨우 완료되어 있다.

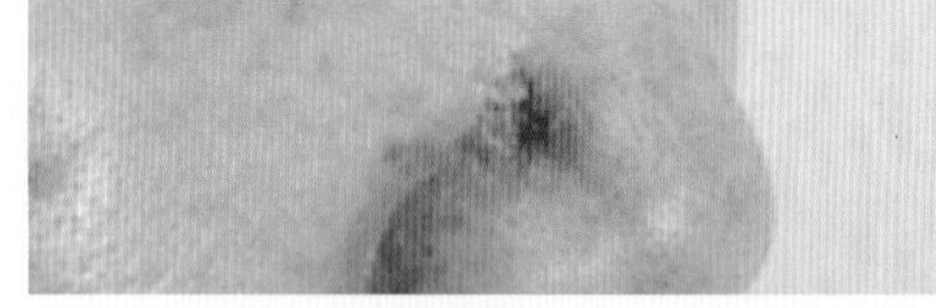

7 술후 2개월째의 상태
오목했던 봉합선이 상당히 얕아져서 눈에 띄지 않는다.

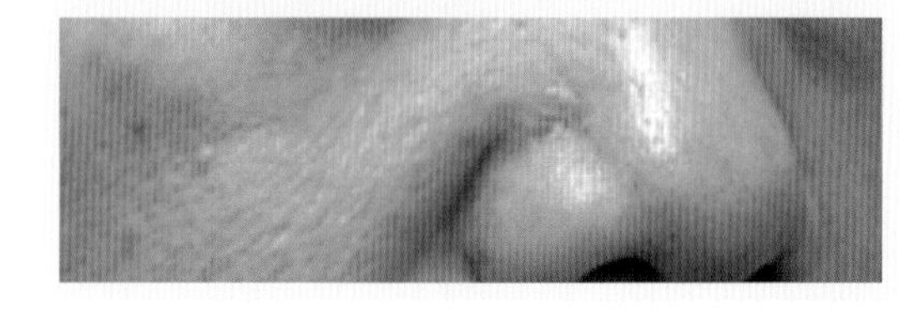

POINT
- 도려내기 봉합으로 완전폐쇄하지 않아도 "반폐쇄법"으로 raw surface면적을 작게 하는 것만으로, 술후 창상이 완전 폐쇄될 때까지의 일수가 단축된다.
- 꿰매는 방향은 비익이 잘 변형되지 않는 방향이면 된다.

평가 ★★★

5 비익부 상연의 점②

난이도 ★★★

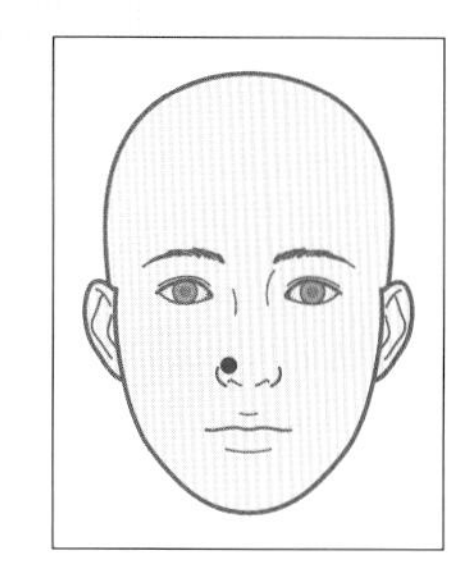

증례
- 51세 · 여성.
- 비익부 상단의 점 (6×6mm)

방침
- 도려내고 봉축, 반폐쇄법도 괜찮다.

수술 & 술후 경과

1 술전

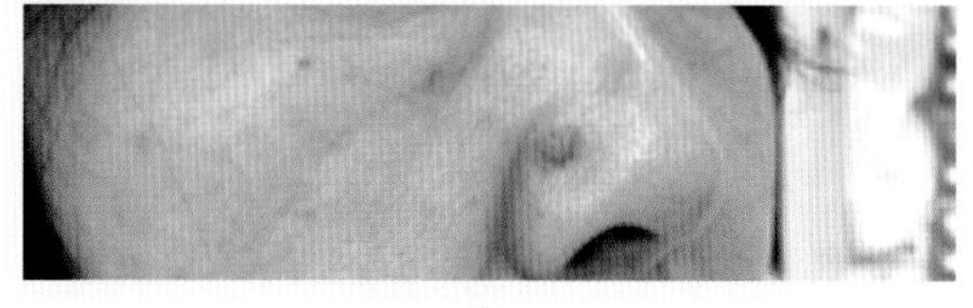

2 피부절개의 디자인

완전절제가 가능한 도려내기로.

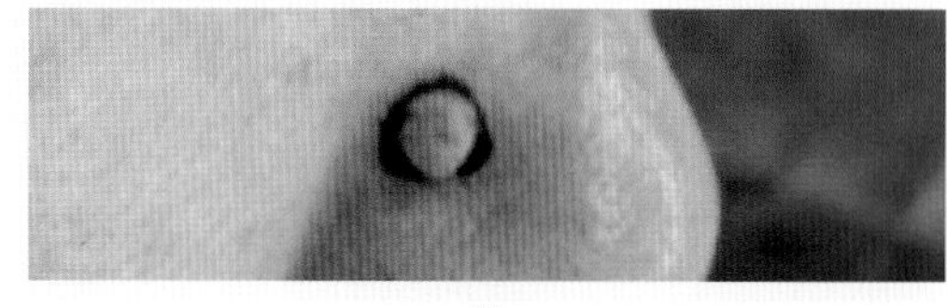

3 비익의 변형을 예방하기 위해서 3방향에서 봉합한다.

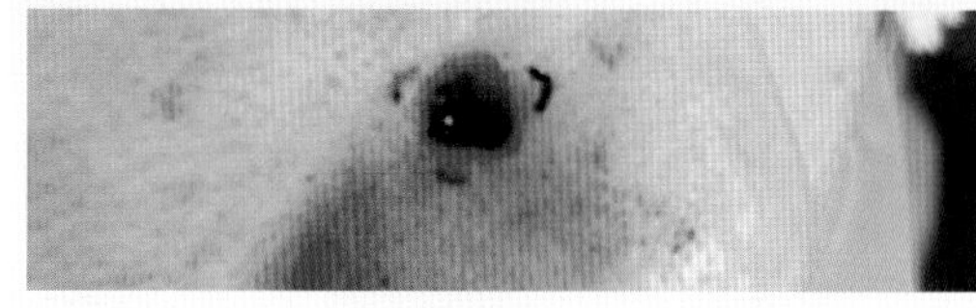

4 피하봉합으로 건착봉합

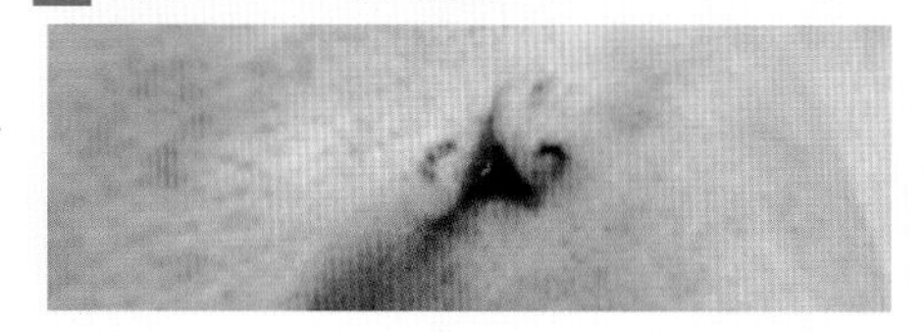

5 피부봉합 종료

이것으로 종료한다는 것은 반폐쇄를 의미한다.

6 술후 5일째

아직 완전폐쇄되지 않았다.

7 술후 10일째

마침내 완전폐쇄.

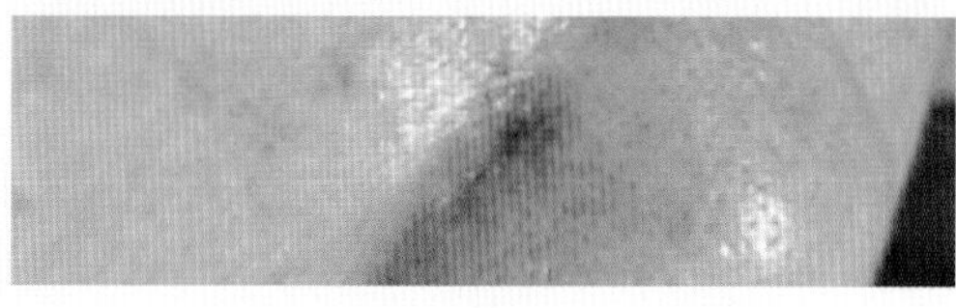

8 술후 1개월째의 상태

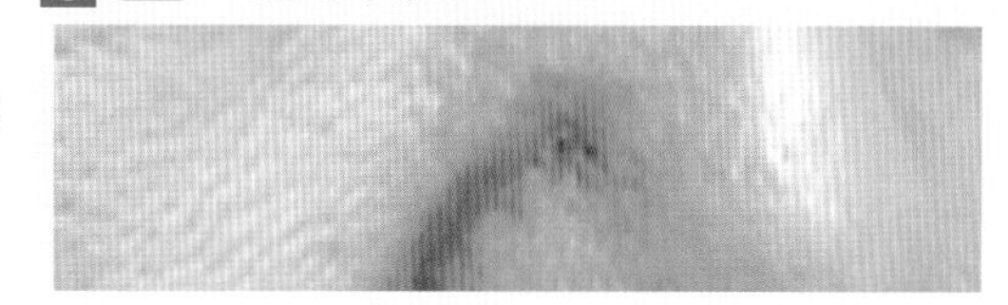

POINT

- 비익부의 점을 절제할 때는 비익이 변형되지 않도록 주의한다.
- 봉합선의 방향은 그다지 걱정하지 말고, 변형 예방을 첫째로 생각한다.
- 완전폐쇄하는 것에 구애받지 말고 "반폐쇄"도 괜찮다.

평가 ★★★

6 비익부 상연의 점③

난이도 ★★

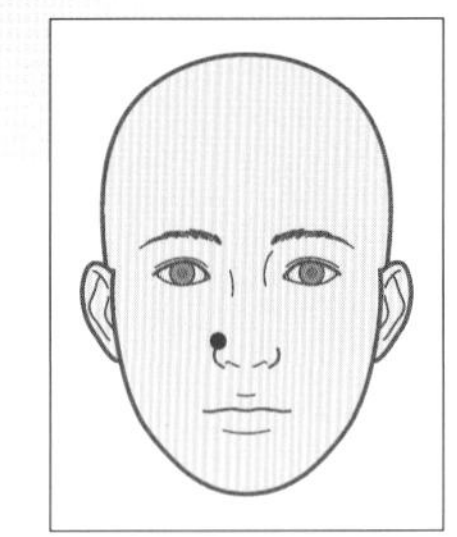

증례
- 15세 · 여성.
- 오른쪽 비익 상연의 점 (6×6mm).

방침
- 타원형 절제봉축술.

수술 & 술후 경과

1   술전

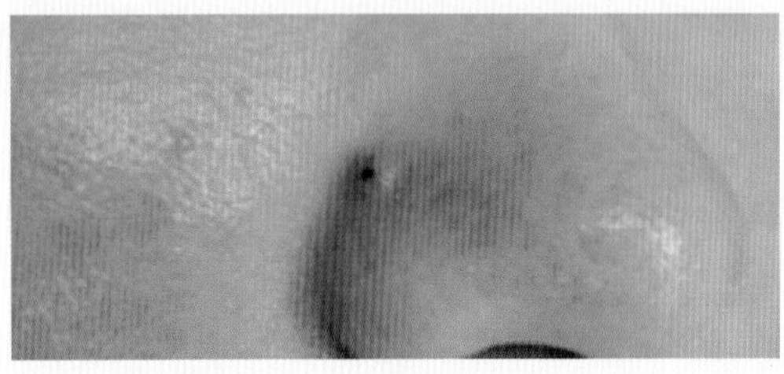

2 피부절개의 디자인

타원형 절제의 디자인.

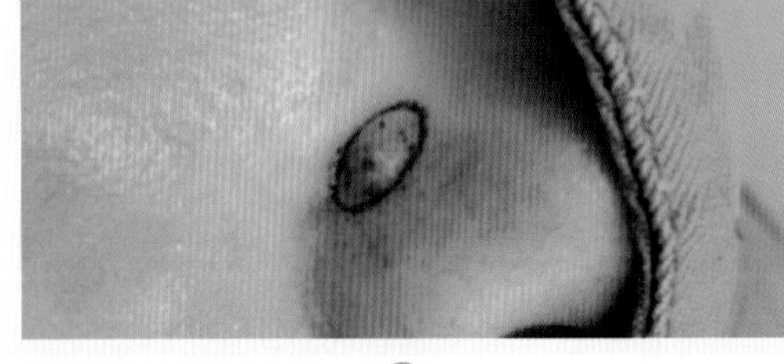

3 절제봉축, 완전폐쇄

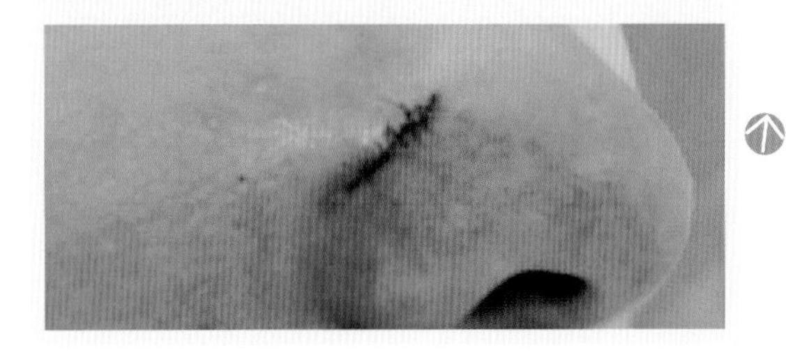

4 피부봉합 종료

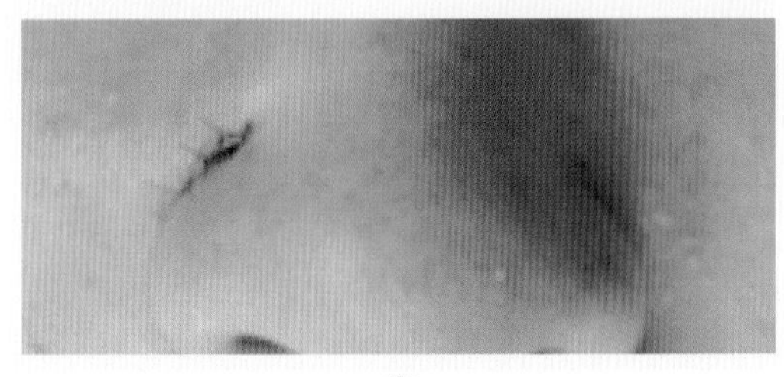

5 술후 1주째의 상태

발사 직후.

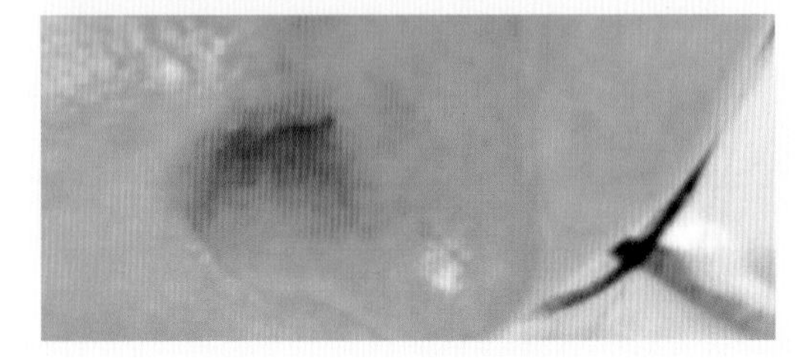

POINT 봉합선을 단축시키므로 타원형 절제법으로 하고, dog ear 형성 없이 봉축할 수 있었다.

평가 ★★★

비익부 상연의 점④

난이도 ★★

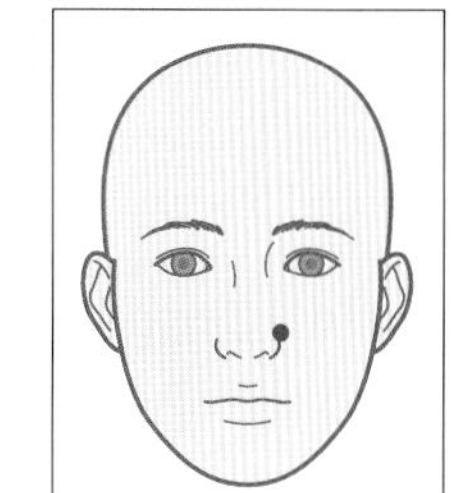

증례
- 23세 · 여성.
- 왼쪽 비익부 상연의 점 (6×6mm).

방침
- 이 크기이면 방추형이나 타원형 절제가 필요 없다고 생각되어, 도려내기 봉합법으로 하기로 하였다.

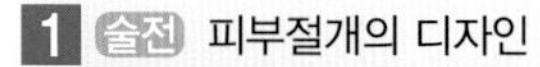

수술 & 술후 경과

1 술전 피부절개의 디자인

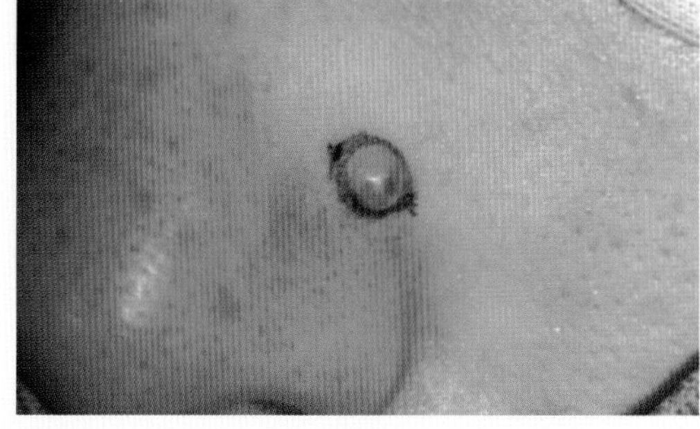

2 도려내고 절제

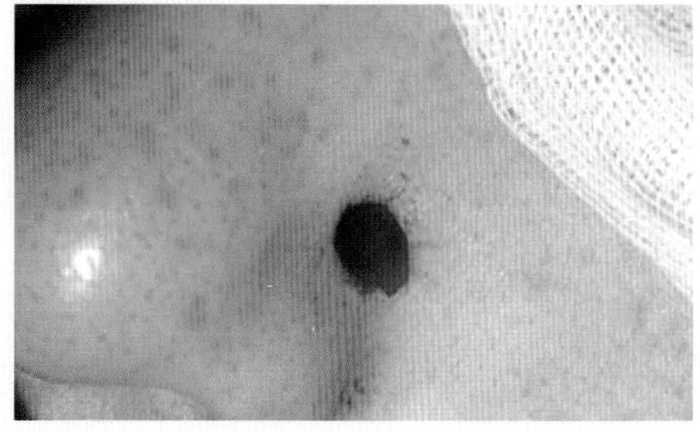

3 피하봉합

5-0나일론으로 꿰매고 있는 도중의 상태. 이 때에 완전히 닫힌 상태로 하는 것에 구애받지 않아도 된다.

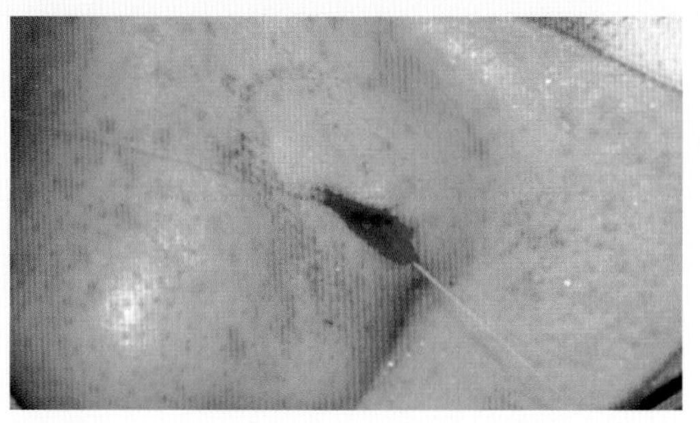

4 피하봉합

이 시점에서 폭 2mm로 열어 둔다.

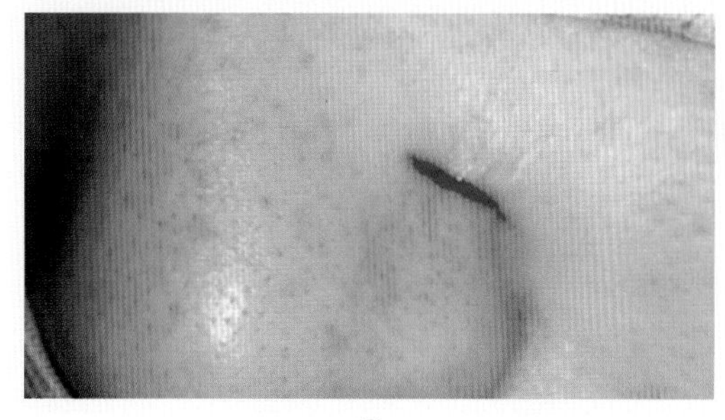

5 피부봉합 종료

dog ear는 생기지 않았다.

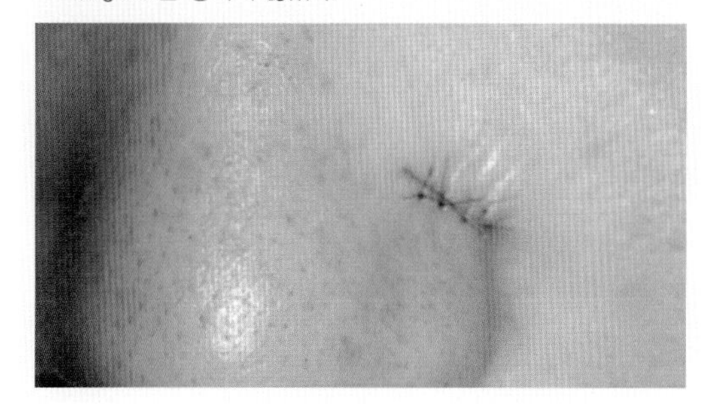

POINT
- 도려내기 봉합법으로도 dog ear 형성 없이 치유.
- 이 크기 (직경 6mm) 이면 타원형 절제를 하지 않아도 도려내고 절제하여 안전하게 봉합할 수 있다. 평가 ★★★

8 비익부 상연의 점⑤

난이도 ★★★

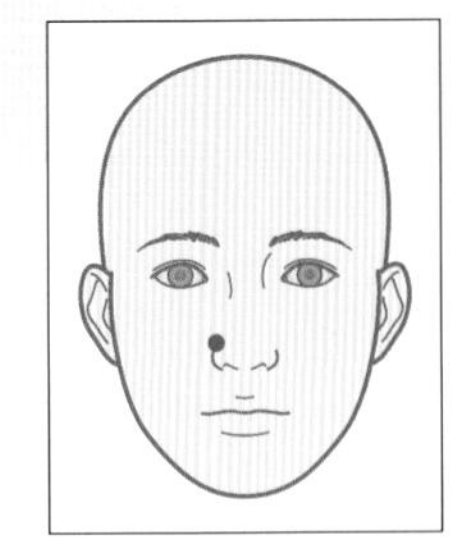

증례
- 18세 · 여성.
- 오른쪽 비익부 상연의 점 (8×7mm).

방침
- 부위적으로 2방향에서 붙이는 것이 아니라 3방향에서 붙이는 것 (봉합)이 바람직하다.
- 중앙부는 반폐쇄법도 가능하므로 완전봉합하는 것에 구애받지 않는다.

수술 & 술후 경과

1 술전

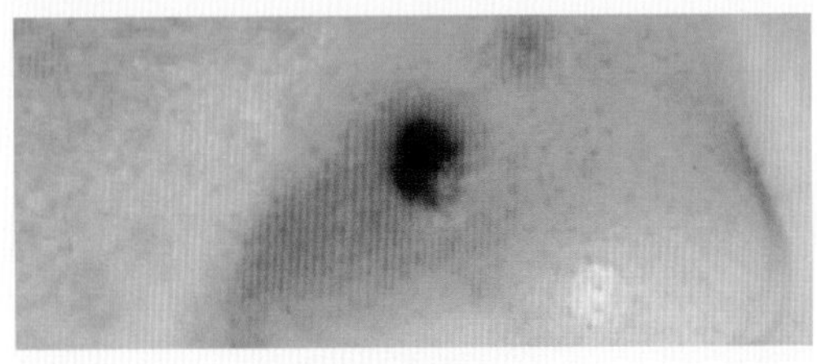

2 피부절개의 디자인과 피하봉합을 위해 실을 꿰매는 위치

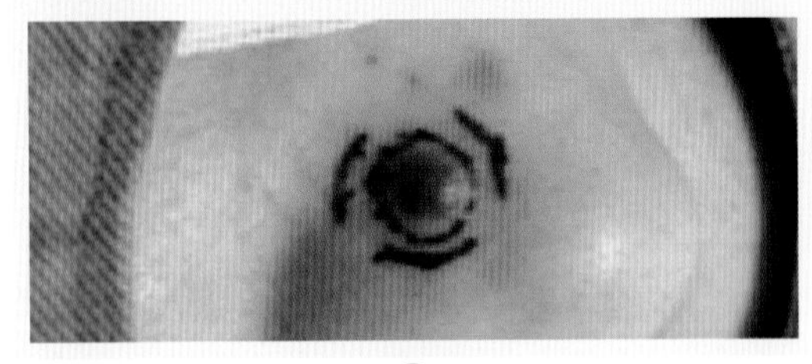

3 피하봉합 (5–0나일론)

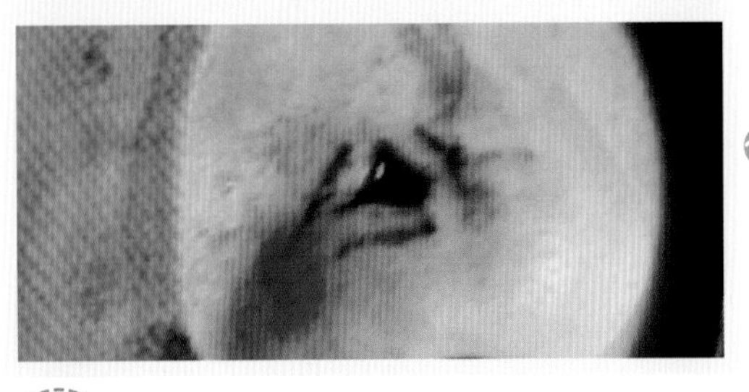

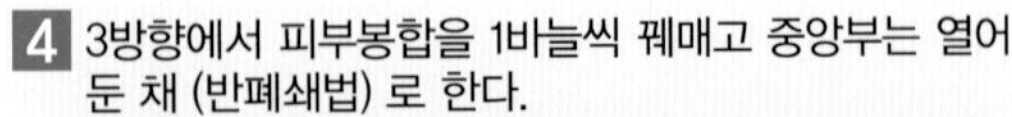

4 3방향에서 피부봉합을 1바늘씩 꿰매고 중앙부는 열어둔 채 (반폐쇄법) 로 한다.

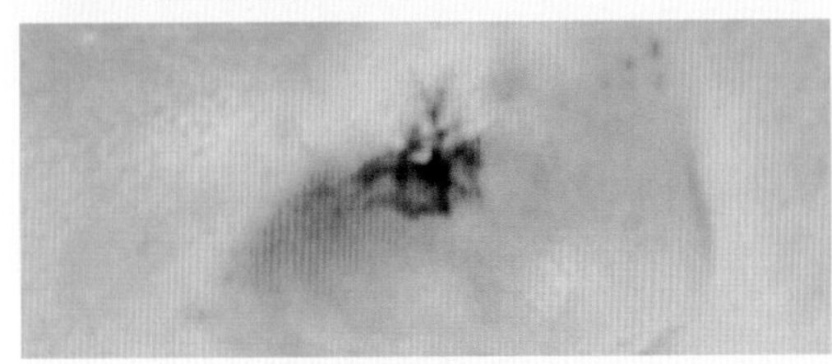

5 술후 2주째의 상태 (비스듬한 측면)

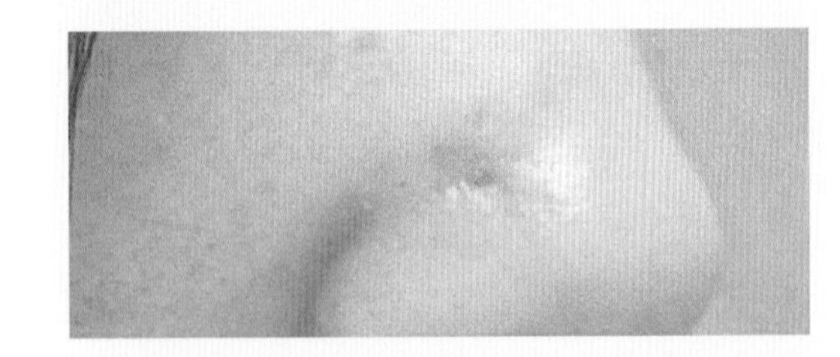

(정면)
정면에서 보아도 변형이 없다.

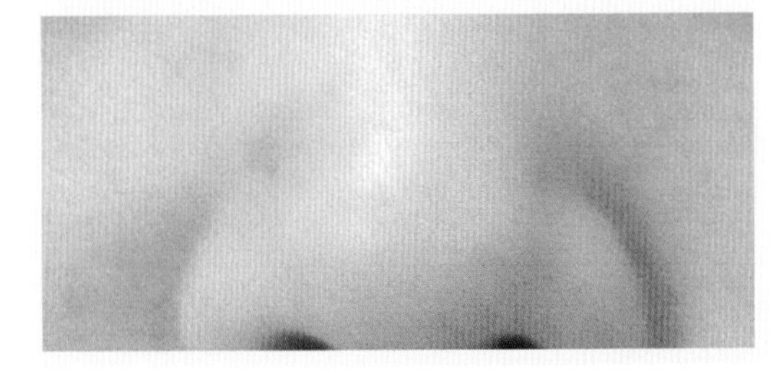

POINT

- 이 부위의 점이 많다. 게다가 시간이 지남에 따라서 커지므로 절제를 희망하여 내원할 무렵에는 점이 상당히 커져 있는 경우가 많다.
- 거의 원형인 채 도려내어 절제하고 "반폐쇄법" 으로 하는 것이 좋다 (한 번에 폐쇄하는 것에 구애받아서는 안된다는 의미이다).
- 이 반흔도 2주만에 비익의 변형이 전혀 없이 폐쇄된 경우이다.

9 비익부 상연의 점⑥

난이도 ★★★

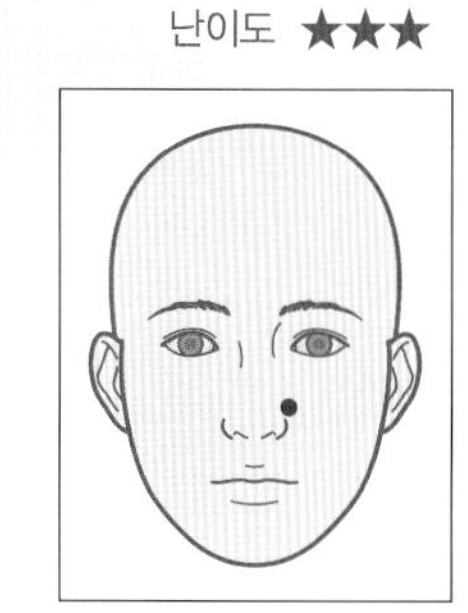

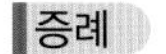

증례
- 45세 · 여성.
- 비익부 상연의 점 (8×8mm).

방침
- 마름모꼴 피판법 (Limberg flap) 으로 피부결손부를 닫기로 하였다.

수술 & 술후 경과

1 술전 피부절개의 디자인

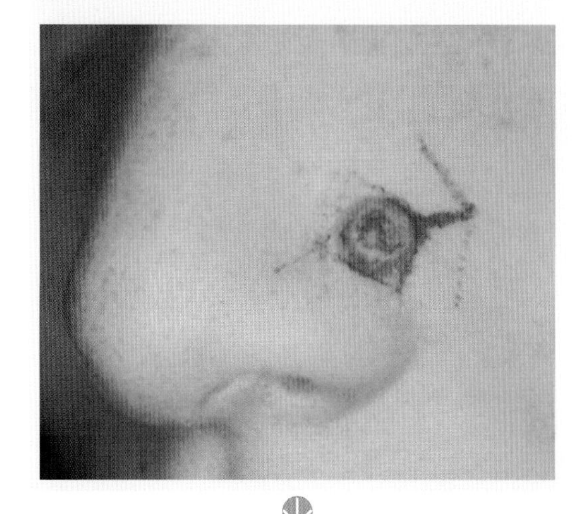

2 마름모꼴 피판의 디자인

A, B 2가지 중에서, 라인 d의 방향이 자연주름의 방향에 가까워서 A를 선택.

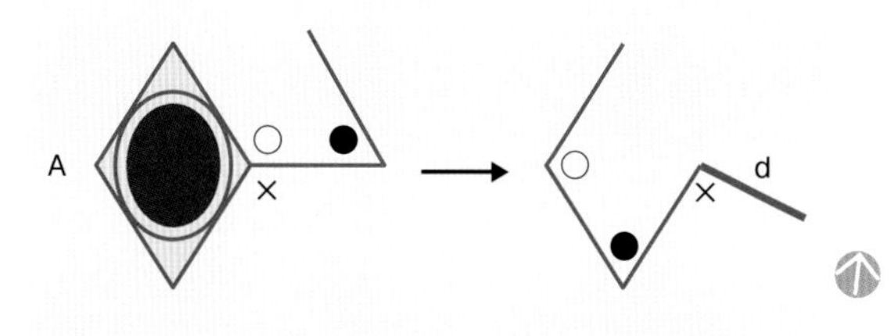

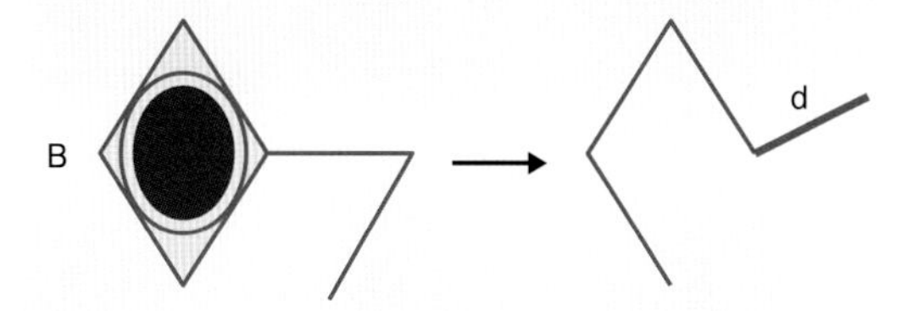

3 피판의 이동봉합

각 코너는 진피봉합도 한다 (진피봉합 5-0 흰나일론. 피부봉합은 7-0나일론). (○는 피하봉합)

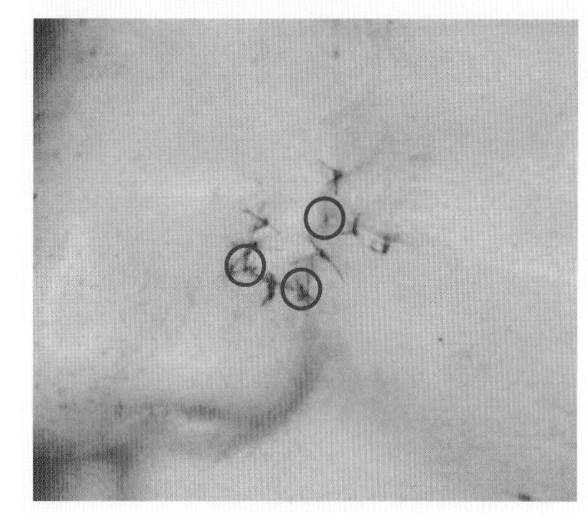

POINT
- 이 부위 (비익부 상연) 에서 이 크기의 점의 절제에는 마름모꼴 피판법을 응용하기에 최적인 케이스.
- 디자인을 그리는 법은 2가지가 있는데 도너 영역을 닫는 봉합선 기울기의 방향 때문에 A쪽이 나은 것을 알 수 있다.

10 비익연의 점

난이도 ★★★

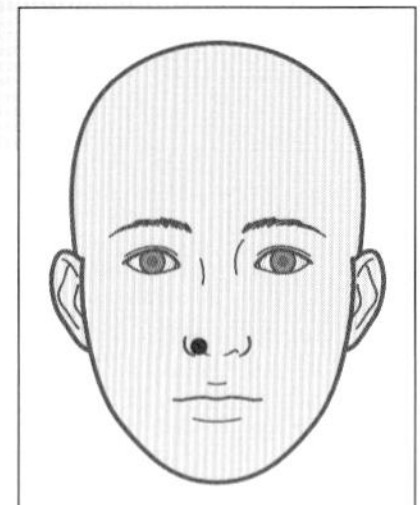

증례
- 38세 · 남성.
- 비익연의 점 (7×7mm).

방침
- 점을 절제하는 것과 변형을 최소화하는 양쪽을 고려해야 한다.
- 봉합할 수 없는 경우는 국소피판이 필요해지는데, 이 경우의 점이 봉합하는 크기의 한계

수술 & 술후 경과

1 술전 아래쪽에서의 상태

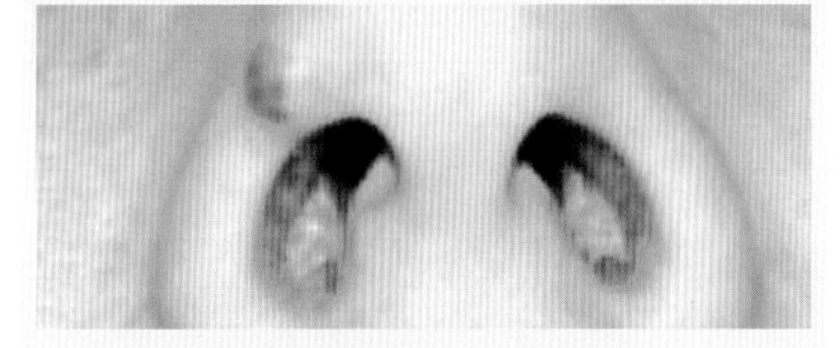

비스듬히 아래쪽에서의 상태

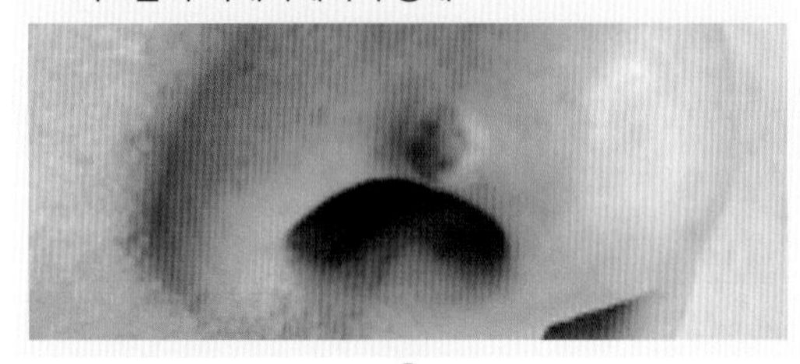

2 피부절개의 디자인

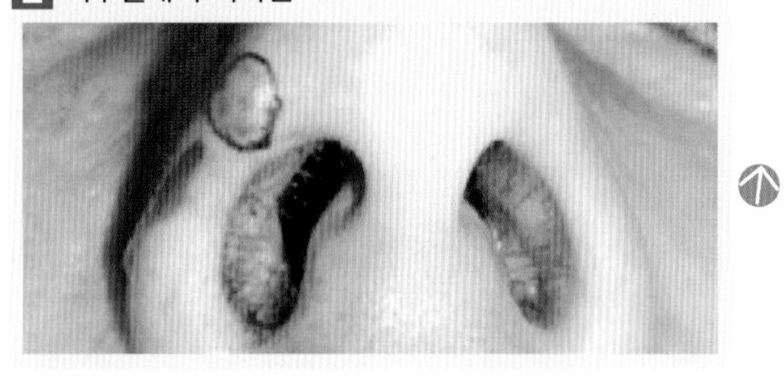

3 도려내고 절제하여, 1바늘만 심부에서 피하봉합

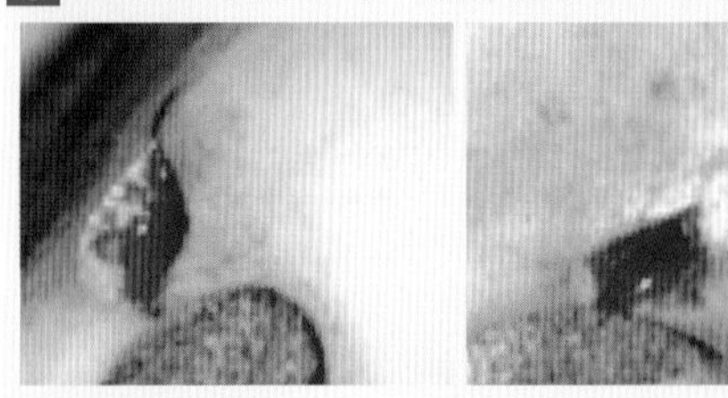

4 피부봉합 종료

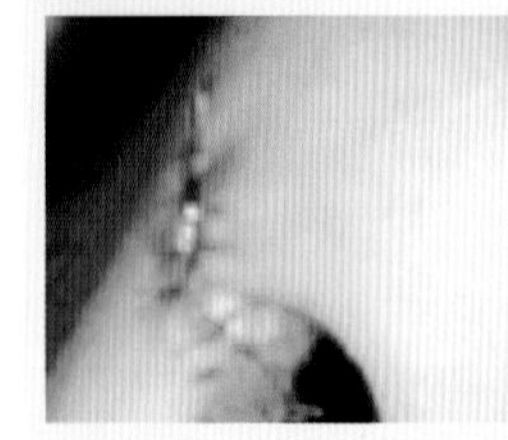

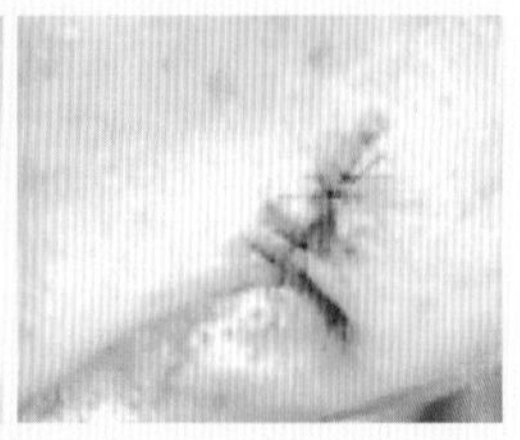

5 술후 4개월째의 상태

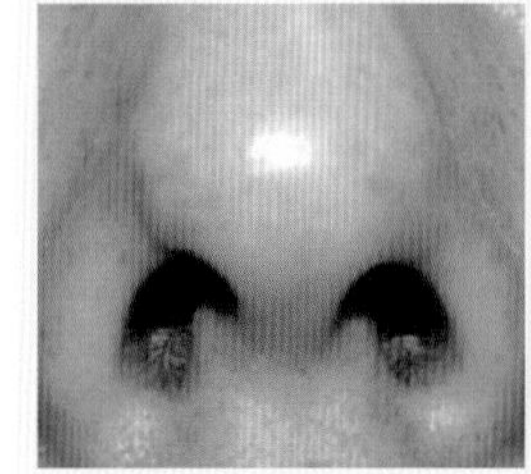

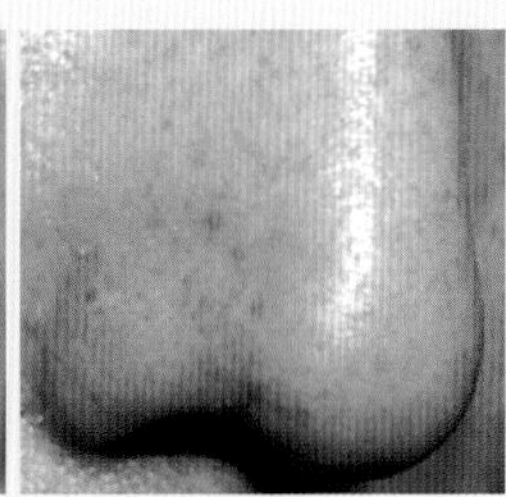

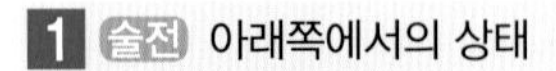

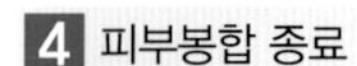

POINT
- 비익연의 점은 변형 없이 봉합하기가 매우 어렵다.
- 한계는 절제폭이 5mm정도. 그 이상의 폭을 꿰매게 되면 좌우차가 눈에 띄게 되 므로, 국소피판이나 식피술의 응용이 필요하다.
- 이 경우는 단순봉합이 가능한 최대한의 크기일 것이다.

평가 ★★★

⑤ 비순구부의 점

Key Points

❶ 비순구의 점은 비교적 단기에 커지는 경우가 많으므로, 절제희망자가 많다. 이 부위는 원칙적으로 방추형 절제법으로 절제한다.

❷ 타원형 절제법으로는 dog ear를 형성할 확률이 높기 때문에 좋지 않다.

❸ 비순구의 점은 상당히 큰 것이라도 방추형 절제가 기본이다.

❹ 비익에 가까운 큼직한 점은 매우 눈에 띈다. V-Y전진피판이나 crown excision법을 사용하는 것이 더 낫다.

1 비순구 기시부의 점①

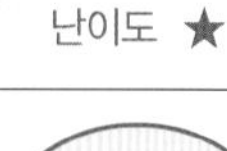

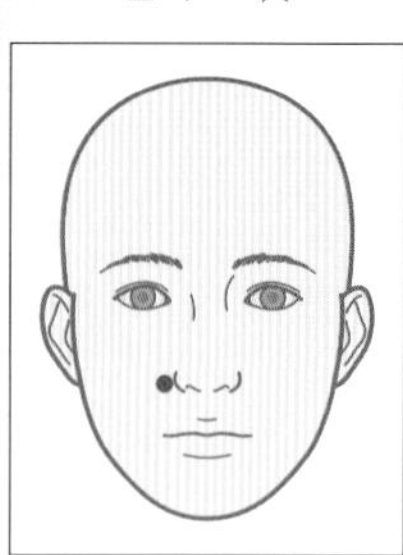

- 17세 · 여성.
- 비순구 기시부 (상단) 의 점 (8×5mm).

방침

- 방추형 절제봉축법으로 한다. 이 부위에서의 타원형 절제는 dog ear가 형성되기 쉽다.

수술 & 술후 경과

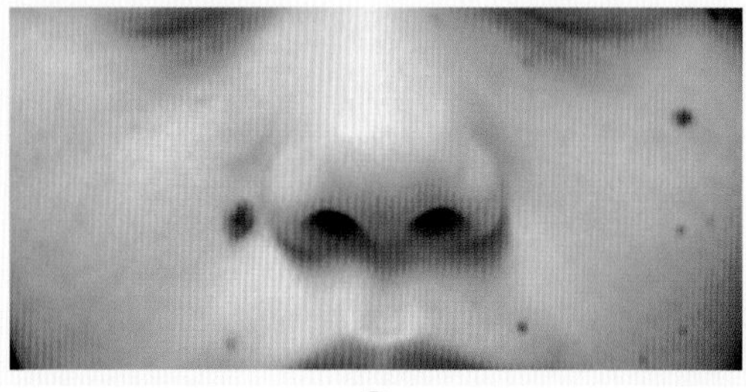

2 피부절개의 디자인
방추형 절제로 한다.

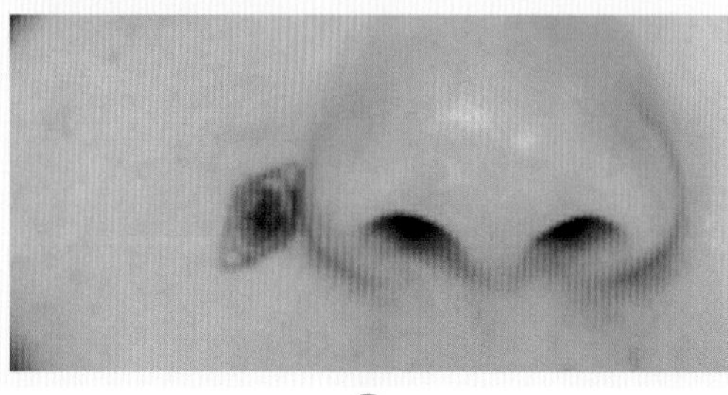

3 점의 절제

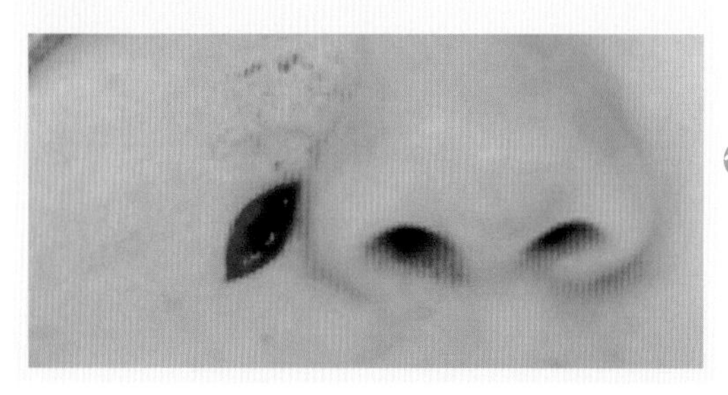

4 피하봉합

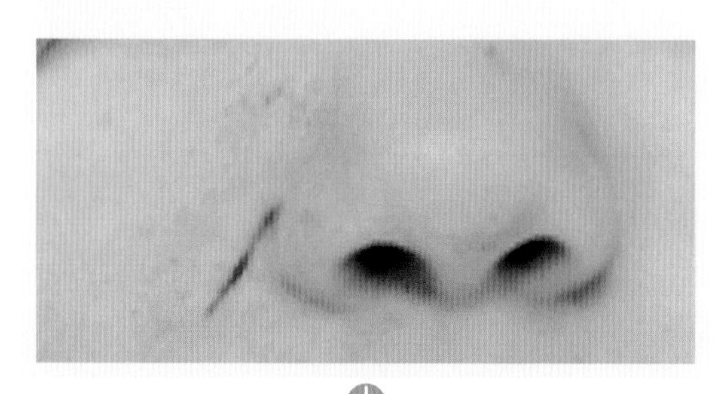

5 피부봉합의 종료 상태

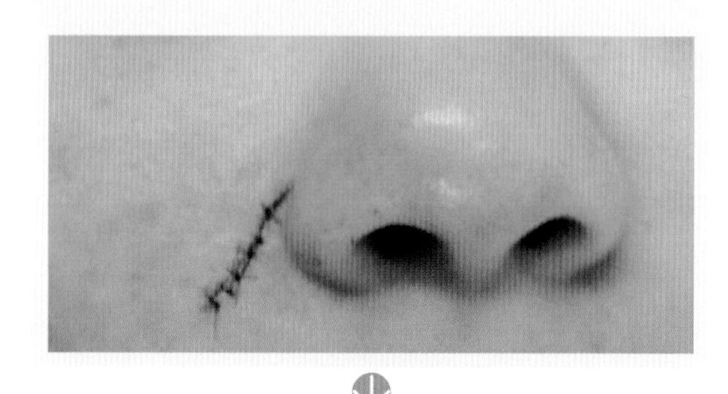

6 술후 술후 발사 종료시의 상태
dog ear 형성 없이 치유.

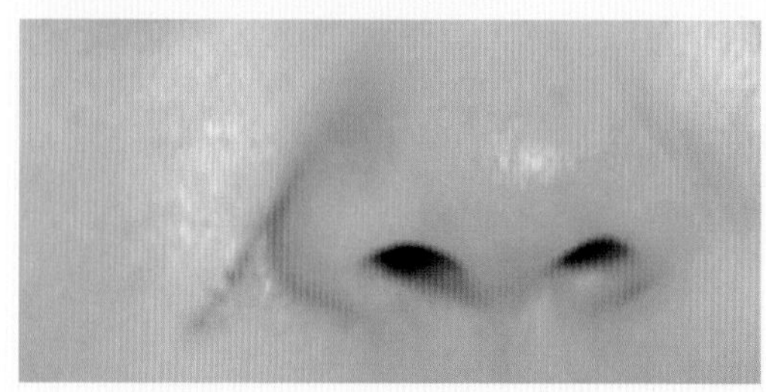

⊙ 비순구 부위의 점은 방추형 절제봉합이 기본이다.

2 비순구 기시부의 점②

난이도 ★★

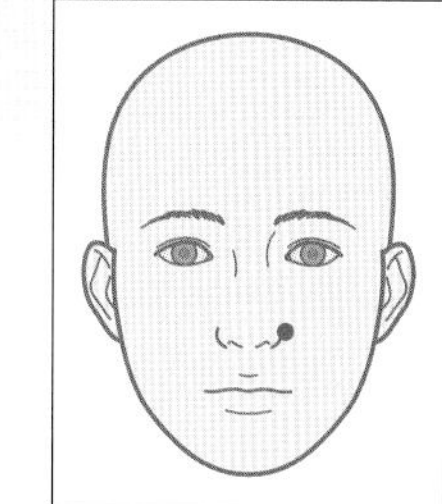

증례
- 38세 · 남성.
- 비순구 기시부의 점 (9×5mm).

방침
- 비익의 경계부에 걸쳐 있지 않아서 방추형 절제로 한다.

수술 & 술후 경과

1 술전

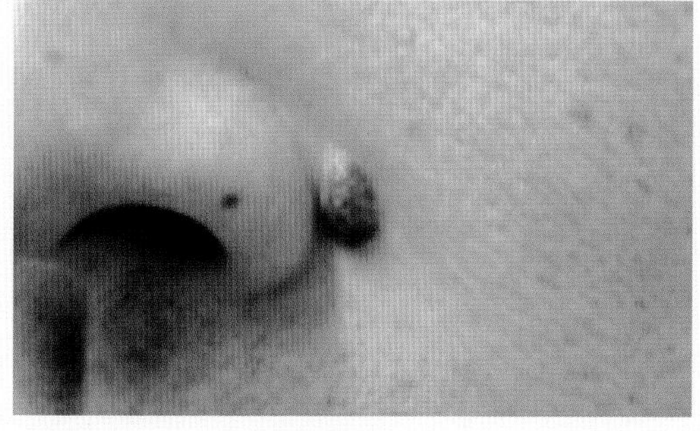

2 방추형 절제의 디자인
장축 방향은 비순구 방향을 따라서.

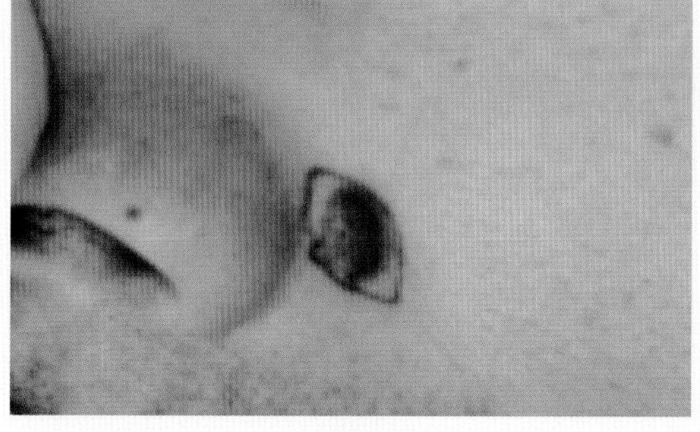

3 점절제→피하봉합→피부봉합

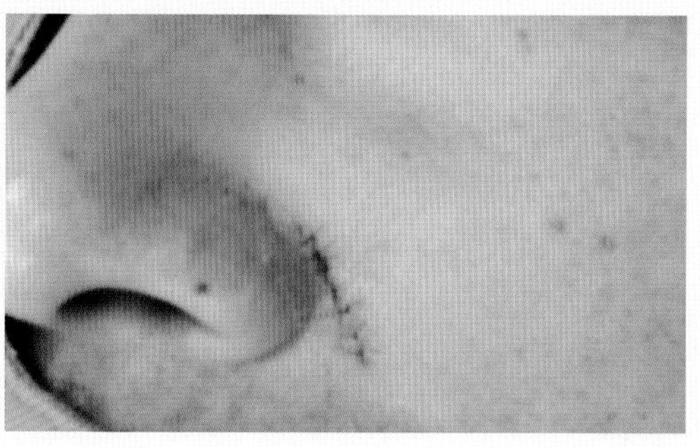

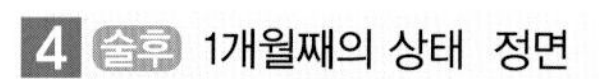

4 술후 1개월째의 상태 정면

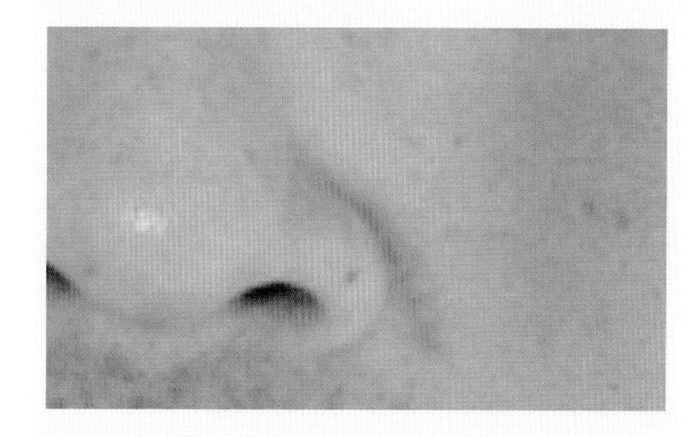

사방향

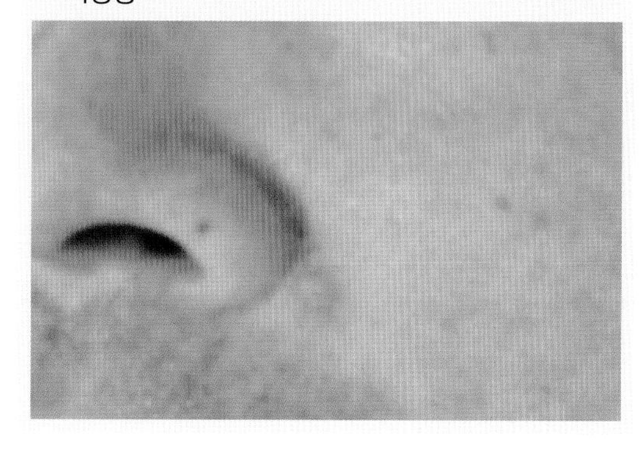

POINT
- 비순구의 점 절제는 방추형 절제가 원칙.
- 완전히 비순구에 따른 봉합선이 되도록 절제하는 것이 이상적으로 반흔이 눈에 잘 띄지 않는다.

평가 ★★★

3 비순구 기시부의 점③

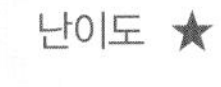

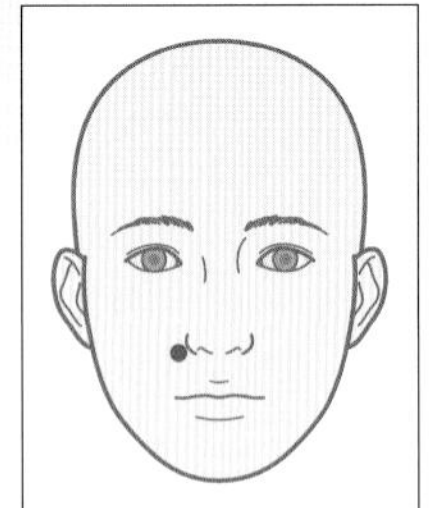

증례
- 27세 · 남성.
- 오른쪽 비익기부의 점 (4×4mm).

방침
- 코의 변연부에서 그다지 크지 않은 점이므로, 초승달모양 절제로 봉축하기로 하였다.

수술 & 술후 경과

1 술전 (정면)

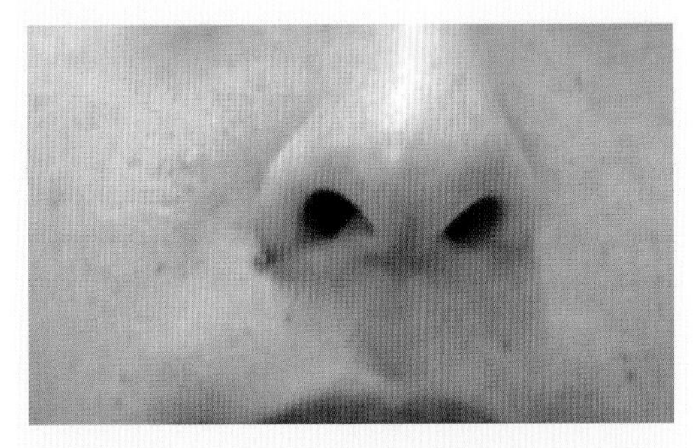

(사방향)

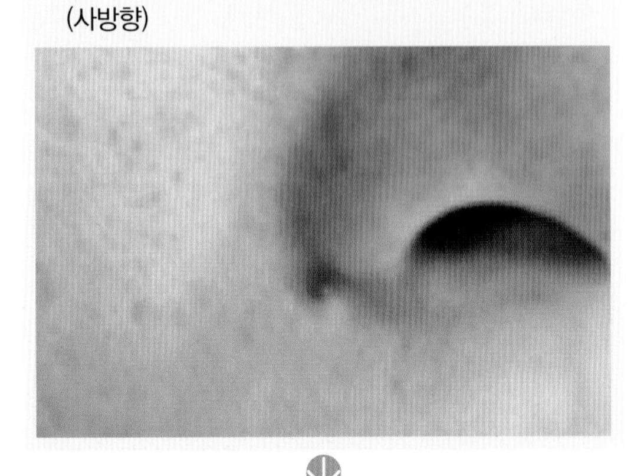

2 피부절개의 디자인
완전한 초승달모양이 아니라 양끝만 구부러져 있다(빨간선).

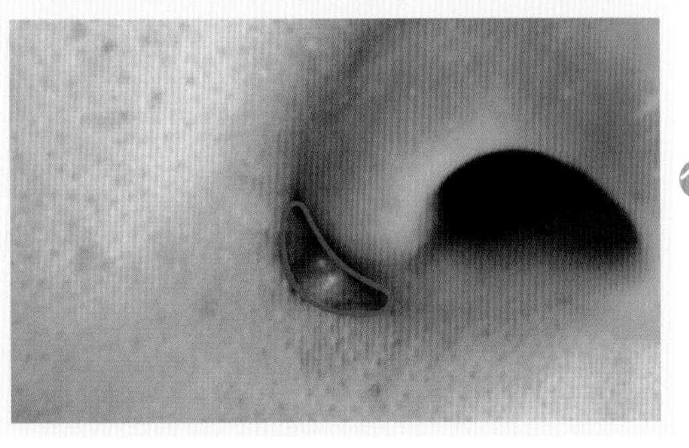

3 점절제→피하봉합→피부봉합
좌우변의 길이가 다르지만 이 정도이면 봉합 가능.

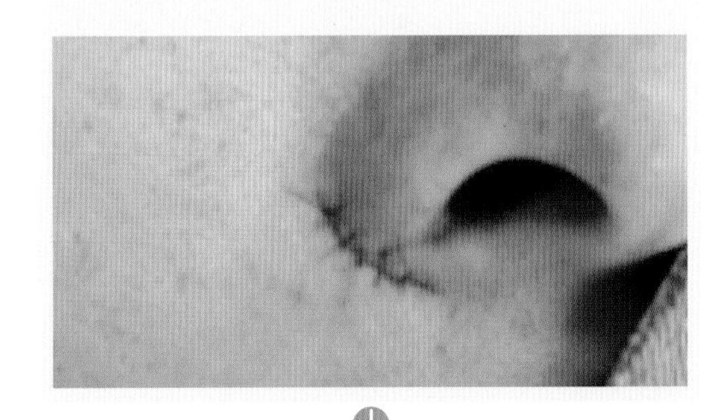

4 술후 1일째의 상태
dog ear가 눈에 띄지 않고 치유되고 있다.

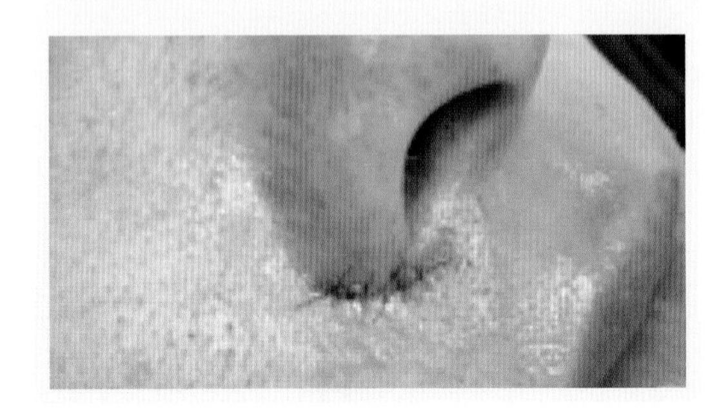

POINT
- 이 점과 같이 비익 변연의 점은 초승달모양 절제로 양끝에서 작게 둥글리는 디자인으로 봉합하는 것도 좋은 방법이다.

4 비순구 기시부의 점④

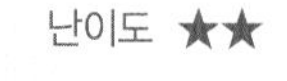

난이도 ★★

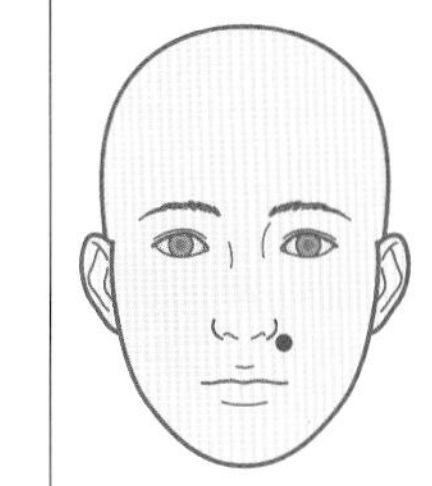

증례
- 25세 · 여성.
- 비순구 기시부의 점 (4×4mm).

방침
- 방추형 절제도 좋지만, 이번에는 3방향에서 봉합하기로 했다.

수술 & 술후 경과

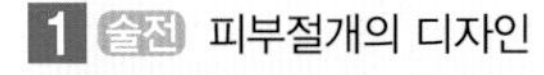

1 술전 피부절개의 디자인

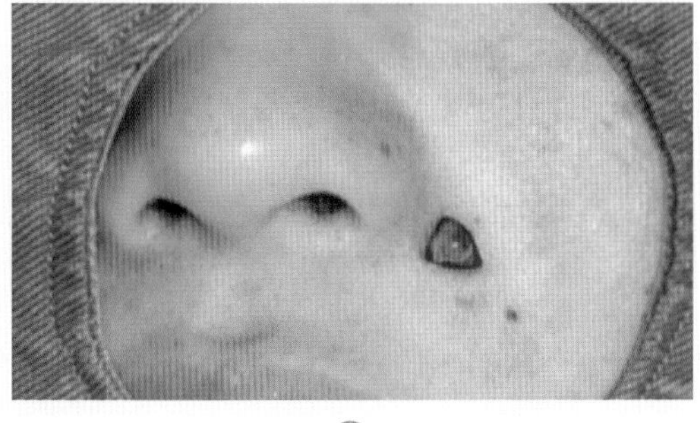

2 피하봉합 개시
도려내어 절제한 후, 피하봉합.

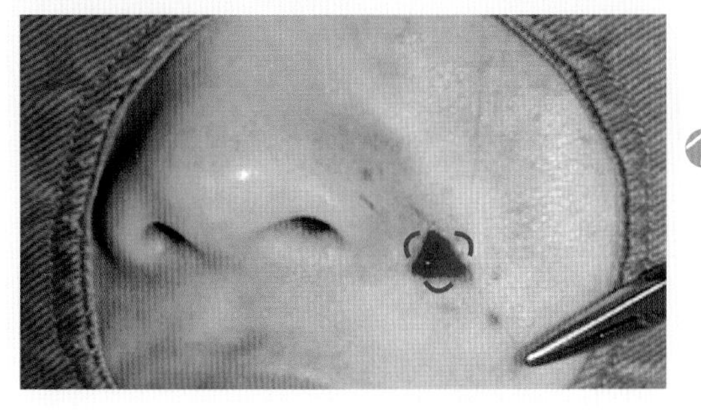

3 3방향에서의 피하봉합
1바늘로 상당히 봉합할 수가 있었다.

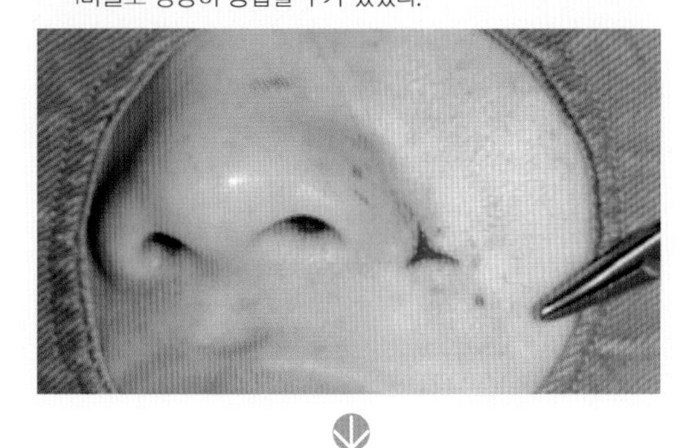

4 피부봉합 종료
3점봉합이 효과적이다.

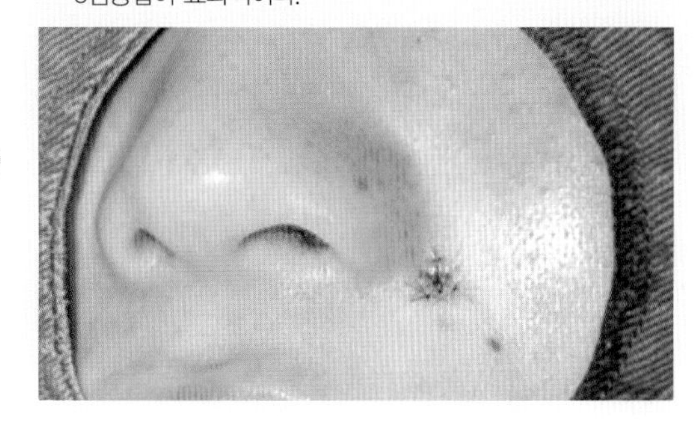

POINT
- 방추형 절제도 좋지만 부위적으로 오히려 왜곡된 방추형이 되어서, 이 부위의 점을 절제하는 데에 3방향에서 봉합하기로 했다 (그러나 어느 쪽도 결과에 큰 차는 없다).

평가 ★★★

5 비순구 기시부의 점⑤

난이도 ★★ 

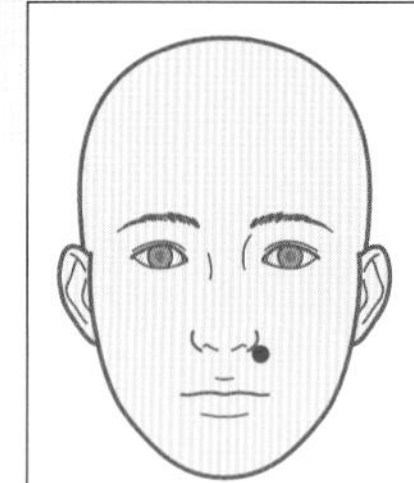

증례
- 26세 · 여성.
- 왼쪽 비순구 기시부의 점 (5×6mm).

방침
- 타원형 절제 봉축법으로 한다.
- 가로방향으로 조금 긴 점으로, 비기부에 따른 라인에서 봉합선이 되도록 한다.

수술 & 술후 경과

1 술전 피부절개의 디자인
타원형 절제의 디자인.

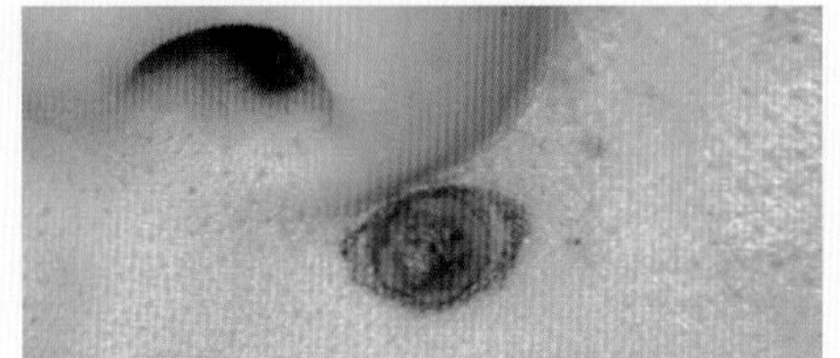

2 점의 절제

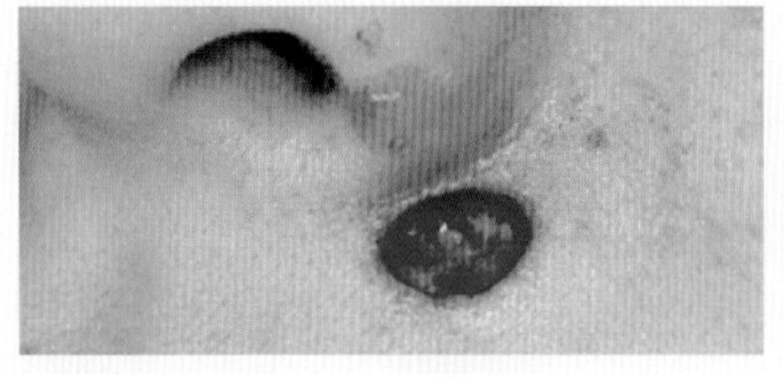

3 피하봉합 개시
5-0 흰나일론 사용.

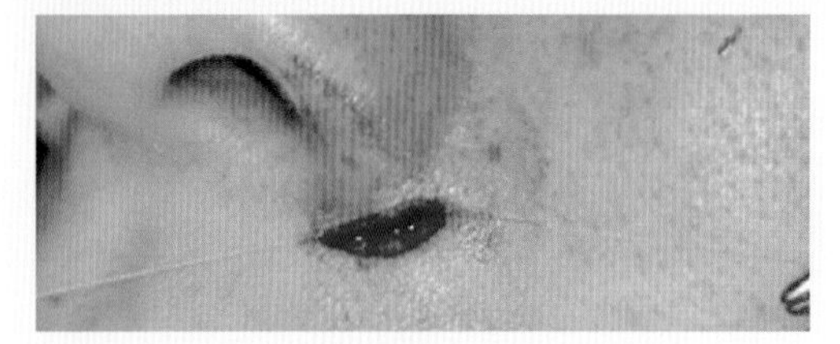

4 피하봉합 종료
5-0 나일론 1바늘로 끝냈다.

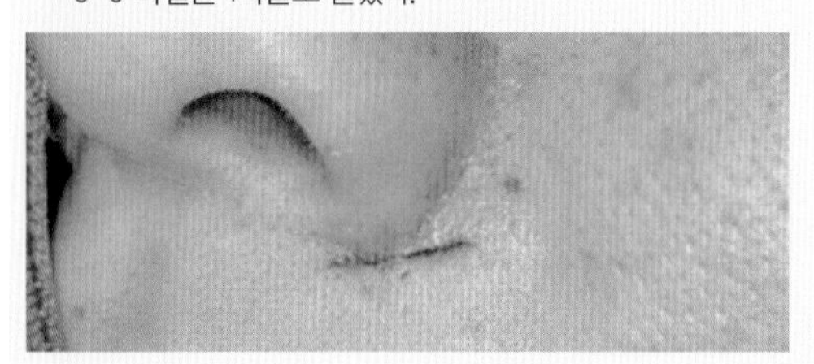

5 피부봉합 종료
7-0 나일론 사용.

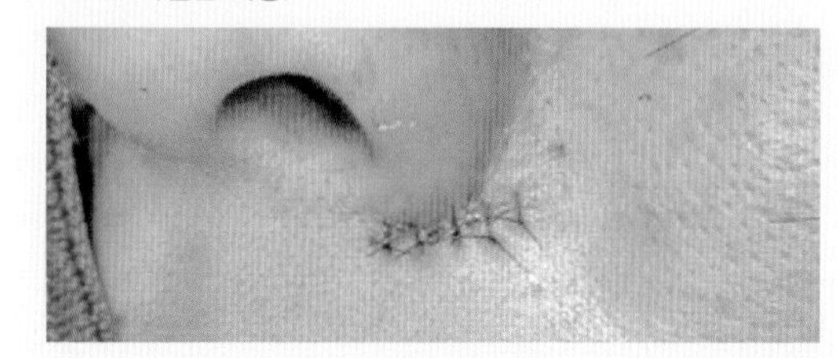

6 술후 1주째의 상태
발사 직전

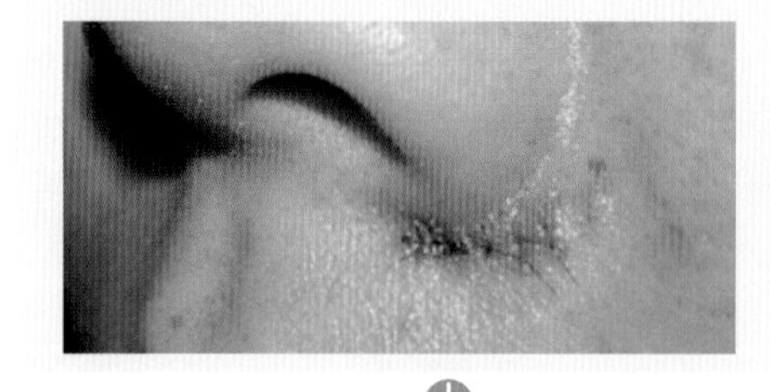

7 술후 1주째 발사 종료시의 상태

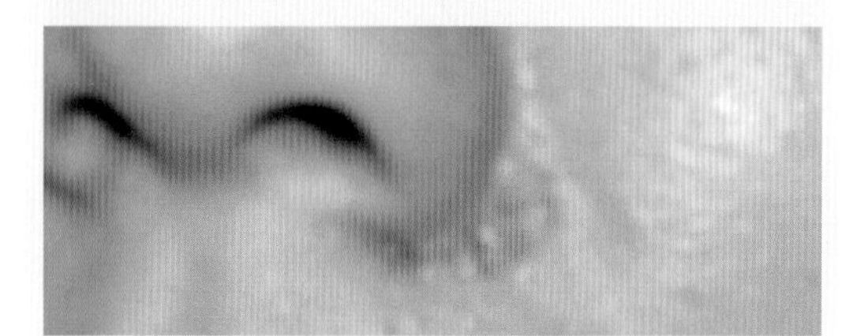

⊙ 비익기부의 점은 방추형, 타원형 어느 쪽도 괜찮지만 반흔이 짧게 치유되는 타원형 절제법이 더 낫다. 평가 ★★★

6 비순구 기시부의 점⑥

난이도 ★★

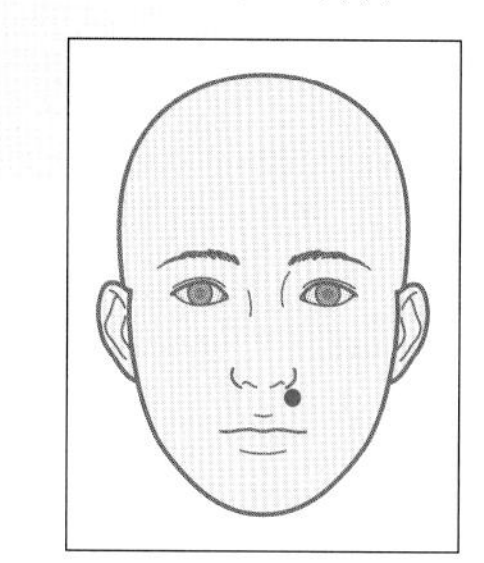

증례
- 18세 · 남성.
- 왼쪽 비순구 기시부의 점 (4×4mm).

방침
- 3방향에서 봉합하는 방침으로 한다.

수술 & 술후 경과

1 술전 피부절개의 디자인

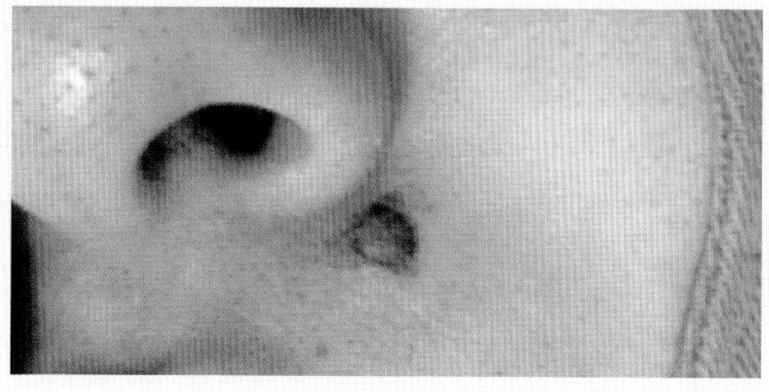

2 점의 절제
3방향에서의 건착봉합을 예정한다.

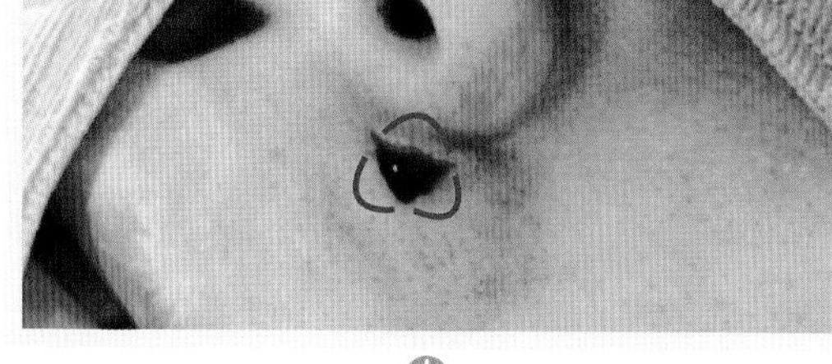

3 피부봉합 개시
3방향에서 피하봉합 후, 3점봉합 개시.

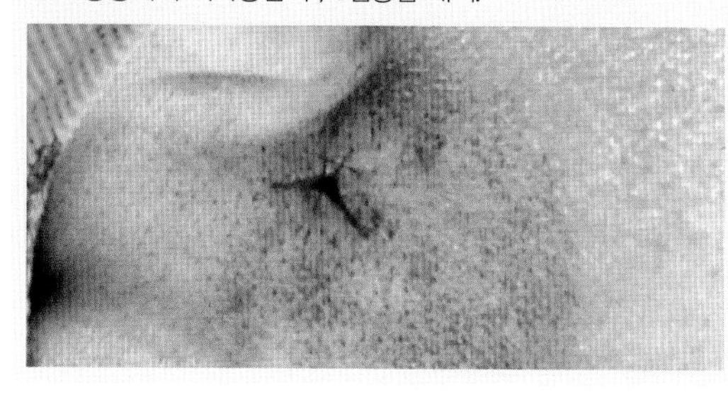

4 3점봉합 종료

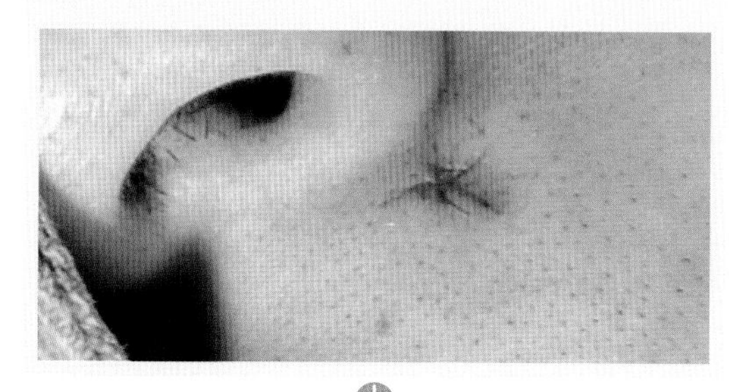

5 술후 1개월째의 상태

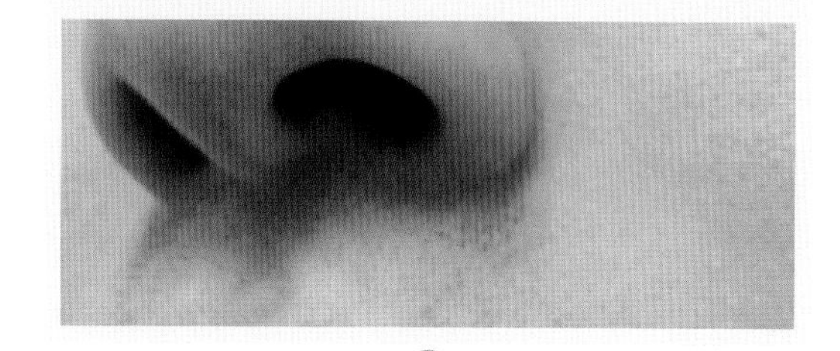

6 술후 2개월째의 상태
발적이 상당히 소실되어 있다.

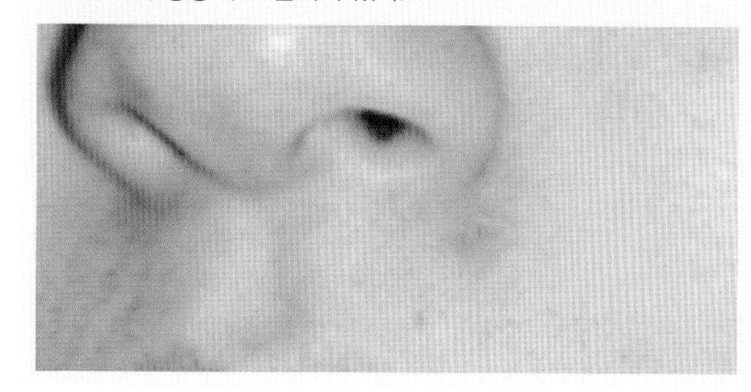

POINT ⊙ 비순구 기시부의 삼각지대의 중앙부의 점은 3방향에서 봉합하는 것이 더 낫다.

평가 ★★★★

7 비순구 기시부의 점⑦

난이도 ★★★

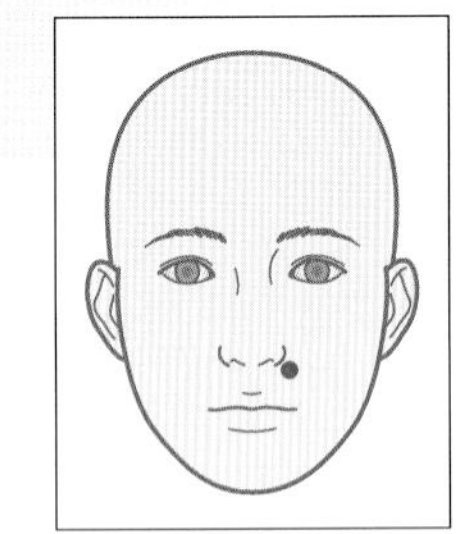

증례
- 61세 · 여성.
- 비순구 기시부의 점 (10×10mm).

방침
- 타원형 절제로 봉합선을 조금이라고 짧게 한다.

수술 & 술후 경과

1 술전

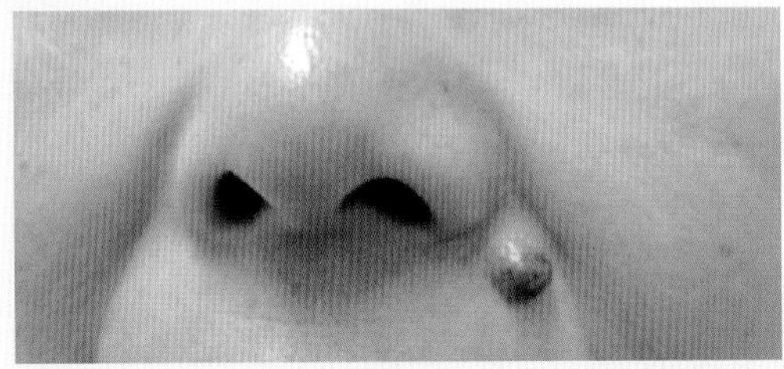

2 피부절개의 marking

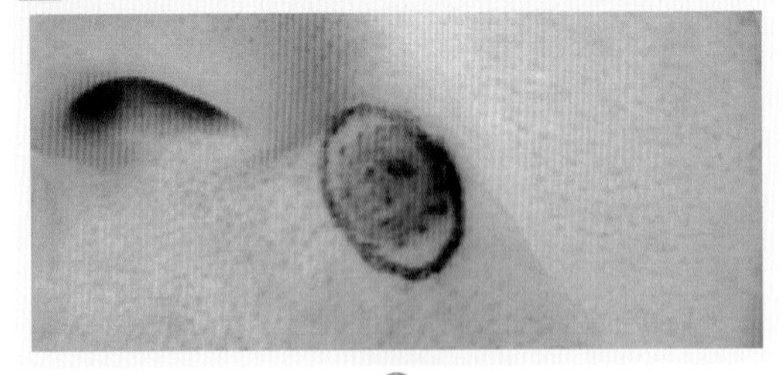

3 피부절개의 디자인. 아래쪽만 방추형

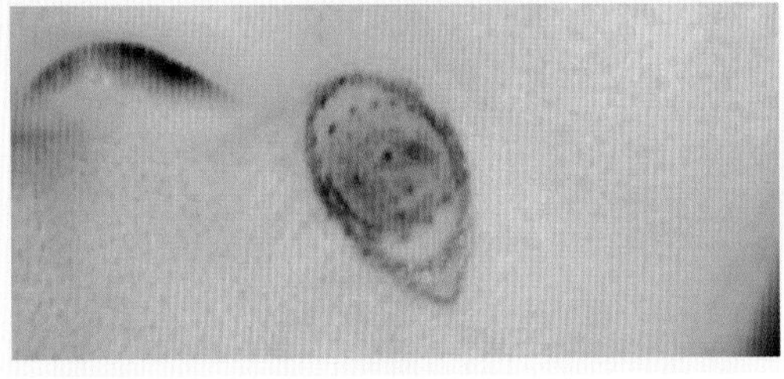

4 점의 절제
마지막에는 tear drop형으로 디자인했다.

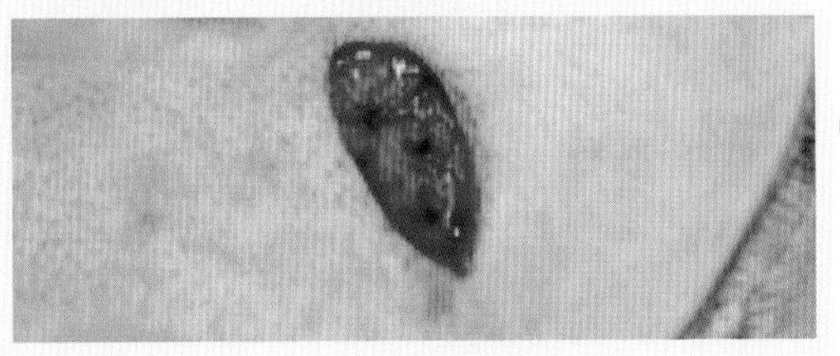

5 피하봉합 (5-0 나일론)

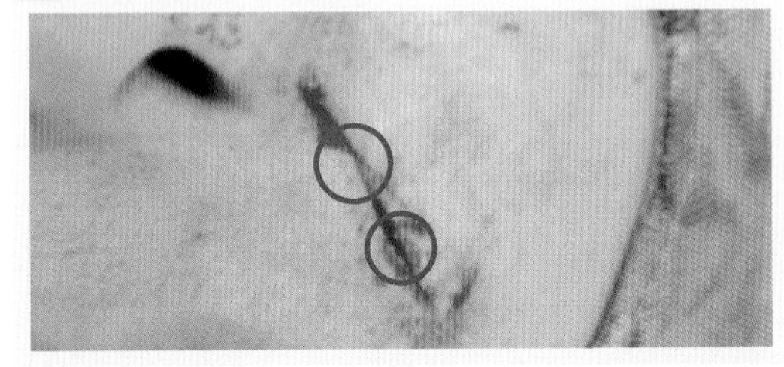

6 피부봉합 종료

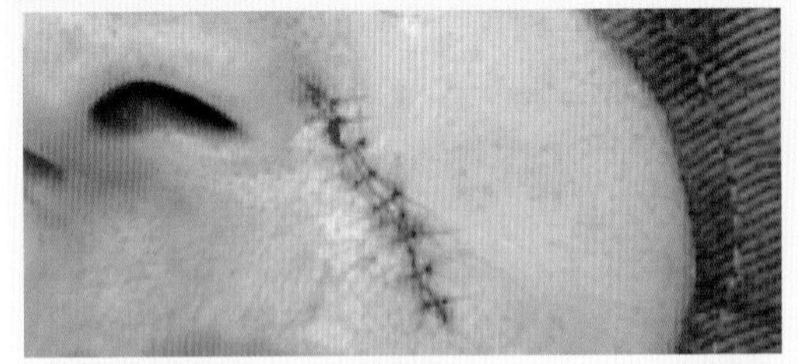

7 술후 1개월째의 상태
dog ear 형성은 보이지 않는다.

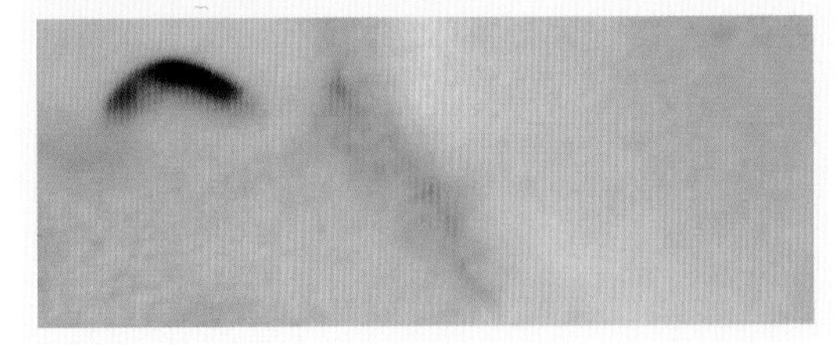

POINT
- 비순구 기시부의 큼직한 점은 tear drop 형의 절제디자인이 효과적.
- crown excision의 디자인도 효과적이지만 tear drop형 디자인으로도 가능하다는 것을 실증하였다. 평가 ★★★

8 비순구 주변의 점

난이도 ★★

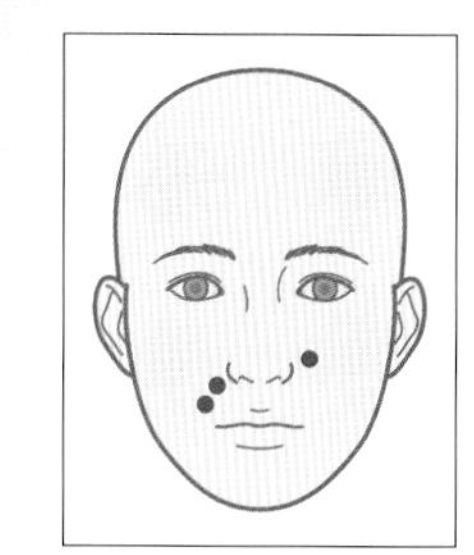

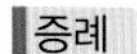 증례
- 27세 · 남성.
- 비순구의 점. 직경 3mm인 2개의 점이 나란히 있다. 또 하나는 왼쪽 (3×4mm).

방침
- 2개의 점을 일련의 피부절개로 절제해 버린다.

 수술 & 술후 경과

1 술전

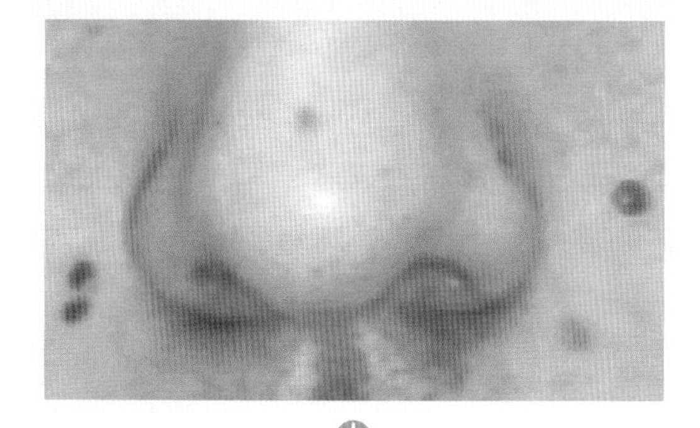

2 피부절개의 디자인

방추형 절제의 방침.

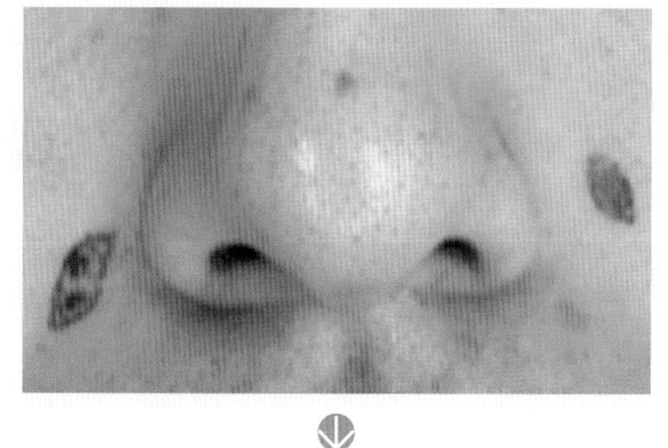

3 피부봉합 종료

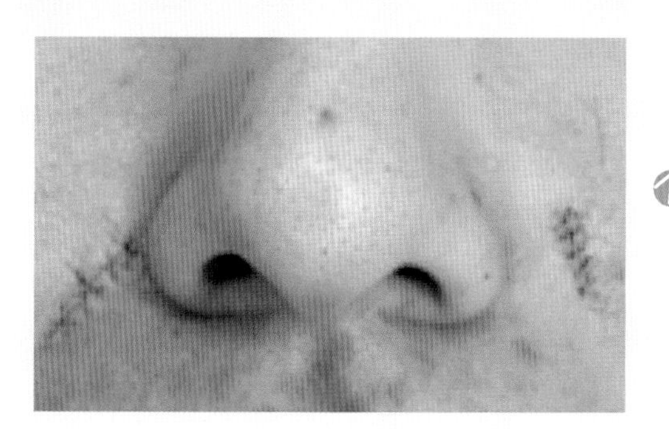

4 수술 직후의 상태

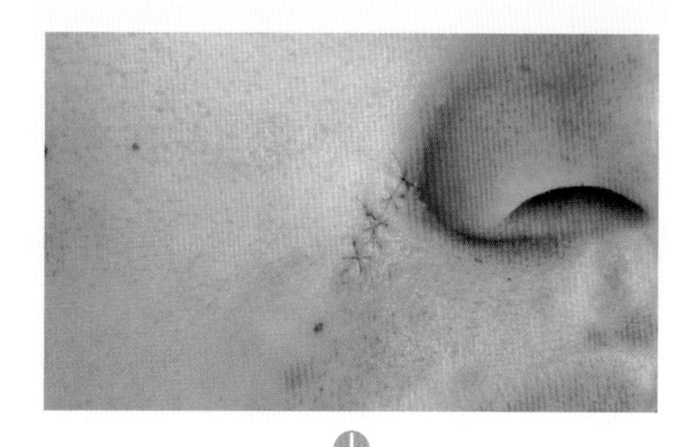

5 술후 발사 직후의 상태

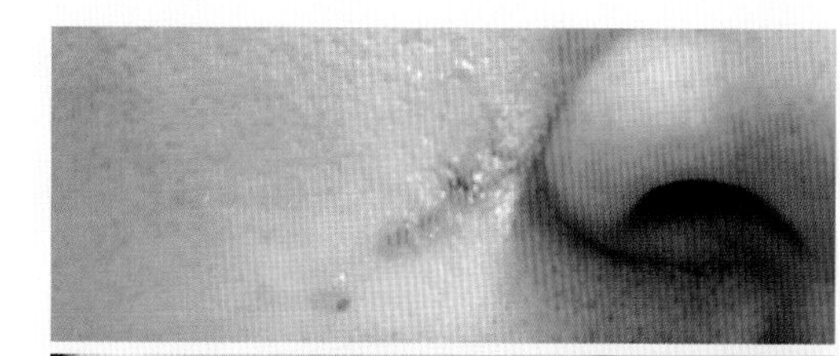

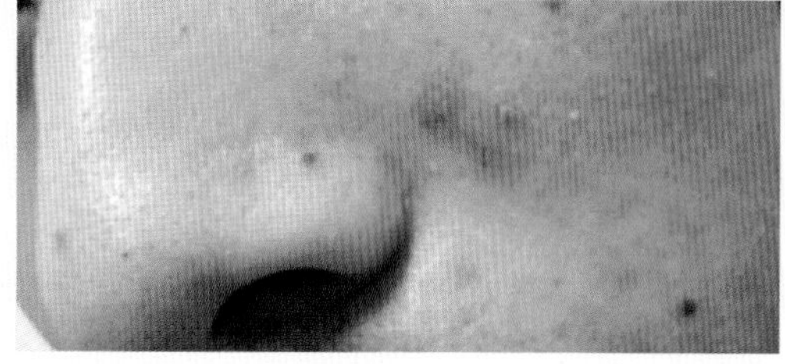

POINT
- 근접한 복수의 점을 한 덩어리로 절제하는 것이 때로 효과적이다.
- 단 완전히 반대방향으로 늘어서 있는 점의 절제는 무리하지 말고 2회로 나누어 하는 것도 현명하다.

평가 ★★★

9 비순구부의 점①

난이도 ★

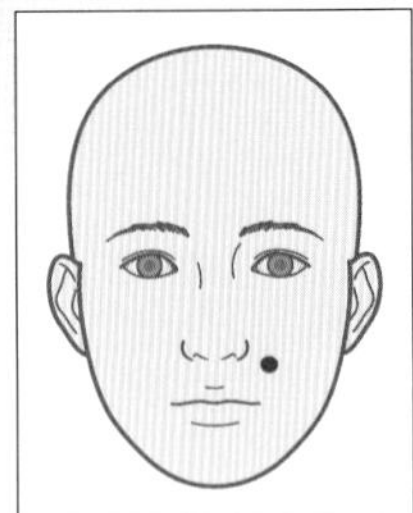

증례
- 32세 · 남성.
- 비순구부의 점 (6×6mm).

방침
- 점의 윤곽 (경계선) 을 확실히 mark한 후에 방추형 절제의 다자인.
- 비순구 상단부는 타원형 절제와 같이 디자인해도 된다.

수술 & 술후 경과

1 술전

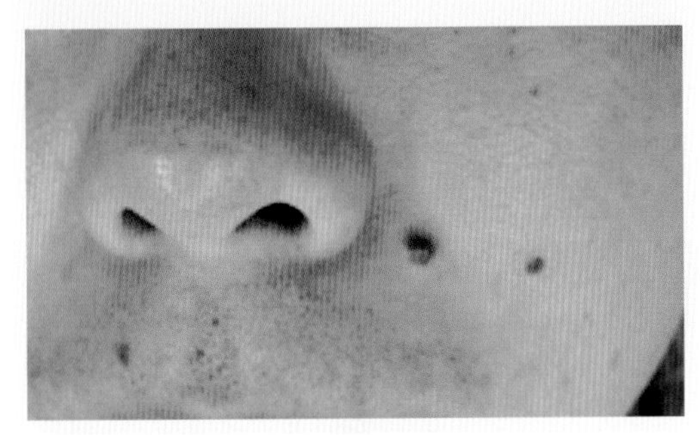

2 점의 marking과 피부절개의 디자인
상단부는 타원형 디자인으로 하였다.

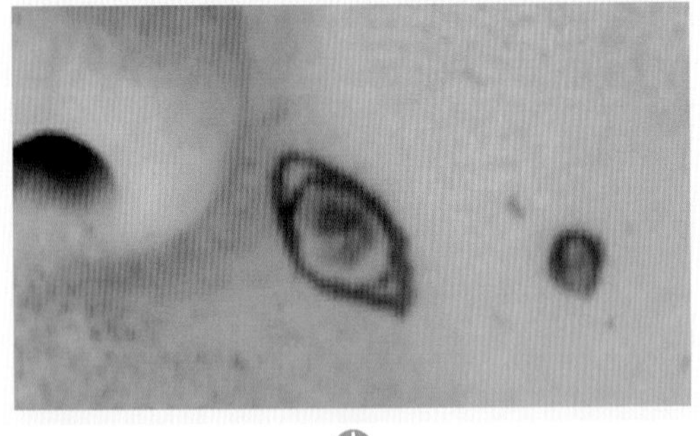

3 점의 절제

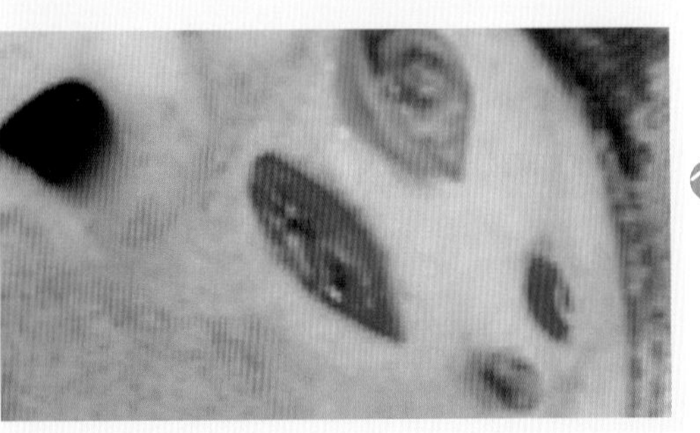

4 피부봉합 종료

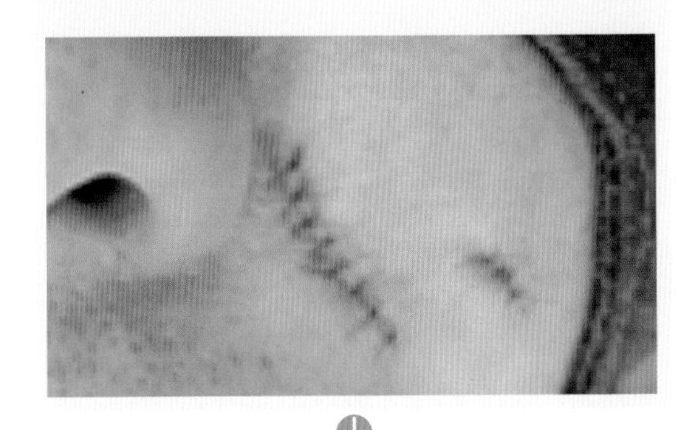

5 술후 1주째 발사 종료

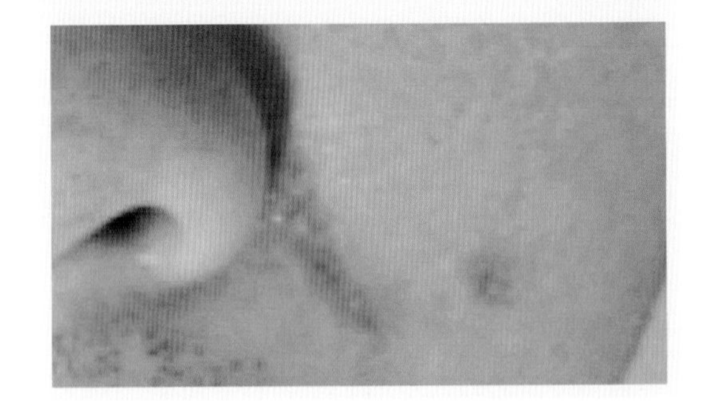

POINT
- 비순구 상단부는 타원형 절제와 같이 곡선반경의 디자인에서도 dog ear가 형성되지 않는다. 평가 ★★★

10 비순구부의 점②

난이도 ★★

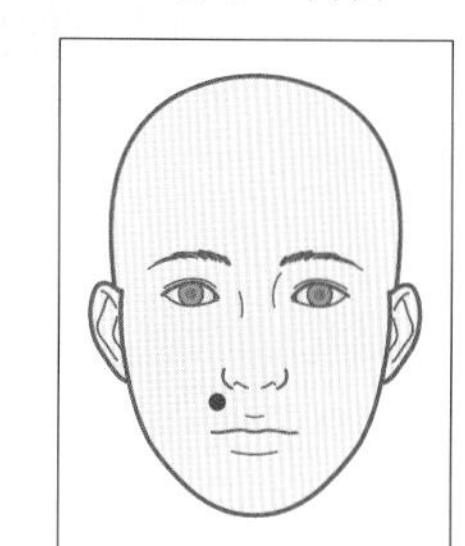

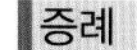

- 42세 · 여성.
- 오른쪽 비순구부 · 코 근처의 큰 점 (10×10mm).

방침

- 방추형 절제로 한다.
- 장축과 폭은 1.7 : 1 정도로 한다.

수술 & 술후 경과

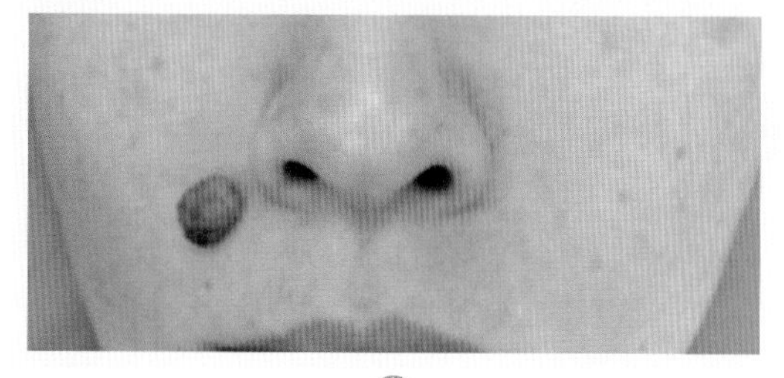

2 피부절개의 디자인

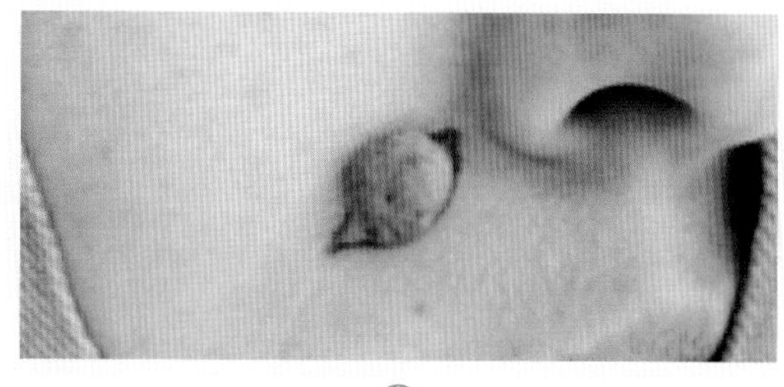

3 점의 절제

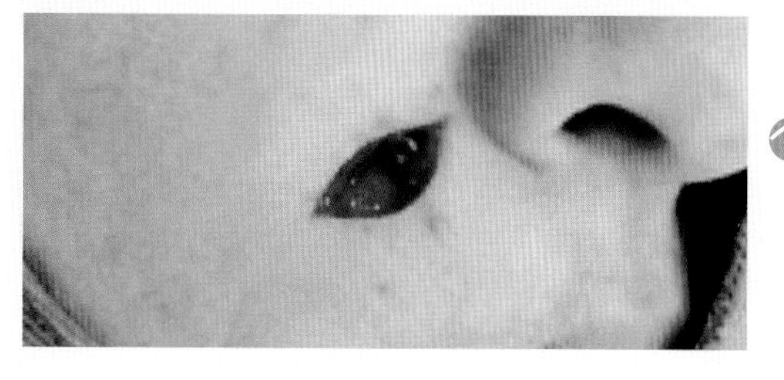

4 피하봉합

그 다음 피부봉합하고 수술 종료.

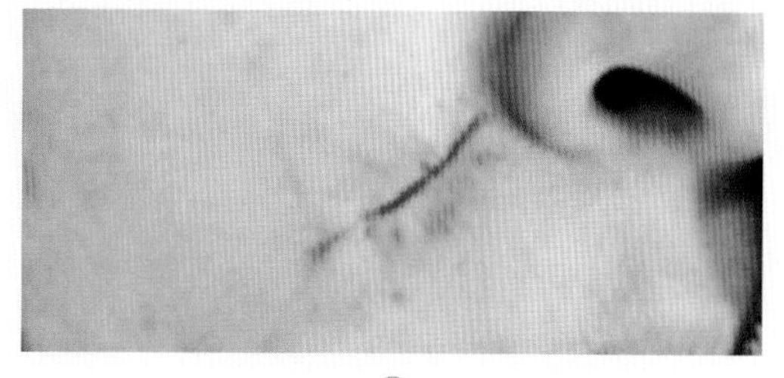

5 술후 1주째의 상태

dog ear 형성은 없다.

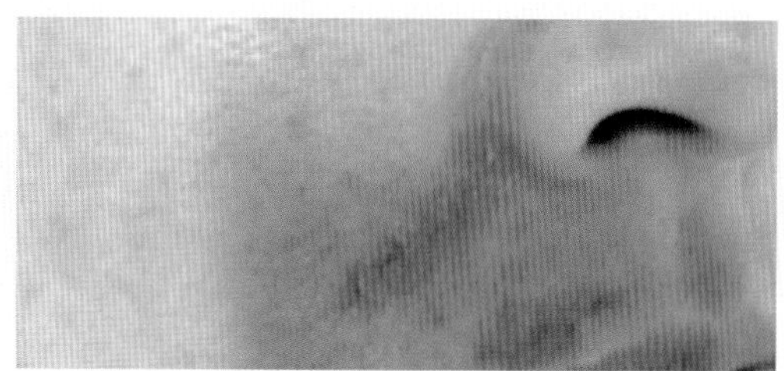

- 상당히 커도, 이 부위의 점은 방추형 절제법으로 한다.
- **3**을 잘 보면 알 수 있겠지만, 위쪽과 아래쪽 변의 길이가 차이가 나므로, 창상을 닫을 때 아래쪽으로 볼록한 봉합선이 되어 있다 (이 부위는 다소 위쪽이 볼록한 편이 허용되는 커브이다. 반대로 위쪽 라인이 길었으면 좋았겠다.
- 완벽한 결과를 목표로 하기 위해서는 반성해야 할 케이스이다.

평가 ★★★★★

11 비순구부의 점③

난이도 ★

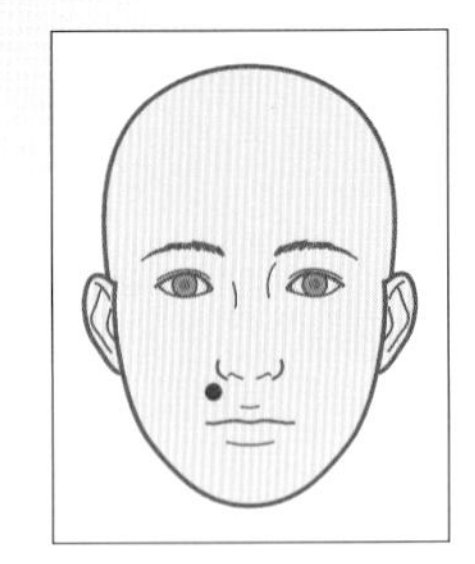

증례
- 16세 · 여성.
- 비순구부의 점 (5×7mm)

방침
- 도려내기에 가까운 방추형 절제로 한다.

수술 & 술후 경과

1 술전

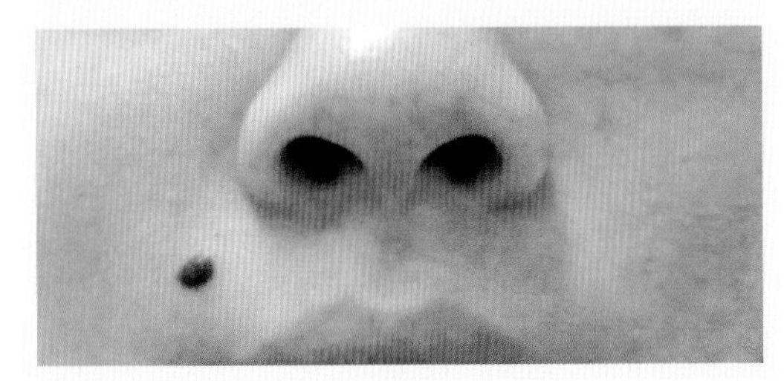

2 피부절개의 디자인
도려내기법에 거의 가까운 디자인.

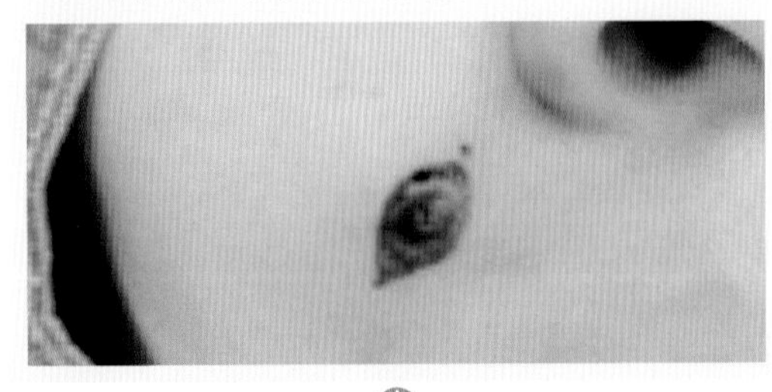

3 점절제→피하봉합→피부봉합으로 수술 종료

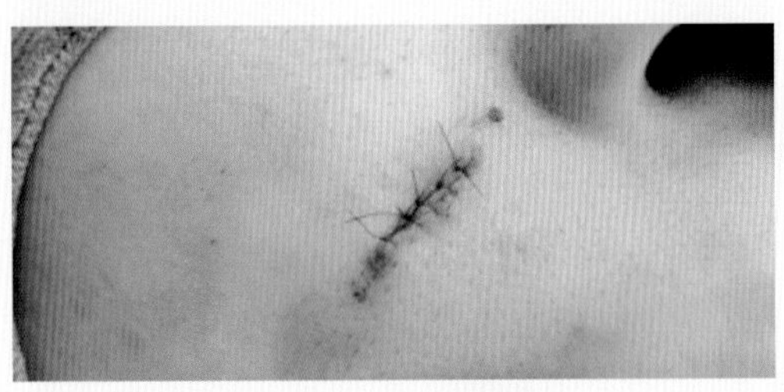

4 술후 1주째 발사 종료
dog ear가 조금 신경이 쓰인다.

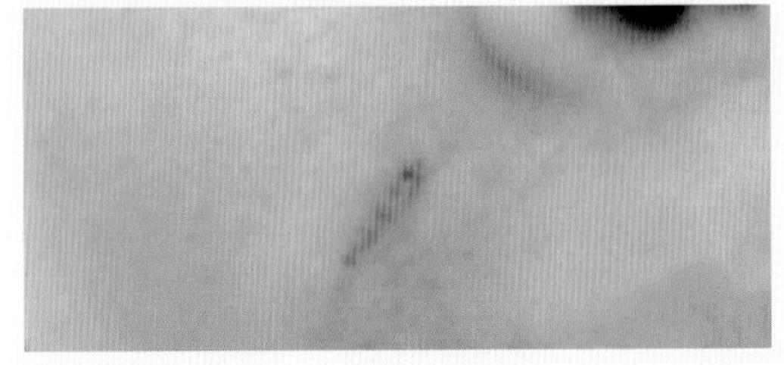

5 술후 1개월째
dog ear가 눈에 띈다.

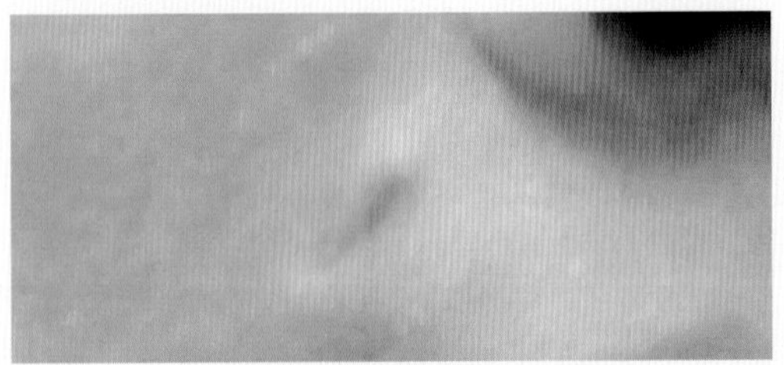

6 술후 3개월째의 상태
환자는 신경 쓰지 않지만, 이 후 스테로이드 주사.

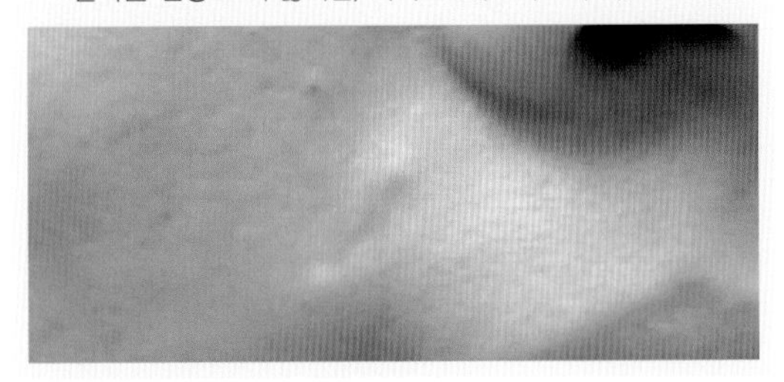

POINT
- 비순구 부위의 점을 골을 따라서 방추형 절제, 봉축.
- 디자인은 1.5 : 1로 상당히 짧은 방추형으로 했지만, dog ear가 보인다. 이 정도의 dog ear이면 스테로이드의 국주로 눈에 띄지 않을 수 있다 (☞p.54).

평가 ★★★★

12 비순구부의 점④

난이도 ★

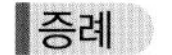

증례
- 23세 · 여성.
- 비순구 중앙부의 점 (5×5mm).

방침
- 방추형 절제봉축법으로 한다.

수술 & 술후 경과

1 술전

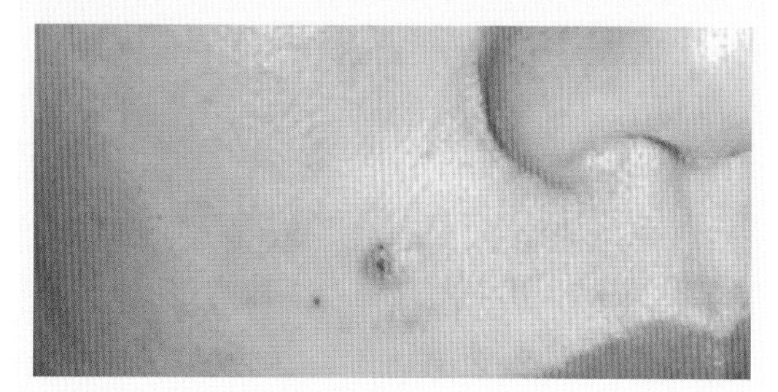

2 점 윤곽의 marking

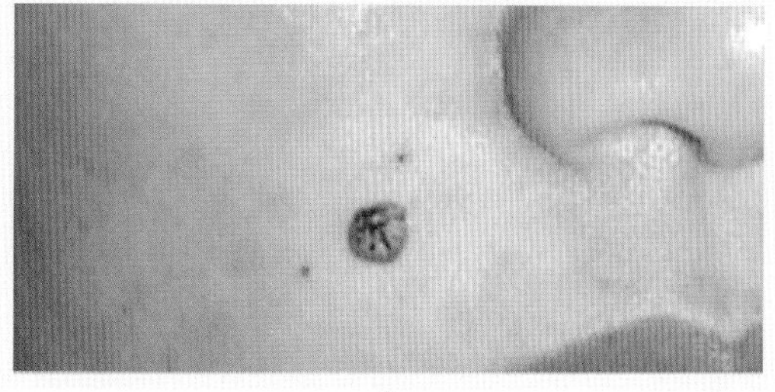

3 피부절개의 디자인

형태대로 방추형 절제로.

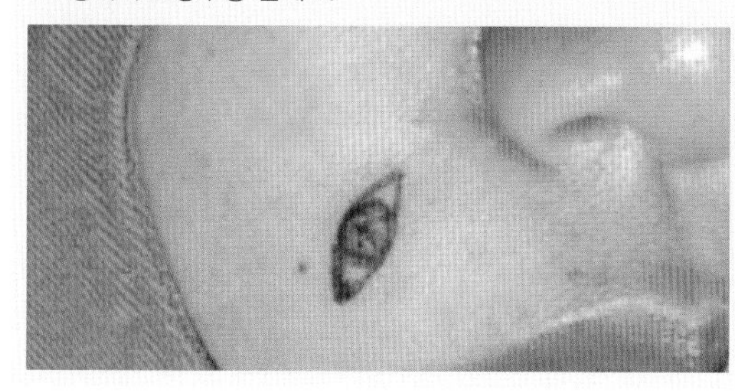

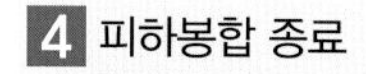

4 피하봉합 종료

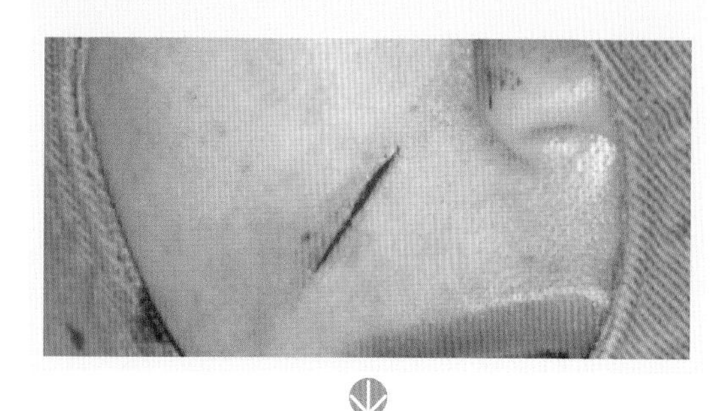

5 피부봉합 종료

연속봉합으로 한다.

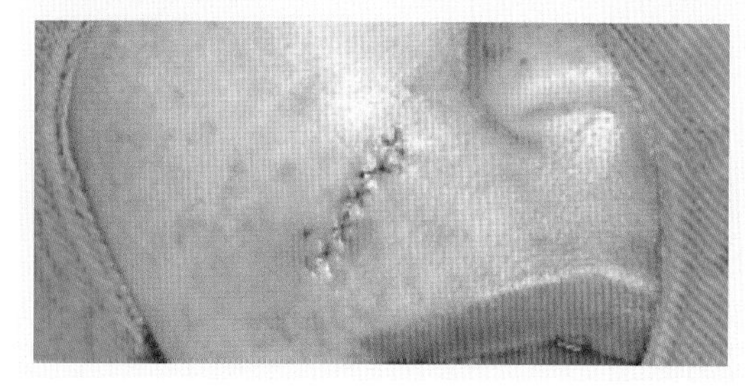

POINT

⊙ 비순구 중앙부의 점은 형태대로 방추형 절제법으로 처리한다. 피하봉합 (진피봉합)을 정확히 하면, 피부봉합은 연속봉합으로 한다.

평가 ★★★☆

13 비순구부의 점⑤

난이도 ★

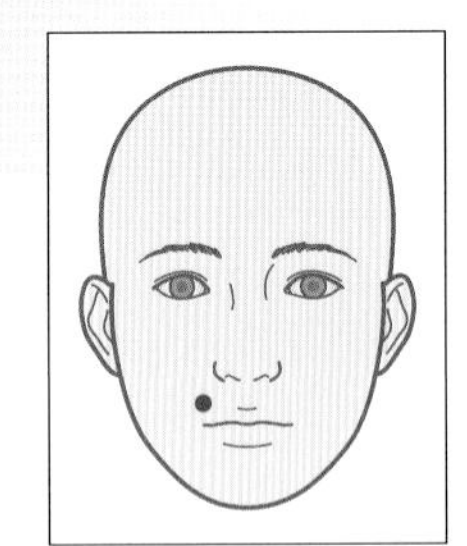

증례
- 14세 · 여성.
- 오른쪽 비순구부의 점 (6×8mm)

방침
- 방추형 절제로 한다.

수술 & 술후 경과

1 술전

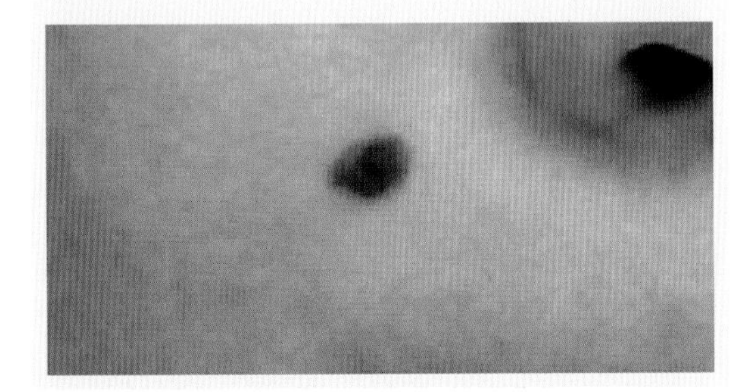

2 피부절개의 디자인

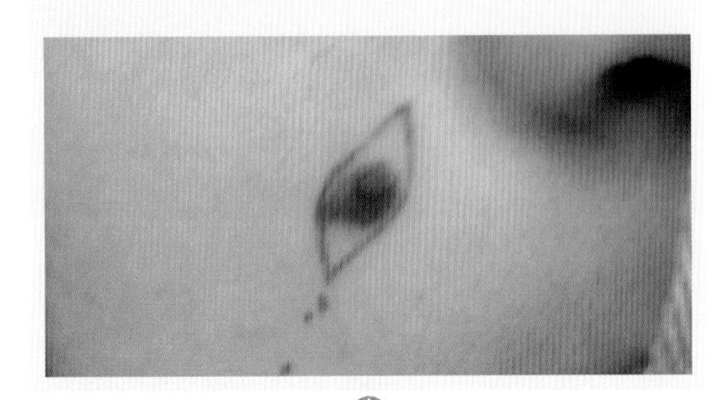

3 수술종료시의 상태
피하봉합→피부봉합을 종료.

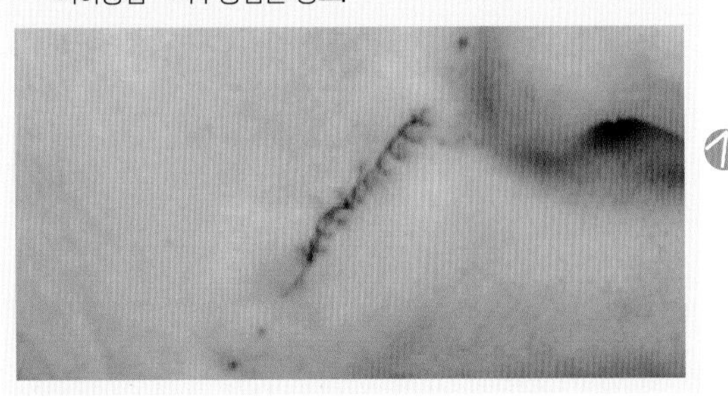

4 술후 1주째 발사종료시의 상태

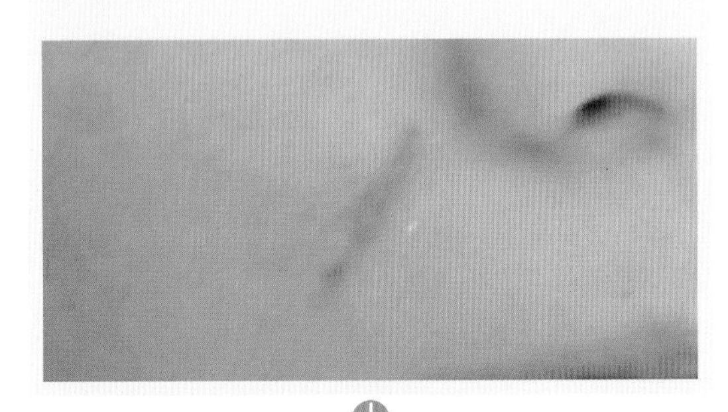

5 술후 1개월째의 상태

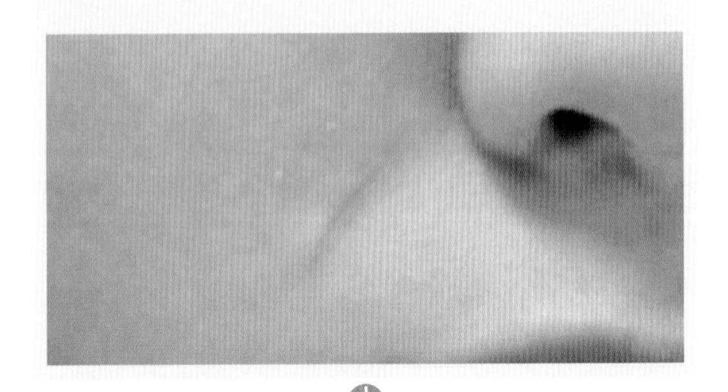

6 술후 3개월째의 상태
dog ear도 형성되지 않고, 발적도 거의 소실.

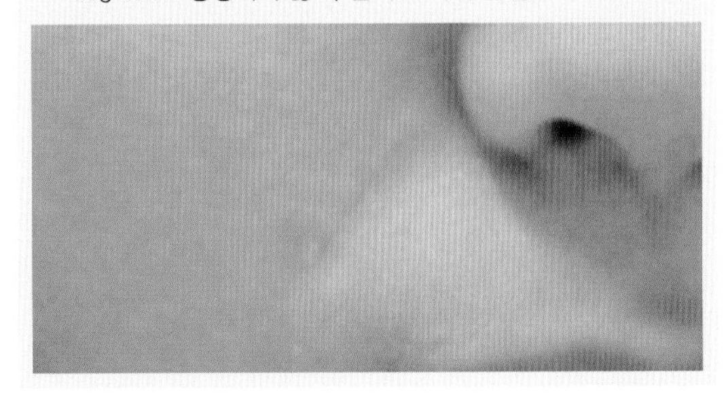

POINT ⊙ 비순구부의 점은 방추형 절제를 원칙으로 한다. 이 경우는 그 전형례이다.

평가 

14 비순구부의 점⑥

난이도 ★

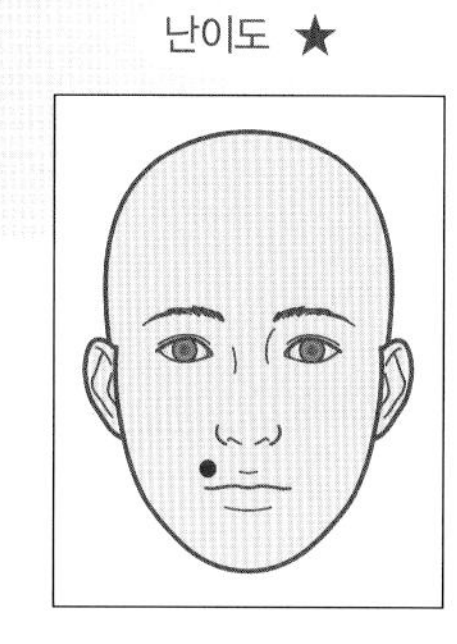

증례
- 21세 · 여성.
- 오른쪽 비순구부, 구각 근처의 점 (8×6mm).

방침
- 방추형 절제법.

수술 & 술후 경과

1 술전

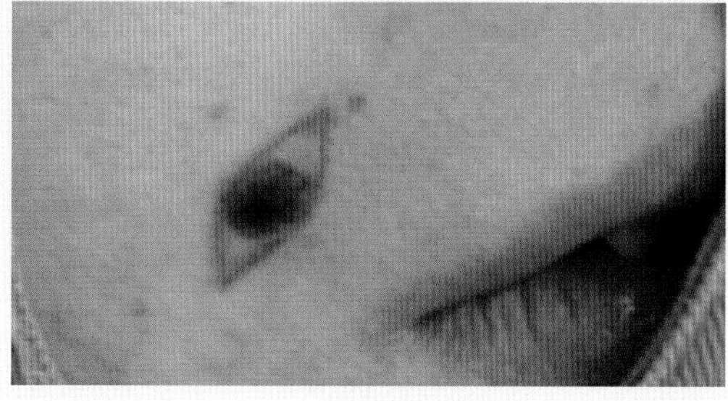

2 피부봉합 종료

점 절제→피하봉합→피부봉합.

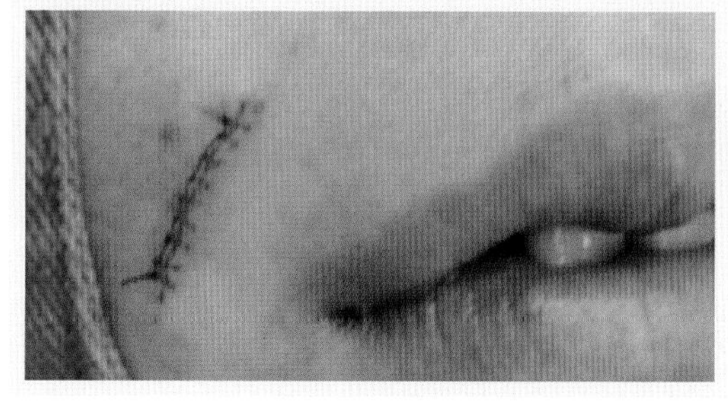

3 술후 1주째의 상태

발사 종료.

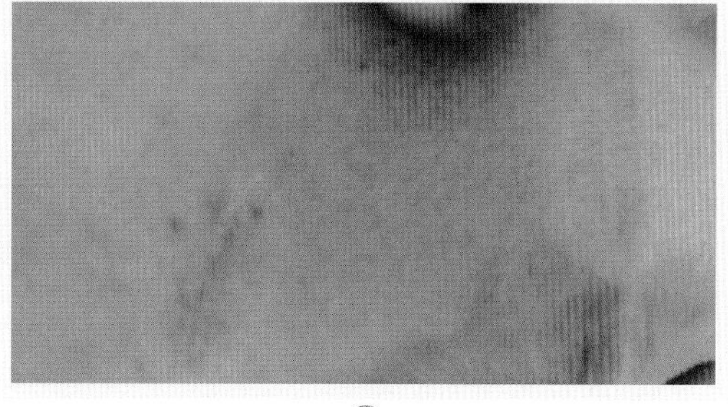

4 술후 1개월째의 상태

dog ear 없이 치유되었다.

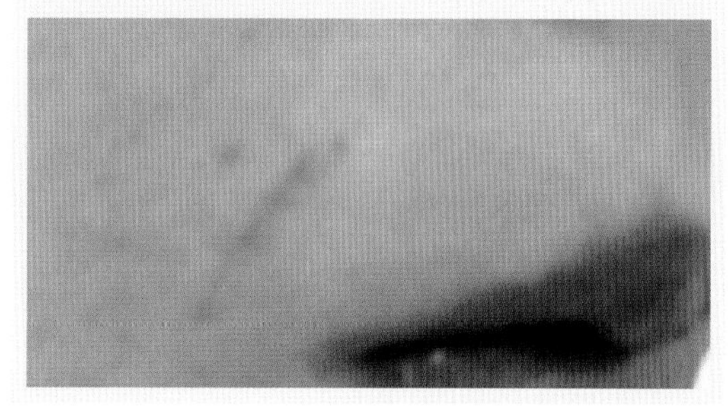

POINT

⊙ 구각 근처의 비순구부의 점은 기본대로 방추형 절제로 절제 봉합한다.

평가 ★★★

15 비순구부의 점⑦

난이도 ★

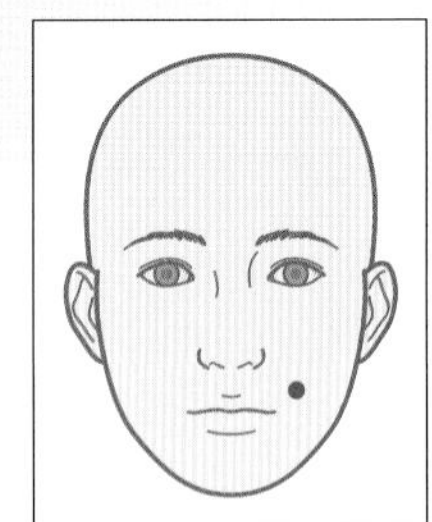

증례
- 30세 · 남성.
- 왼쪽 비순구부의 점 (5×5mm).

방침
- 방추형 절제법.

수술 & 술후 경과

1 술전

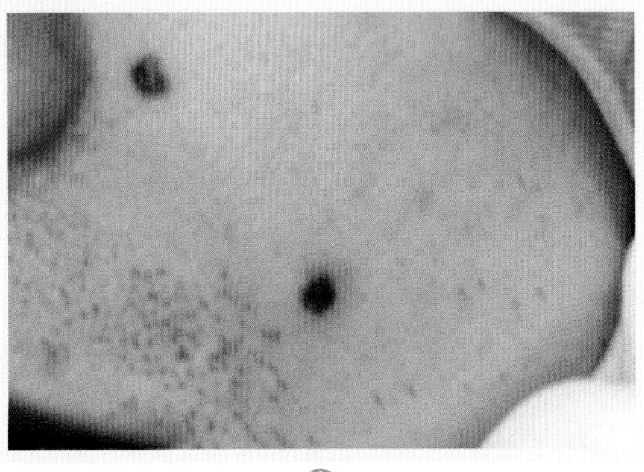

2 피부절개의 디자인
가장 정통적인 피부절개의 디자인으로 하였다 (장축 : 단축 = 2.5 : 1).

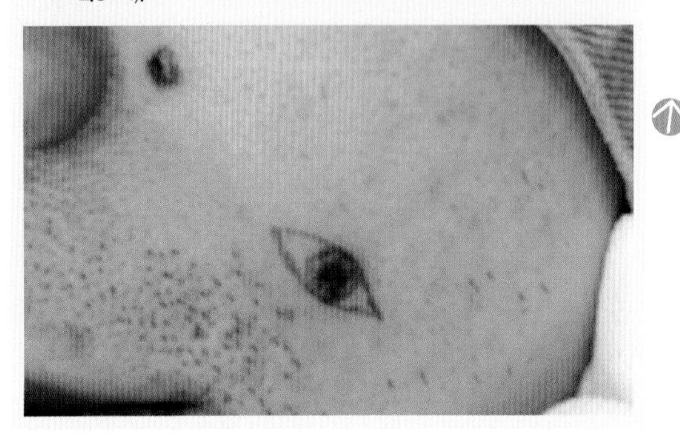

3 점 절제→피하봉축→피부봉축으로 수술 종료

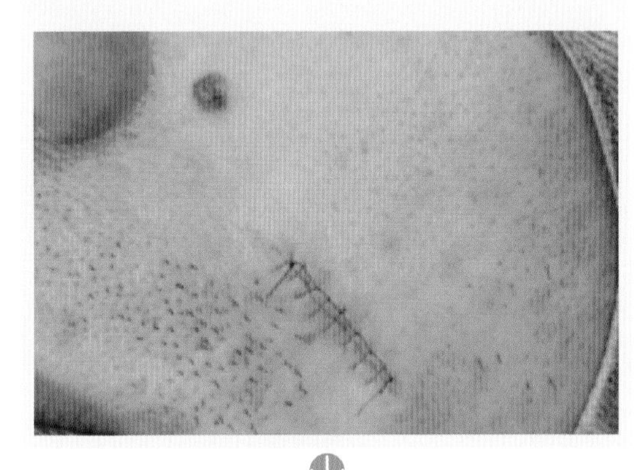

4 술후 1주째 발사 직전
dog ear는 전혀 걱정 없음.

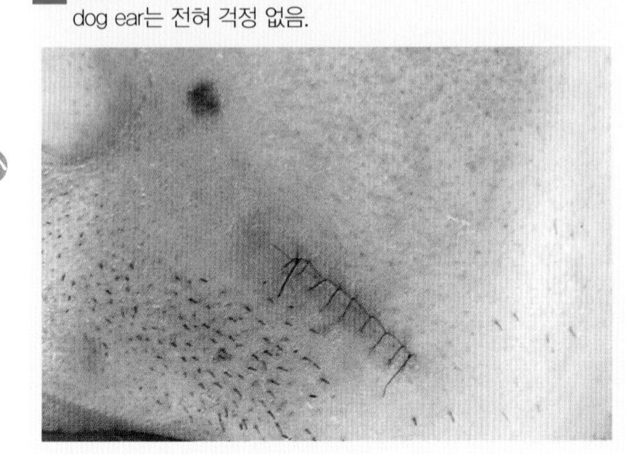

POINT
- 점의 방추형 절제는 모든 기본 중의 기본이다.
- 반흔의 길이를 걱정하지 않아도 되는 남성이면 이와 같이 정통적인 디자인으로 한다.

평가 ★★★

16 비순구부의 점⑧

난이도 ★★

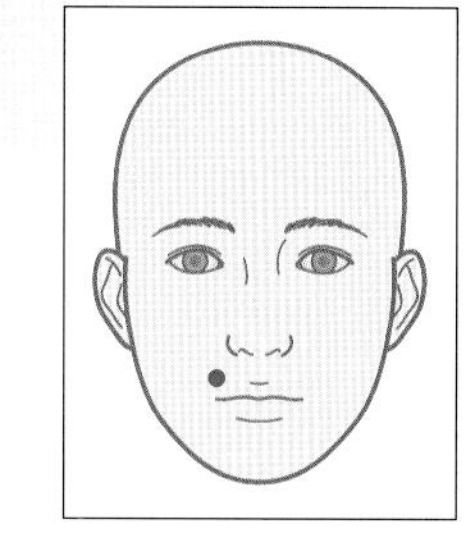

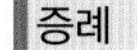

증례
- 52세 · 남성.
- 오른쪽 비순구부, 구각 근처의 상당히 큰 점 (12×10mm).

방침
- 연령적으로도 비순구가 깊어지고 있다.
- 방추형 절제만.

수술 & 술후 경과

1 술전

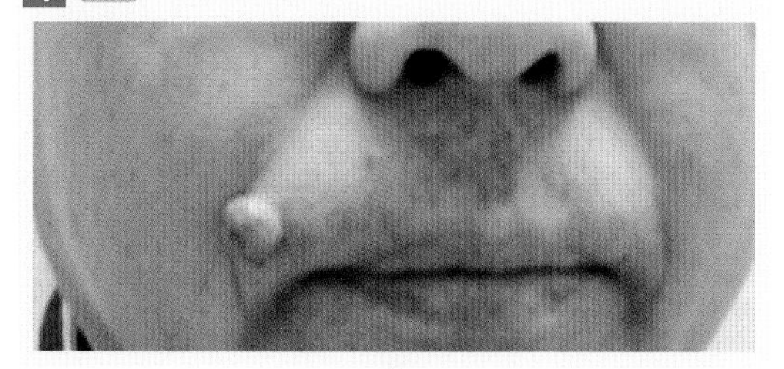

2 피부절개의 디자인 장축 : 단축 = 2.5 : 1

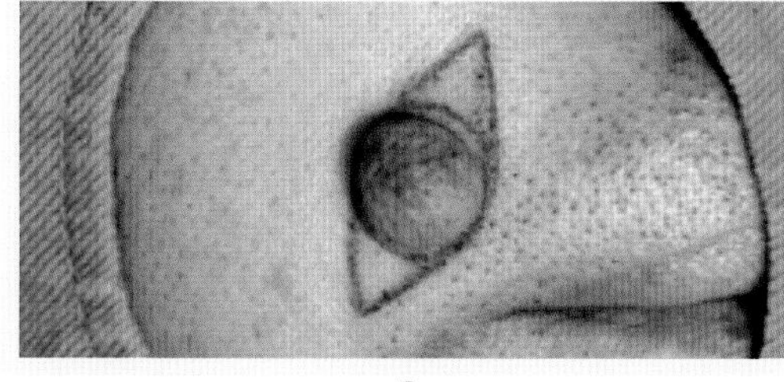

3 형태대로 피하봉합과 피부봉합

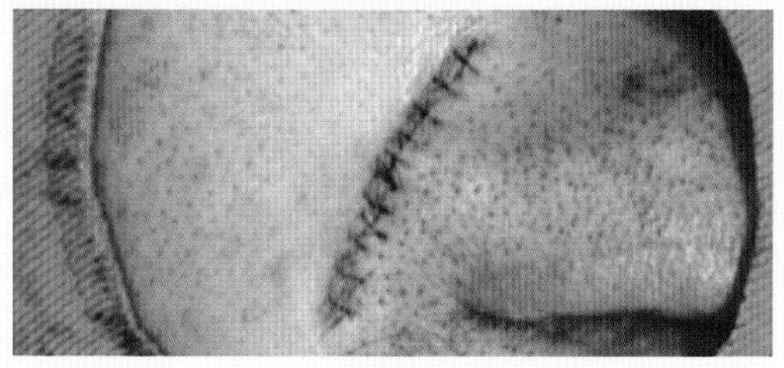

4 술후 다음 날의 상태

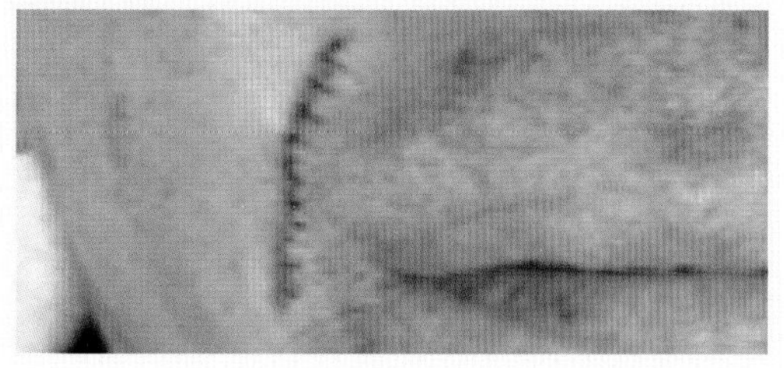

5 술후 1주째 발사 직후의 상태

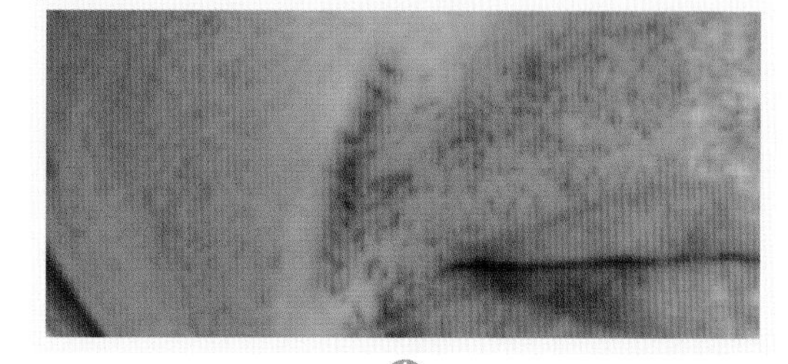

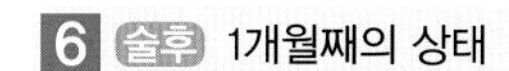

6 술후 1개월째의 상태

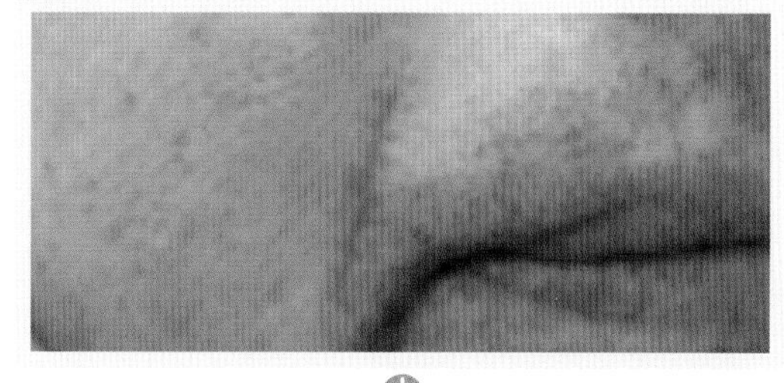

7 술후 3개월째의 상태

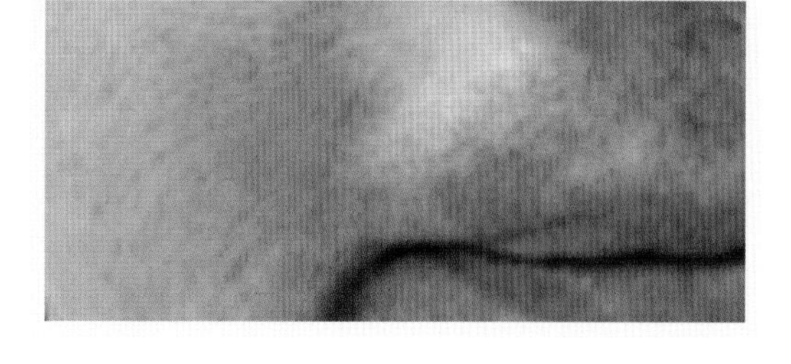

POINT
- 비순구부의 점은 크기에 상관없이, 방추형 절제가 제1선택이다.
- 연령이 50세이상이면 상당히 큰 점이라도 단순봉합으로 할 수 있다. 평가★★★☆

❻ 상구순 · 입술의 점

Key Points

❶ 상구순부의 점 절제는 타원형 절제에서도 dog ear를 형성하지 않는 경우가 많다.

❷ 상구순부의 점 절제는 원칙적으로 세로방향의 반흔이 자연주름을 따라서 있지만, 그것에 그다지 구애받지 말고 수평방향의 반흔도 괜찮다. 반흔의 반향보다 오히려 반흔이 짧은 쪽이 낫다고 생각한다.

❸ 또 한 가지 고려해야 할 점은 상구순부의 세포방향의 폭의 길이(이것을 일반적으로 「인중이 길다」든가 「짧다」라고 표현한다. 또 이것은 나이와 더불어 길어지기도 한다) 이다. 즉 「인중」이 긴 경우에는 그것을 더 길게 하지 않는 봉축의 배려가 필요하다. 요컨대, 방추형 절제에서 좌우 꿰맴은 세로길이를 조장하므로 좋지 않다.

❹ 입술 주위의 점은 절제봉축보다 레이저 등에 의한 소작만으로 처리하는 것이 낫다.

❺ 입술선에 걸친 점의 절제에는 입술선이 비뚤어지지 않도록 최대한 주의해야 한다.

난이도 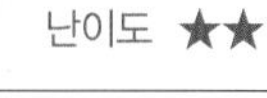

상구순, 비기부의 점①

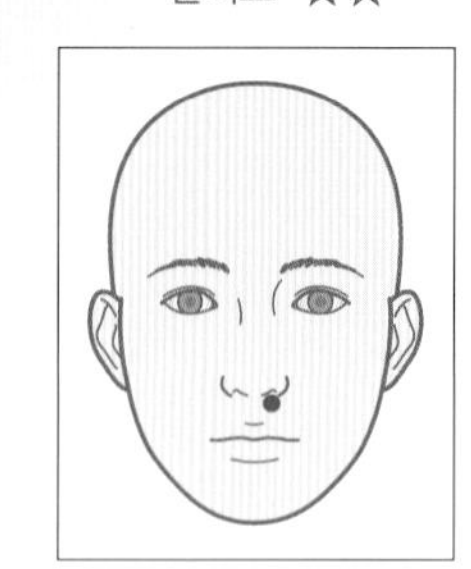

증례
- 18세 · 여성.
- 크기 : 6×5mm의 세로로 약간 긴 점.

방침
- 수술디자인
  ① 세로가 긴 방추형 절제
  ② crown excision
  ③ 타원형 절제
  ①②③의 어느 디자인도 나쁘지 않다.

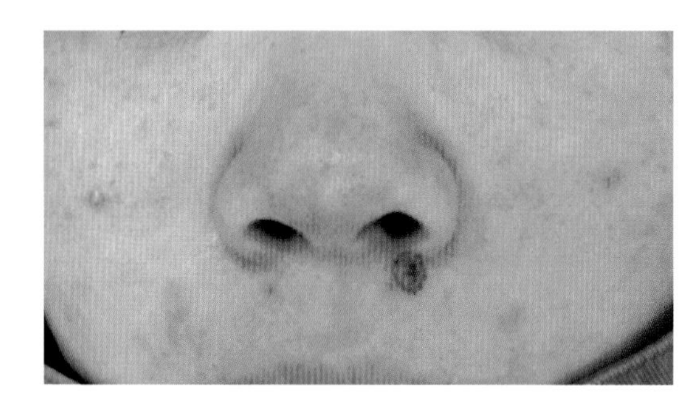

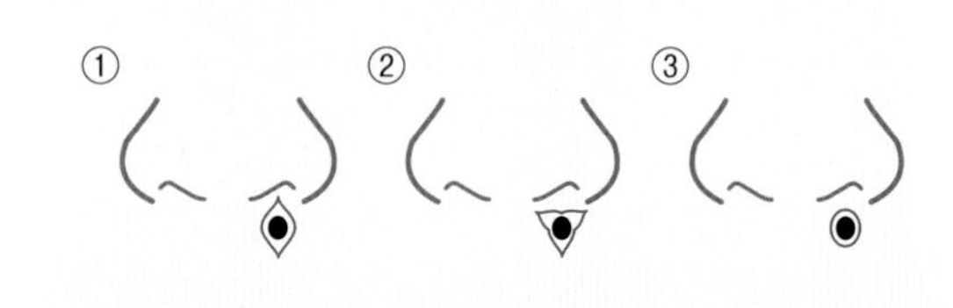

수술 & 술후 경과

1 술전 피부절개의 디자인
이번에는 ③의 타원형 절제 디자인으로 수술.

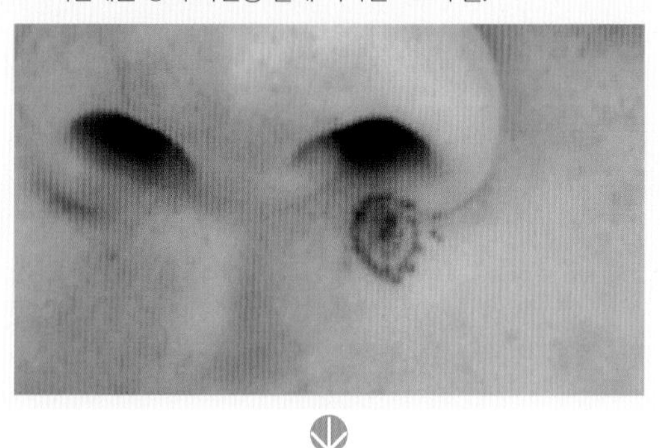

2 피부절개
메스를 넣은 모습.

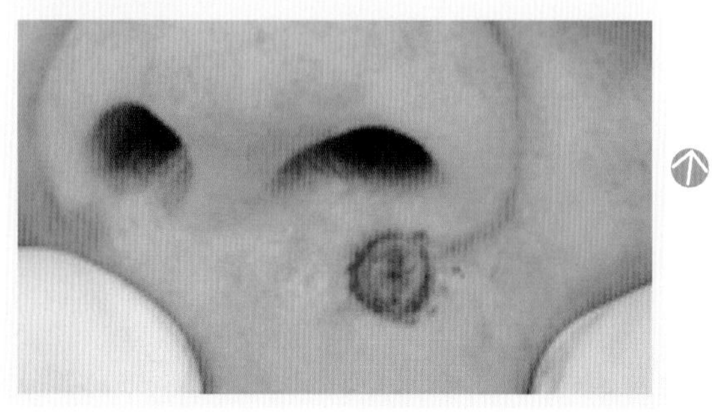

3 점의 절제
점의 기부에 메스를 넣어 절제.

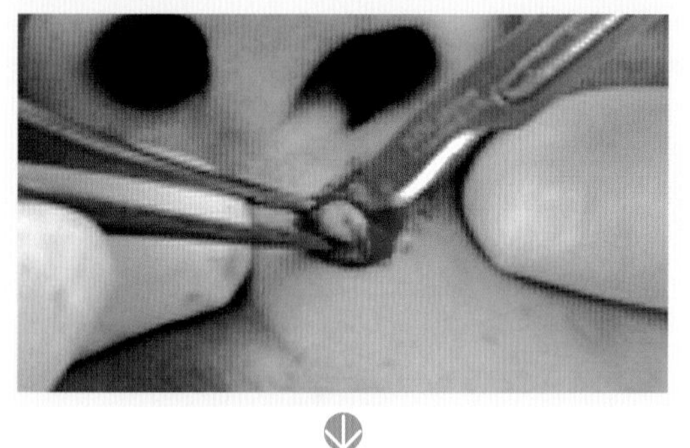

4 점을 도려내어 절제

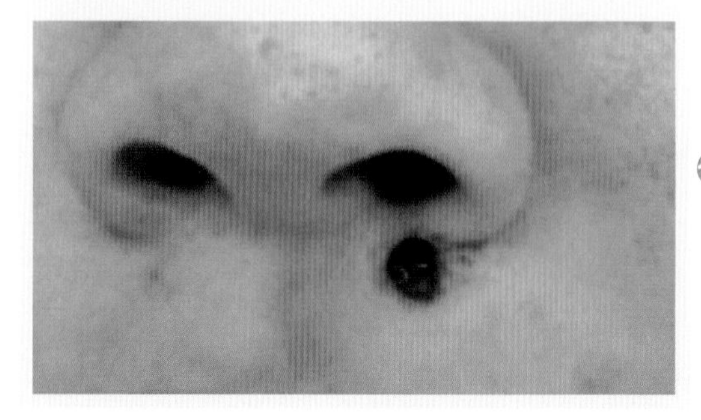

5 피하봉합

피부봉합사를 수평 루프모양으로 꼬아서 좌우 폐쇄 종료 (5-0 나일론).

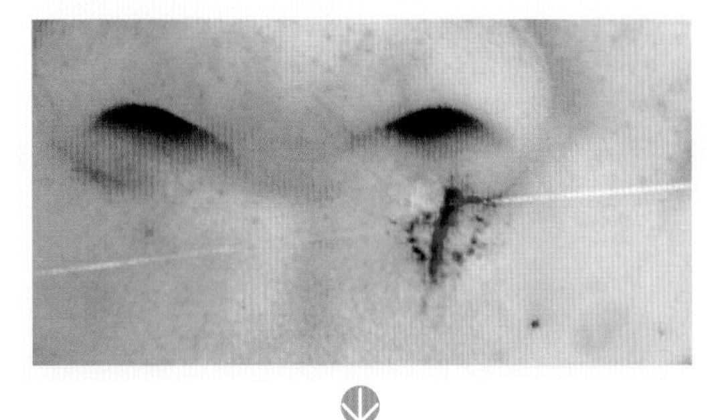

6 피부봉합 종료

7-0 나일론 사용.

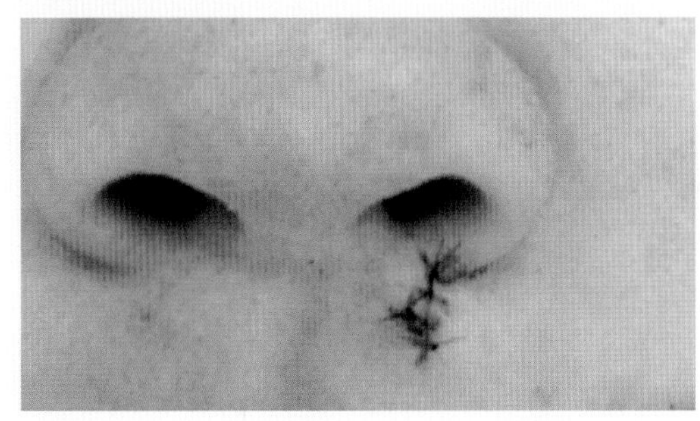

7 술후 3개월째의 상태

dog ear의 형성 없이 안정되어 있다.

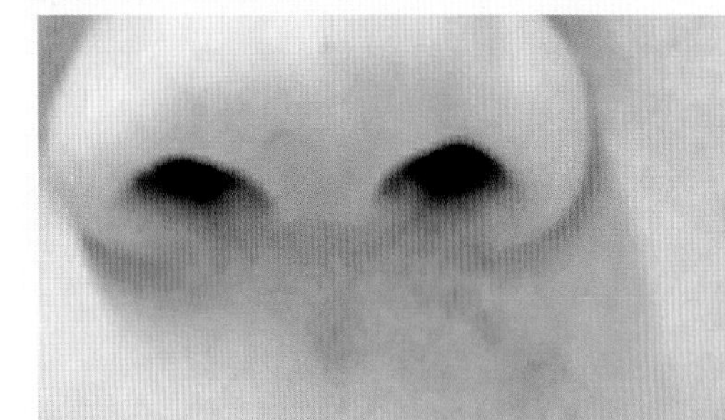

POINT

◉ 상구순의 점은 타원형 절제로 dog ear 형성 없이 치유되는 것이 많다. 단 꿰매는 방향의 선택에 주의해야 한다.

점의 타원형 절제는 “simple is best” 의 전형

앞의 경우의 디자인검토에서 3가지 디자인을 예로 들었지만, 어느 것도 틀리지 않습니다.

이와 같이 작은 “그까짓 점” 이라도 메스를 사용하여 절제하려고 하는 의사로서는 중요한 수술입니다.

3가지 디자인은 필자로서도, 성형외과의의 역사와 같은 것으로 초심자일 때는 우선 ①의 방추형 절제로 생각하는 것이 보통이었습니다. 그 중, 중급자레벨로 들어가면, 여러 가지 정교한 디자인을 구사하거나 생각하게 되는 것으로 ②와 같은 디자인을 많이 사용합니다 (이것이 또 즐거운 일입니다. 그까짓 점인데도 이렇게나 수술이 즐거울까 라고 생각하면서 수술하던 시절도 있었습니다).

이것은 피부의 표면을 2차원적 세계로 생각한 디자인으로 뛰어난 디자인이라고 지금도 생각하고 있습니다.

그런데 ③의 타원형 절제를 했을 때, 눈에서 비늘이 벗겨져 떨어져 나간 기분이었습니다. 「어째서 이렇게 잘 되지?!」「어째서 dog ear가 생기지 않지?!」라고 생각했습니다. 이것은 2차원적 발상에만 머물지 않고 3차원적 관점으로 생각함으로써, 비로소 「이런 부위는 이렇게 할 수도 있구나」라는 것을 알게 된 것입니다. 또 점은 피부세포가 점을 대신하는 것이 아니라, 점의 세포가 증식하여, 주위의 피부를 밀어내고 커지는 상태라고 생각해야 한다는 것도 새삼 인식하게 되었습니다. 이러한 사실에서 보면 점은 그 부분 자체를 도려내어 절제만 하고 방치해도 밀려나 있던 주위의 피부가 다시 좋아져서, 점을 도려낸 빈 공간이 축소됩니다. 그런 까닭에 반흔이 생겼다고 해도, 본래 점의 크기보다 훨씬 작은 반흔이 생길 뿐입니다. 이 점을 인식하게 되면 점의 수술이 그다지 두렵지 않게 됩니다. 여차하면 「도려내고 그대로 방치」만 해도 되니까요.

2 상구순, 비기부의 점②

난이도 

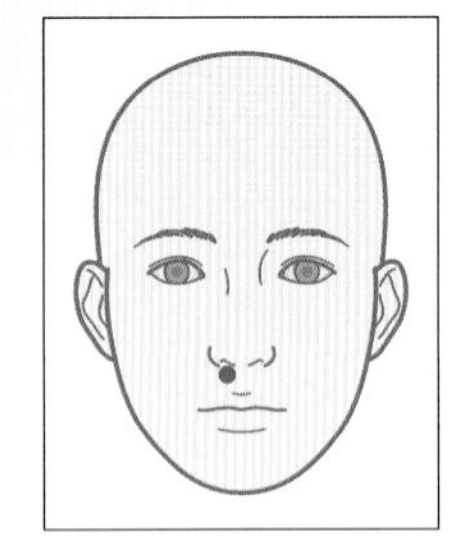

증례
- 50세 · 여성.
- 상구순 비기부의 융기상 점 (7×6mm).

방침
- 세로가 긴 방추형 절제. 좌우로 꿰매어 봉합하는 디자인으로 수술.

수술 & 술후 경과

1 

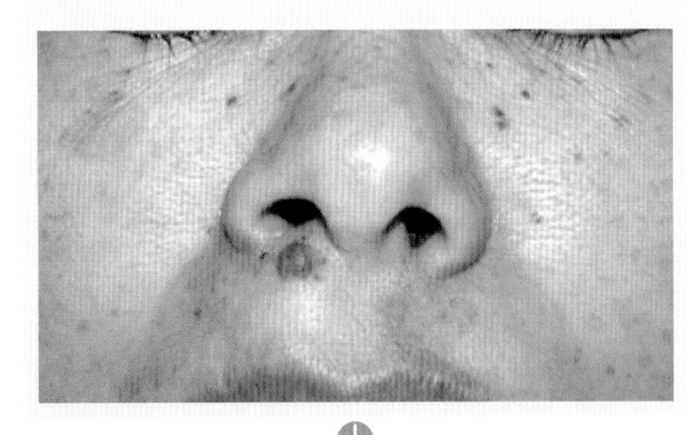

2 피부절개의 디자인

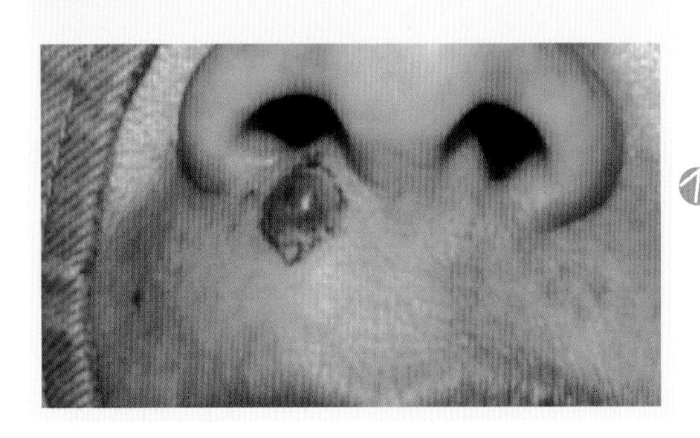

3 점의 절제

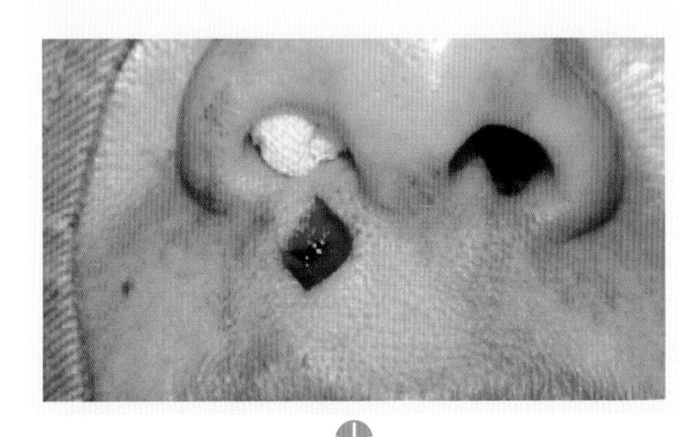

4 피하봉합으로 창상 폐쇄
다음은 피부봉합.

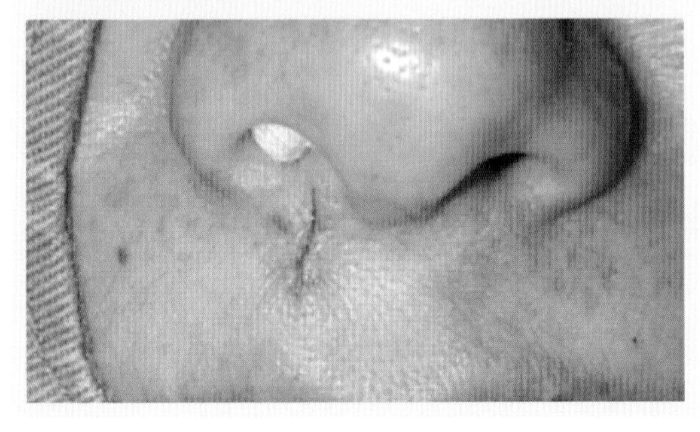

- 이 부위의 점 절제술은 기본적으로 상하나 좌우폐쇄의 어느 쪽도 괜찮다.
- 단 상구순의 세로방향의 길이(인중의 길이)에 따라서 선택한다. 즉 긴 듯한 상구순인 경우에는 상하폐쇄, 짧은 듯한 경우에는 좌우폐쇄라는 식으로 조금 교정하듯이 봉합한다.

평가 ★★★☆

3 상구순, 비기부의 점③

난이도 ★★★

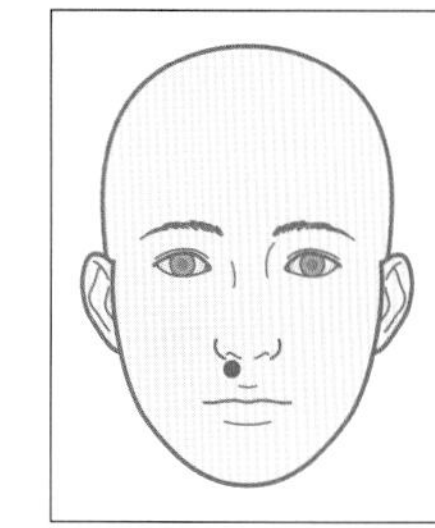

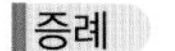
증례
- 61세 · 여성.
- 오른쪽 상구순 비기부의 점 (8×8mm).

방침
- 도려내기 봉합법으로 한다.
- Cupid's bow의 산이 오른쪽이 조금 작고 입술이 오른쪽이 좁아 보이는 것은 점이 상구순피부를 확대하고 있다고 해석할 수 있다.

수술 & 술후 경과

1 술전

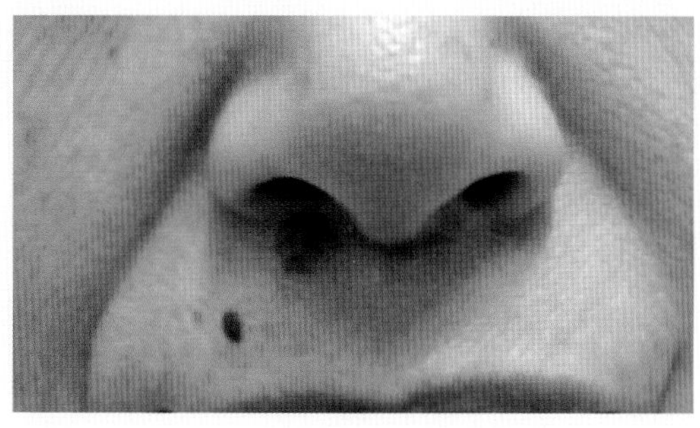

2 피부 절개의 디자인
도려내어 절제하는 디자인

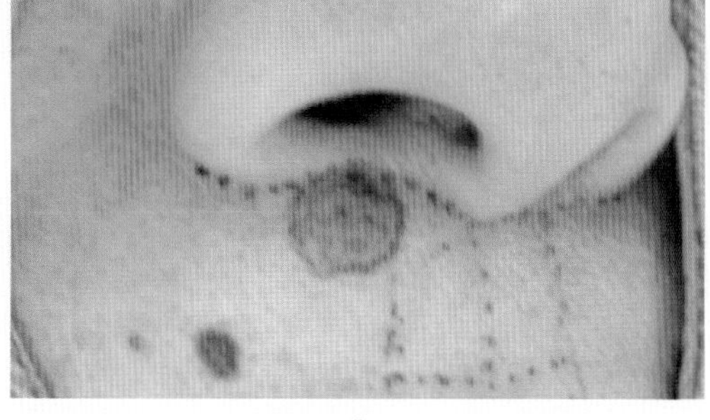

3 도려내고 절제
이 때 이미 상하로 꿰매기 쉬워져 있는 점에 주목!

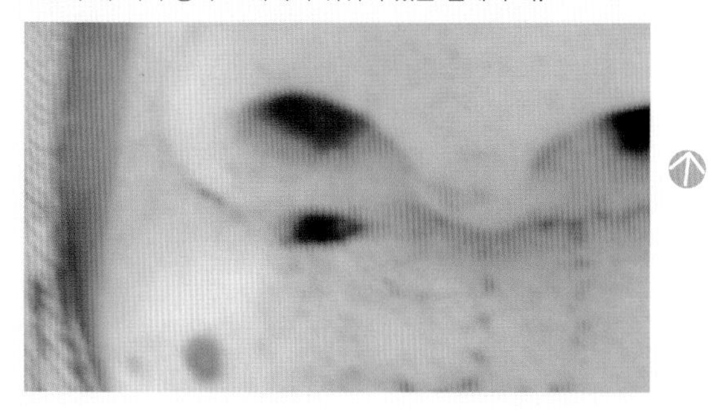

4 피하봉합
상하폐쇄는 여분으로 피부절제를 하지 않고 쉽게 할 수 있었다.

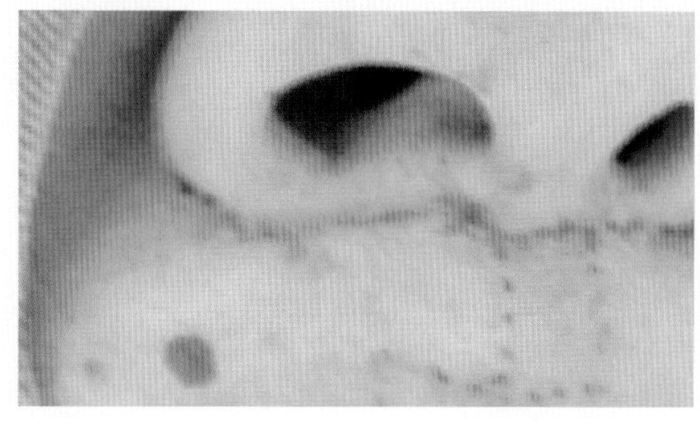

5 피부봉합 종료
dog ear의 형성을 거의 걱정하지 않을 정도로 닫을 수 있었다.

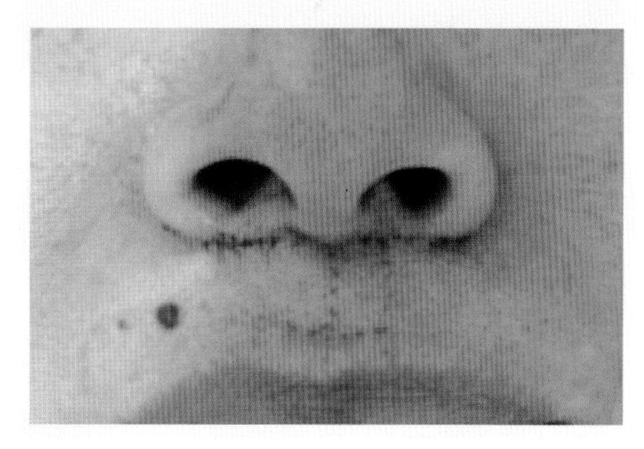

- 숙련자이며, 오른쪽 상구순의 점이 상당히 커져 있고, 그 영향으로 오른쪽 입술이 얇아져 있어서, 수술은 상하폐쇄가 좋다.
- 5의 Cupid's bow의 산의 좌우 위치와 1술전의 산의 위치를 비교하면 산의 변화의 정도를 알 수 있다. 평가 ★★★

4 상구순, 비기부의 점④

난이도 ★★★

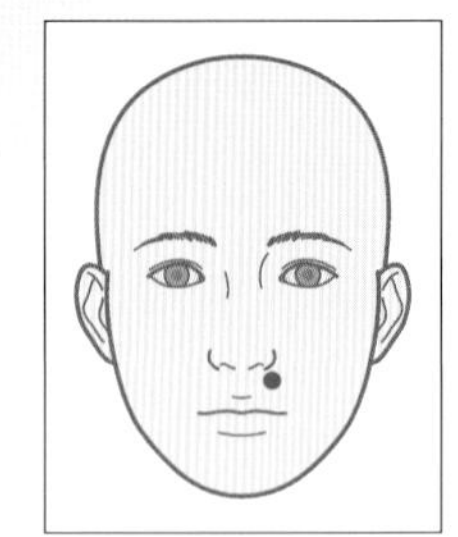

증례
- 54세 · 여성.
- 왼쪽 상구순부의 비익기부 부근의 점 (10×10mm).

방침
- 도려내기 봉합법의 디자인으로 한다.
- 만일 dog ear가 생기는 경우는 피부절개를 연장한다.

수술 & 술후 경과

1 술전

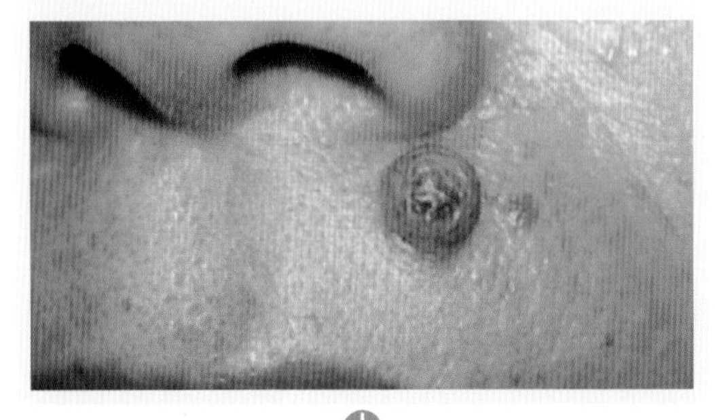

2 피부절개의 디자인

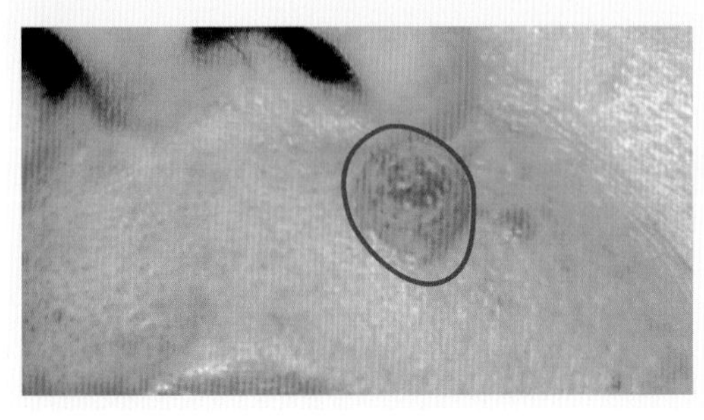

3 피부봉합
피하봉합 후, 피부봉합.

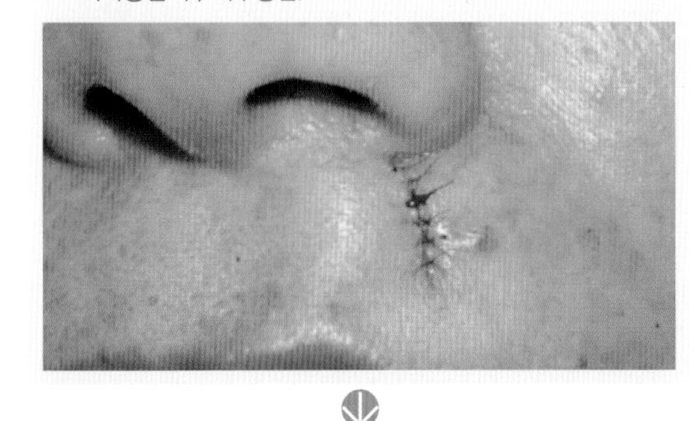

4 술후 50일째의 상태
발적은 이미 소실되어 있다.

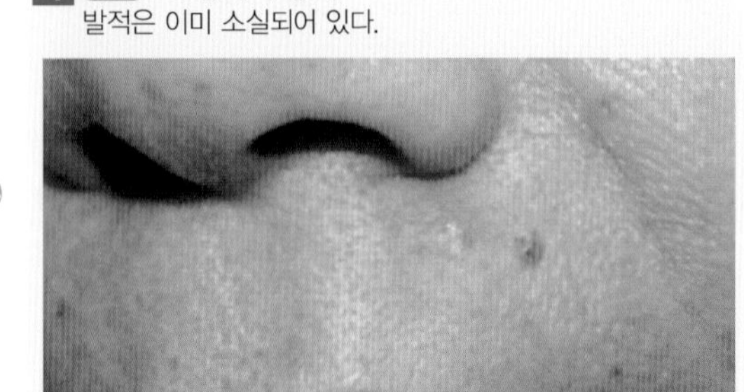

POINT
- 상구순부는 기본적으로 dog ear가 잘 형성되지 않는 부위이므로, 도려내기 봉합법으로 상당히 큰 점까지 수술할 수 있다.
- 봉축하는 방향에 제약이 없다.
- 이 경우도 짧은 봉합선으로 dog ear없이 치유되었다.

평가 ★★★

5 상구순부의 점①

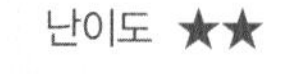
난이도 ★★

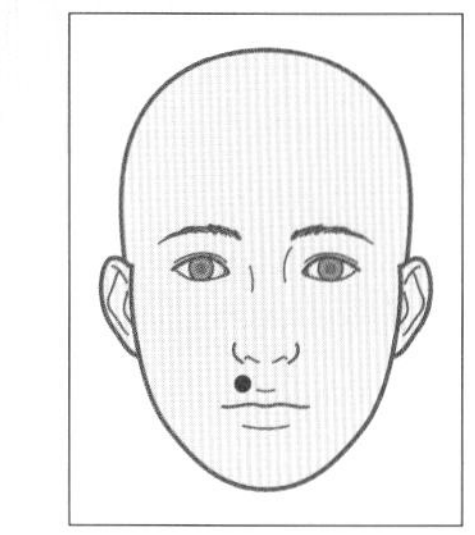

증례
- 18세 · 여성.
- 오른쪽 상구순부의 점 (4×6mm).

방침
- 도려내기 봉합법으로 절제.
- 타원형 절제로 하는데, 장축은 점의 형상에 맞추면 된다.

수술 & 술후 경과

1 술전

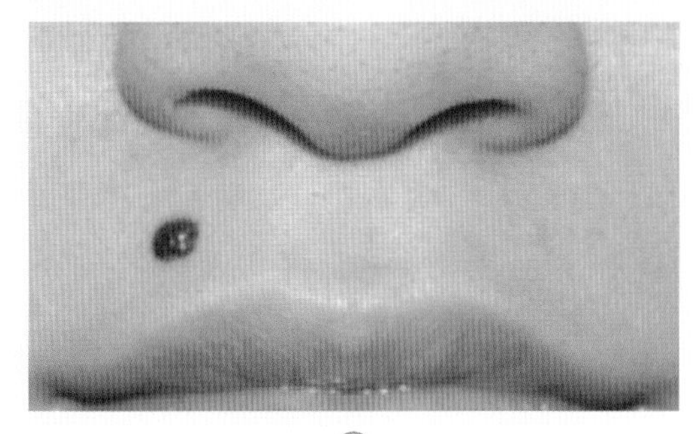

2 피부절개의 디자인
도려내어 절제하는 디자인.

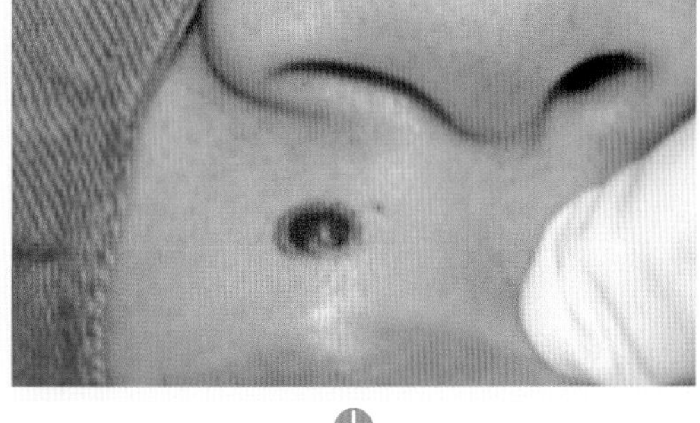

3 피하봉합
3점 붙임 1바늘.

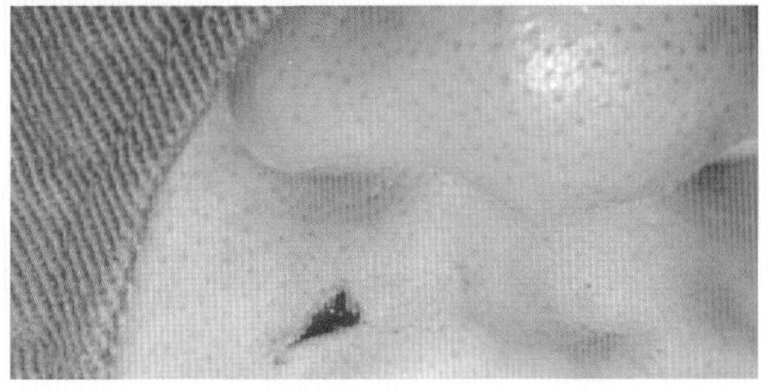

4 피하봉합
2바늘 봉합 종료.

5 피부봉합 종료

POINT

- 도려내기 봉합법으로 상구순의 점을 절제하는 경우, 반흔의 방향은 그다지 문제가 되지 않는다.
- 그보다 입술의 형상이 변형되지 않는 반흔이 중요.

평가 ★★★

6 상구순부의 점②

난이도 ★★

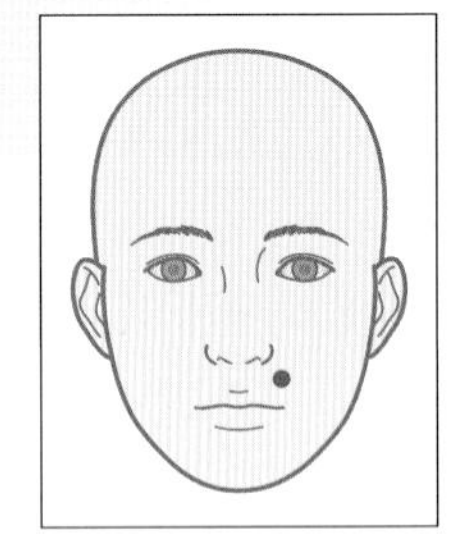

증례
- 41세 · 여성.
- 비순구에 가까운 상구순의 융기상의 점 (4.5×4.5mm).

방침
- 타원형 절제법으로 완전폐쇄한다.

수술 & 술후 경과

1 술전

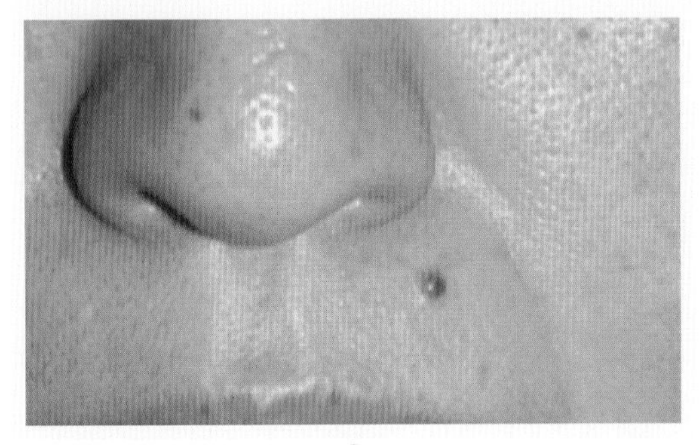

2 피부절개의 디자인

보기에 작은 점이라도 실제로는 크다.
융기부를 모두 절제하는 디자인으로 하면 이와 같이 된다.
의식적으로 세로가 긴 타원형 절제법으로 한다.

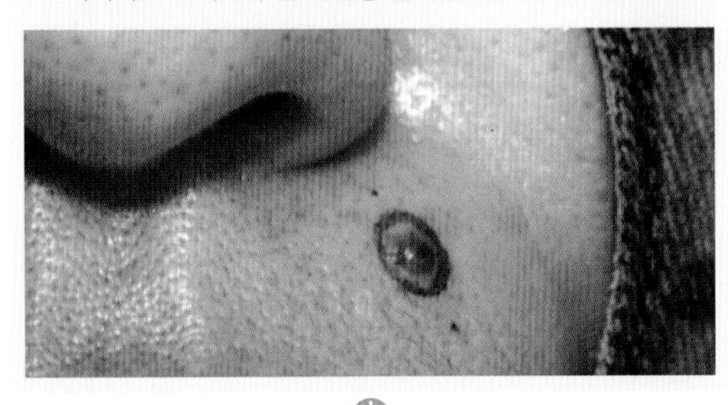

3 점을 도려내어 절제

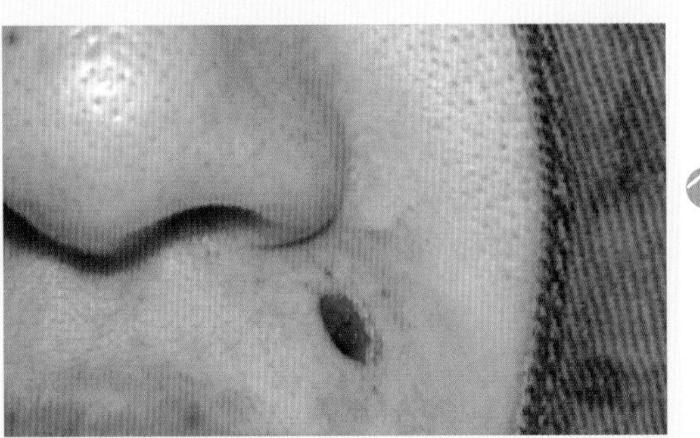

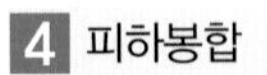

4 피하봉합

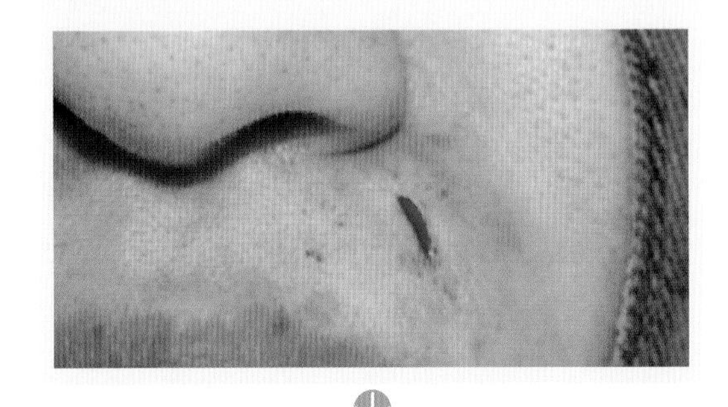

5 피부봉합 종료

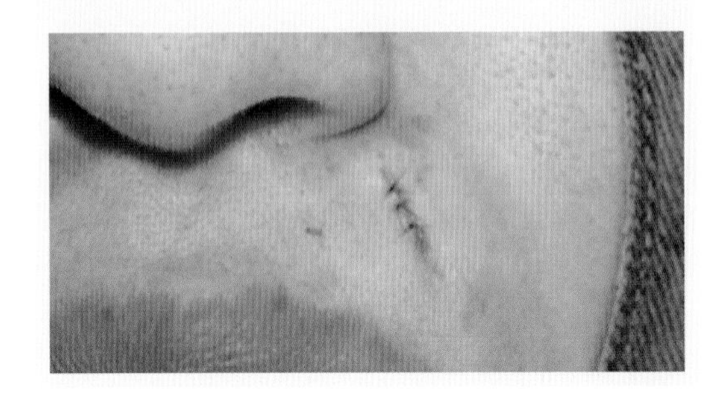

POINT

⊙ 점이 원형일 때, 타원형 절제의 디자인은 긴축의 방향이 자연주름방향이 되도록 조금만 수정하여 디자인하면 안심하고 봉합할 수 있다.

평가 ★★★

7 상구순부의 점③

난이도 ★★

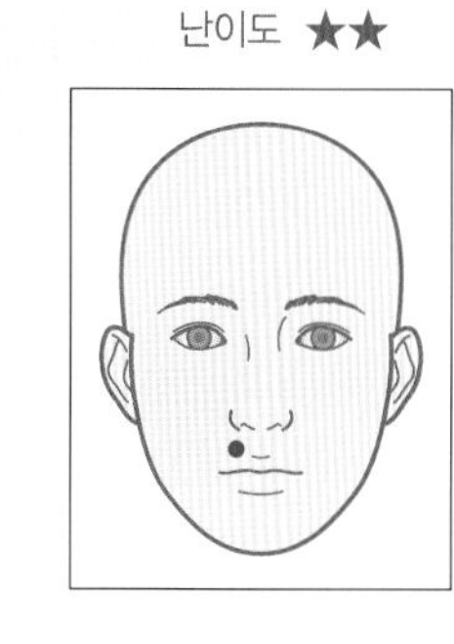

증례
- 31세 · 여성.
- 오른쪽 상구순부의 융기상의 점 (8×6mm).

방침
- 타원형 절제봉축법으로 한다.

수술 & 술후 경과

1 술전

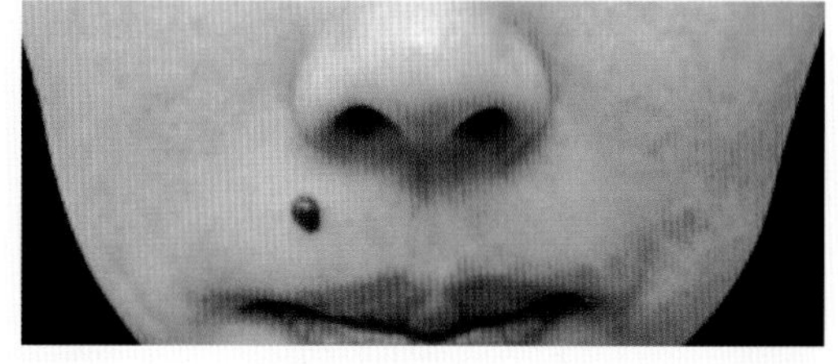

2 피부절개의 디자인
어느 방향을 장축의 타원형으로 할 것인가 생각한다.

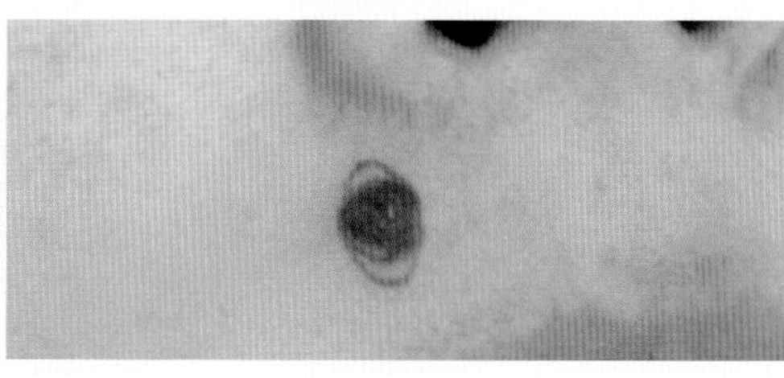

3 점의 절제
결과적으로 비순구 방향에 가까운 장축으로 하였다.

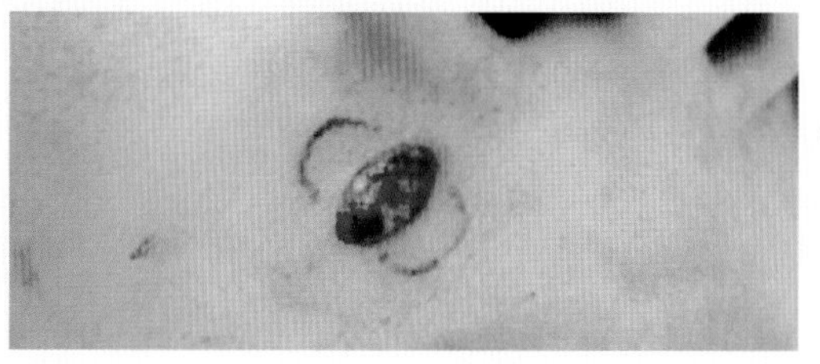

4 피하봉합
1바늘 (5-0 흰 나일론) 로 여기까지 붙일 수가 있었다.

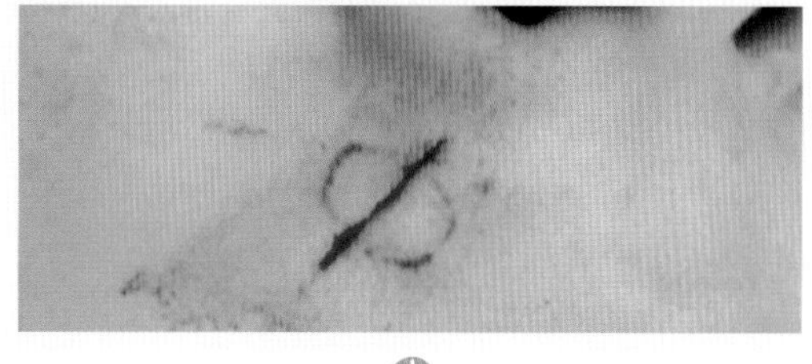

5 피부봉합 종료

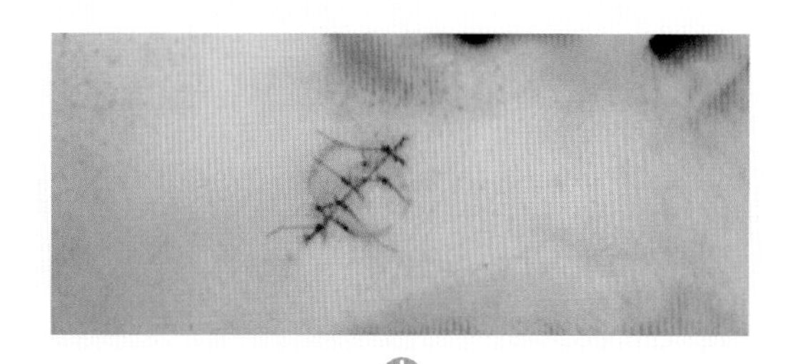

6 술후 1개월째의 상태

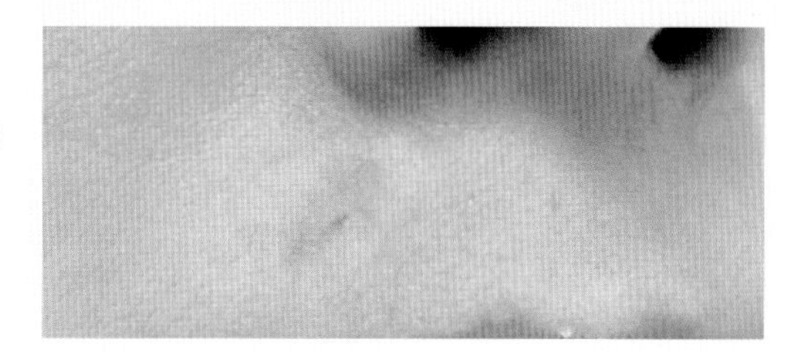

POINT
- 타원형 절제봉합법으로 dog ear형성 없이 완치되었다.
- 봉합선의 방향은 세포방향이나 비순구 방향에 가까운 비스듬한 방향으로, 반흔은 그다지 눈에 띄지 않는다.
- 타원형 절제라도 이 부위는 피부 두께와 경도 때문에 dog ear가 잘 생기지 않는다.

평가 ★★★☆

8 상구순부의 점④

난이도 ★★

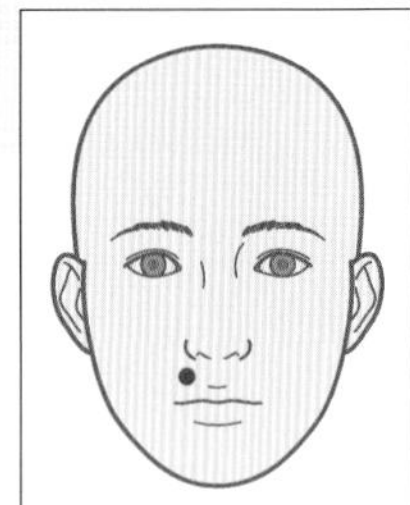

증례
- 52세 · 여성.
- 오른쪽 상구순부 코 근처의 점 (7×7mm).

방침
- 타원형 절제봉합법으로 한다.

수술 & 술후 경과

1 술전

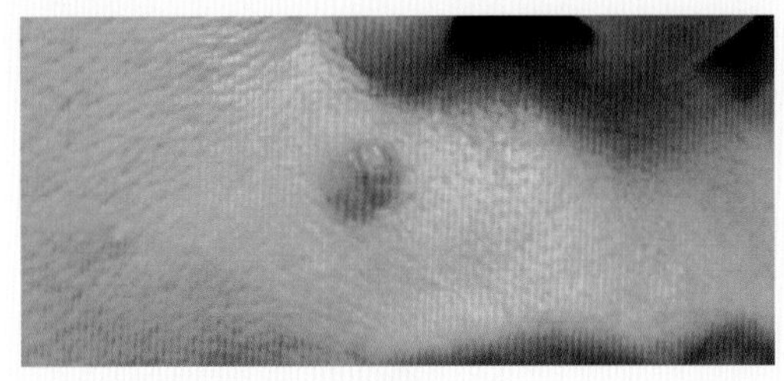

2 피부절개의 디자인
점의 윤곽과 일치하는 타원형 절제의 디자인.

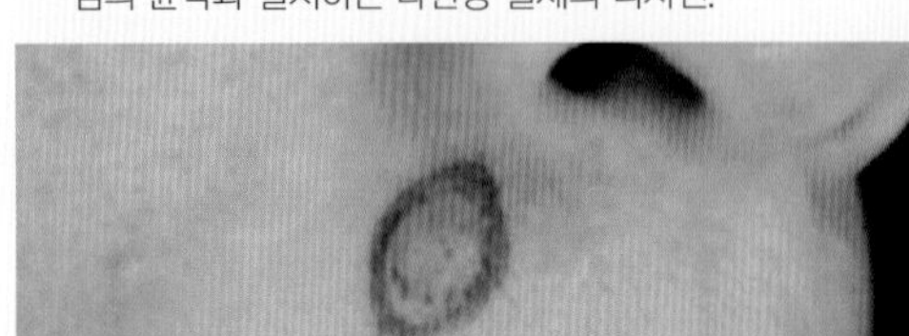

3 절제봉합 종료
2바늘 피하봉합 (빨간 선은 피하봉합).

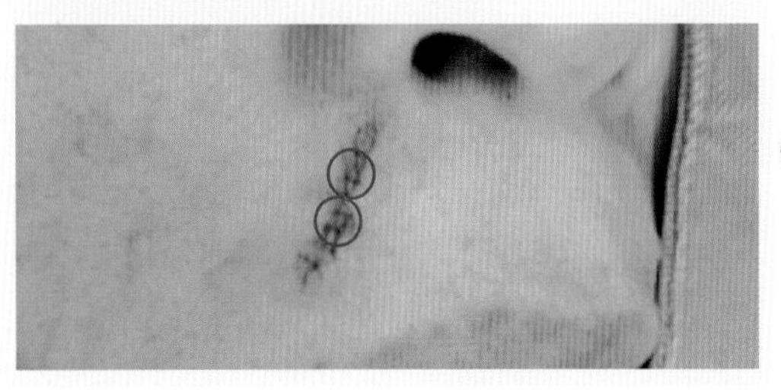

4 술후 1주째 발사 종료

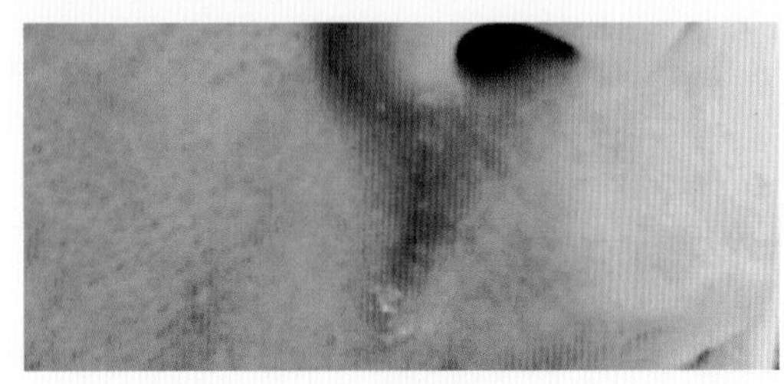

5 술후 1개월째

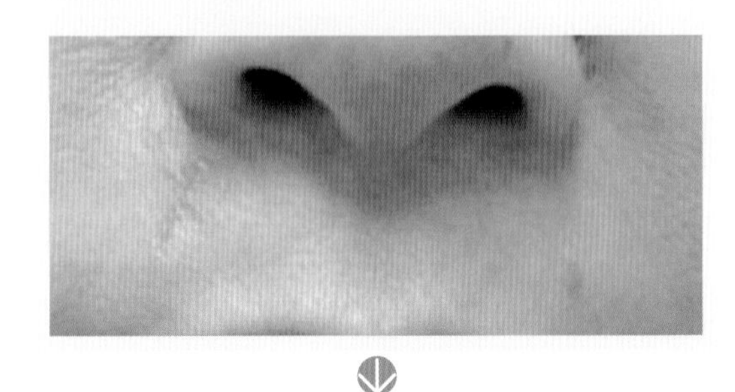

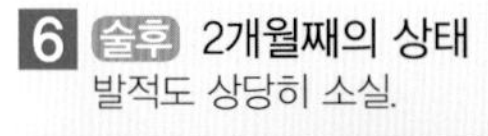
6 술후 2개월째의 상태
발적도 상당히 소실.

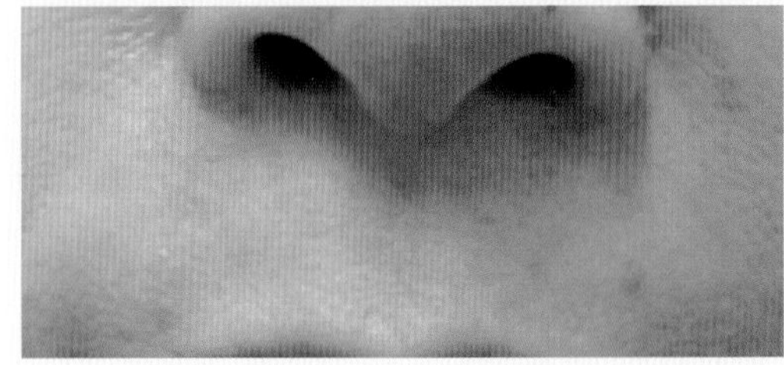

POINT
- 상구순의 점은 타원형 절제법을 원칙으로 한다.
- 점의 형상에 따른 도려내기 절제에 가까운 절제로 하는 경우가 많다.

평가 ★★★★

9 상구순부의 점⑤

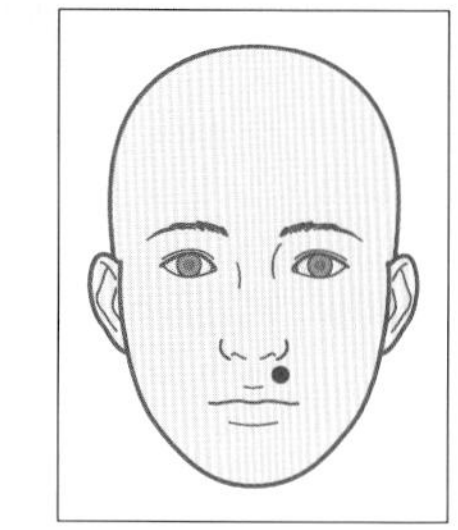

증례
- 17세 · 여성.
- 상구순부의 상당히 큰 점 (10×10mm).

방침
- 피판성형술도 고려해 본다.
- 좀 더 단순한 방법으로 봉합법을 선택.

수술 & 술후 경과

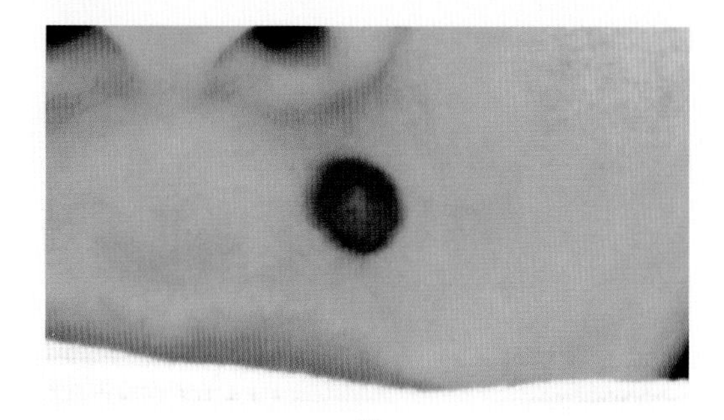

2 피부절개의 디자인

단순히 도려내어 절제하는 디자인.

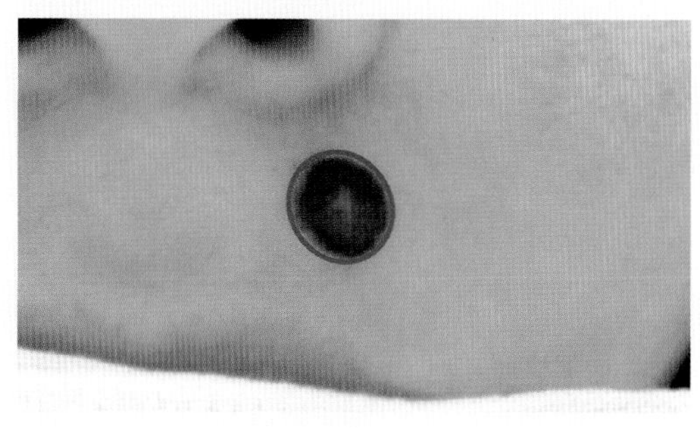

3 봉합 종료

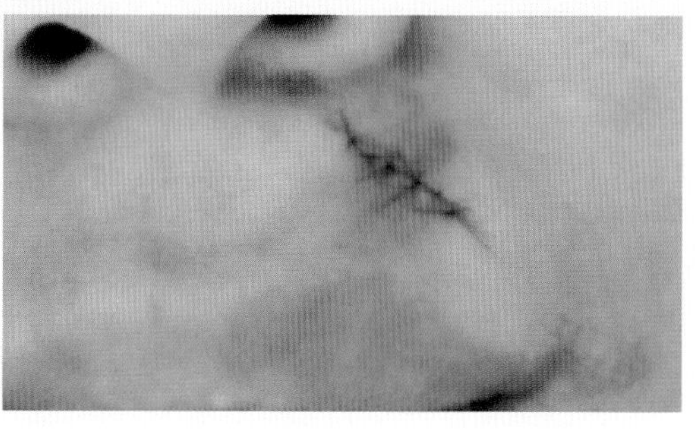

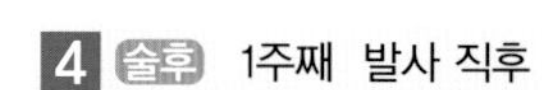

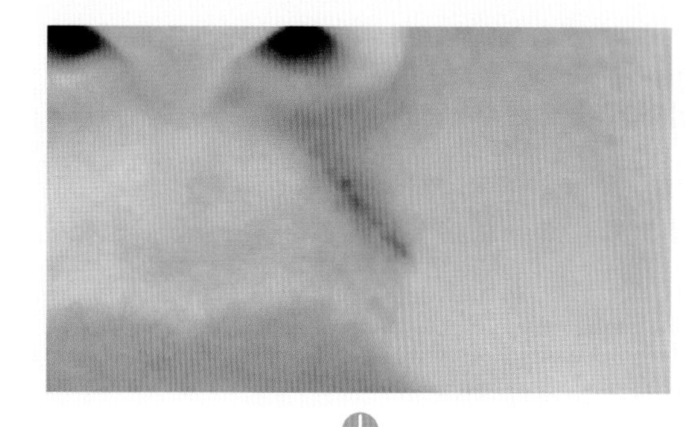

5 술후 3개월째의 상태

반흔이 넓지만, 본래 점의 면적에 비하면 작다는 것에 의의가 있다.

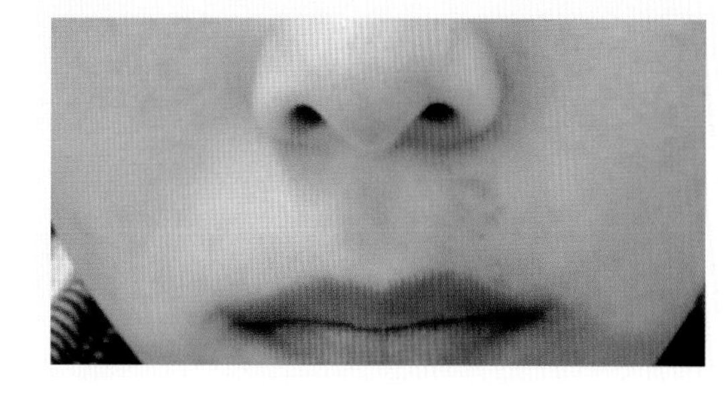

POINT

- 이 부위에서는 국소피판보다도 단순히 도려내기 봉합법이 더 낫다고 할 수 있다. 만일 방추형 절제의 디자인이라면 상당히 긴 선상 반흔이 된다.
- 이 점도 만일 코의 기부에 가까운 부위에 있는 경우는 crown excision법도 가능하지만 이 경우는 이 방법으로 좋다.

10 상구순부의 점⑥

난이도 ★★

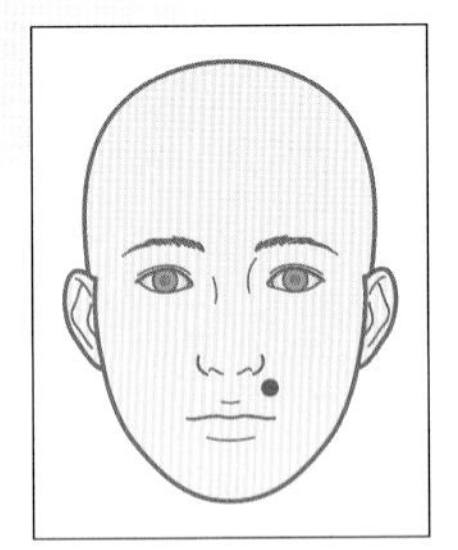

증례
- 18세 · 여성.
- 상구순부의 점 (5.5×5.5mm).

방침
- 비순구에 가까운 점 때문에 방추형 절제가 안전할 수 있지만, 타원형 절제로 하기로 한다.

수술 & 술후 경과

1 술전

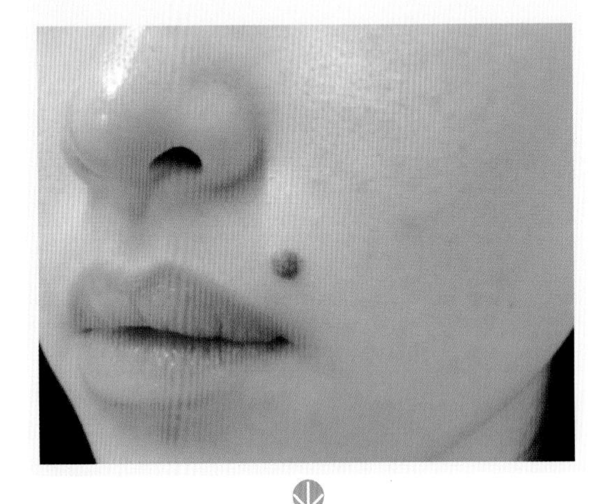

2 피부절개의 디자인
봉합하는 방향을 고려하여 타원형의 장축방향을 결정한다.

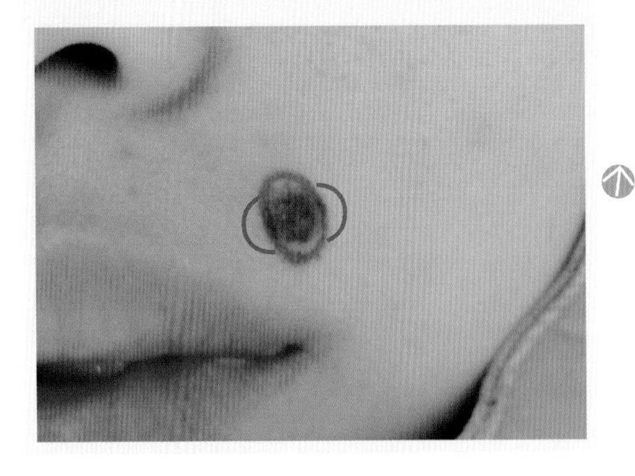

3 절제→피하봉합→피부봉합

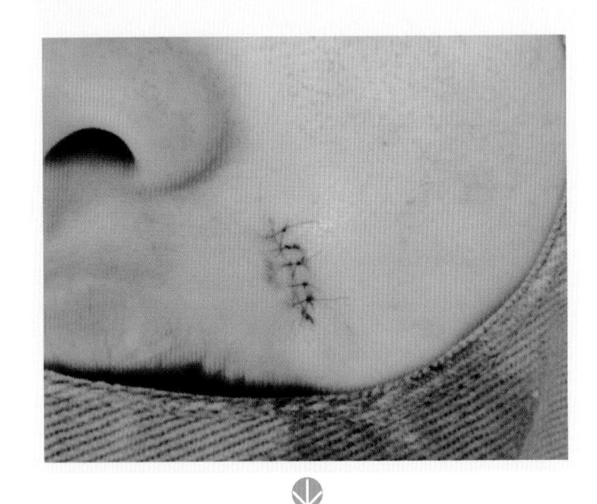

4 술후 1주째의 상태
발사 종료시. dog ear의 형성이 없다.

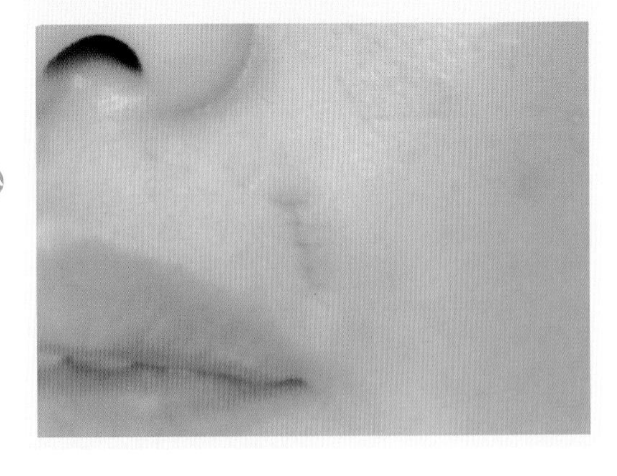

POINT
- 상구순부는 타원형 절제봉합을 원칙으로 한다.
- 피하봉합은 수평방향의 루프봉합으로 하고, 피부봉합을 해도 장축 방향으로 라인이 연장되지 않도록 한다.

평가 ★★★★

상구순부의 점⑦

난이도 ★★★

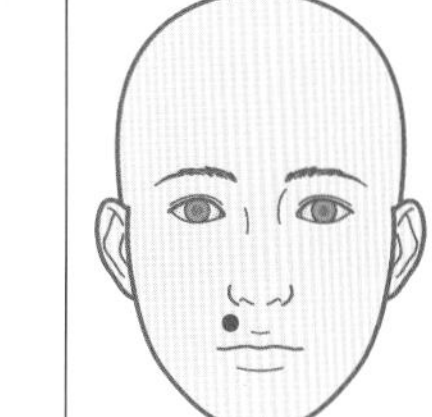

증례
- 67세 · 여성.
- 비순구 근처 상구순의 상당히 큰 점 (10×10mm).

방침
- 3점에서 피하내 건착봉합으로 폐쇄한다.
- 3방향에서 쐐기모양으로 추가 절제하여 좀 더 자연스럽게 폐쇄하도록 한다.

수술 & 술후 경과

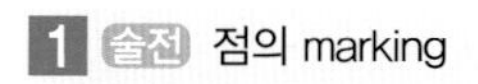
1 술전 점의 marking

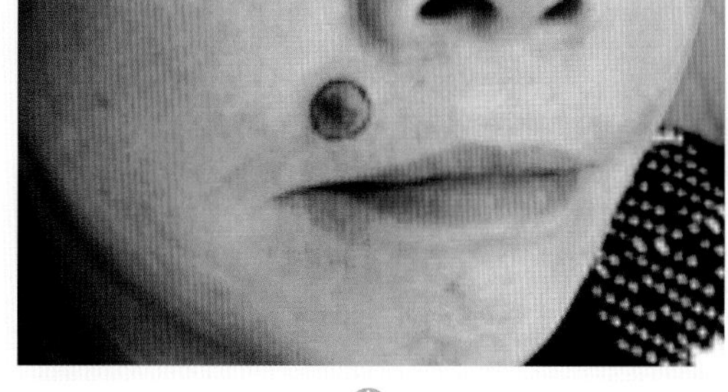

2 피부절개의 디자인

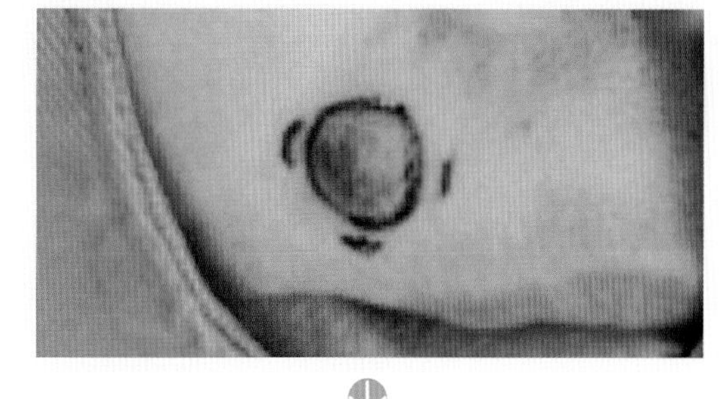

3 3점의 피하봉합

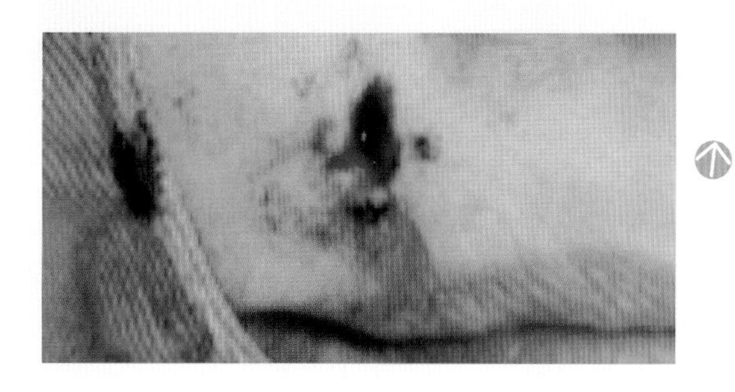

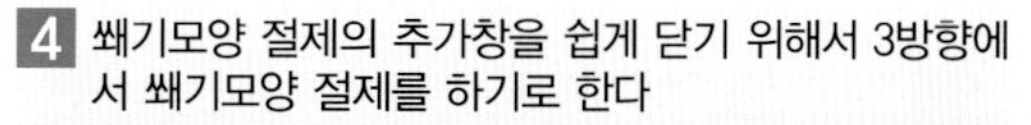
4 쐐기모양 절제의 추가창을 쉽게 닫기 위해서 3방향에서 쐐기모양 절제를 하기로 한다

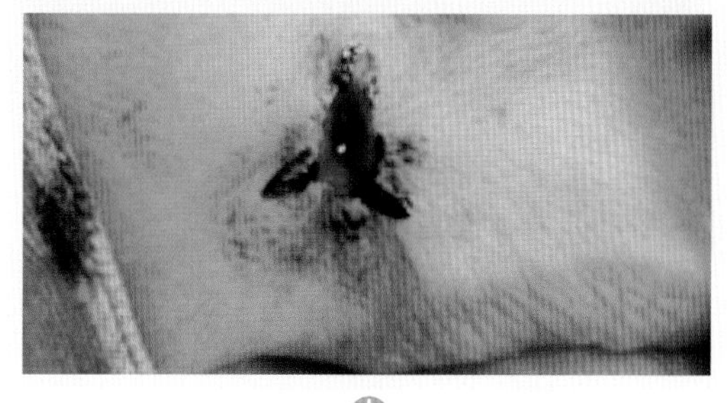

5 위쪽의 쐐기모양 추가 절제

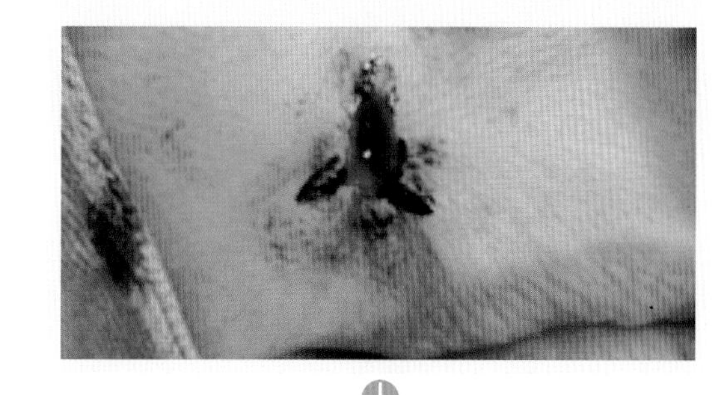

6 바깥쪽의 쐐기모양 추가 절제

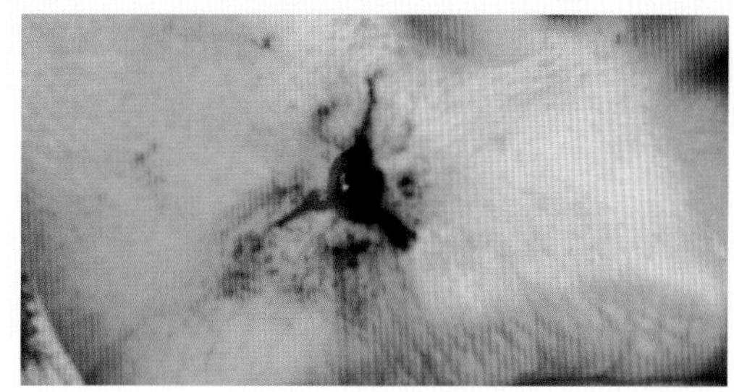

7 내측의 쐐기모양 추가 절제

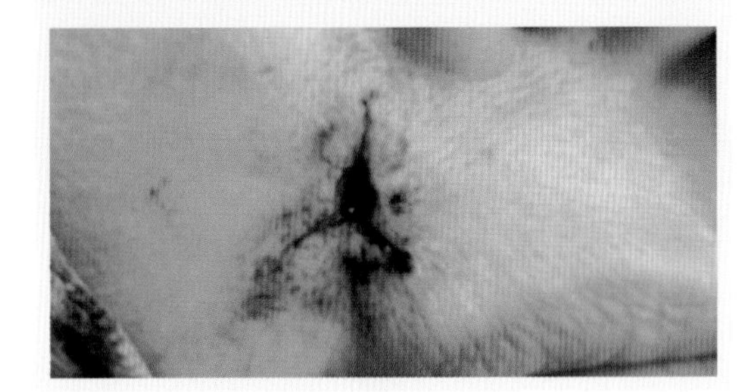

8 피부봉합 종료시의 상태

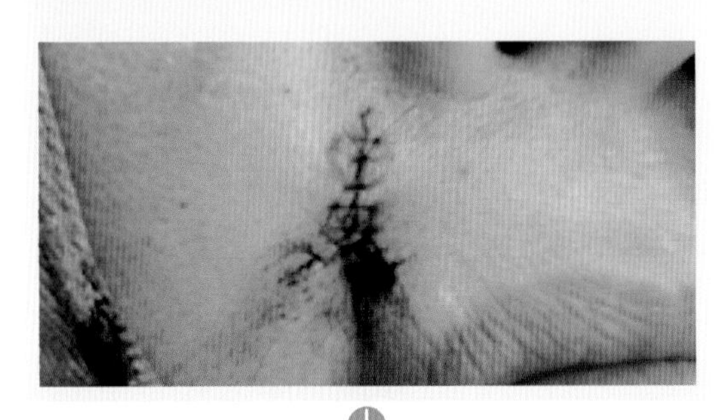

9 술후 5일째 발사전의 상태

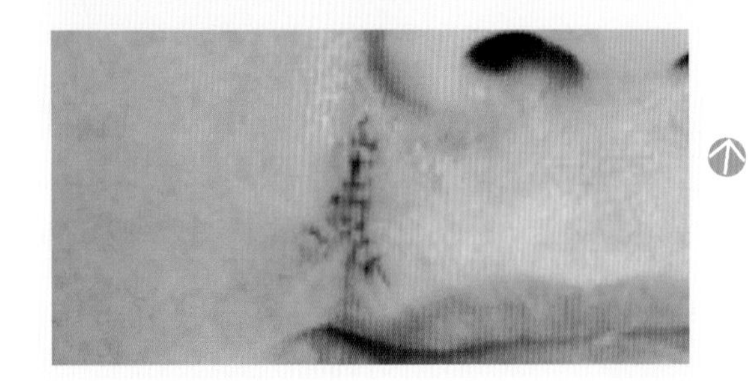

10 술후 1개월째의 상태

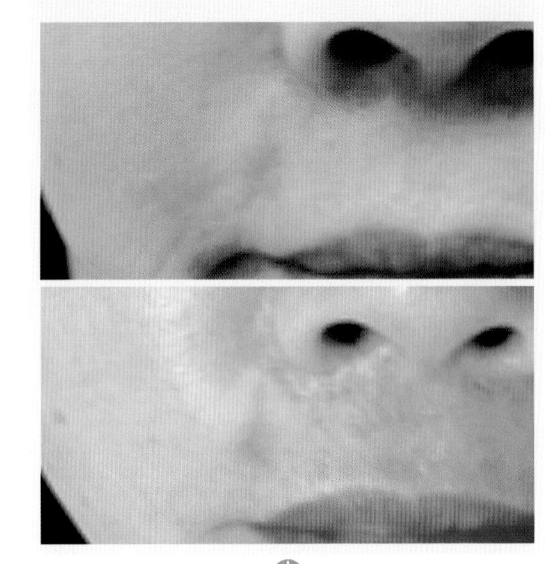

11 술후 5개월째의 상태

dog ear의 형성이 없어서 반흔이 눈에 띄지 않는다.

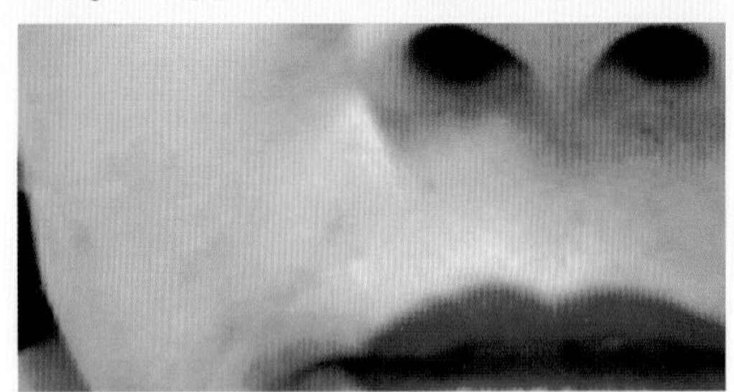

POINT

- 상구순부의 큰 점에 대해서 3방향에서 꿰매기로 하고 쐐기모양 절제를 추가함으로써 창상을 닫을 수 있었다.

12 상구순, 비순구 근처의 점①

난이도 ★★★

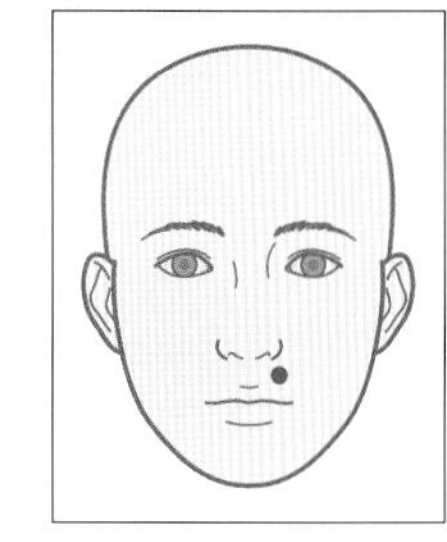

증례
- 52세 · 여성.
- 왼쪽 상구순부 비순구 근처의 점 (6×8mm).

방침
- 방추형 절제에서는 봉합선이 너무 길어지므로, crown excision의 디자인으로 한다.

수술 & 술후 경과

1 술전

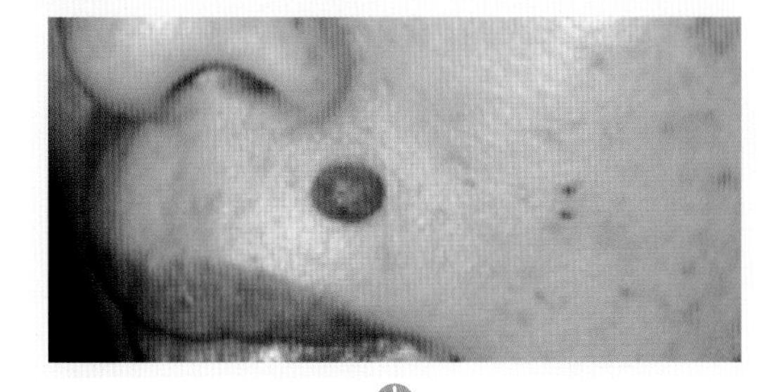

2 피부절개의 디자인

crown excision의 디자인.

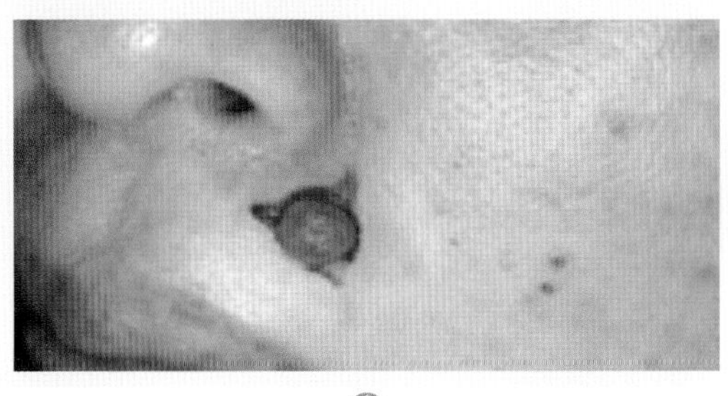

3 점의 절제

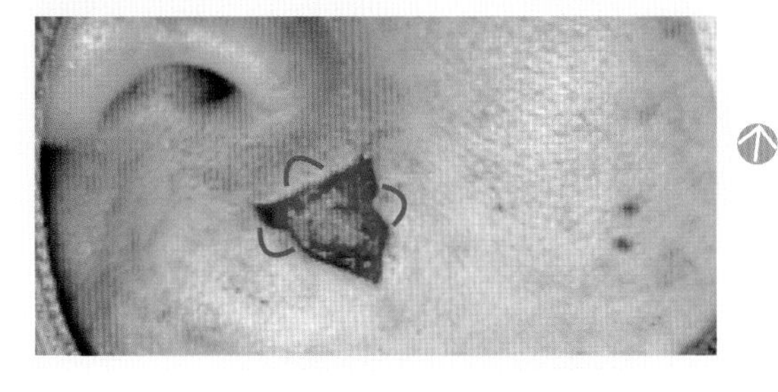

4 피하봉합

2바늘 피하봉합.

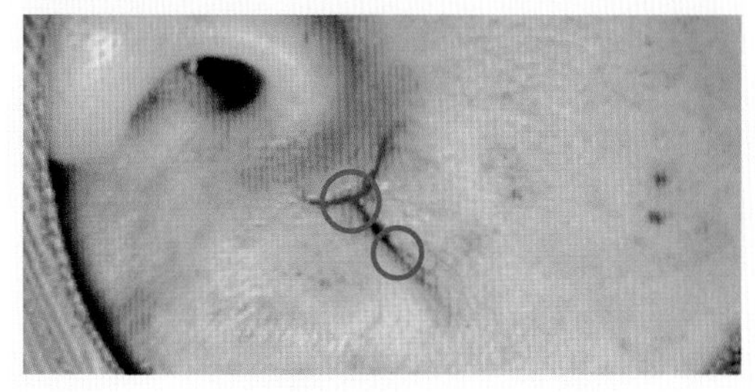

5 피부봉합 종료 사방향

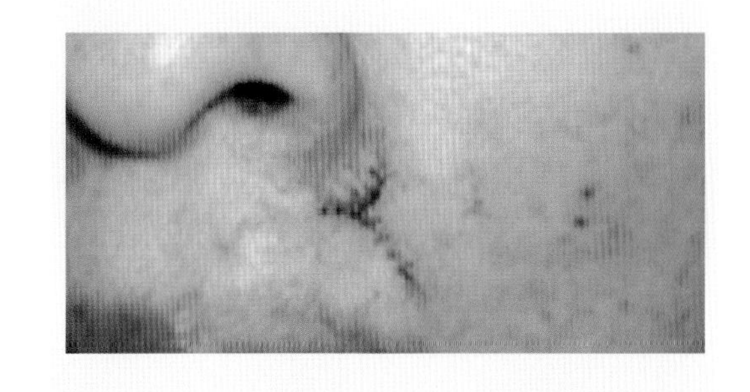

정면

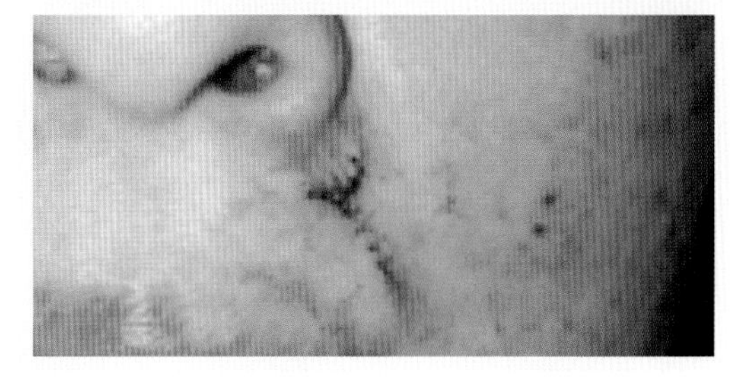

POINT

- 반흔의 길이가 너무 길어지지 않도록 하는 데에 crown excision이 효과적이다.

평가 ★★★

13 상구순, 비순구 근처의 점②

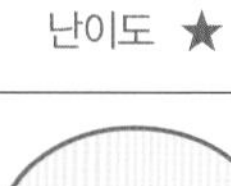
난이도 ★

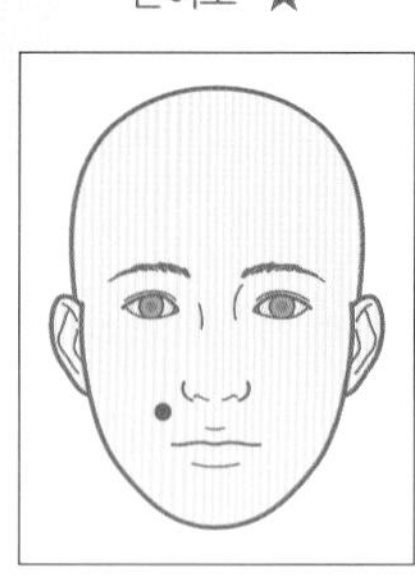

증례
- 47세 · 여성.
- 비순구에 가까운 상구순부의 점 (5×5mm).

방침
- 방추형 절제로 한다.
- 비순구에 가까운 부위는 타원형 절제로는 조금 불안.

수술 & 술후 경과

1 술전

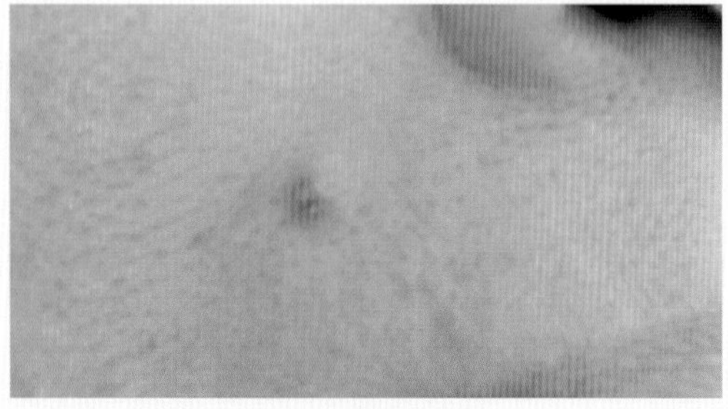

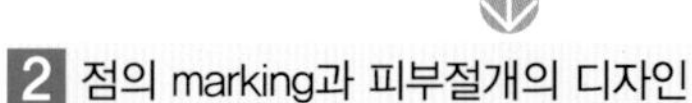
2 점의 marking과 피부절개의 디자인

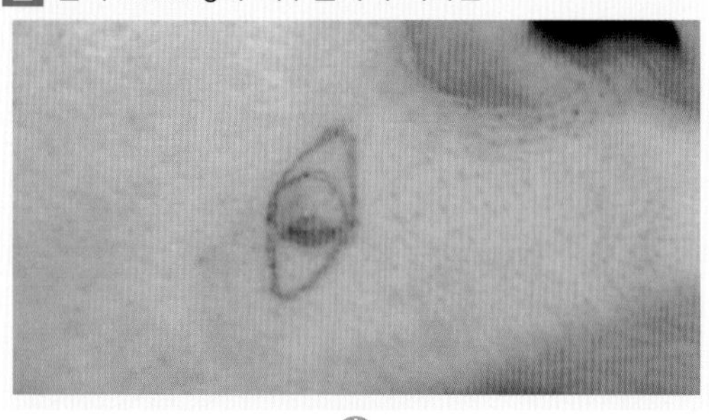

3 점의 절제→피하봉합→피부봉합

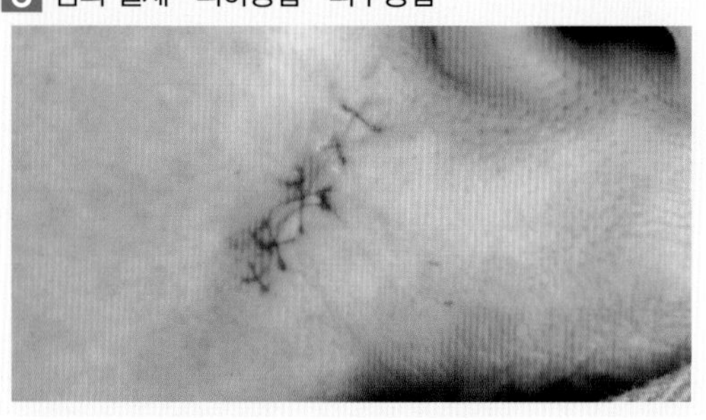

4 술후 1일째 정면

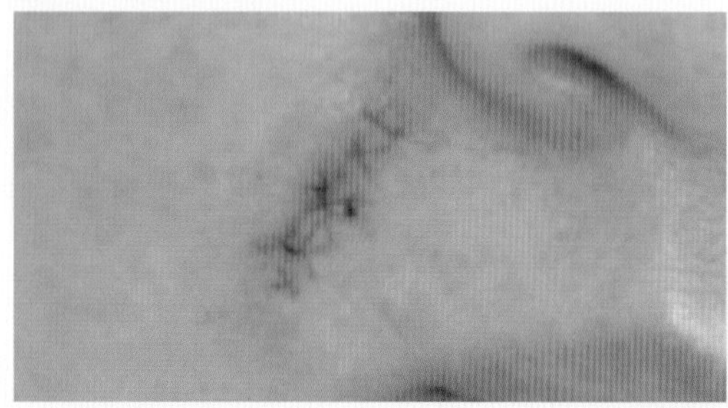

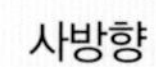
사방향

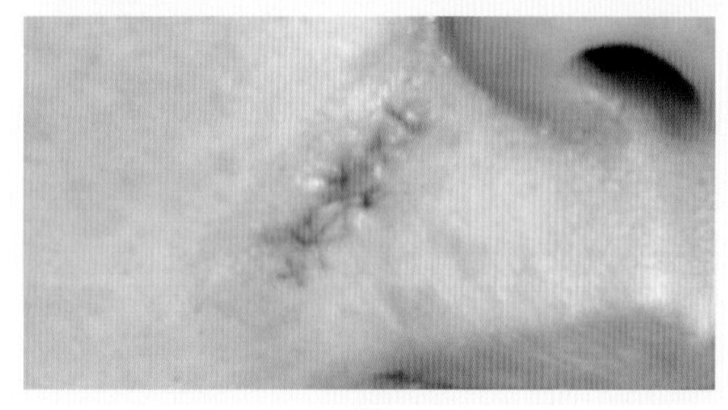

5 술후 6일째 발사 직후의 상태

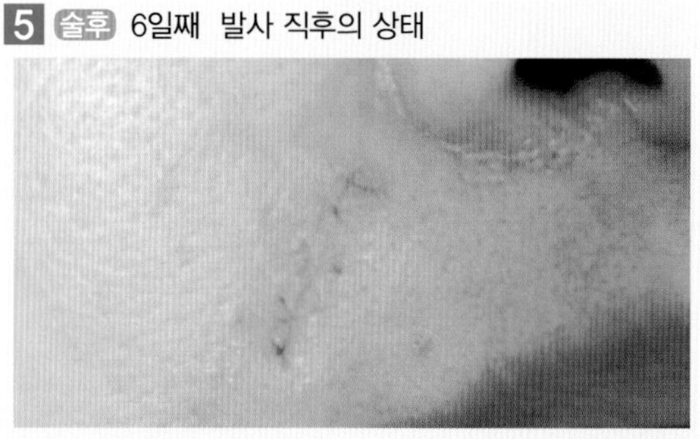

POINT
- 방추형 절제의 디자인도 양 끝을 조금 둥글게 하면 짧은 반흔으로 끝난다.

평가 ★★★★

14 인중부의 점①

난이도 ★★

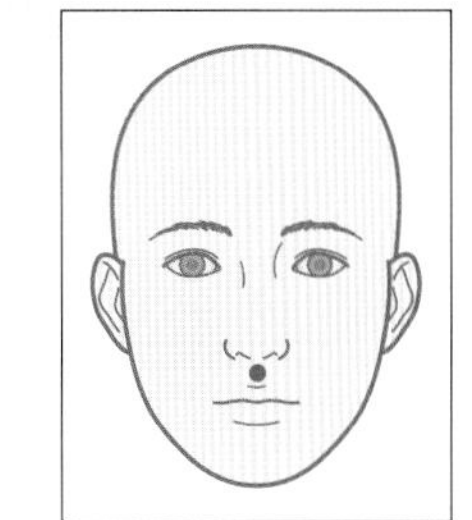

증례
- 56세 · 여성.
- 인중부의 작은 점 (4×4mm).

방침
- 도려내기 봉합법으로 한다.
- 상구순부의 세로길이 (인중) 가 약간 긴 경우이므로, “상하 폐쇄” 로 한다.

수술 & 술후 경과

1 술전

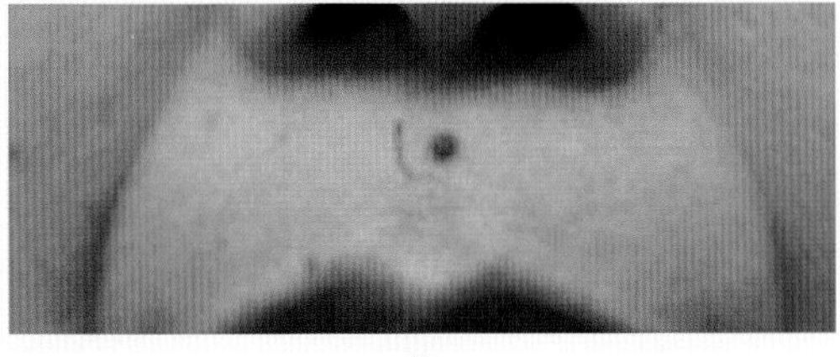

2 점의 절제
타원형으로 가로지름이 다소 긴 디자인으로 한다.

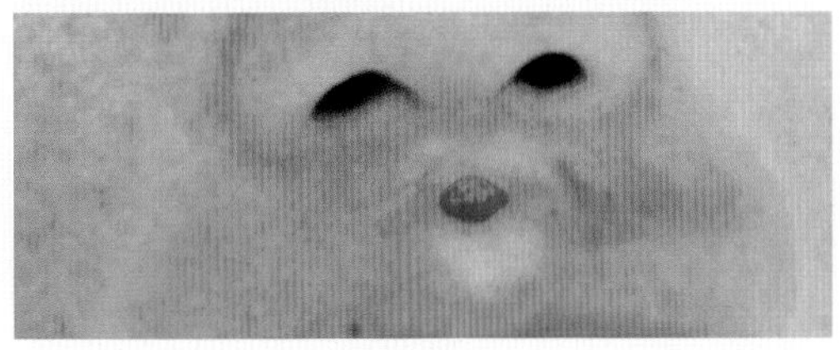

3 피하봉합
피하봉합 모습.

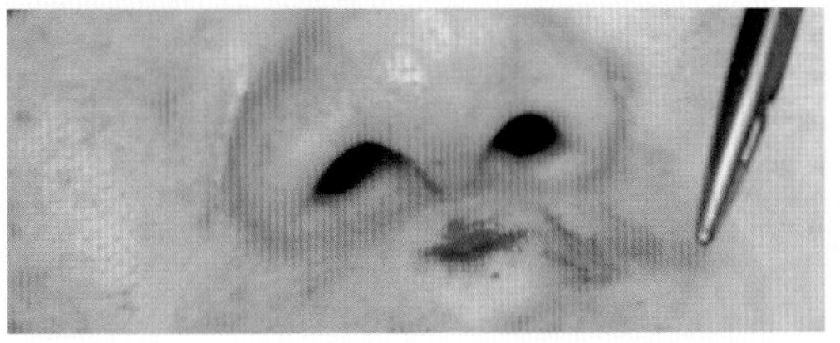

4 피하봉합
피하봉합사를 결찰한 모습. 1바늘로 꿰맬 수 있다.

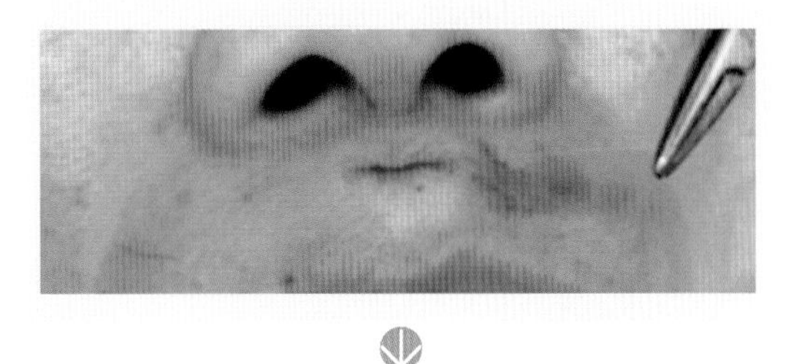

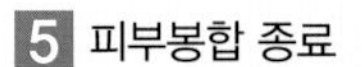

5 피부봉합 종료

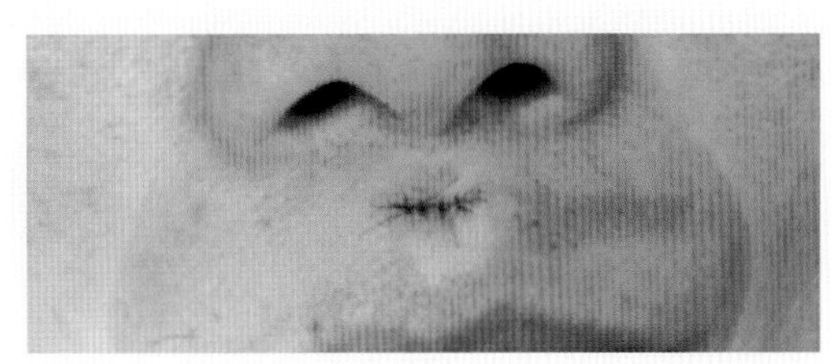

6 술후 1개월째의 상태
발적이 아직 눈에 띈다.

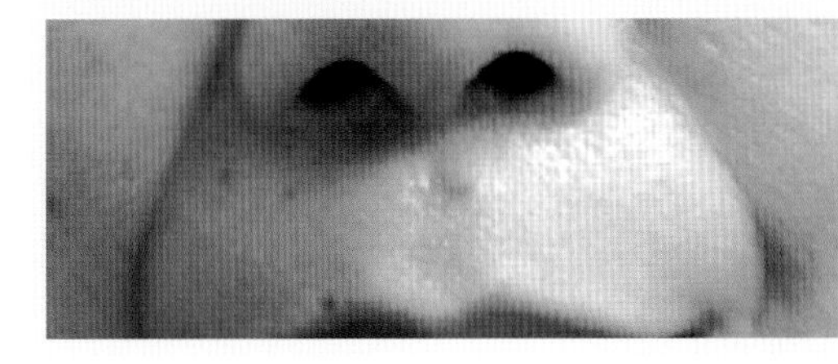

POINT
- 인중부의 점이 그다지 크지 (10mm이상) 않은 한, 타원형 디자인에서 도려내기 봉합법으로 처리할 수 있다.
- 상하나 좌우로 폐쇄하는 것은 상구순부, 「인중」의 세로지름의 길이를 보고 판단한다. 즉 긴 경우는 상하 폐쇄, 짧은 경우는 좌우 폐쇄로 특징을 조장하지 않는 봉합법으로 한다. 평가 ★★★☆

15 인중부의 점②

난이도 ★★

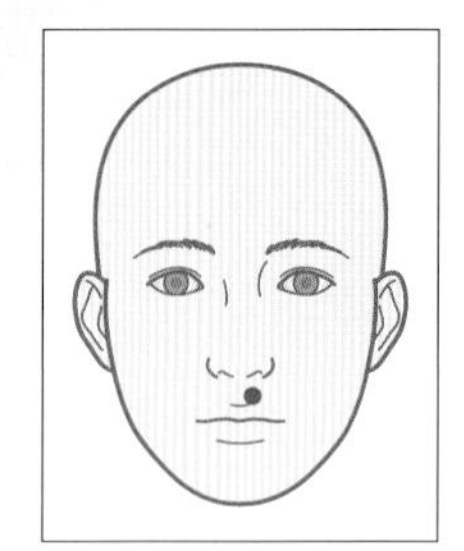

증례
- 54세 · 여성.
- 인중 왼쪽 외측부의 점 (4×4mm).

방침
- 도려내기 봉합법으로 폐쇄하기로 한다.

수술 & 술후 경과

1 술전

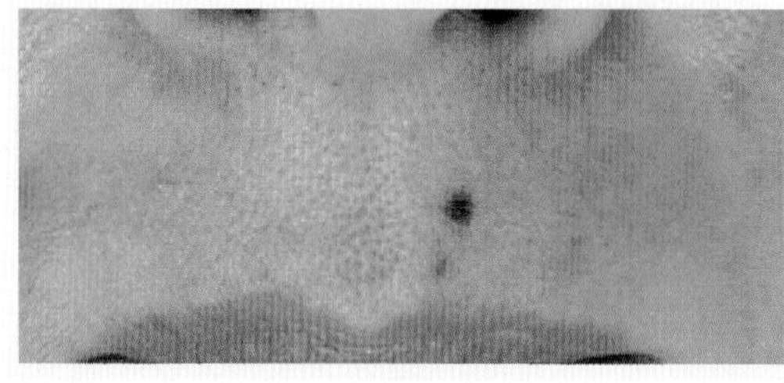

2 피부절개의 디자인
도려내는 디자인.

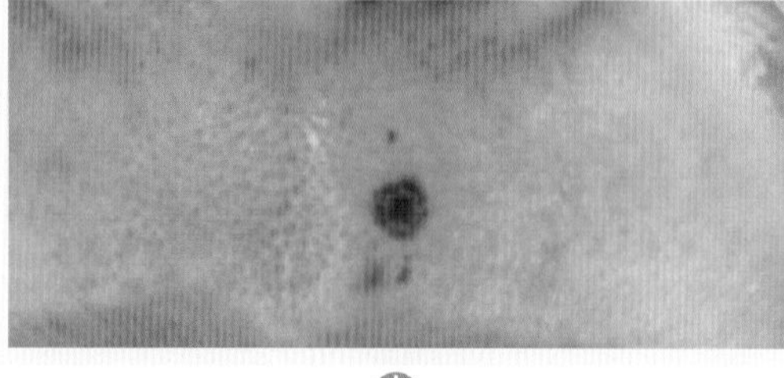

3 도려내어 절제

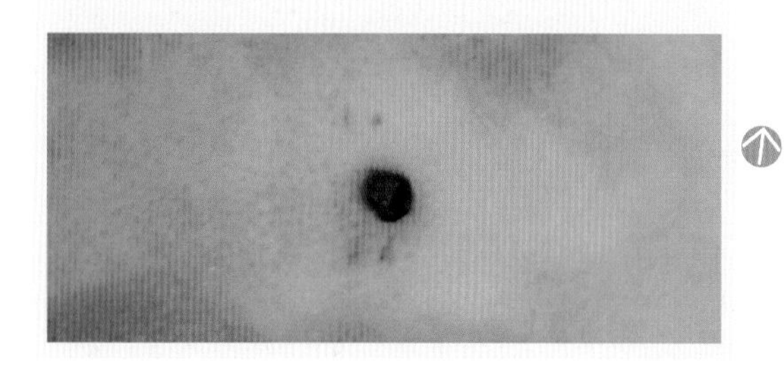

4 피하봉합사를 꿰매는 위치

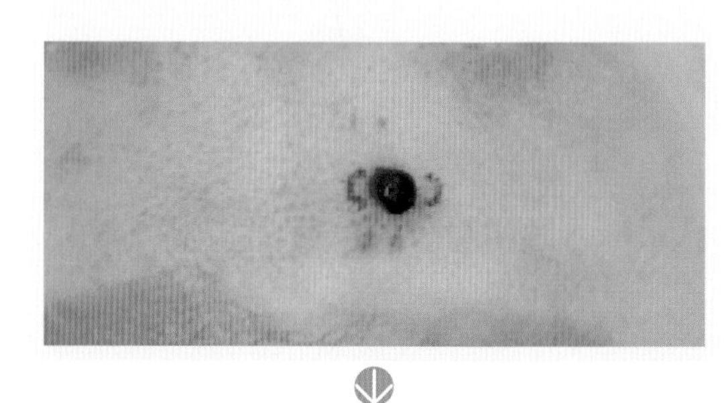

5 피부봉합 종료의 상태

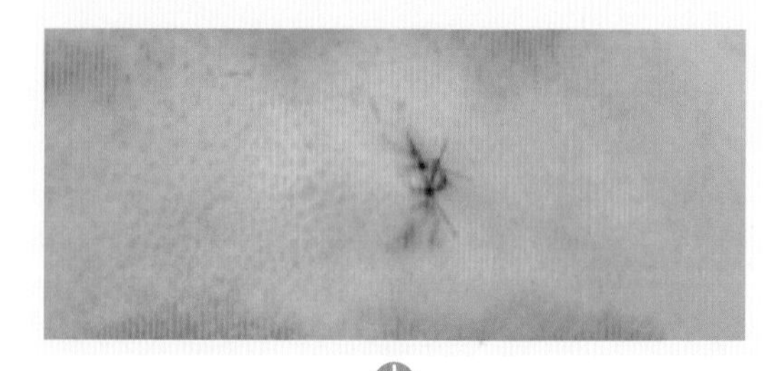

6 술후 1개월째의 상태
dog ear는 생기기 않았다.

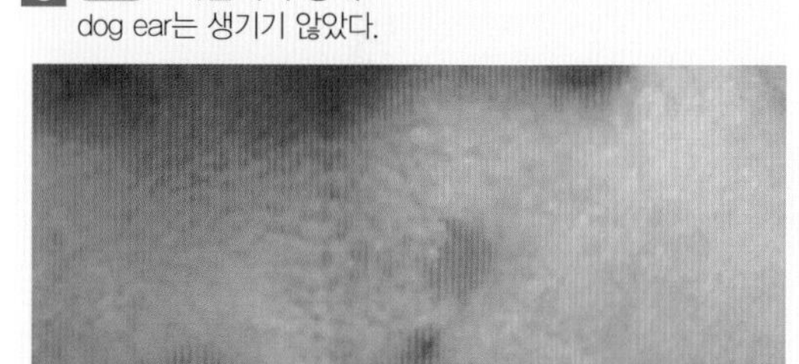

POINT
- 상구순부의 점은 큰 것이 아니면 (직경 4mm이하) 방추형 절제를 하지 않고, 타원형 절제로 해도 dog ear가 형성되지 않는다. 평가 ★★★☆

16 인중부의 점③

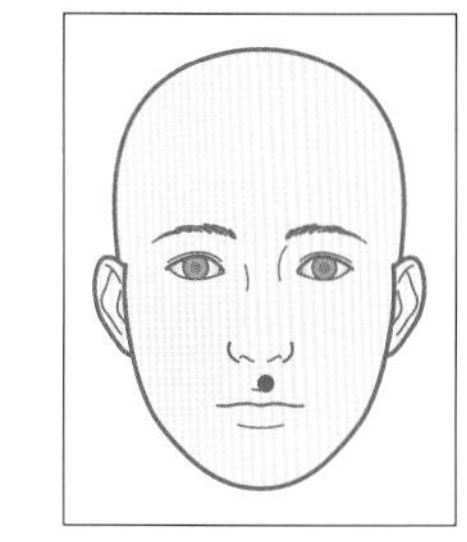

증례
- 45세 · 여성.
- 인중부 왼쪽 근처 입술선에 매우 가까운 (1.5mm) 점 (4.5×4.5mm).

방침
- 도려내기 봉합법으로 한다.
- 입술의 변형이 심해질 것 같으면 반폐쇄도 괜찮다.

수술 & 술후 경과

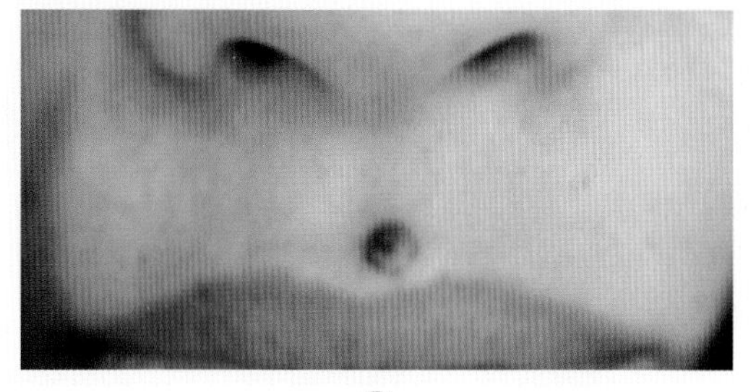

2 피부절개의 디자인과 꿰매는 방향의 marking

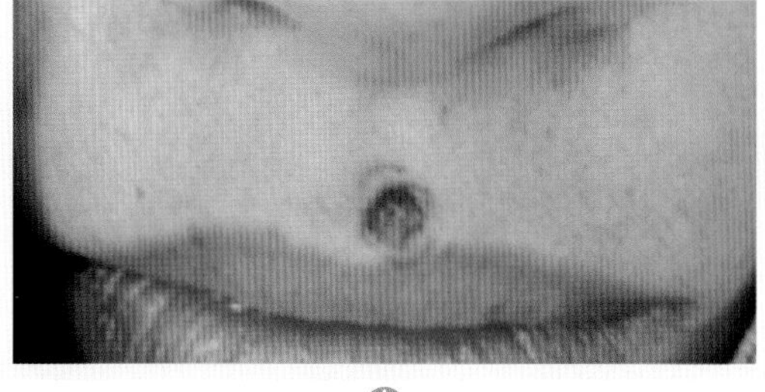

3 피하봉합 (5–0)
정중선의 라인을 넘지 않도록 주의.

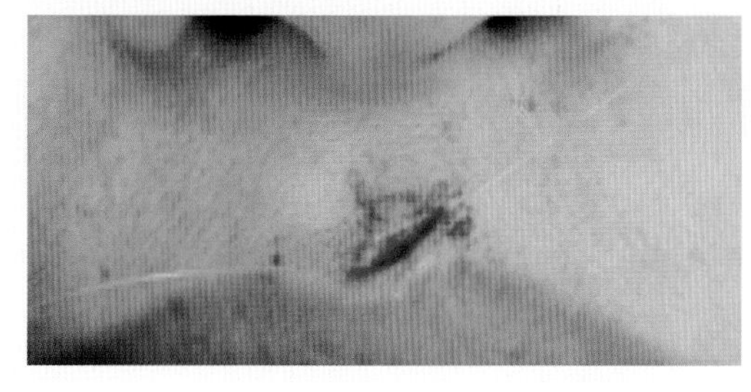

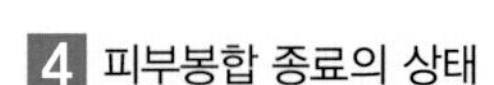

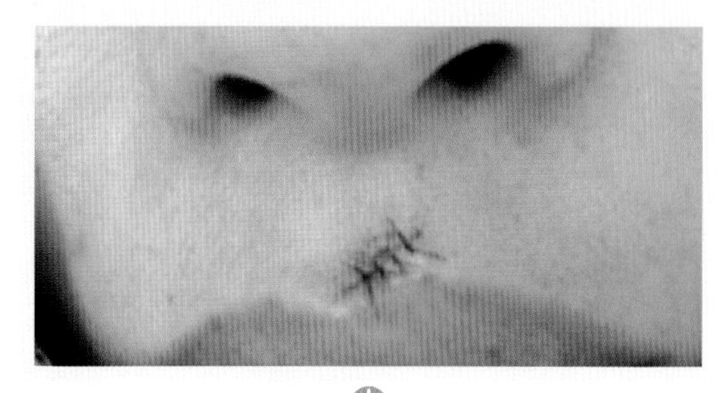

5 술후 1개월째의 상태
dog ear는 보이지 않는다.

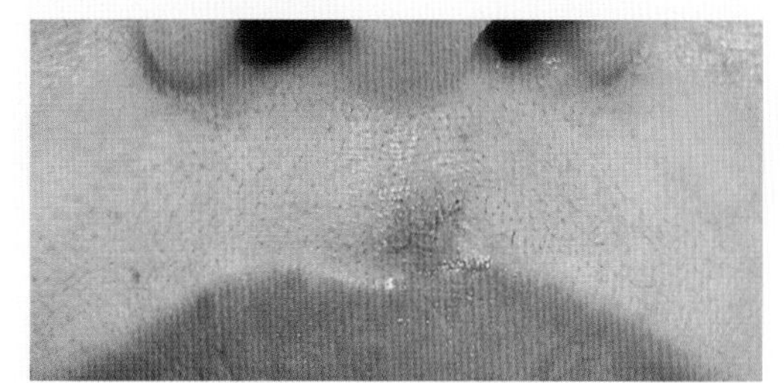

POINT
- 입술선의 형상의 변형도 최소한도로 하고 창상도 치유되어 있다.
- 인중부의 점은 원칙적으로 도려내기 봉합법으로 처리한다.
- 입술선에 가깝거나 접하고 있는 점은 특히 입술의 변형에 주의해야 한다.

17 인중부의 점④

난이도 

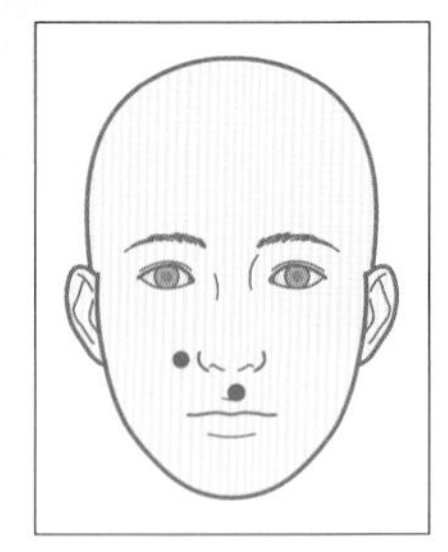

증례
- 23세 · 여성.
- 인중부 정중에서 왼쪽 사면에 걸친 점 (3×3mm).
- 입술선에서 2.5mm 떨어져 있다.

방침
- 도려내기 봉합법으로 절제하기로 한다.

수술 & 술후 경과

1 술전

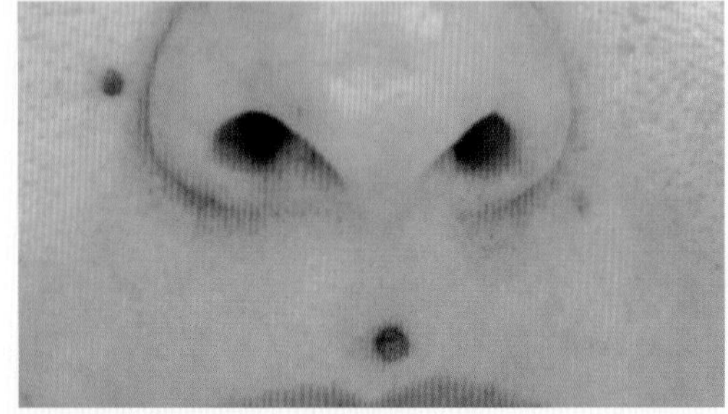

2 피부절개의 디자인

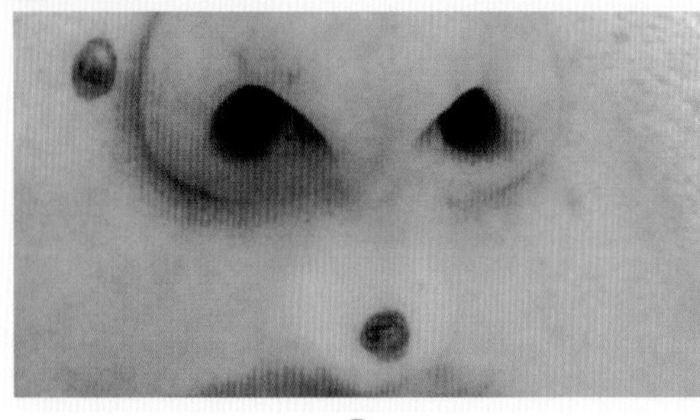

3 도려내어 절제한 상태

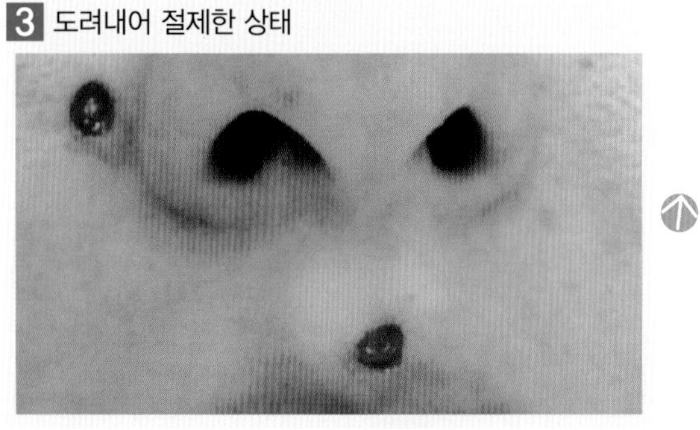

4 피하봉합
1바늘 꿰맨 모습. 완전히 꿰매지 않아도 된다.

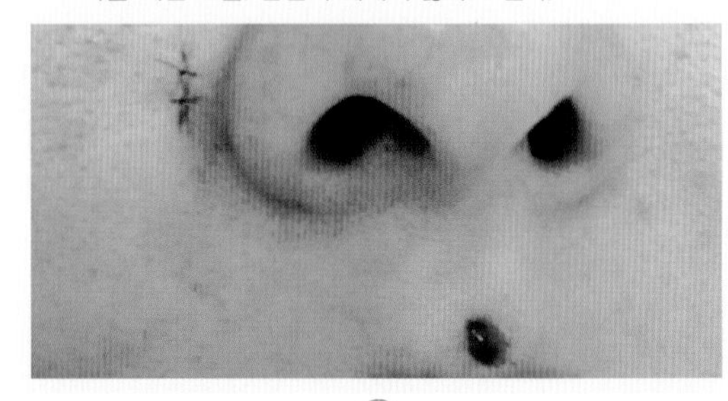

5 피부봉합 종료

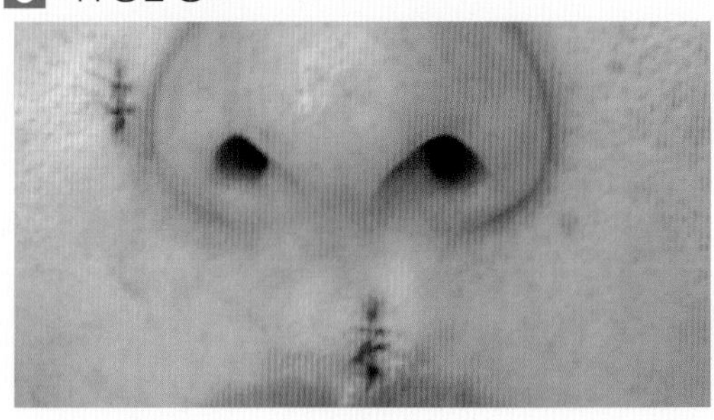

6 술후 1개월째의 상태

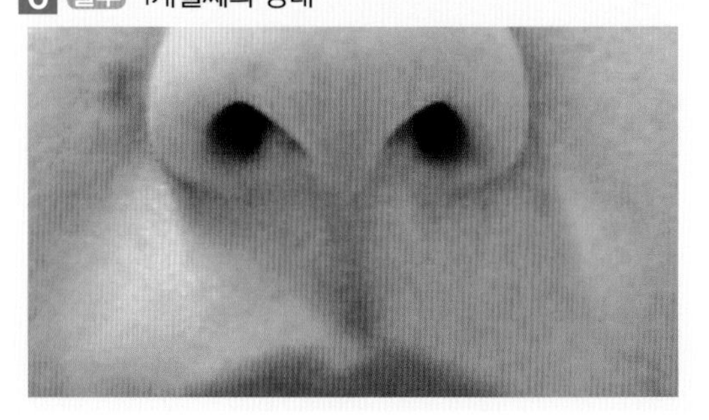

POINT

⊙ 인중부의 점에서 중등도의 크기 (직경 3~6mm) 인 것은 도려내기 봉합법으로 dog ear가 생기지 않고 치유된다. 평가 ★★★

18 인중부의 점⑤

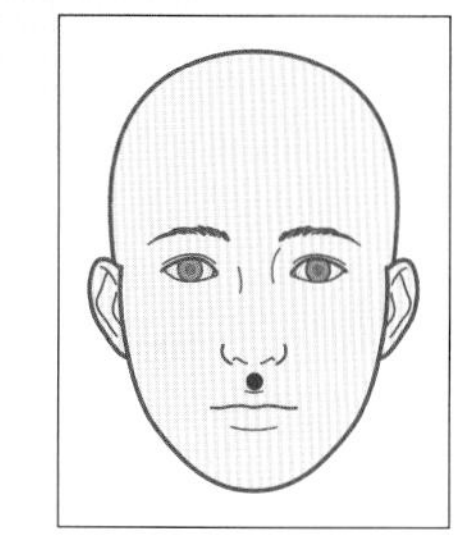

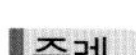
증례
- 52세 · 여성.
- 인중부의 상당히 큰 점 (12×10mm).

방침
- 도려내고 반폐쇄법으로 한다.
- 상구순의 상하폭이 그다지 넓지 않은 경우이므로, 도려내어 절제하고 꿰맬 수 있는 만큼 꿰매고, 반폐쇄상태로 하여, 일부 raw surface는 자연 상피화를 기다린다.

수술 & 술후 경과

1 술전

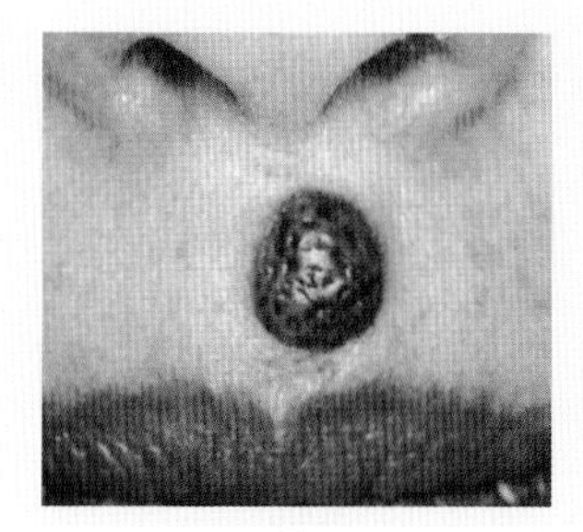

2 점을 도려내어 절제

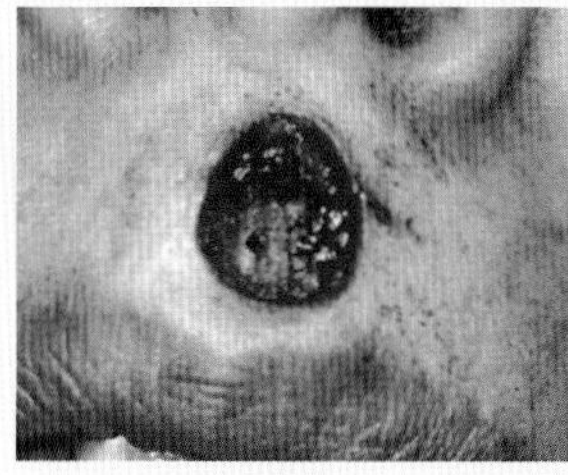

3 수술 종료시의 상태

위쪽부터 진피봉합을 진행하고, 아래쪽은 Cupid's bow의 변형의 한계까지 좌우의 피부를 봉합했다. raw surface부위에는 항생제 파우더를 도포하여 하얗게 보인다.

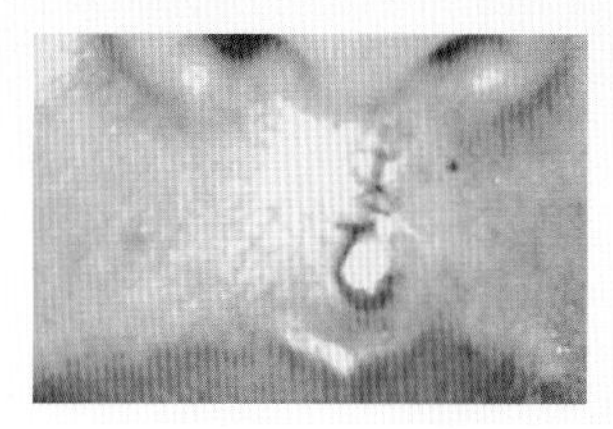

4 술후 2일째

이미 raw surface가 상당히 작아져 있다. 점의 증대는 주위 피부를 밀어내고 있는 요소가 강하다는 것을 알 수 있다.

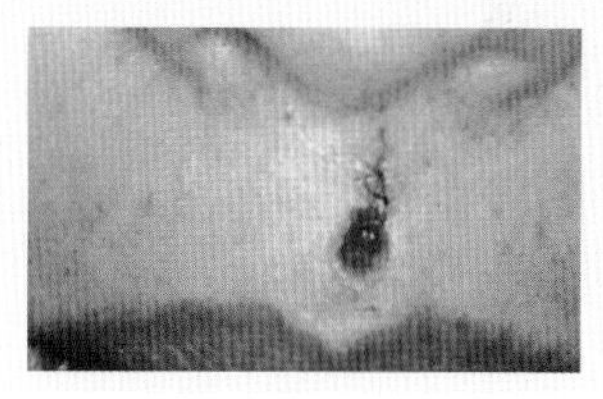

5 술후 50일째

Cupid's bow의 형상의 변화는 주변피부의 신전에 의한 것이다.

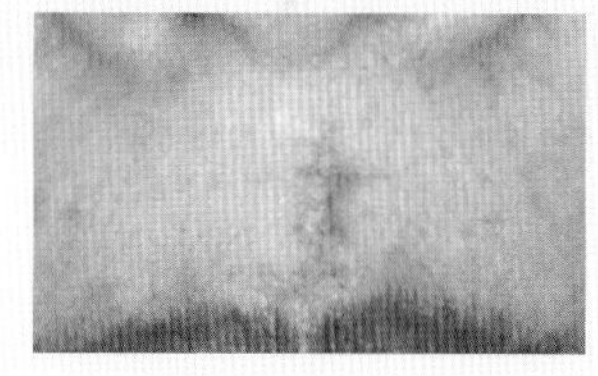

6 술후 80일째의 상태

이제 술전과 거의 똑같은 Cupid's bow의 형상이 되었다.

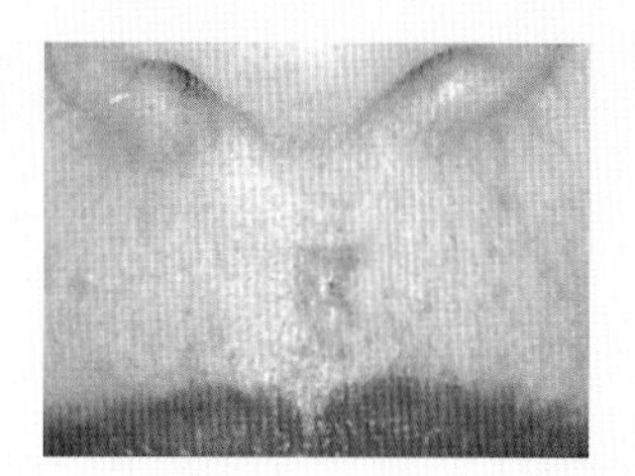

⊙ 궁극적인「도려내기 반폐쇄법」이다!! 바로 simple is best이다.

평가 ★★★★

19 입술 부근의 점①

난이도 ★★

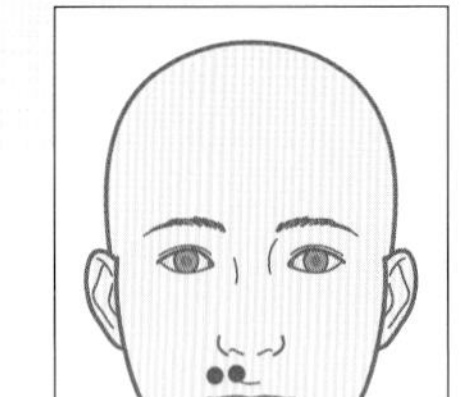

증례
- 66세 · 여성.
- 인중부 (8×7mm), 입술선 (6×5mm) 의 점.

방침
- 도려내기법으로 한다.
- 부위적으로 봉합에 구애를 받으면 입술의 형상이 변형되므로, 봉합하지 않는다.

수술 & 술후 경과

1 술전

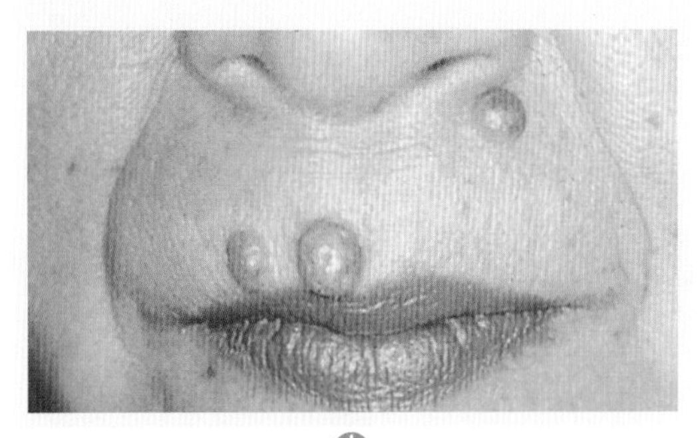

2 점을 도려내어 절제
우선은 도려내어 절제하고 연고 및 거즈로 드레싱.

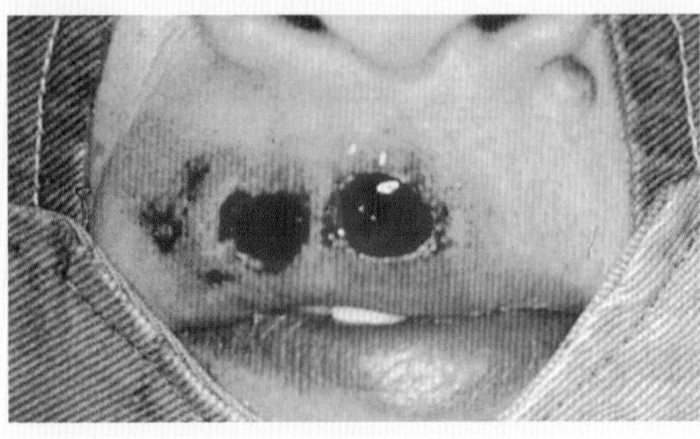

3 술후 2주째
거즈가 모두 딱지를 대신하고 있다.

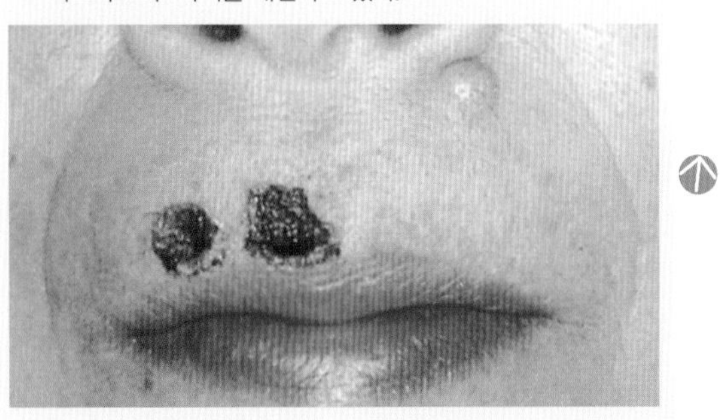

4 술후 1개월째
이 경우는 약 3주정도로 입술이 변형되지 않고 상피화가 완료되었다.

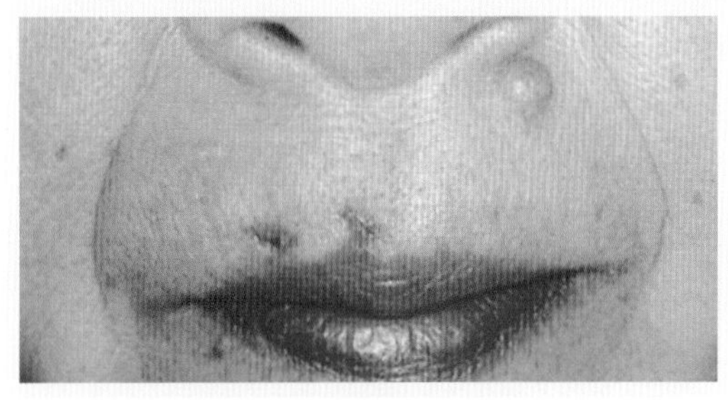

5 술후 2개월째의 상태
반흔이 조금씩 눈에 띄지 않는 상태가 되고 있다.

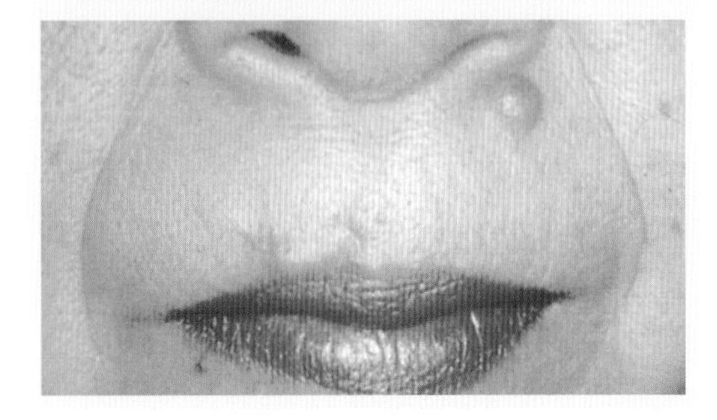

POINT
- 이와 같이 도려내기 절제만으로 상피화를 기다리는 치료법이, 무리하게 봉합하여 구순의 형상이 손상되는 것보다 낫다. 요컨대 Informed Consent에서 미리 양해를 구해두면, 이 방법도 훌륭한 수술법의 한 가지일 수 있다. 평가 ★★★

20 입술 부근의 점②

난이도 ★★

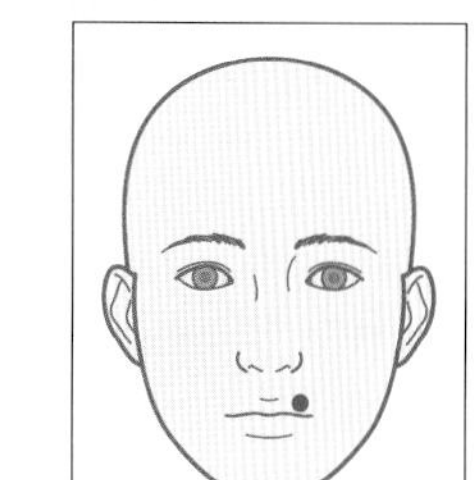

증례
- 48세 · 여성.
- 상구순연 부근의 큰 점 (10×8mm).

방침
- 도려내기법으로 한다.

수술 & 술후 경과

1 술전

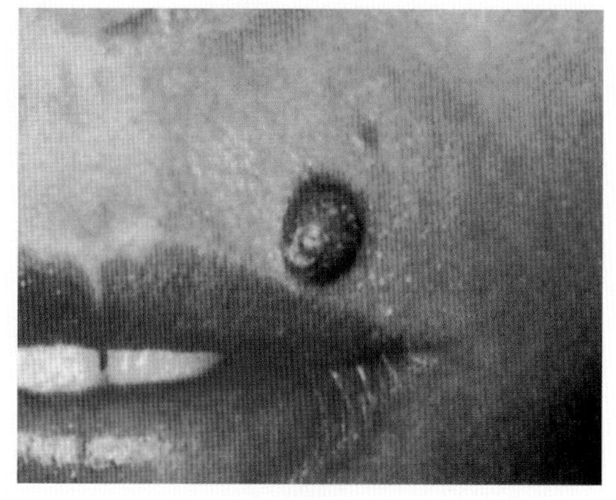

2 점의 절제

도려내기법만으로 치료하는 방침으로, 상당한 피부결손.

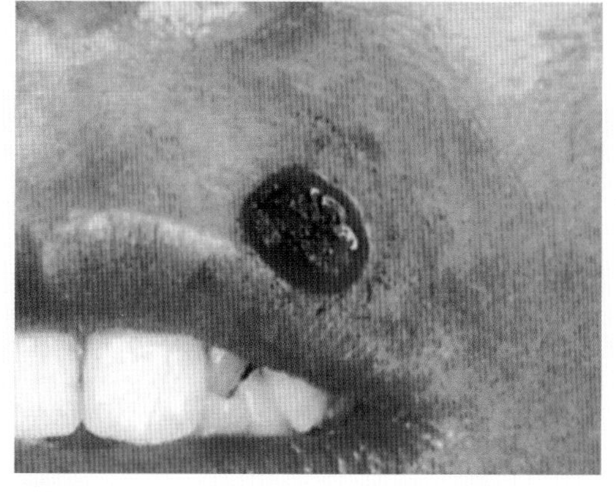

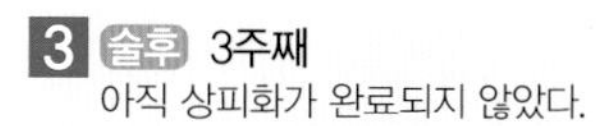

3 술후 3주째

아직 상피화가 완료되지 않았다.

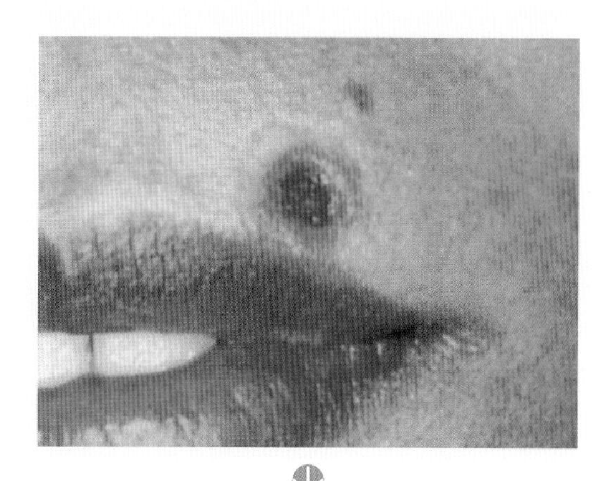

4 술후 5주째

상피화가 완료되었다.

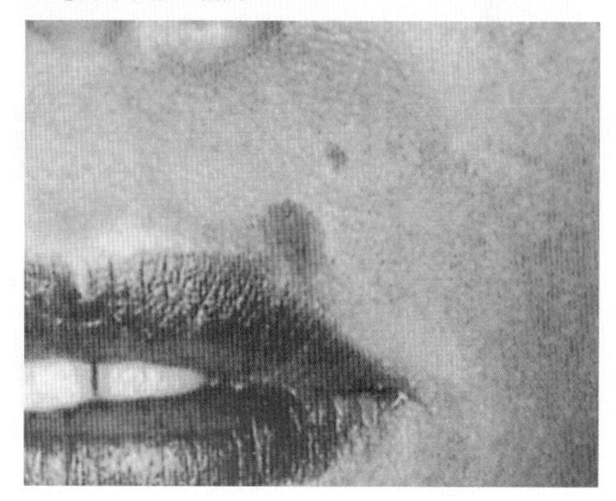

POINT

- 요즘은 이와 같이 잘라낸 채 방치하는 처치방법은 하지 않지만 (적어도 반폐쇄는 한다), 궁극적인 「도려내기법」이다.
- 이 경우를 보면, 점의 절제에서 매우 어려운 경우에는 잘라내기만 하고 방치해도 어떻게든 된다는 것을 알 수 있다.

평가 ★★★☆

SUPPLEMENT 8

매우 어려울 때의「도려내기법」

점의 절제술에서 특히 자유연이나 입술선 등의 근처에 있는 큰 점을 잘라내는 수술은 변형을 남기지 않고 목적을 이루는 데에 고심하게 됩니다. 물론 그런 점을 처리하는 수술일수록 보람이 있지만, 초심자에게는 매우 부담감이 크리라 생각합니다. 그러나 이「어려울 때의 도려내기법」을 알고 있으면, 아무 것도 두려울 것이 없습니다. 어쨌든 점을 도려내어 절제하고 나서 생각하는 것입니다. 그리고 끝까지 어려운 경우에는 아무 것도 하지 않고 그대로 수술을 종료해도 괜찮습니다. 아무 것도 하지 않는 것이 마음에 내키지 않는다면, 피부만 조금 꿰매 두면 됩니다 (필자는 이것을「반폐쇄」라고 표현하고 있습니다). 그러면, 점 주위의 피부가 점의 증대로 밀려나 있었던 것이므로, 2, 3주 지나면 대부분 상피화가 완료됩니다. 게다가 점보다 더 작은 반흔으로. 어찌 할 수도 없이 어려운 경우에는 이러한 비장의 수법을 알아 두면 안심할 수 있고 매우 든든합니다. 무슨 일이 있어도 피부를 꿰맬 생각만 하다가, 무턱대고 봉합선이 길어지거나, 구순부에서 입술선에 안이하게 걸치게 되어 입술이 변형되는 것이 더 좋지 않습니다.

SUPPLEMENT 9

아줌마 점 안녕

얼굴에「지금까지 잘 키워주셨습니다」라고 말할 정도로 큰 융기성 점을 가진 사람이 있습니다. 대개는 중년여성입니다 (물론 남성도 있지만).

코의 주변, 눈썹, 안검의 주변, 입의 주변 등에 흔히 생기는 융기성 점은, 커지는 속도가 빠른 것이 특징입니다. 대개는 직경이 7mm이상입니다. 저는 이와 같이 중년여성의 큰 점을「아줌마 점」이라고 부르고 있습니다 (그럴 것이 아무래도「그다지 고상하지 않은 아줌마」라는 느낌이 들지요?). 그것은 우아함에서 멀어지는 것이며, 또 늙어 보이는 얼굴을 연출하는 일이기도 합니다. 반대로 그런 점을 잘라내는 것만으로, 신기하게 얼굴이 젊어 보이게 되므로, 적극적으로 수술을 권장해도 좋으리라 생각합니다. 물론 누구에게나 권하는 것은 아닙니다. 처음 대면하는 사람에게「그 아줌마 점을 제거합시다」라고 하면 화를 낼지도 모릅니다. 그러니까 필자는 어느 정도 친해졌다고 생각되는 상대에게만 말합니다.

미용성형수술이라는 것은 원래「하지 않아도 되는 것을, 굳이 하는 수술」이므로, 굳이 권하는 경우에는, 상당히 양호한 결과를 확신할 수 있어야 합니다. 그것은 미용성형수술 전반에서 말할 수 있는 것입니다.「어머~」라고 생각할 정도로 젊게 보이는 경우를 수없이 경험해 보면, 그까짓 점이라도 매우 의미있는 것이라고 절실히 생각하게 됩니다. 그러니까 필자는 중년여성의 얼굴에 있는 큰 융기성 점을「아줌마 점」이라고 일부러 깎아내어 불러서, 잘라낼 기분이 들게 하려는 것입니다. 그렇게 해서 그 점을 절제한 후에는 산뜻하게 젊어보여서, 감사하는 일은 있어도, 제거하지 않는 편이 나았을 것이라는 말은 한 번도 들어 본 적이 없습니다.

21 입술 부근의 점③

난이도 ★★

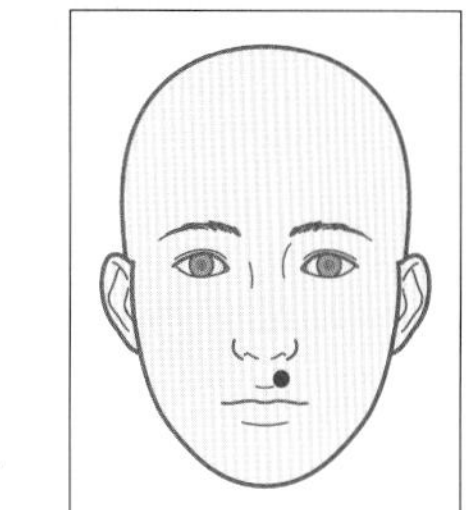

증례
- 56세 · 여성.
- 입술에 가까운 상구순의 점 (8×6mm).

방침
- 세로가 긴 타원형 점이지만 완전한 좌우 폐쇄에서는 입술에 왼쪽 Cupid's bow가 아래쪽으로 눌려서 변형된다.
- 좌우, 아래쪽의 3점에서 건착식 피하봉합으로 꿰매는 방법으로, 완전폐쇄에 구애받지 않는다 (반폐쇄법).

수술 & 술후 경과

1 술전

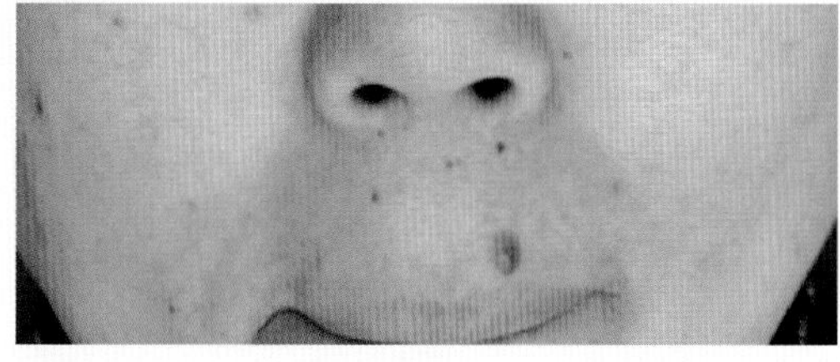

2 피부절개의 디자인
빨간 선은 피하봉합사를 꿰매는 위치.

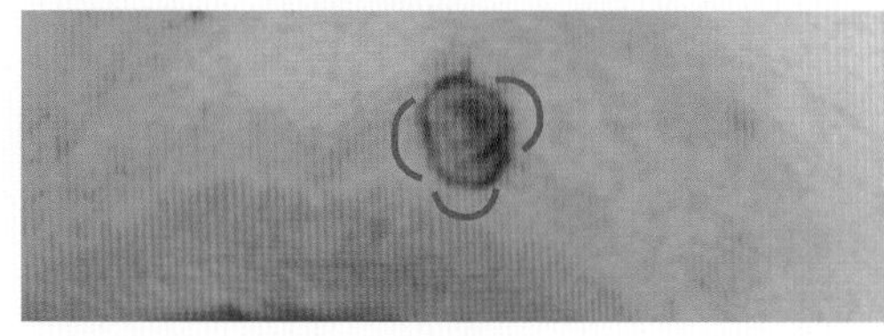

3 도려내어 절제
3방향에서 건착봉합.

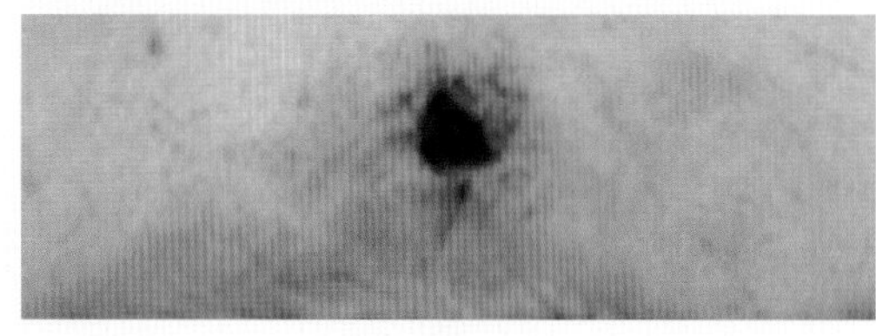

4 피부봉합

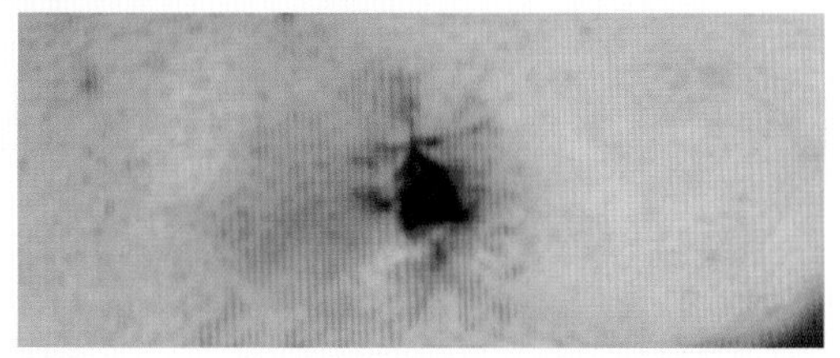

5 피부봉합 종료 반만 꿰맨 채 종료

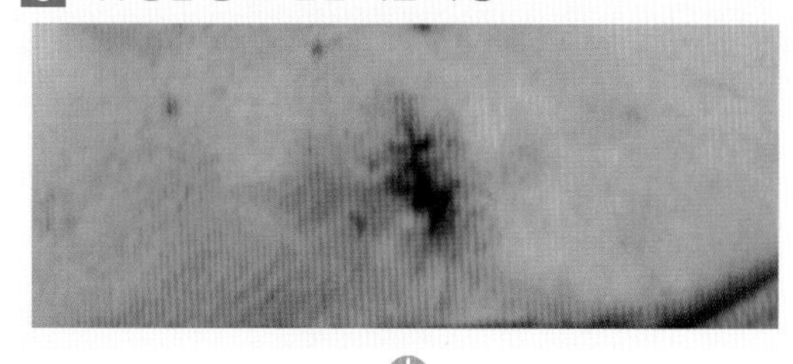

6 술후 1주째 발사 종료

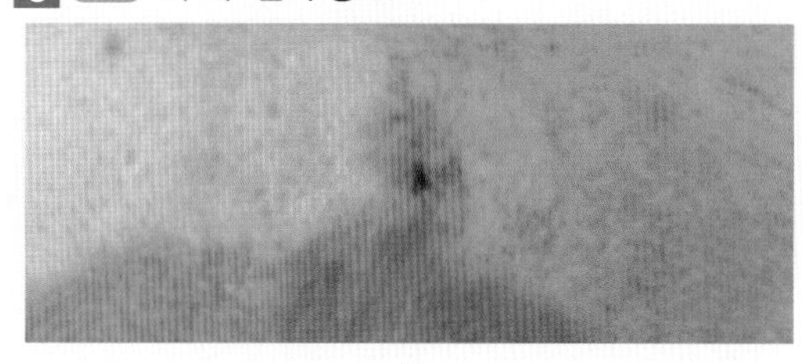

7 술후 4개월째의 상태

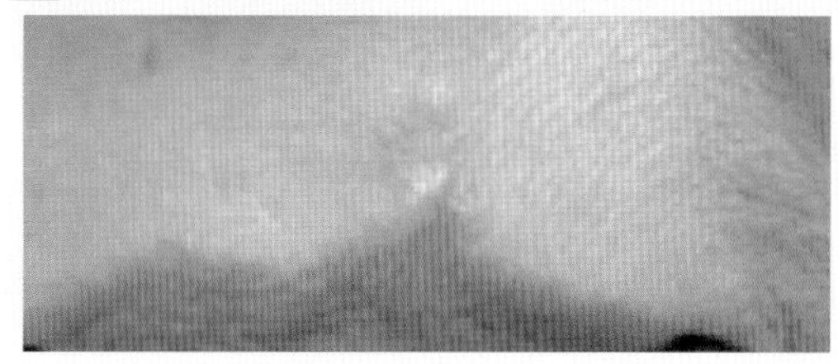

POINT
- 입술에 가까운 점은 완전폐쇄보다 반폐쇄가 나으며, 입술이 변형되지 않는 수술법을 생각해야 한다. 평가 ★★★

22 입술 부근의 점④

난이도 ★★★

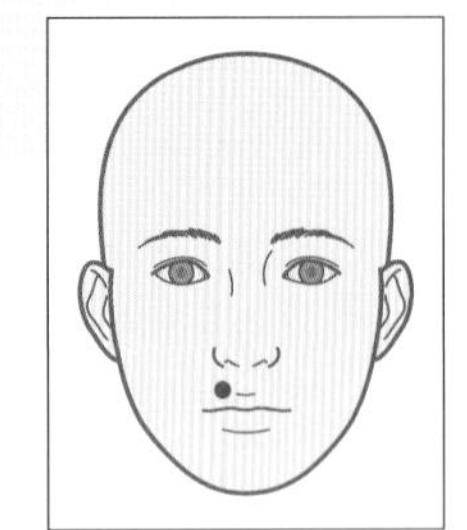

증례
- 43세 · 여성.
- 입술에 가까운 큰 점.
- 오른쪽 상구순의 큰 융기상의 점 (10×10mm).

방침
- 도려내기 절제와 봉축.
- 입술이 변형되지 않도록 주의한다.

수술 & 술후 경과

1 술전

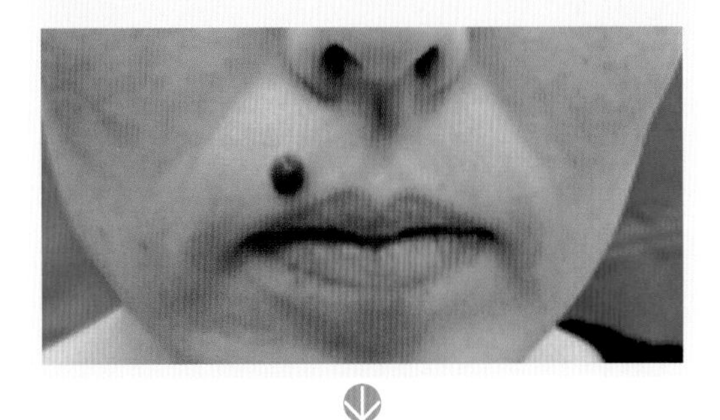

2 피부절개의 디자인

도려내어 절제하는 디자인.

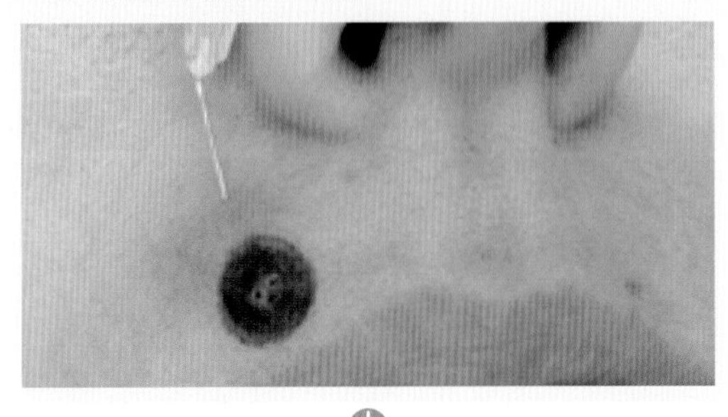

3 피부 절개

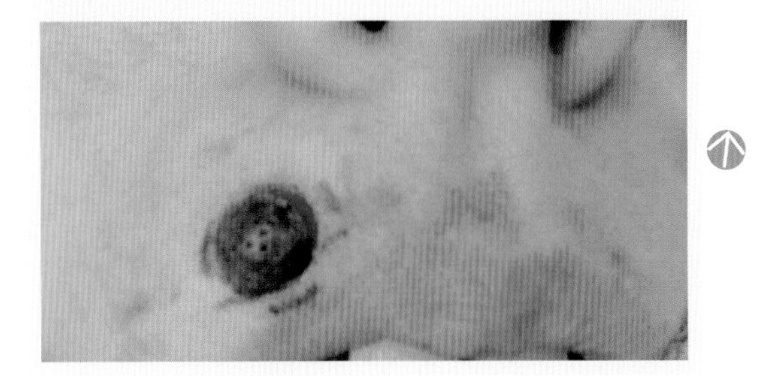

4 점을 도려내어 절제

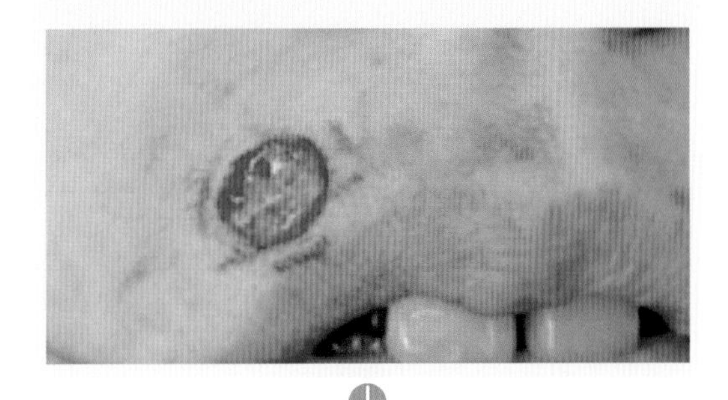

5 피하봉합

실 (5-0) 을 3방향에서 꿰매는 모습.

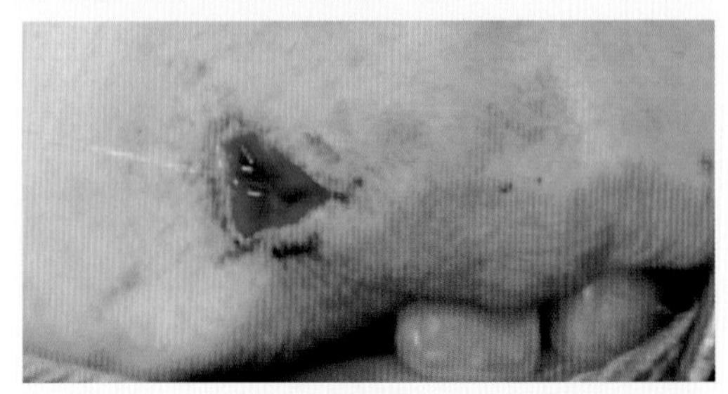

6 1바늘 피하봉합 종료시의 상태

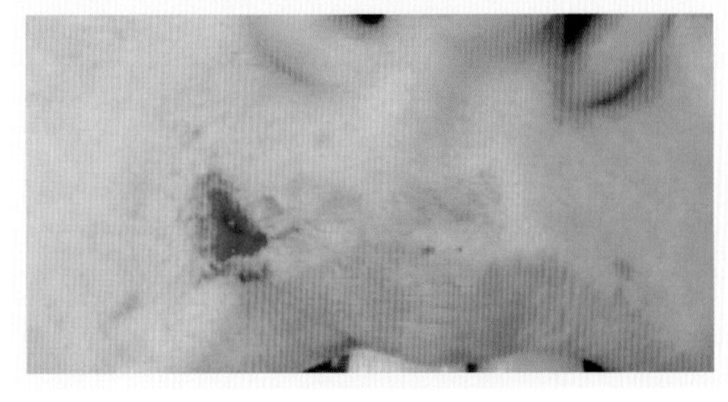

7 쐐기상 피부절개
dog ear를 예방하기 위해 3방향에서 3각모양으로 피부를 추가 절제하는 디자인.

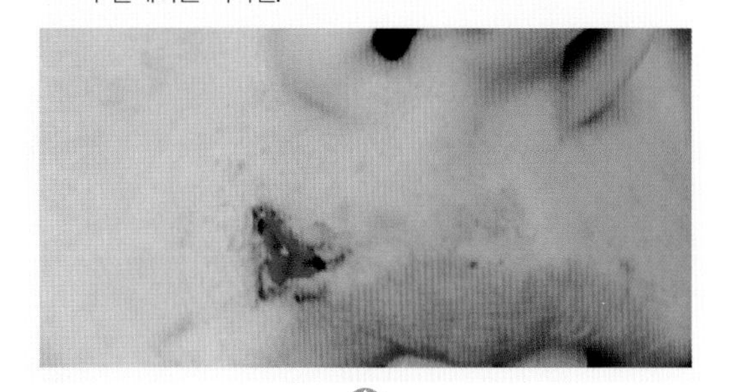

8 3방향에서 쐐기상으로 피부절제

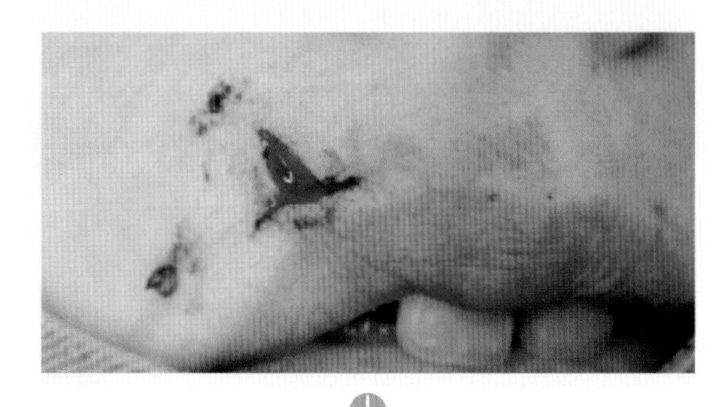

9 피부봉합 종료
다시 1바늘만 피하봉합한 후, 피부봉합하고 수술 종료.

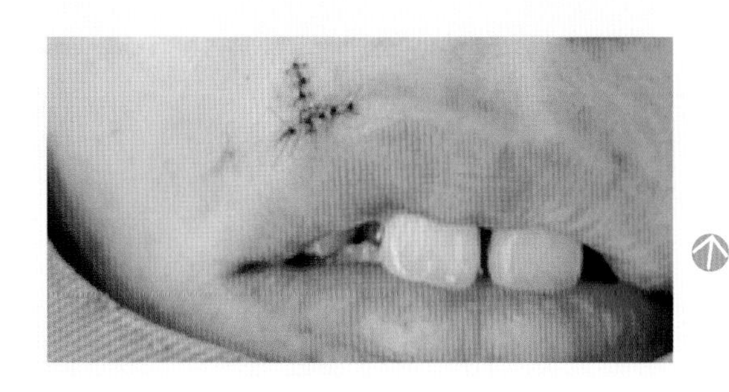

10 술후 발사 전 (1주후) 의 상태

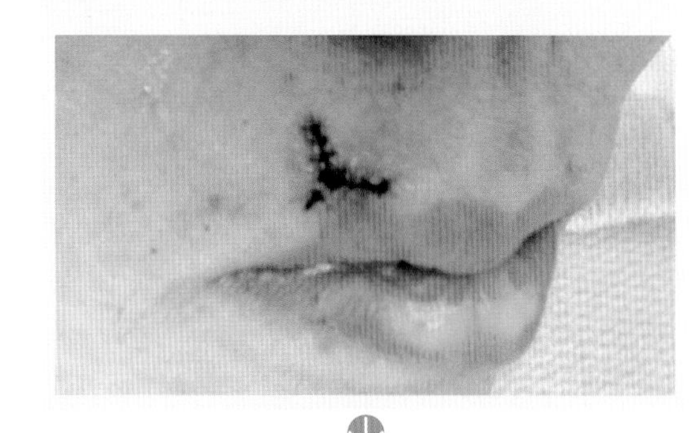

11 술후 1개월째의 상태
dog ear는 형성되지 않았다.

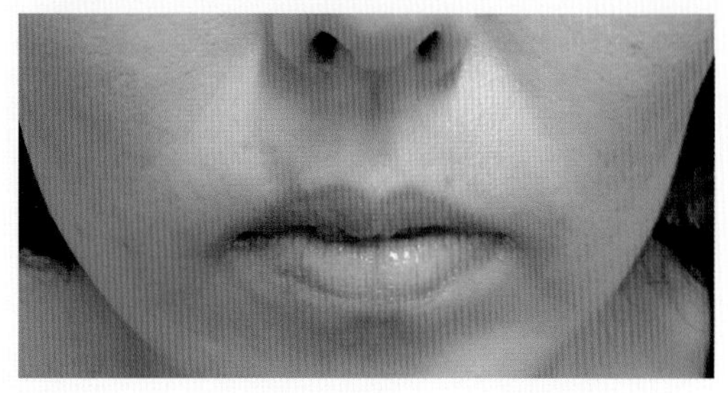

12 술후 2개월째의 상태
상구순의 입술선의 변형이 거의 없이 안정되어 있다.

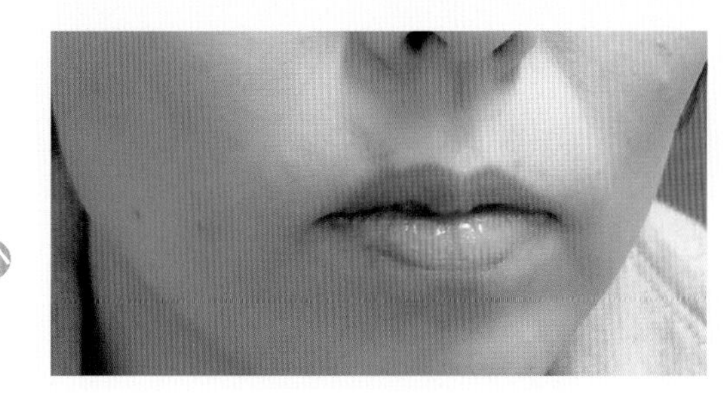

- 이 크기의 점에서 이 정도로 입술에 가까운 경우, 수술시에 완전히 봉합하지 않아도 어쩔 수가 없다고 생각한다. 그런 이유로 "반폐쇄" 로도 괜찮다.
- 수술종료시부터 입술이 조금 위쪽으로 당겨져 있는 상황인데 나중에도 개선되지 않으면 작은 수정을 추가하는 것도 가능하다.

평가 ★★★

난이도 ★★★

23 입술 부근의 점⑤

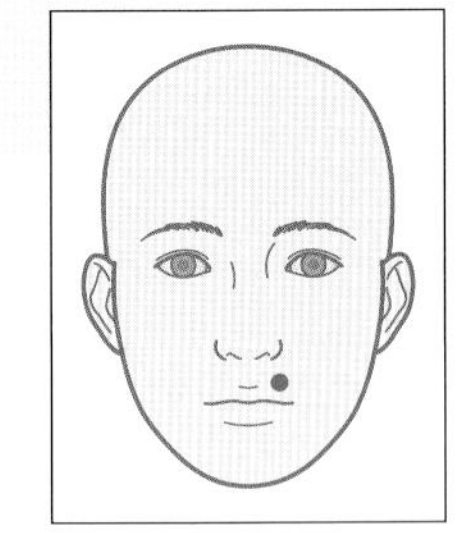

증례
- 16세 · 남성.
- 왼쪽 상구순부 입술에 걸치는 점 (6×5mm).

방침
- 입술에 얇게 걸쳐져 있지만 폭이 있다. 피하봉합으로 3방향 (좌우와 아래쪽) 으로 붙인다.

수술 & 술후 경과

1 

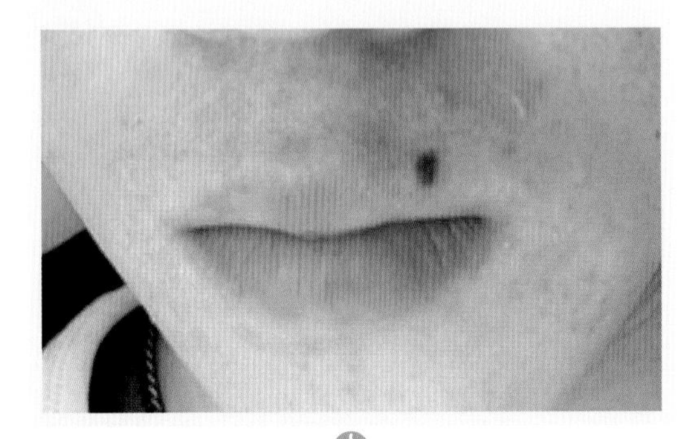

2 도려내기 절제의 marking

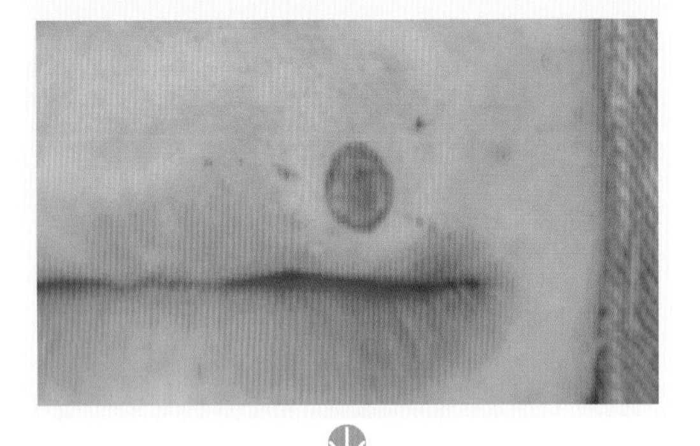

3 피하봉합사를 꿰매는 것을 3방향으로 한다

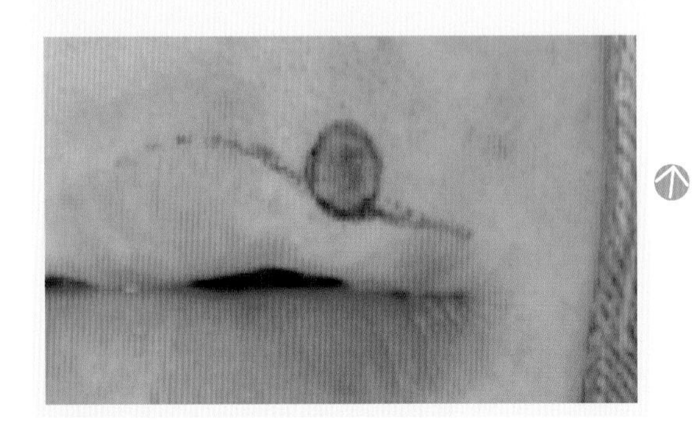

4 도려내어 절제

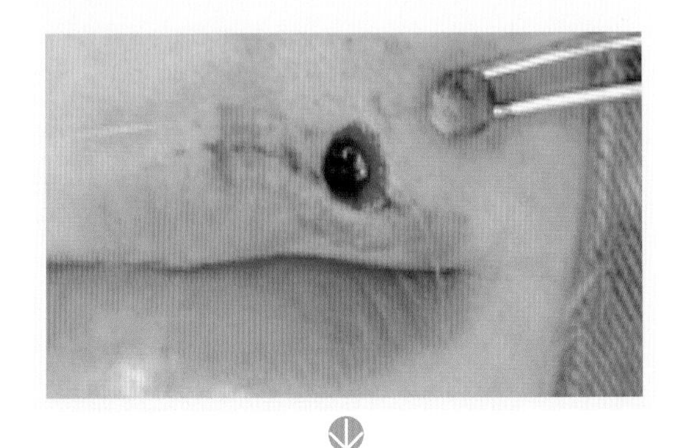

5 피하봉합
3방향에서 꿰맨다.

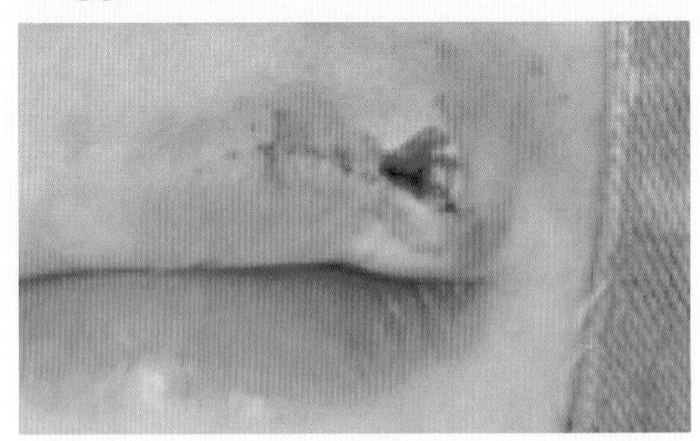

6 피하봉합 (1바늘) 종료

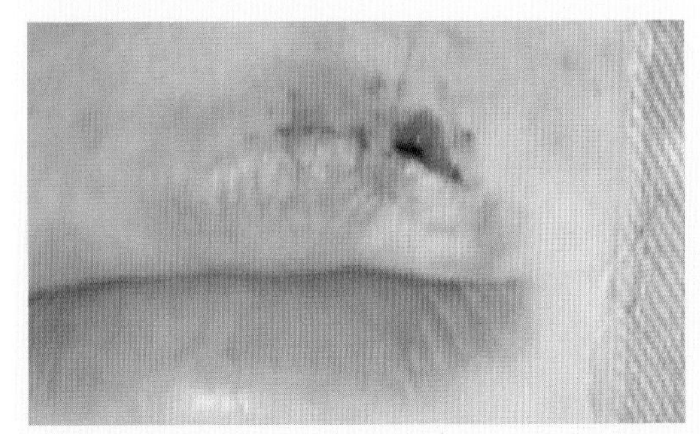

7 쐐기상 절제의 추가

입술부위 왼쪽 외측부에 쐐기상 절제를 한다.

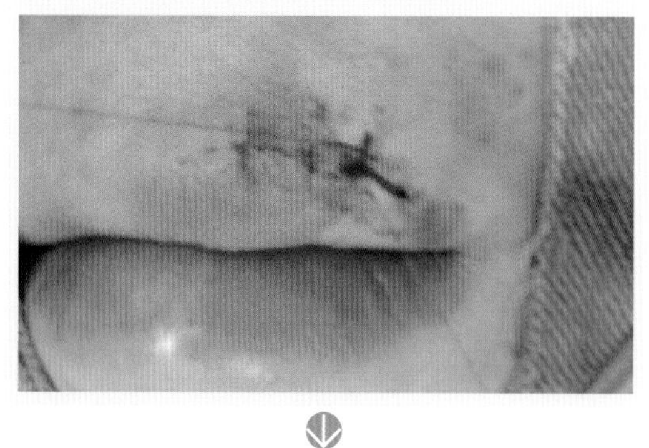

8 주변의 피부봉합

3점봉합을 남긴다.

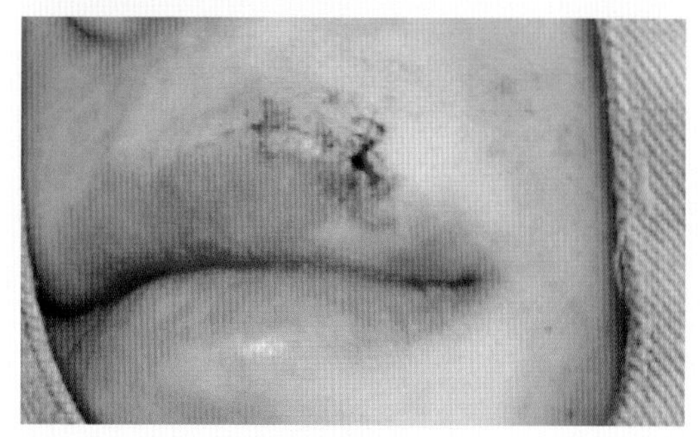

9 피부봉합 종료

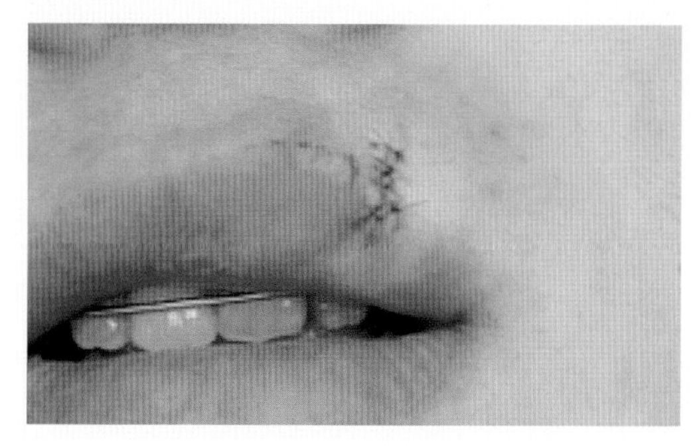

10 술후 2주째

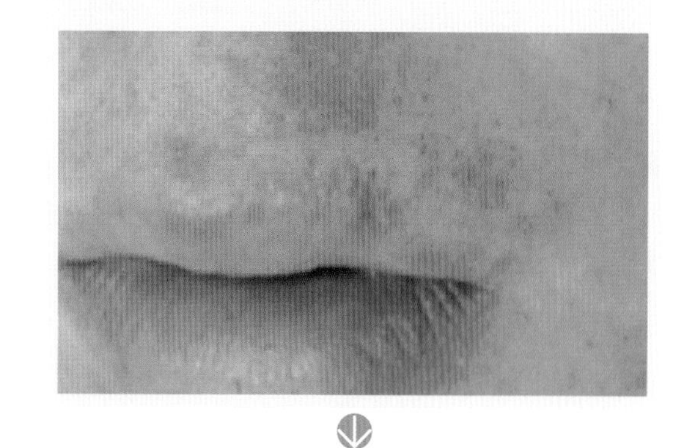

11 술후 2주째의 상태

입술의 변형 없이 치료.

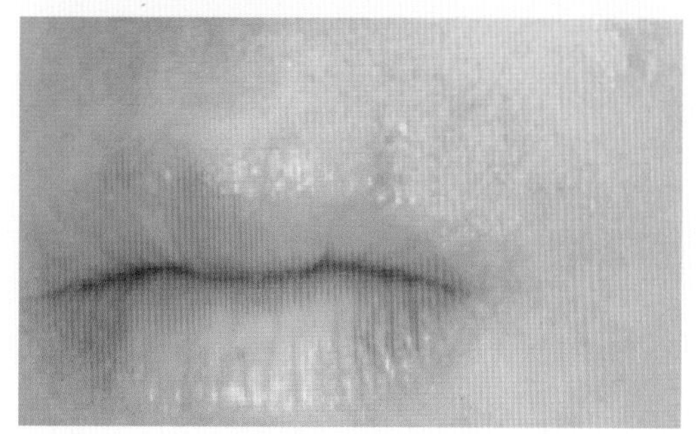

POINT

- 3점 꿰매는 도려내기 봉합법.
- 입술의 변형 없이 치유되었다.

24 입술 부근의 점⑥

난이도 ★★

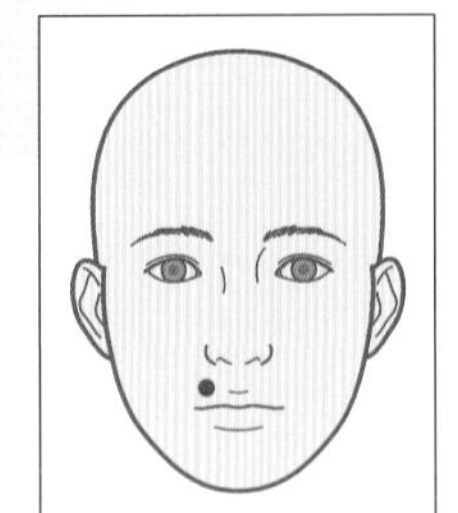

증례
- 18세 · 여성.
- 오른쪽 상구순부에서 입술에 약간 걸치는 점 (6×5mm).

방침
- 입술에 걸치는 점이지만, 입술이 변형되지 않도록 주의하여 봉합.

수술 & 술후 경과

1 술전 피부절개의 디자인

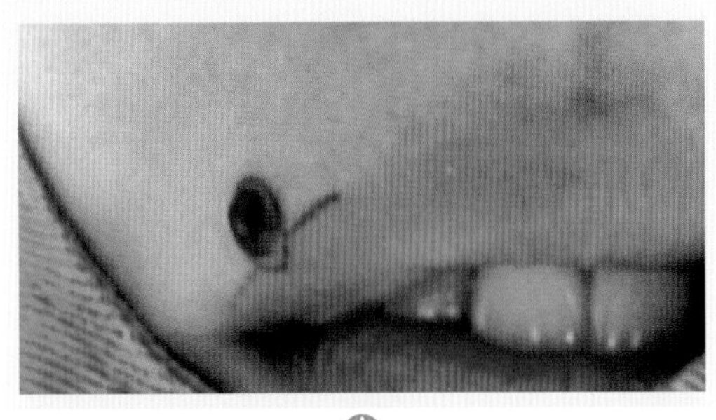

2 피부절개의 디자인
점을 도려내고, 피하봉합 후, 피부봉합.

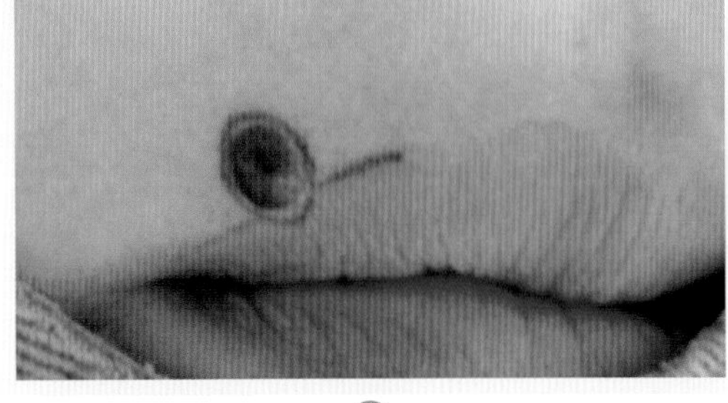

3 술후 1개월째의 상태
발적은 남아 있지만, dog ear가 형성되지 않고, 입술의 변형도 없다.

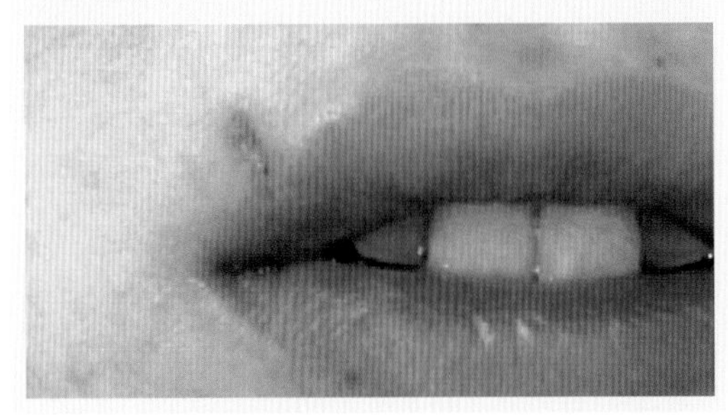

◉ 상구순의 점은 대부분 도려내기 봉합으로 대응할 수 있지만, 입술이 어느 정도 변형되지 않는가가 중요하다.

입술 부근의 점⑦

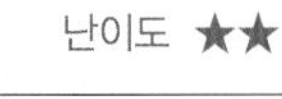

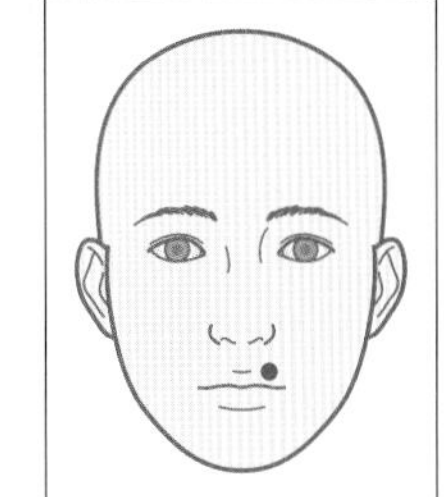

증례
- 27세 · 남성.
- 입술선에 걸치는 점 (5×5mm)

방침
- 완전히 입술에 걸쳐 있다.
- 입술선이 비뚤어지지 않도록 봉합.

수술 & 술후 경과

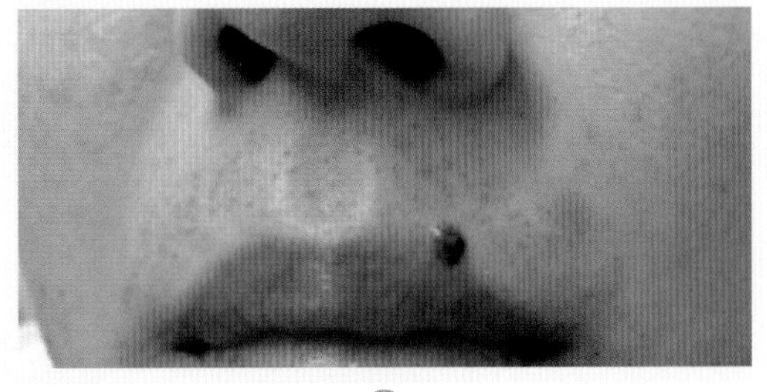

2 피부절개의 디자인

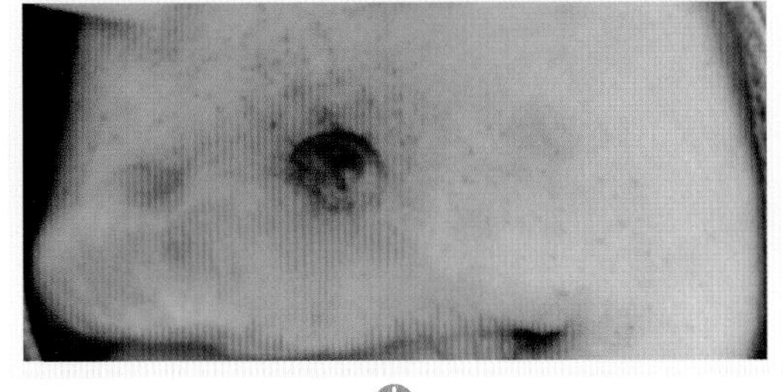

3 도려내어 절제

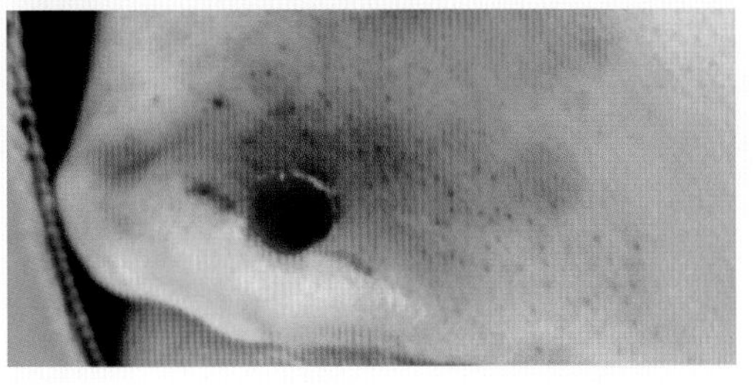

4 피하봉합

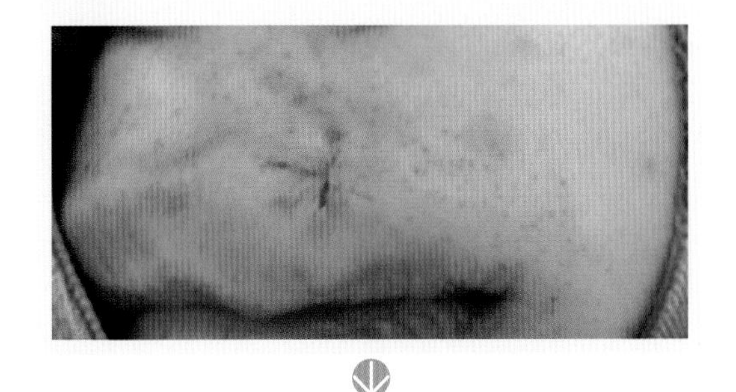

5 피부봉합 종료

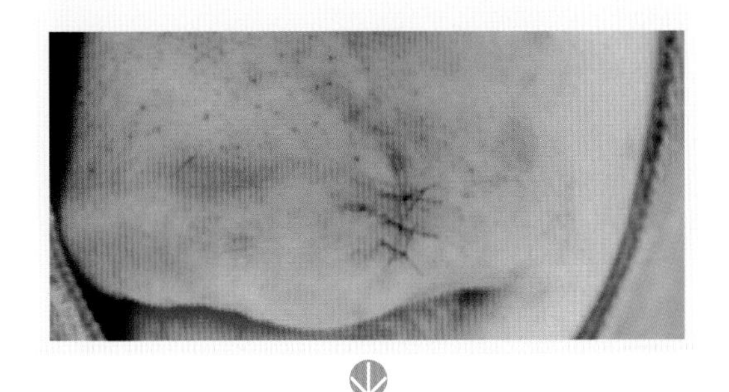

6 술후 1개월째의 상태
입술은 이 정도로 절제해내는 경우는 반흔도 눈에 띄지 않는다.

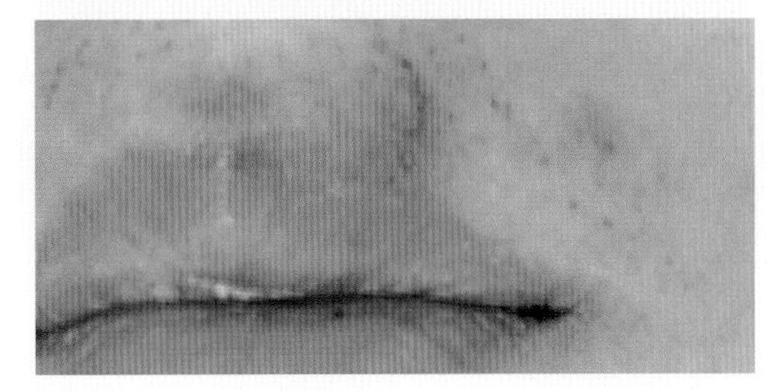

⊙ 입술선에 걸치는 점은 도려내기 봉합으로 입술선에 어긋남이 없도록 주의한다. 평가 ★★★

26 입술 부근의 점⑧

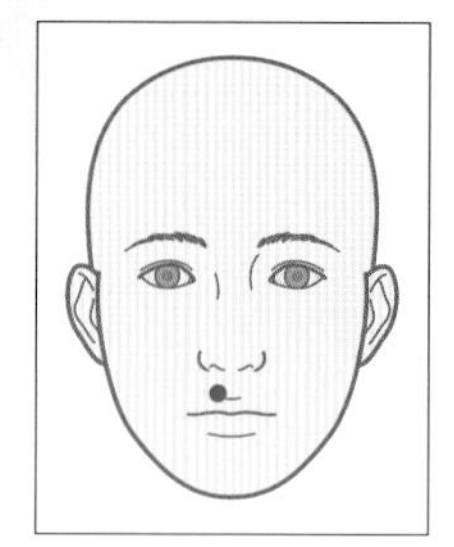

증례
- 23세 · 여성.
- 상구순의 입술선에 접하는 큰 점 (10×12mm)

방침
- 이 정도의 큰 점은 역시 최종수단으로서 식피술로 결손부를 피복할 수밖에 없을 것이다.
- 도려내기법으로는 구축에 의한 구순의 형상이 변형될 가능성이 크다.

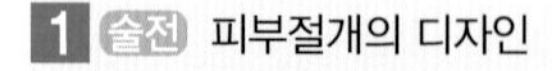

수술 & 술후 경과

1 술전 피부절개의 디자인

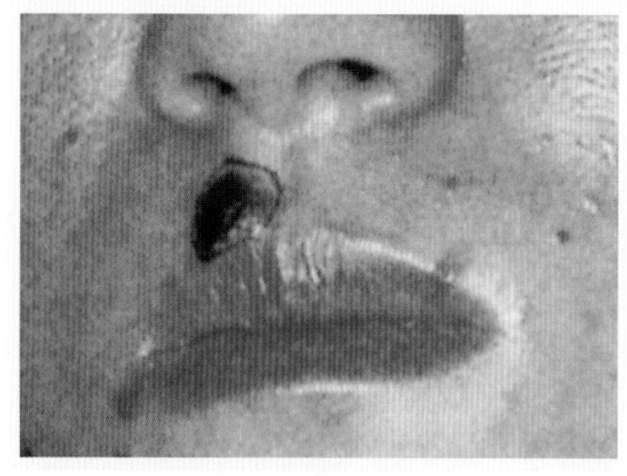

2 점의 절제와 식피

점을 전 절제한 후, 이전부에서(구레나룻과 이개 사이의 무발부가 공여부) 채취한 피부를 전층피부로 식피술을 하였다.

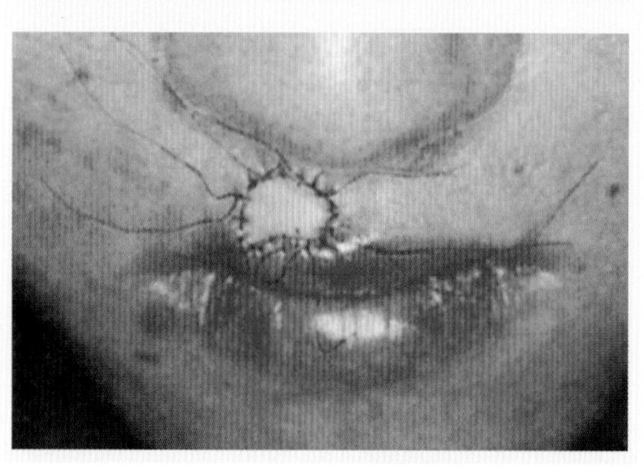

3 술후 10일째

식피피부는 완전히 생착하였다.

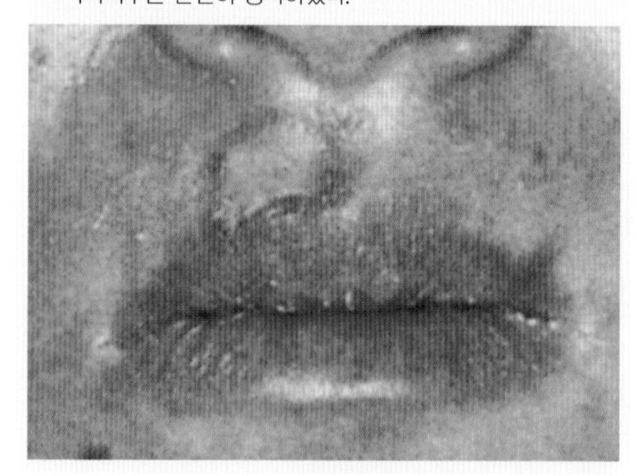

4 술후 3개월째의 상태

발적이 상당히 소실되었다.

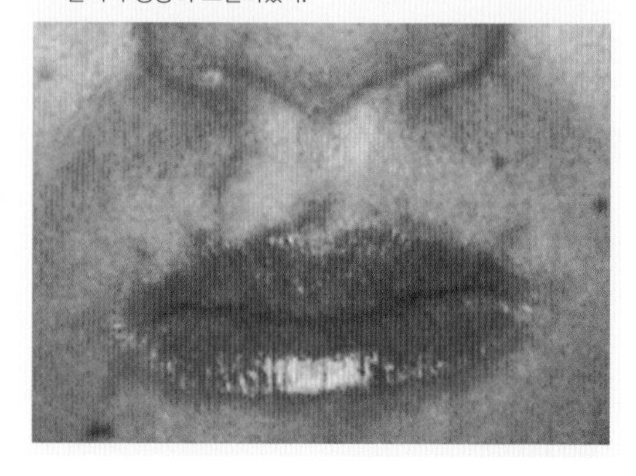

POINT
- 점이 이 정도로 커지면, 갈색모반이라고 하는 편이 낫겠지만, 본래 점과 같은 모반세포모반.
- 이 부위에서는 식피술이 가장 좋은 방법이다.

27 구각부 주변의 점

난이도 ★★

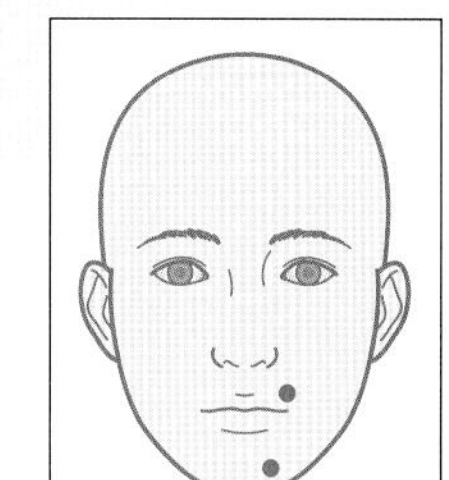

증례
- 35세 · 여성.
- 상구순 구각부의 점 (6×5mm).

방침
- 도려내기 봉합법으로 완전 폐쇄한다.
- 아래턱의 점도 (5×3mm) 도려내기 봉합법으로 한다.

수술 & 술후 경과

1 술전

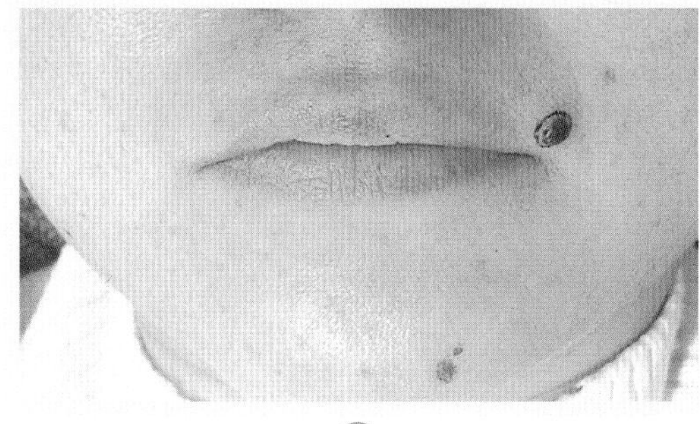

2 피부절개의 디자인

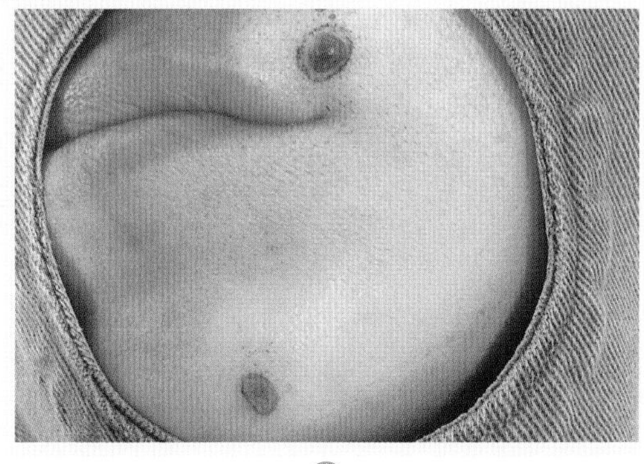

3 도려내어 절제

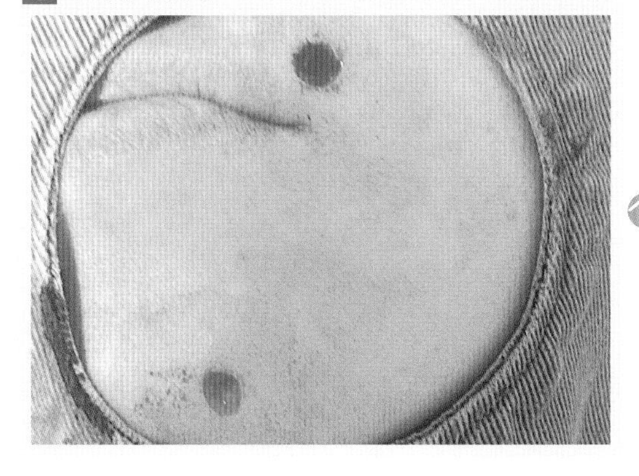

4 피하봉합

3방향에서 건착봉합 (5-0 흰나일론).

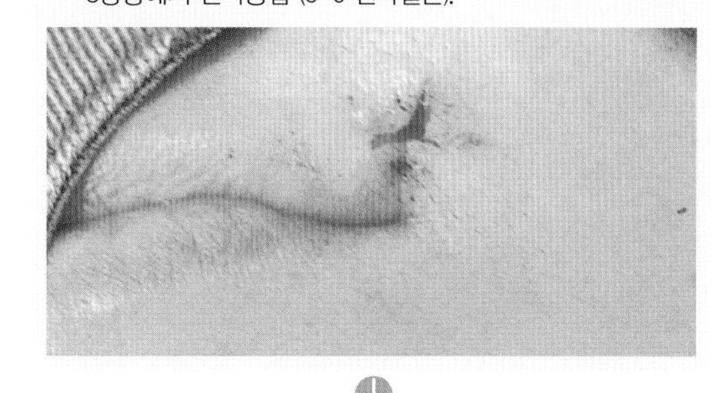

5 피부봉합 종료시의 상태

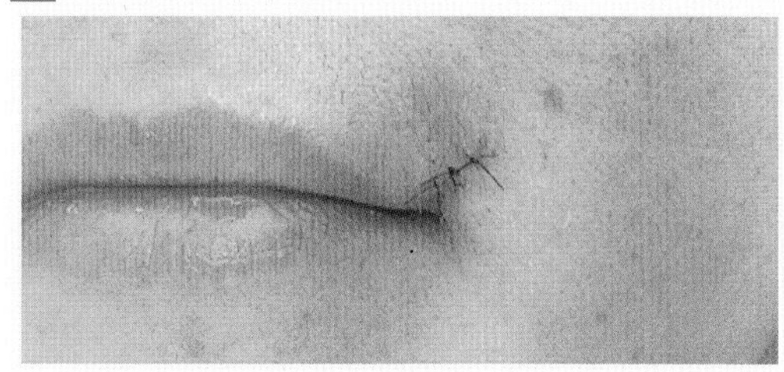

6 술후 1개월째의 상태

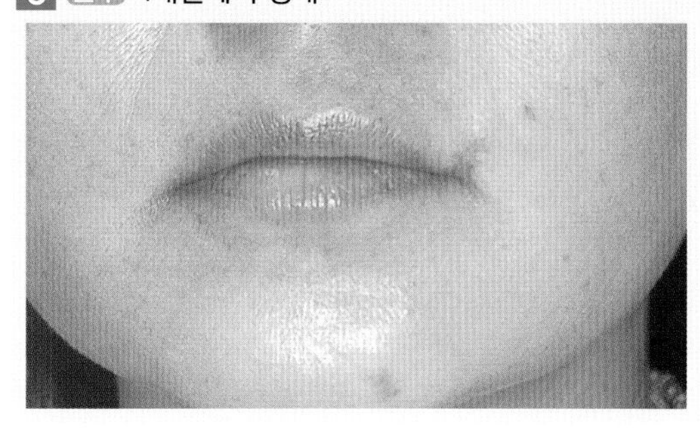

POINT

◉ 도려내기 봉합법은 봉합선이 짧아서 효과적이다.

평가 ★★★★

28 구순 (입술) 의 점

난이도 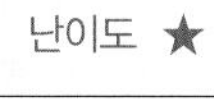

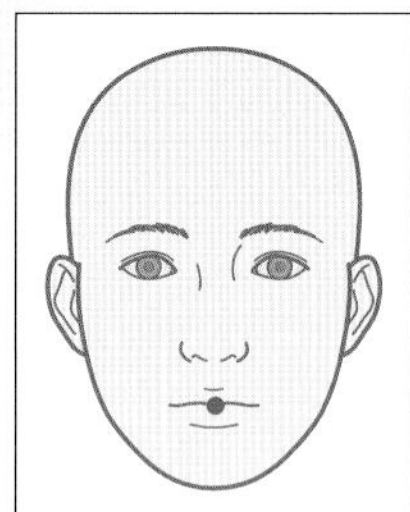

증례
- 28세 · 여성.
- 입술의 점 (3×3mm).

방침
- 소작법으로 한다.

수술 & 술후 경과

1 

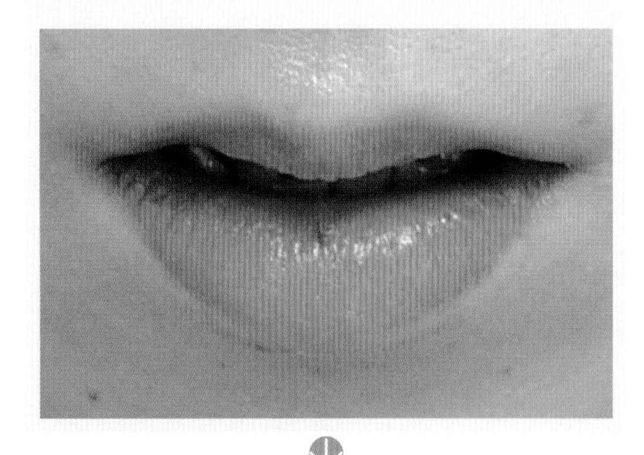

2 국소마비 종료

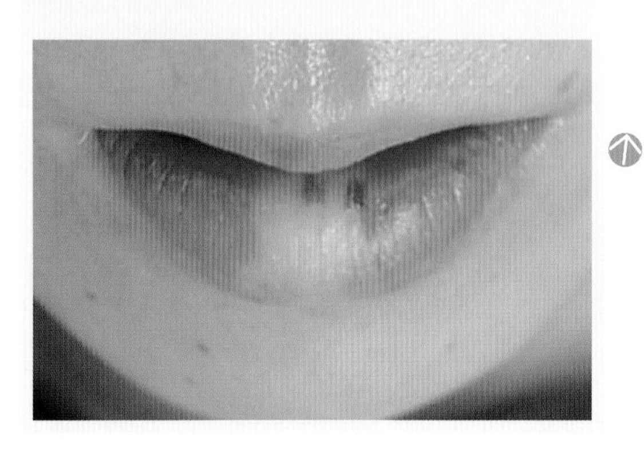

3 점의 소작
CO_2 레이저로 소작.

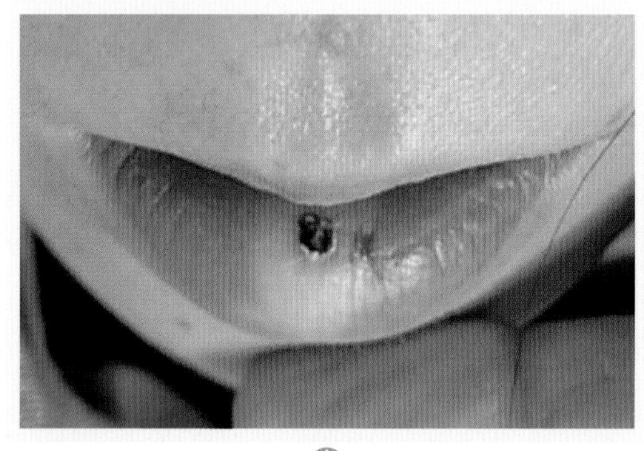

4 술후 1주째의 상태
상피화 완료.

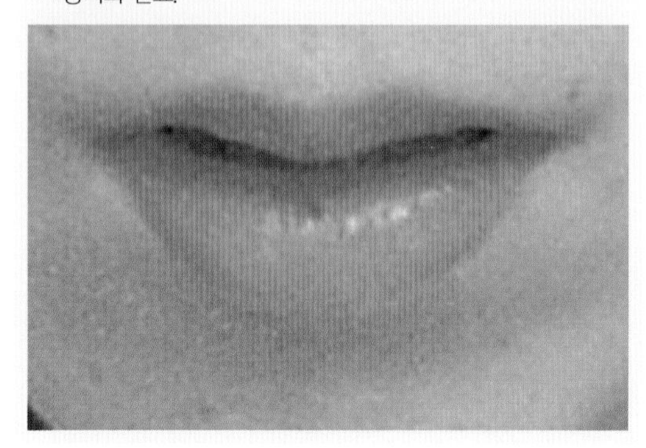

POINT
⊙ 입술의 점은 소작법으로 처리할 수 있다. 절제 봉합은 필요 없다.

하구순 · 아래턱의 점

Key Points

❶ 하구순부, 아래턱의 점 절제는 기본적으로 타원형 절제 또는 도려내기 절제법으로 한다. 단, 반흔의 방향은 주름의 방향을 따른 폐쇄법으로 한다.

❷ 입술의 점은 레이저 등에 의한 소작법으로 처리한다.

❸ 아래턱 부위의 주름이 생긴 곳은 복잡하므로 일괄적으로 결정하지 말고, 증례에 따라 폐쇄방향을 결정한다. 즉 어떤 방향도 있을 수 있다.

❹ 정면에서 본 안면의 윤곽선상의 점을 절제하는 경우는 주름의 방향에 구애를 받아서 윤곽선에 평행하게 폐쇄하면 얼굴의 윤곽에 홈이 생겨서 좋지 않다. 윤곽선에 수직 또는 그에 가까운 봉합선이 되도록 하여, 윤곽이 흐트러지지 않도록 한다.

❺ 이 부위의 점은 여성에게 있어서 매력 점이기도 하므로, 미용적으로 보아 남겨두어도 되는 점은 그대로 두는 편이 나은 경우도 있다.

하구순, 입술 부근의 점

난이도 

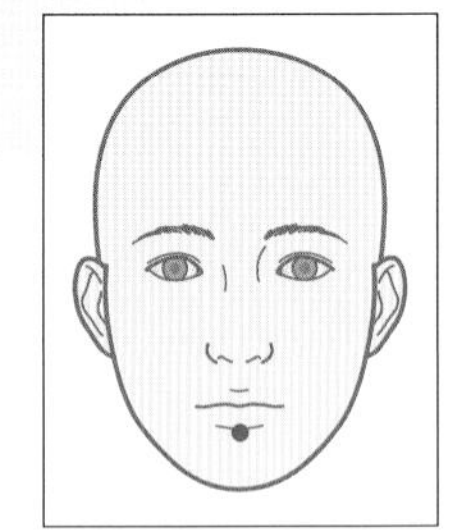

증례
- 25세 · 여성.
- 하구순의 입술 부근의 점 (3×3mm).

방침
- 간신히 입술선에서 떨어져 있어서 입술에 걸치지 않는 피부절개로 절제 봉축한다.

수술 & 술후 경과

1 술전 피부절개의 디자인
3방향에서 봉합한다.

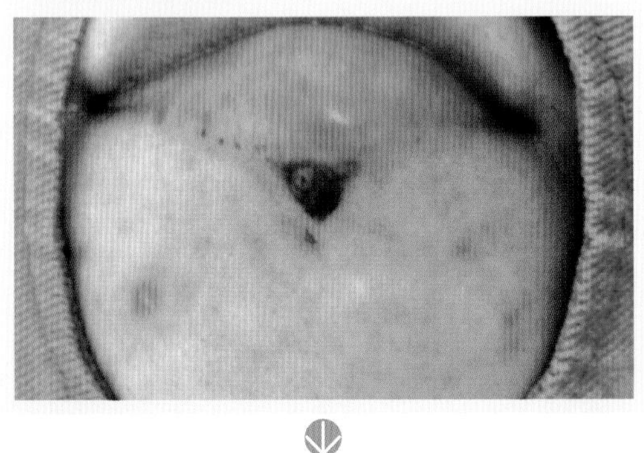

2 피부봉합 종료

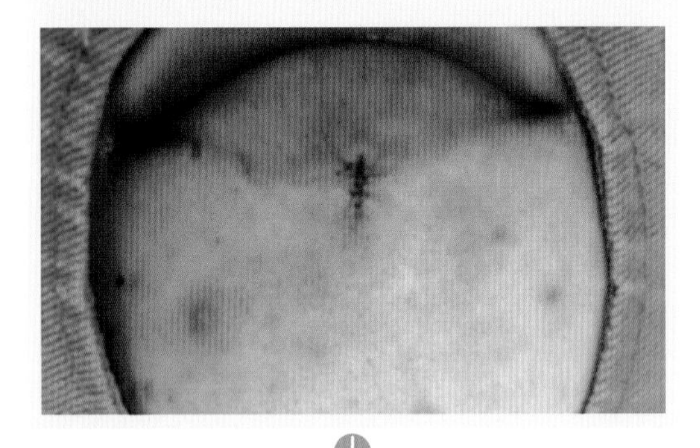

3 술후 1주째 발사 종료

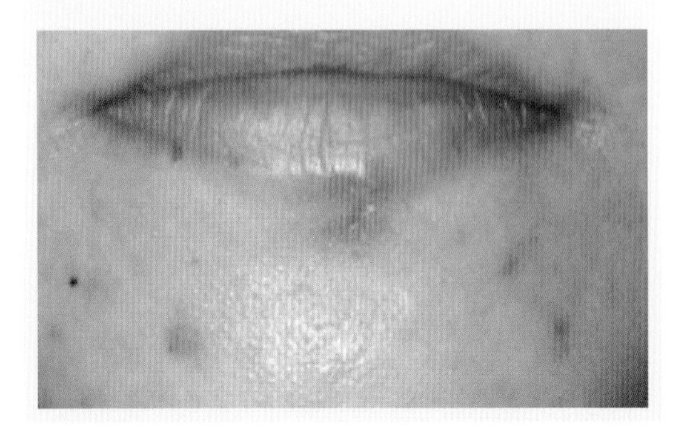

POINT
- 입술 부근의 점으로 입술에 걸쳐 있지 않으므로 crown excision의 디자인으로 창상을 닫았다. 평가 ★★★

2 하구순부의 점①

난이도 ★★

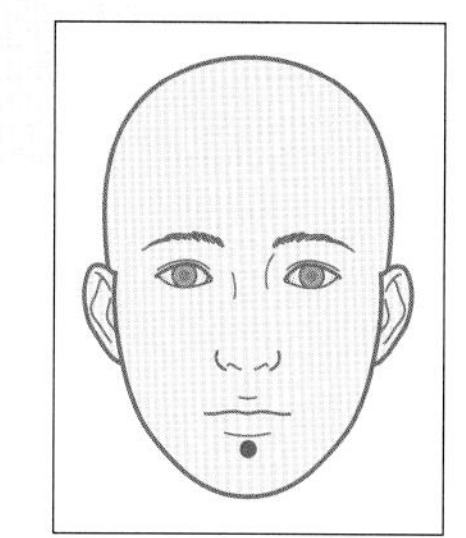

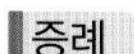

증례
- 28세 · 여성.
- 하구순 정중부의 점 (3×3mm).

방침
- 도려내기 봉합법으로 디자인적으로는 타원형 절제법으로 한다.

수술 & 술후 경과

1 술전

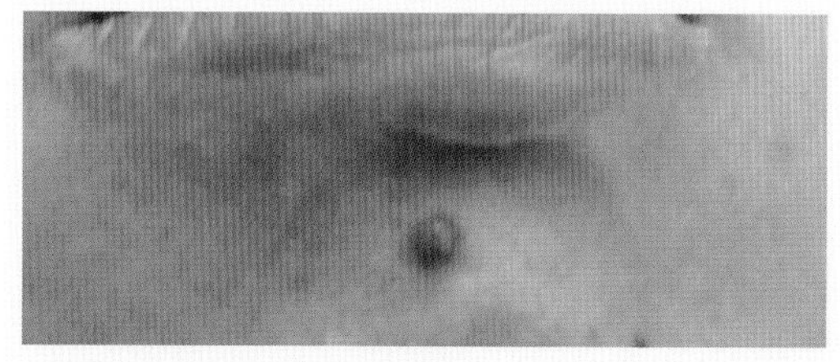

2 피부절개의 디자인

도려내기 봉합법의 디자인.

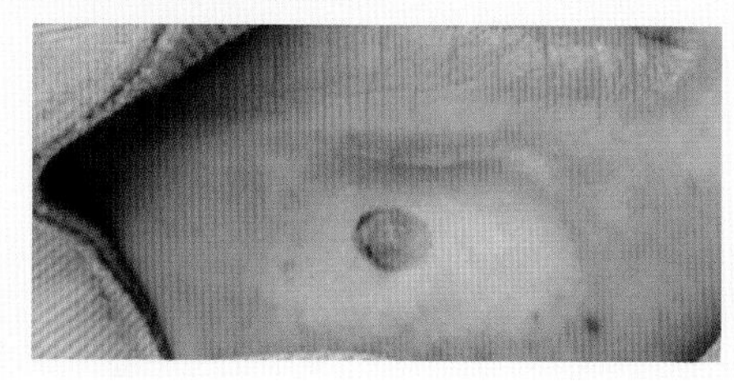

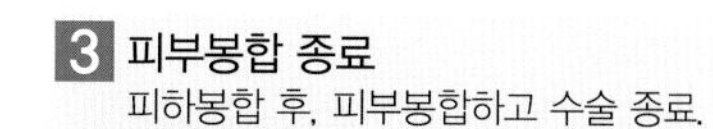

3 피부봉합 종료

피하봉합 후, 피부봉합하고 수술 종료.

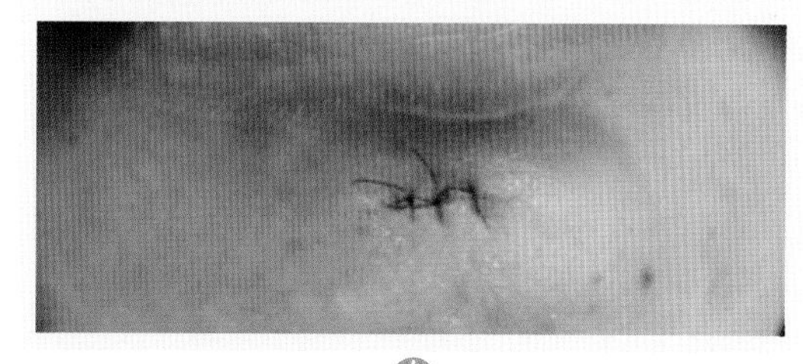

4 술후 1주째 발사 직후

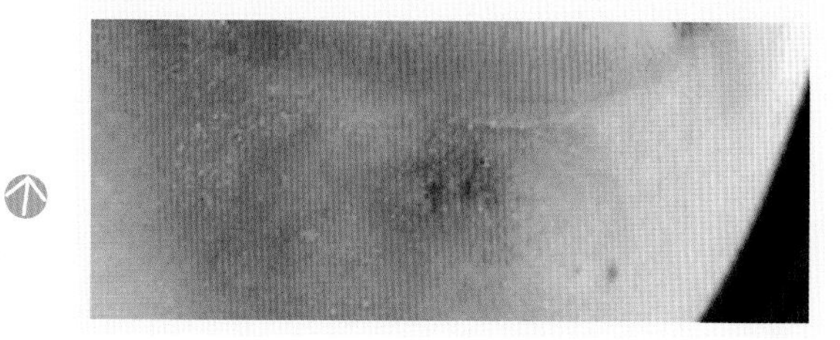

POINT

◉ 하구순부는 타원형 절제. 봉축법으로 dog ear의 형성 없이 치유되었다.

평가 ★★★

3 하구순부의 점②

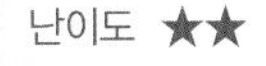
난이도 ★★

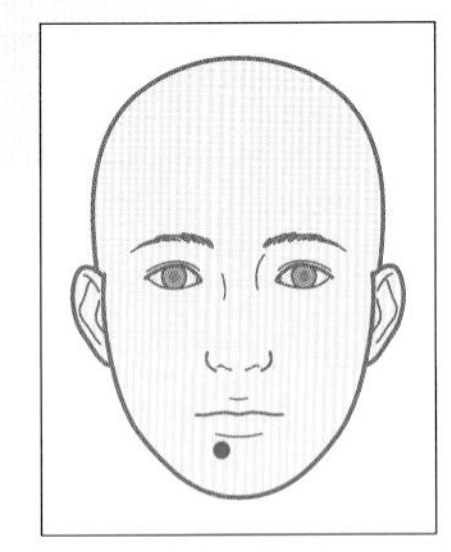

증례
- 54세 · 여성.
- 하구순부의 융기상의 점 (5×5mm).

방침
- 수평방향이 장축인 타원형 절제 디자인으로 한다.

수술 & 술후 경과

1 술전 피부절개의 디자인
참고로 상구순부 오른쪽 구각부의 똑같은 점도 타원형 절제로 하였다.

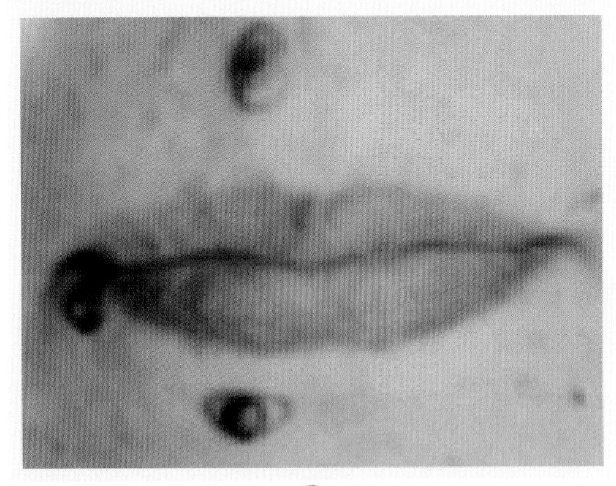

2 절제→피하봉합→피부봉합 종료
입술이 조금 아래쪽으로 당겨져 있는 것이 마음에 걸린다.

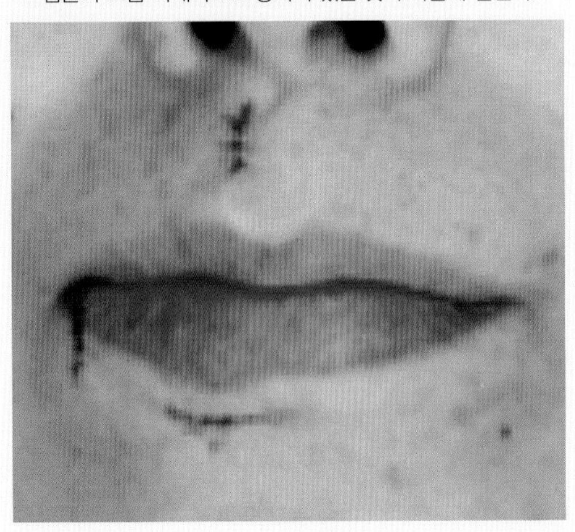

3 술후 1주째의 상태
입술선이 아직 아래쪽으로 당겨져 있는 것이 마음에 걸린다.

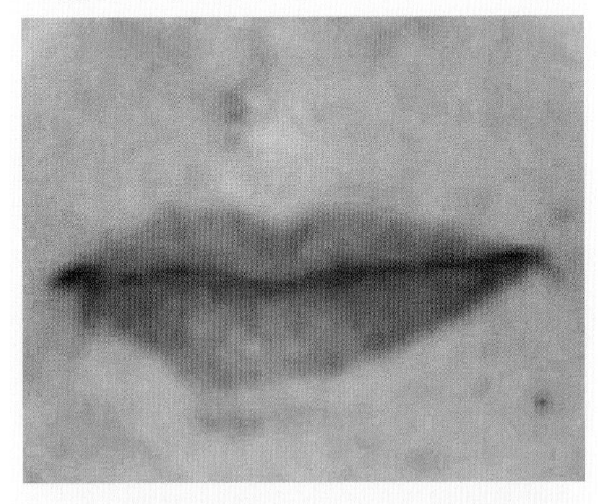

술후 1주째의 상태
상구순 인중릉의 점은 절제 후 반흔이 가장 눈에 띄지 않고 양호하다. 하구순부는 반흔은 눈에 띄지 않지만 입술이 아래쪽으로 당겨진 만큼 두꺼워 보인다.

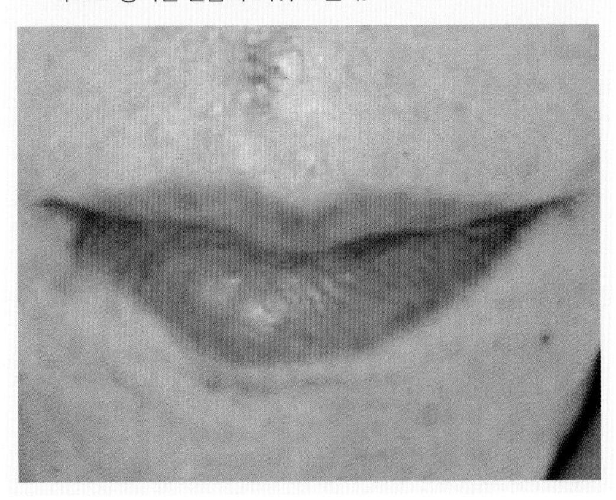

POINT

◉ 하구순의 점에서 입술의 변형을 예방하는 데는 3차로봉합이 더 낫다 (☞p.156).
평가 ★★★★

4 하구순부의 점③

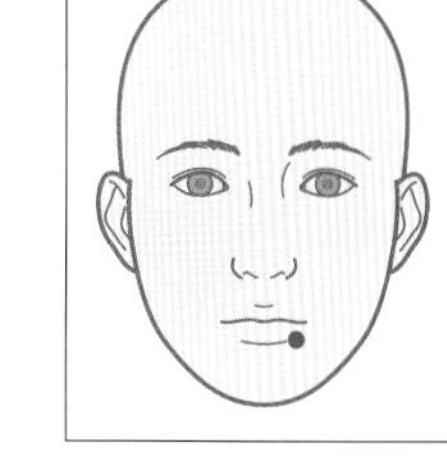

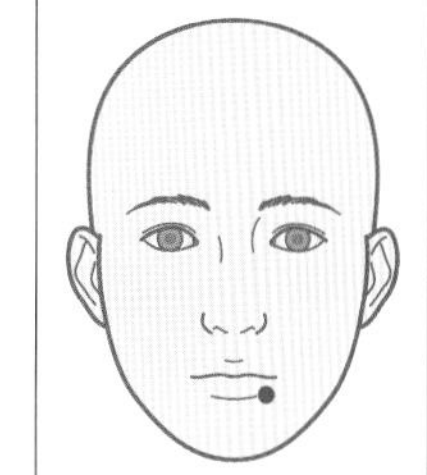

증례
- 29세 · 여성.
- 왼쪽 하구순부의 점 (3×5mm).

방침
- 전 절제가 아니라 조금 남기고 작은 점으로 할 것을 희망.
- 벚꽃잎형 절제법으로 한다.

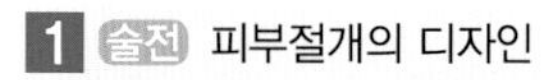

수술 & 술후 경과

1 술전 피부절개의 디자인

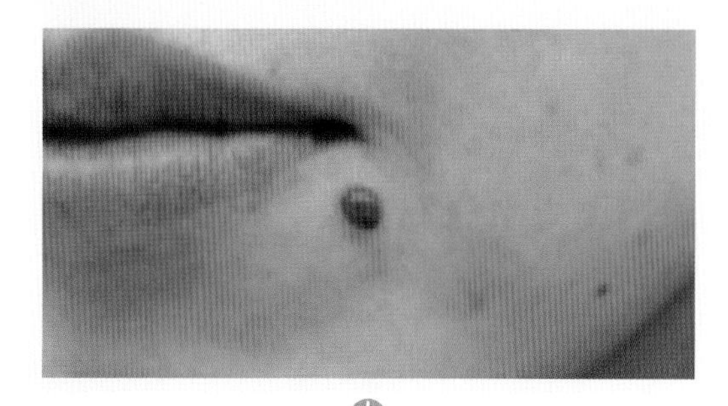

2 피부절개 디자인의 schema

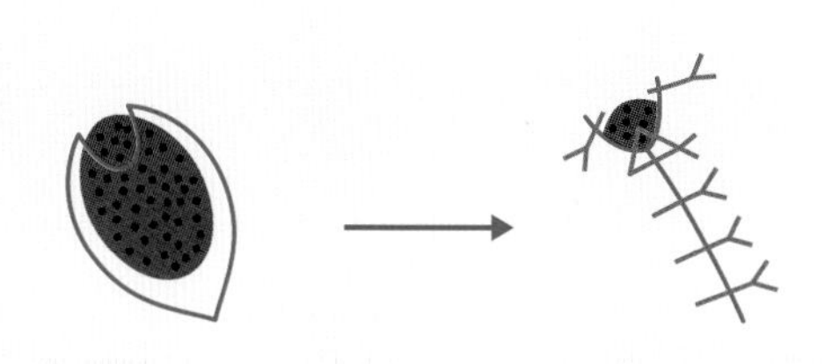

3 점의 절제

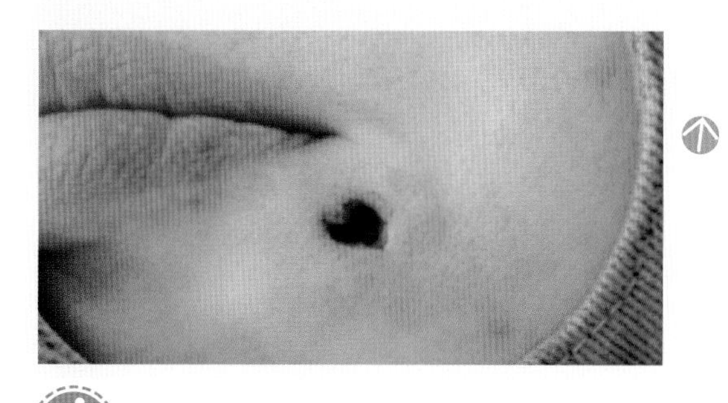

4 피하봉합 후, 피부봉합

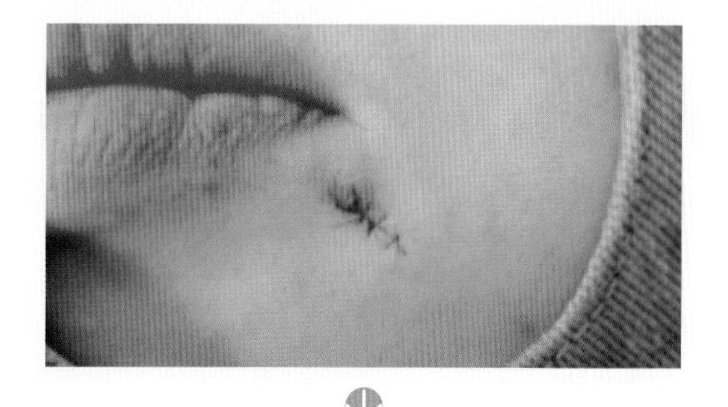

5 술후 1주째 발사 종료

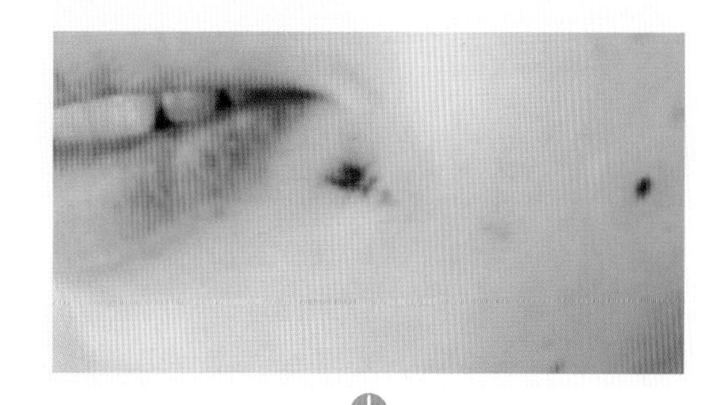

6 술후 1개월째의 상태

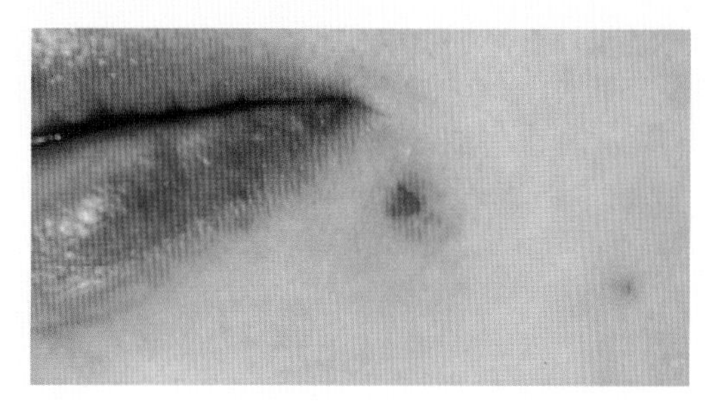

POINT
- 하구순부의 점, 부분절제라기보다 점축소술. 평가 ★★★

5 아래턱부의 점①

난이도 ★★

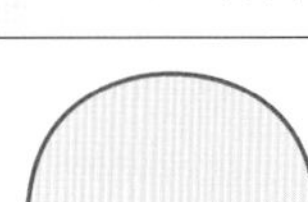

증례
- 50세 · 여성.
- 아래턱부의 점 (6×4mm).

방침
- 도려내기 봉합법으로 한다.

수술 & 술후 경과

1 술전

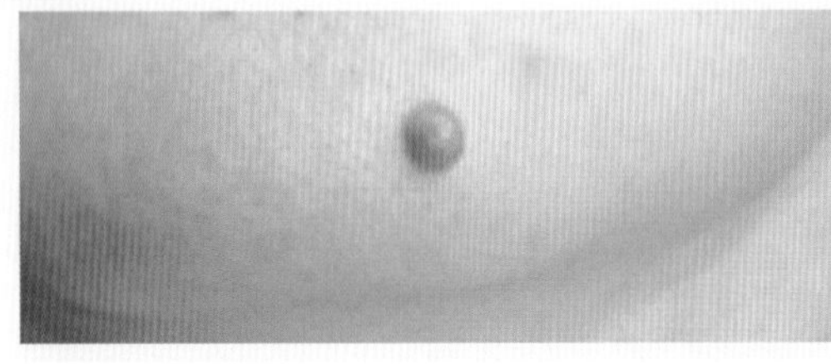

2 피부절개의 marking

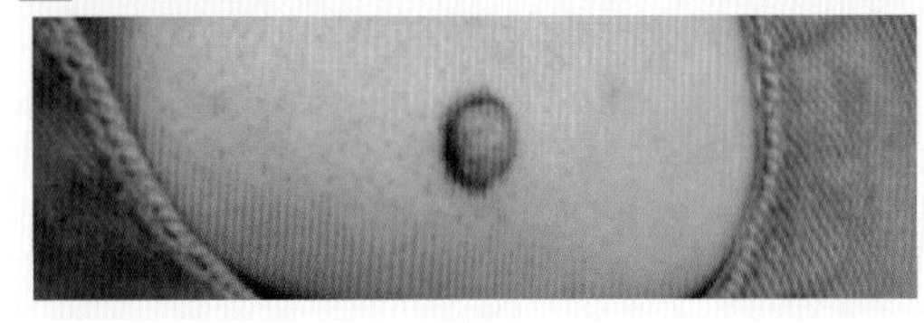

3 점을 도려내고 절제

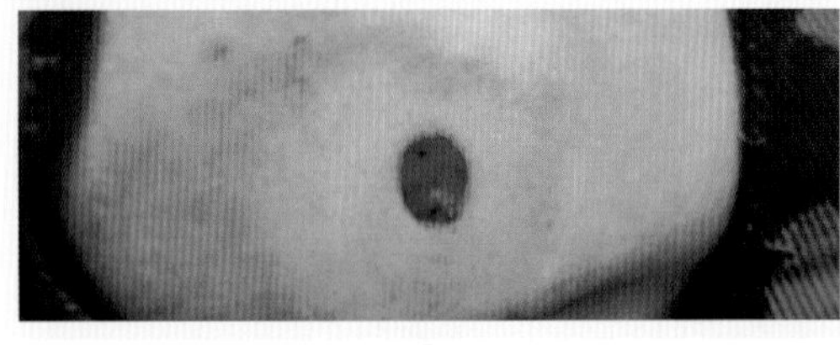

4 피하봉합사로 꿰매는 부위

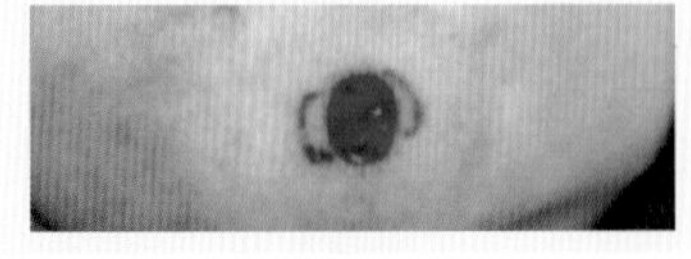

5 피하봉합 (5–0 나일론)

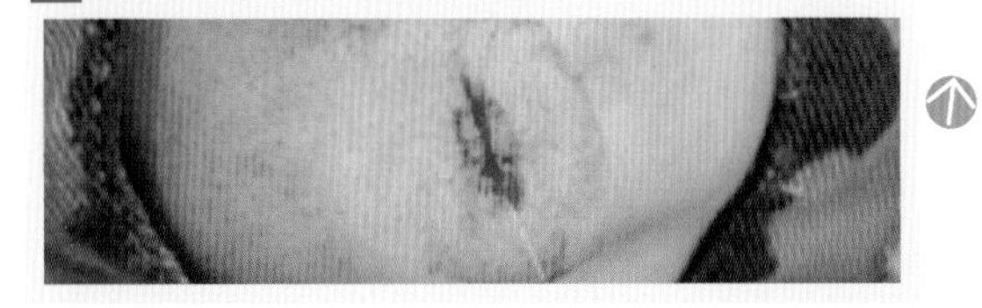

6 피부봉합 종료

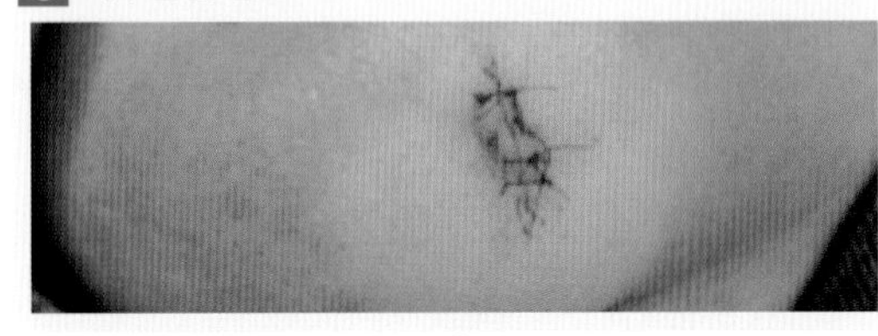

7 1주후 발사 직후
dog ear의 걱정은 없다.

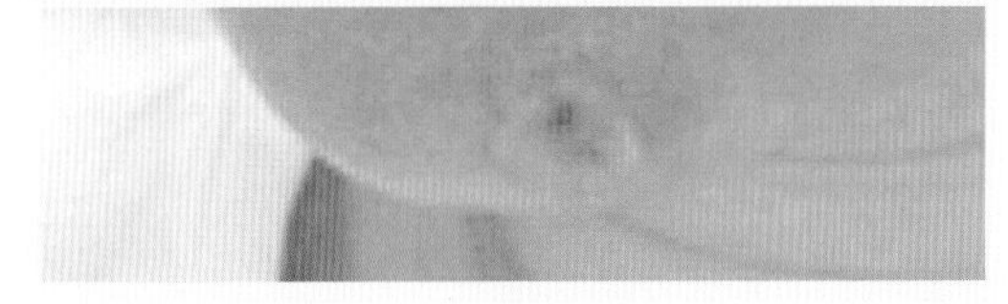

8 술후 1주째

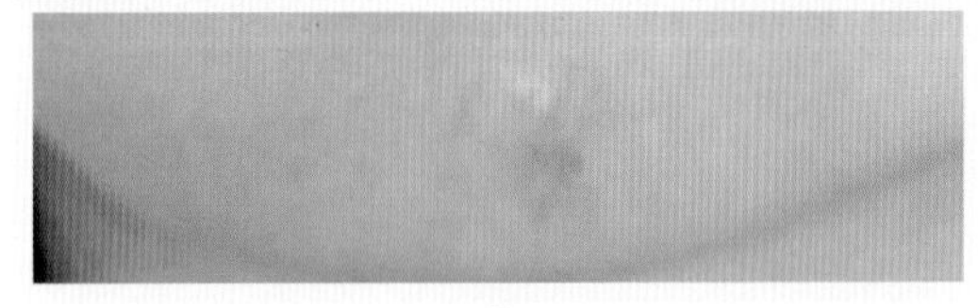

9 술후 1개월째의 상태.

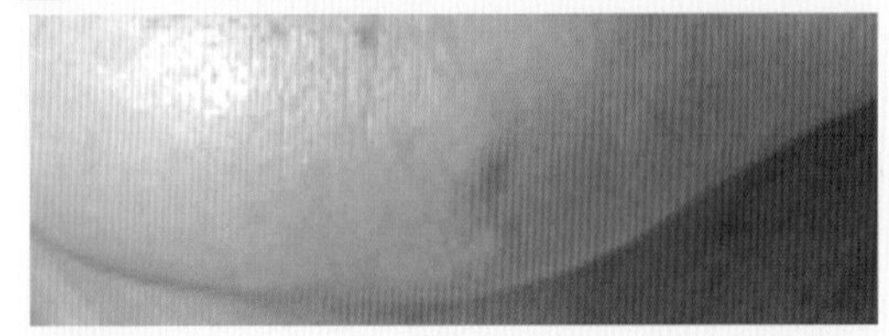

POINT
- 아래턱부의 점은 도려내고 봉합해도 dog ear가 잘 형성되지 않는다.
- 원칙적으로 도려내기 봉합법으로 한다.

평가 ★★★★

6 아래턱부의 점②

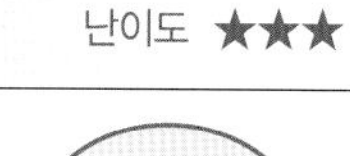
난이도 ★★★

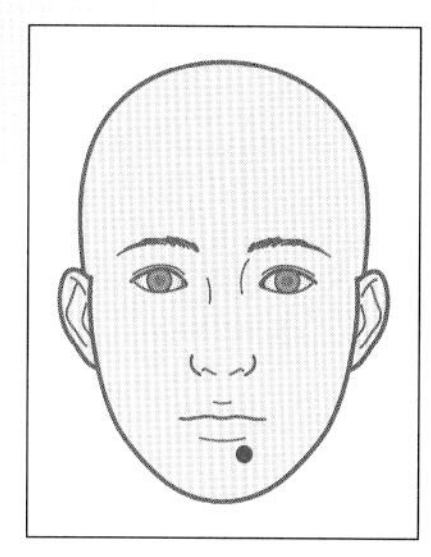

증례
- 29세 · 남성.
- 아래턱부의 점 (8×10mm).

방침
- 점을 일부분 남기고 싶다고 희망.
- 축소수술로 한다.

수술 & 술후 경과

1 술전

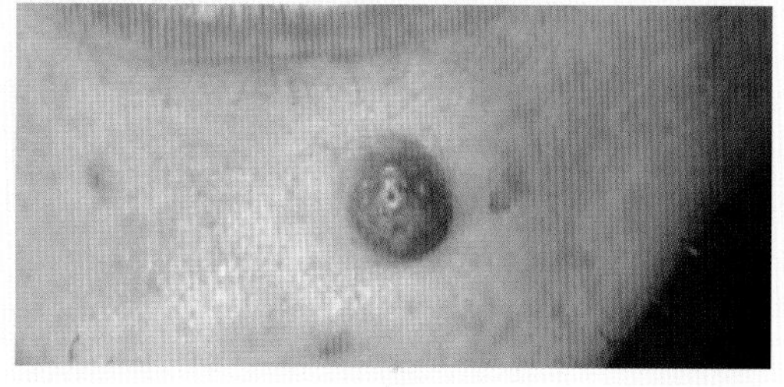

2 술후 피부절개의 디자인의 도식

3 피하봉합

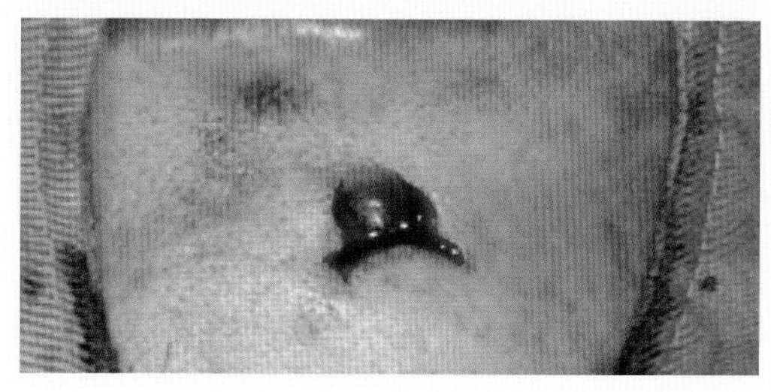

4 피부봉합 종료

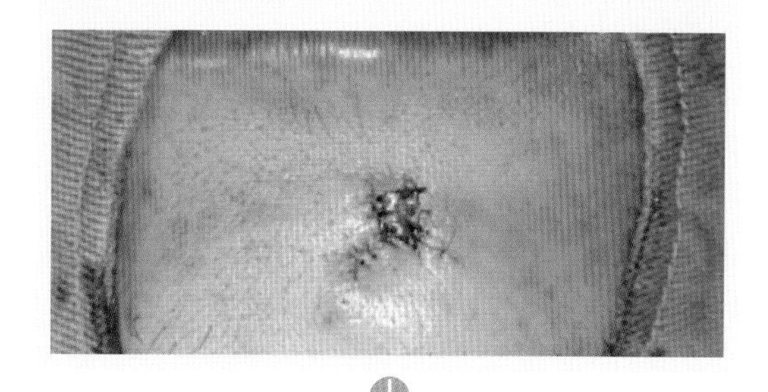

5 발사 완료

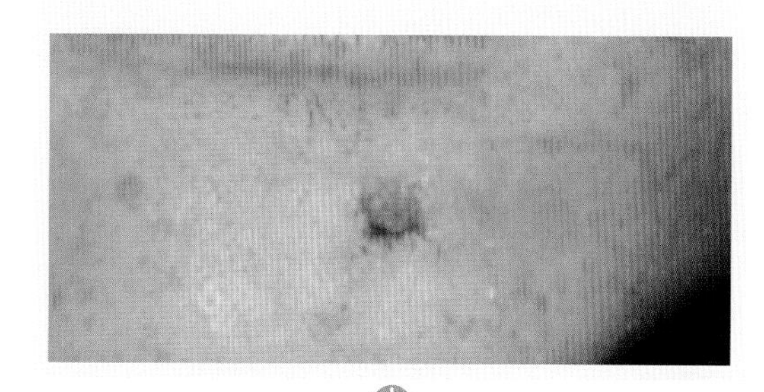

6 술후 1개월째의 상태
약 1/5의 크기로 축소되었다.

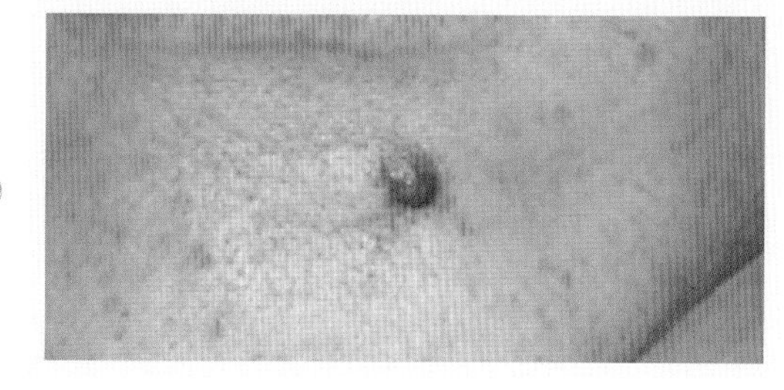

POINT

- 점이 인상학적으로 있는 편이 나은 경우는 눈에 띄지 않게 작게 하는 방법도 있다.
- 이 경우는 남성이면서, 스스로 전 절제가 아니라 축소수술을 희망하였다.

평가 ★★★

7 아래턱부의 점③

난이도 ★★★

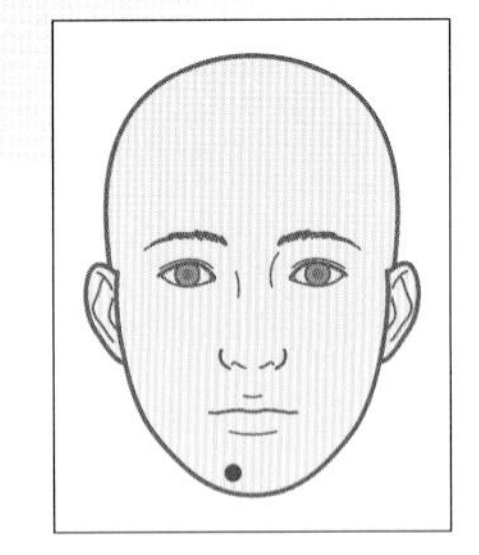

증례
- 2세 · 남아.
- 아래턱부의 큰 점 (15×15mm)

방침
- double crown excision법으로 한다.

수술 & 술후 경과

1 술전

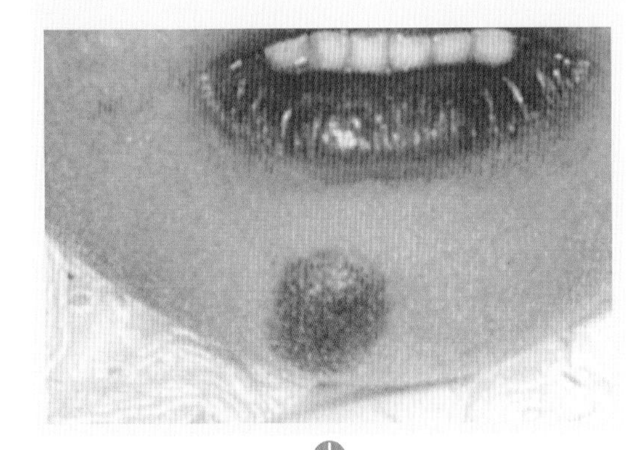

2 피부절개의 디자인

상하로 crown excision의 디자인으로 하였다.

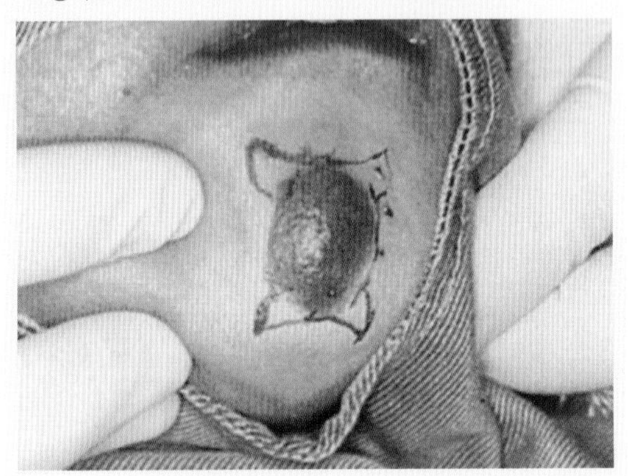

3 피부봉합 종료

이 수술법으로 주변부의 변형이 최소한도로 끝날 수 있었다.

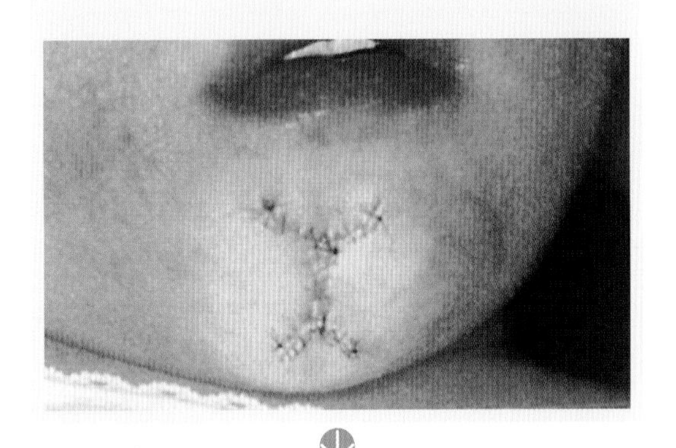

4 술후 1개월째의 상태

발적이 가장 심한 시기이지만 형상은 잘 유지되고 있다.

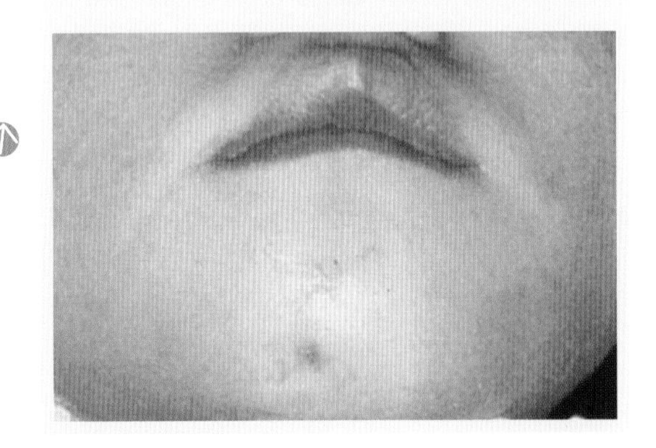

POINT

- 큰 점을 절제하고, 피부를 닫을 때는 crown excision법이 효과적.
- 국소마취하에 수술을 시행. 2세까지라면 국소마취로 수술이 가능하다.

평가 

8 아래턱부의 점④

난이도 ★★

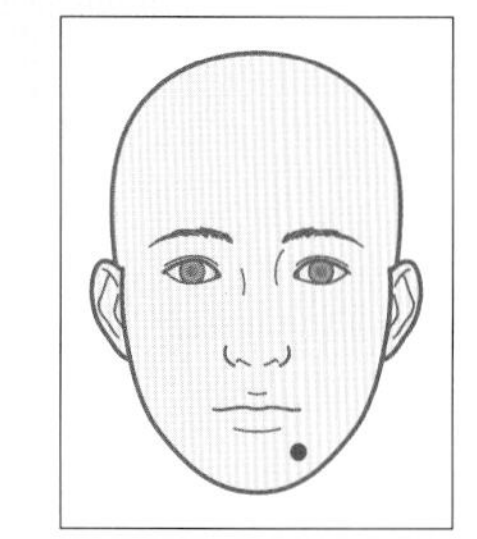

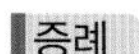

증례
- 14세 · 남성.
- 아래턱부 왼쪽 근처의 점 (5×5mm).

방침
- 점은 원형이지만 타원형 절제로 한다.

수술 & 술후 경과

1 술전

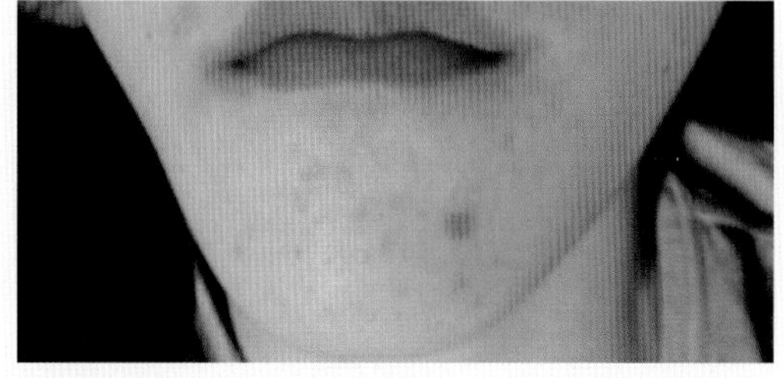

2 피부절개의 디자인
왼쪽이 내려간 긴 지름의 타원형 디자인으로 한다.

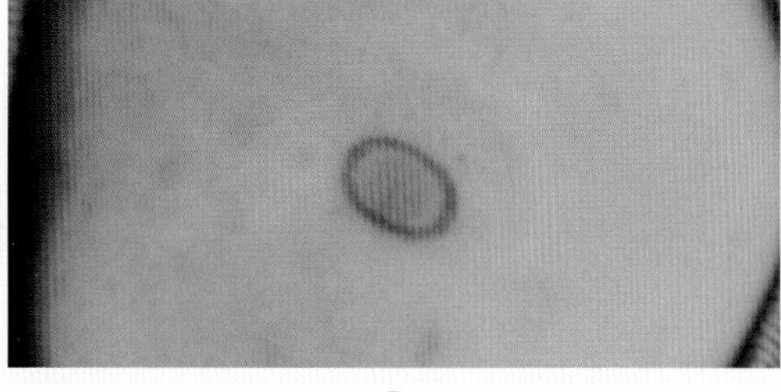

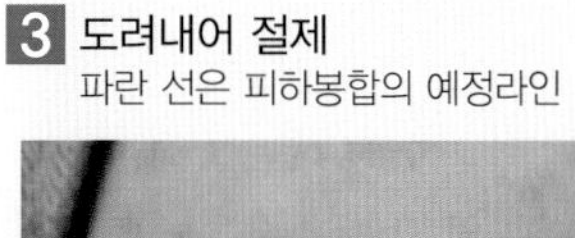

3 도려내어 절제
파란 선은 피하봉합의 예정라인

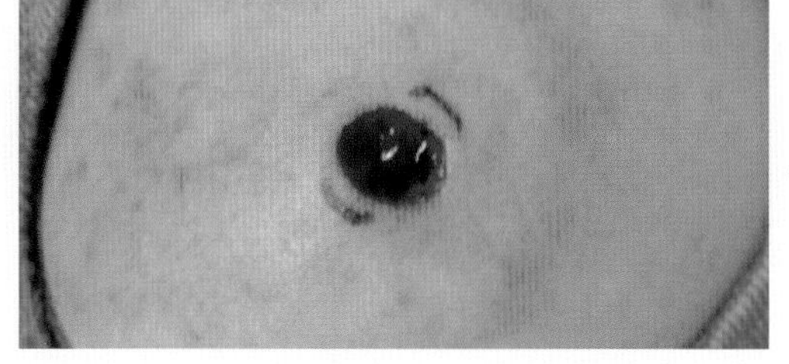

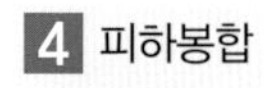

4 피하봉합

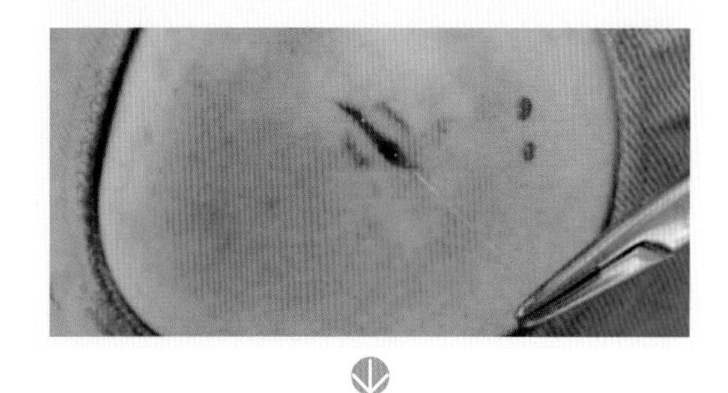

5 피하봉합 종료

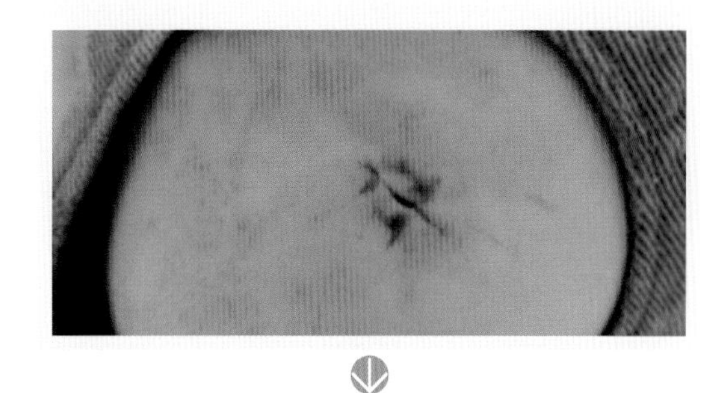

6 피부봉합 종료

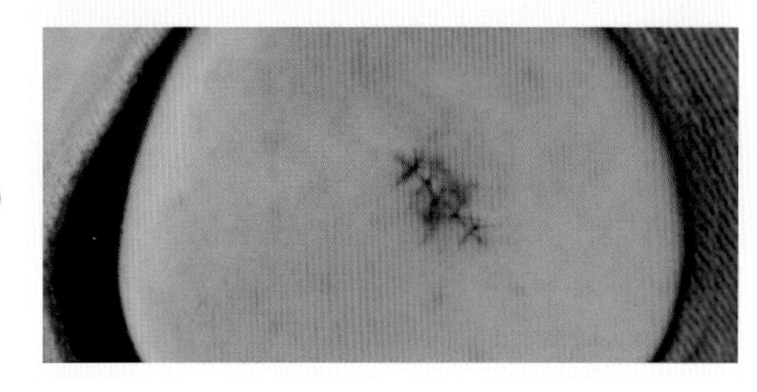

POINT
- 아래턱부의 점 절제는 방추형 절제로 할 필요 없이, 타원형 절제가 봉축 반흔이 짧게 끝난다. 평가 ★★★

9 아래턱부의 점⑤

난이도 ★

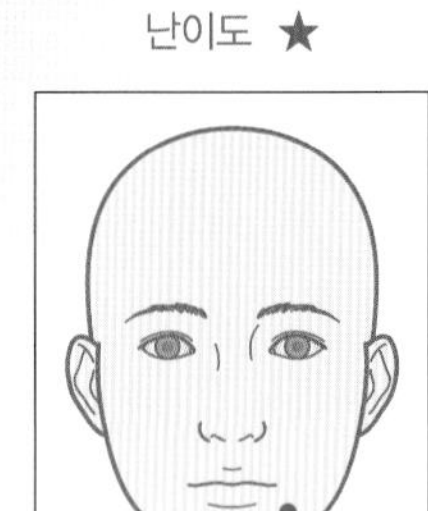

증례
- 60세 · 여성
- 하구순 하부의 점 (7×5mm).

방침
- 형상에 맞추어 타원형 절제로 한다.

수술 & 술후 경과

1 술전

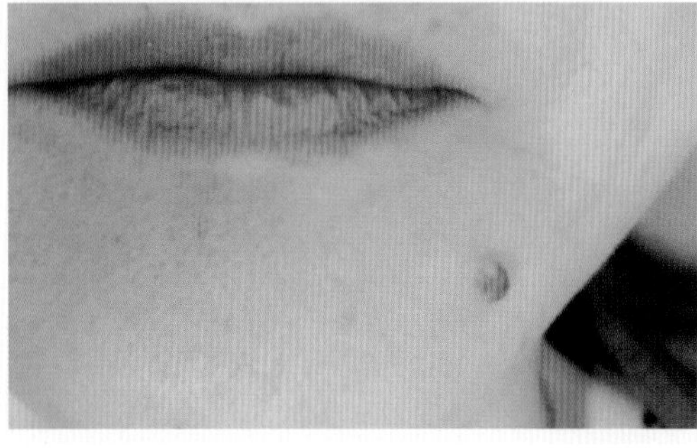

2 피부절개의 디자인

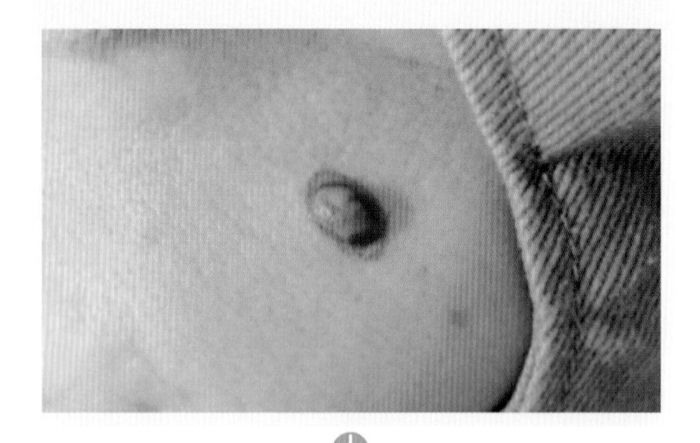

3 수술 종료시
타원형 절제 후, 피하봉합하고 피부봉합.

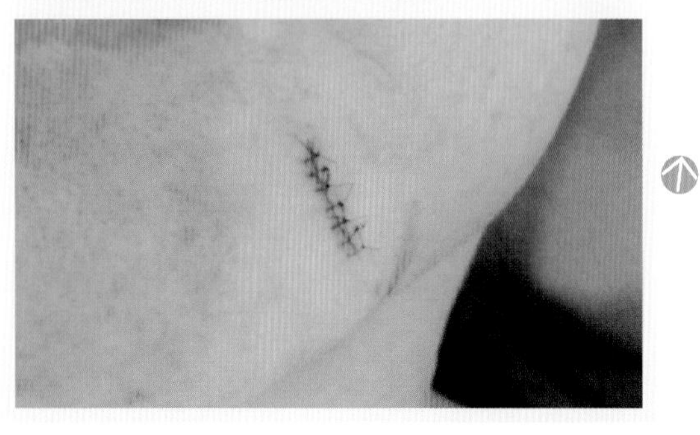

4 술후 1일째
dog ear의 걱정은 없다.

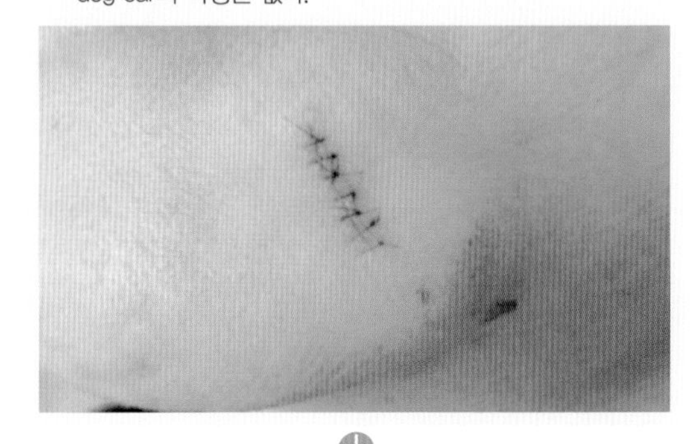

5 술후 1주째의 상태
dog ear는 보이지 않는다.

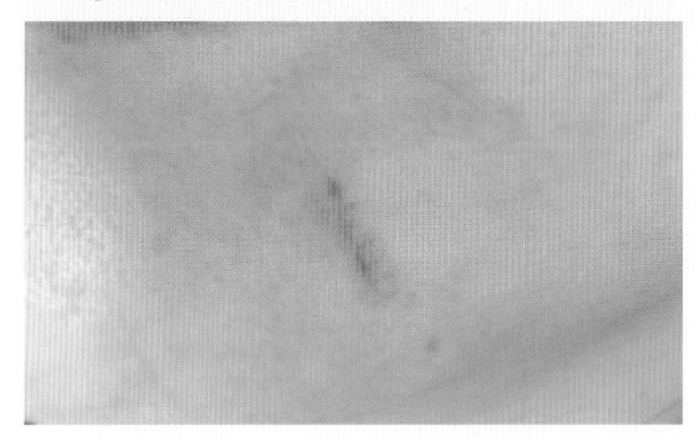

POINT
- 하악부, 특히 아래턱부는 타원형 절제가 방추형 절제보다 낫다. 평가 ★★★★

8 사지, 구간의 점

Key Points

❶ 얼굴 이외의 점은 원칙적으로 방추형 절제법으로 봉축한다.

❷ 사지, 구간의 점 절제에는 봉축방향을 장축방향으로 할 것인지, 수직으로 할 것인지 혼동스러운 경우가 있는데, 소아청소년은 가로방향이 더 낫다. 체질에 따라 세로방향의 반흔에서 켈로이드가 생기는 수가 있으므로, 켈로이드 체질 여부를 미리 확인해야 한다.

❸ 사지, 구간의 점 절제에서는 반흔이 그다지 문제가 되지 않으므로, 피하봉합을 확실히 해 두면 피부의 봉합이 매우 좋다.

❹ 그까짓 점의 절제술이라도 켈로이드 체질인 경우는, 반흔의 상태가 문제가 될 수 있어서, 그 점을 언급해 두지 않으면 술후에 문제가 야기되기도 한다. 켈로이드 체질인 경우는 만일을 위해서, 트라니라스트 (리자벤®) 를 1~2개월 계속 내복하면서 상태를 본다.

❺ 켈로이드 체질인 경우, 전흉부와 견관절부의 점 절제는 삼가야 한다.

❻ 외견상 악성화가 의심스러운 경우에는 처음부터 광범위하게 절제하여, 병리검사로 확인해야 한다.

1 경부의 점

난이도 ★

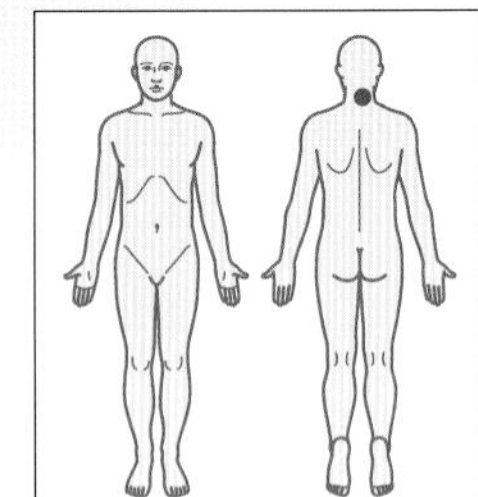

증례
- 26세 · 여성.
- 어깨에 가까운 경부의 점 (8×10mm).

방침
- 타원형 절제로 한다.

수술 & 술후 경과

1 술전

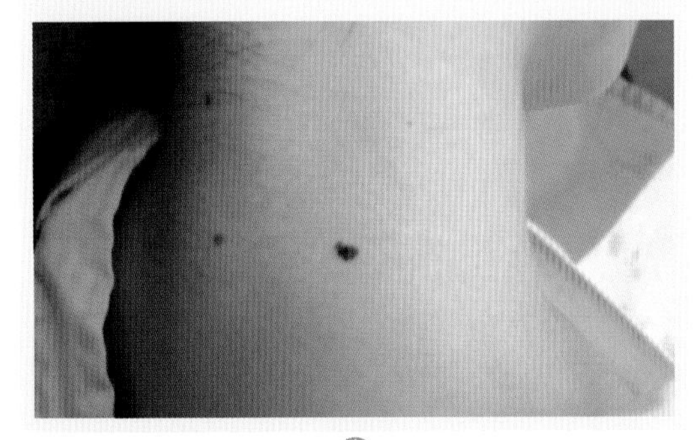

2 피부절개의 디자인

대부분 점의 형상 그대로 타원형 절제로 하는 방침.

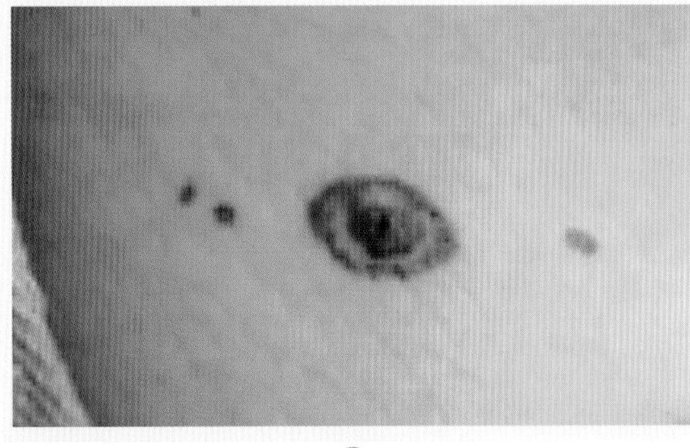

3 점의 절제

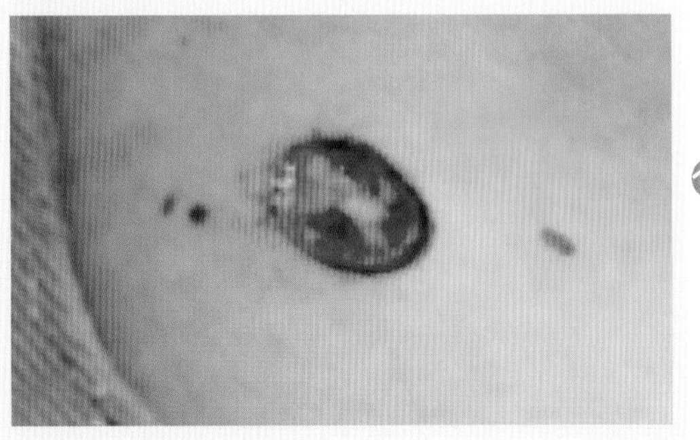

4 피하봉합

피하봉합 개시. 최종적으로 3바늘 봉합.

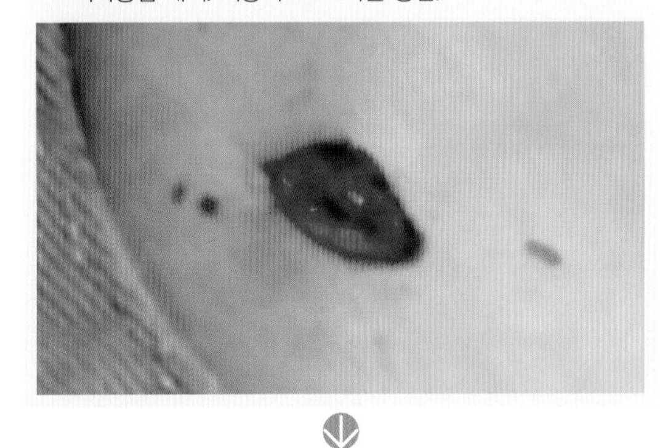

5 피부봉합 종료

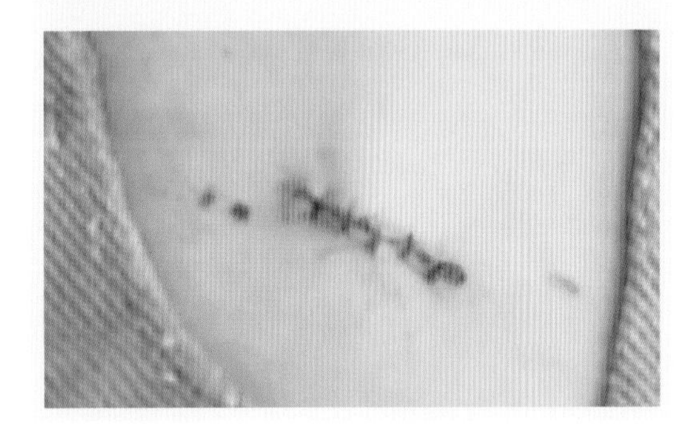

POINT

◉ 방추형 절제가 원칙이지만 이 부위는 피부가 두꺼워서 타원형 절제로 했는데, dog ear은 생기지 않았다. 평가 ★★★

2 유방부의 점

난이도 ★

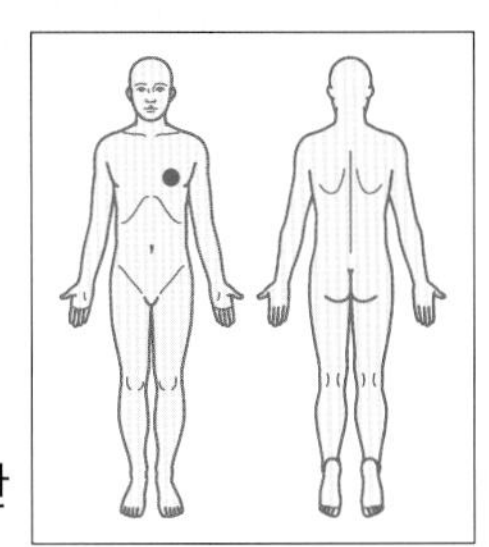

 증례
- 67세 · 여성.
- 왼쪽 유방의 색조가 불균일한 점 (11×9mm).

 방침
- 형상 · 색조 · 연령에서 악성화의 가능성을 부정할 수 없어서, 광범위한 절제로 한다.

수술 & 술후 경과

1 술전

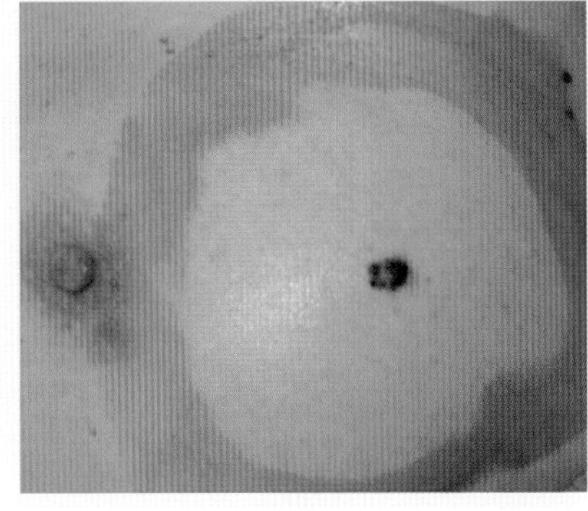

2 피부절개의 디자인

악성처럼 보여서 1cm 떨어져서 절제.

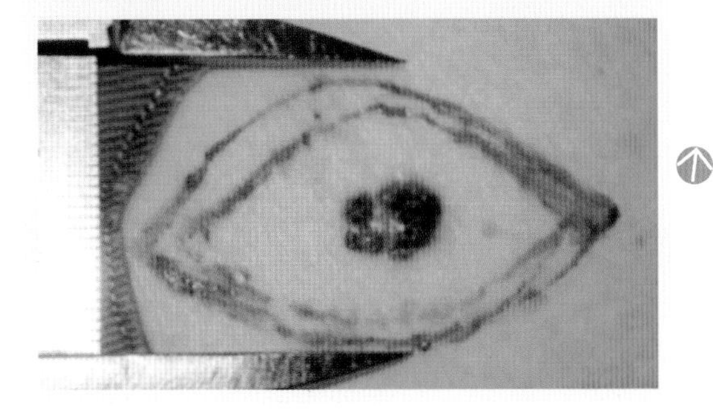

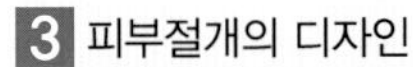

3 피부절개의 디자인

이처럼 광범위한 피부절개의 디자인은 이 경우가 67세의 연령이었기 때문에 가능했지만, 약년자인 경우는 이 정도로 넓게 절제하지 않고 5mm정도 떨어져서 한다.

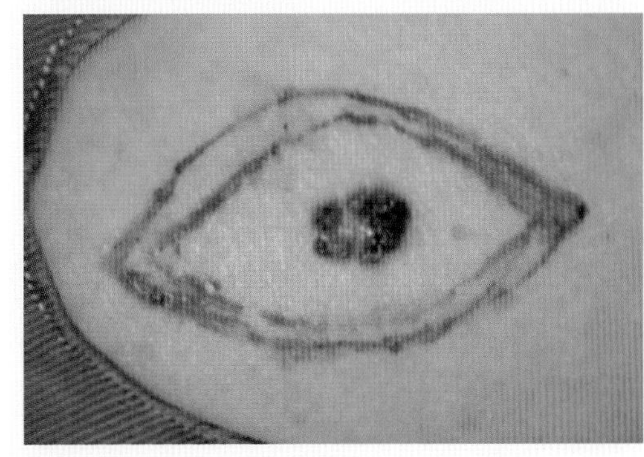

4 절제술 종료

광범위한 절제→피하봉합→피부봉합.

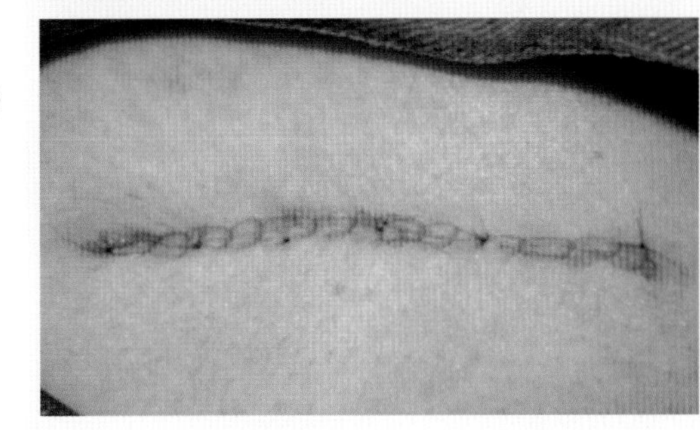

POINT
- 악성화가 의심스러운 경우는 가능한 한 광범위한 절제가 원칙이다.
- 이 경우는 병리검사 결과, 지루성 각화증이라고 판명되었다.

3 어깨관절부의 점①

난이도 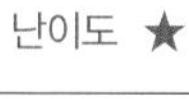

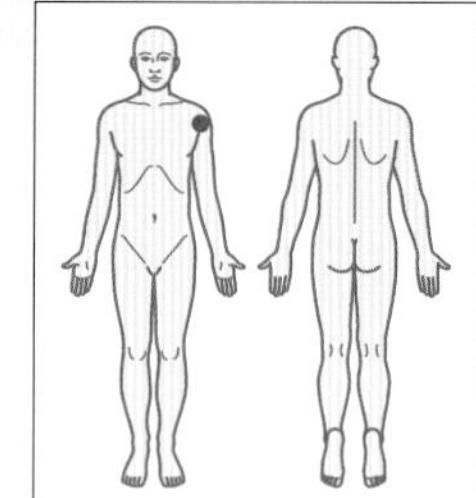

증례
- 3개월 · 남아.
- 왼쪽 어깨 관절부의 상당히 큰 점 (12×9mm).

방침
- 방추형 절제로 한다.

수술 & 술후 경과

1 술전
12×9mm는 생후 3개월의 아기에게는 상당히 큰 점이다.

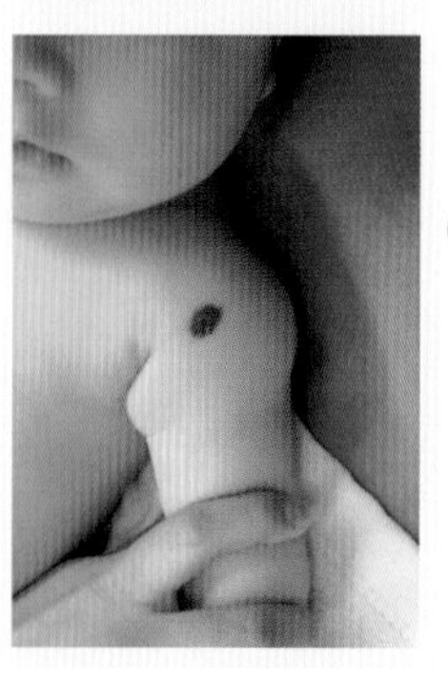

2 피부절개의 디자인
형상에 따른 방추형 절제.

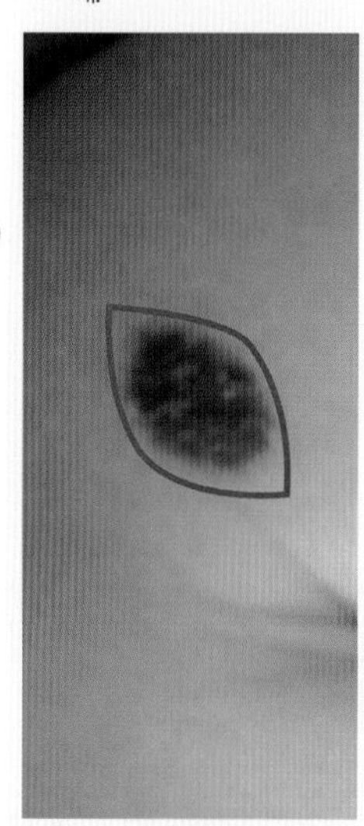

3 피하봉합 종료

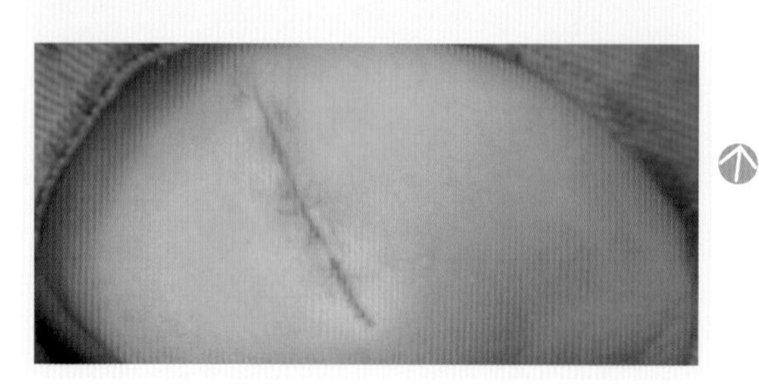

4 피부봉합 종료

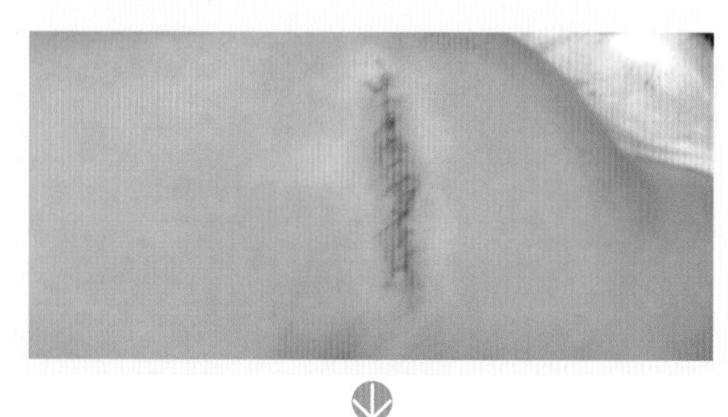

5 술후 3주째

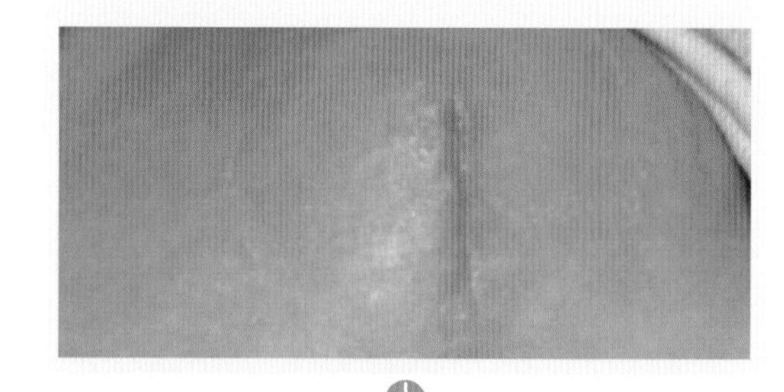

6 술후 2개월째의 상태
반흔이 거의 눈에 띄지 않게 되었다.

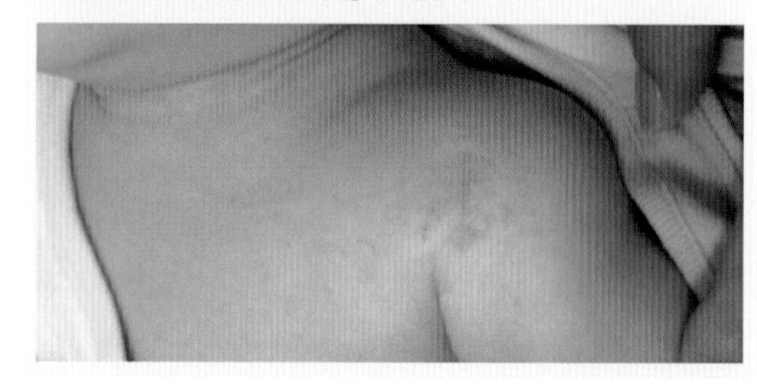

POINT
⊙ 출생시에 존재하던 눈에 띄는 점은 성장에 비례하여 커진다 (이제 점이라고는 하기 어려운 모반이다). 그래서 0세 때에 수술을 해야 한다고 생각한다. 0세아는 쉽게 제어가 가능하므로 국소마취수술도 적합하다.

평가 ★★★★

4 어깨관절부의 점②

난이도 ★

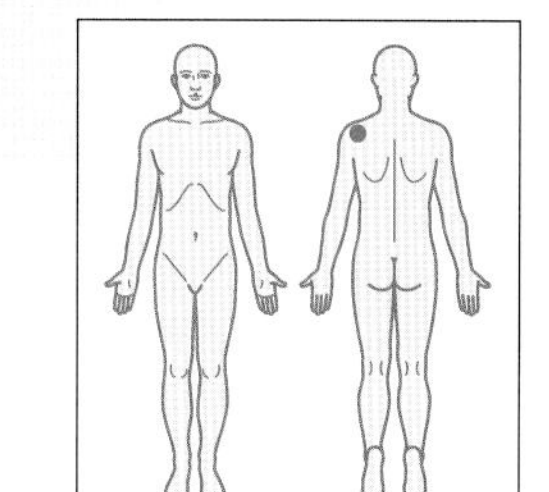

증례
- 6세 · 남아.
- 왼쪽 어깨의 상당히 큰 점 (색소성 모반) (35×15mm).

방침
- 방추형 절제봉축.

수술 & 술후 경과

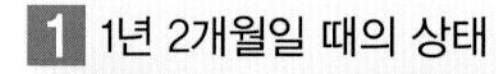

1 1년 2개월일 때의 상태

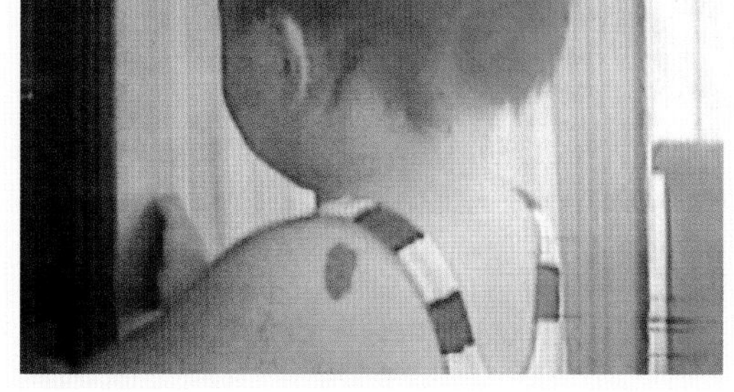

2 술전 체형과 같은 비율로 성장

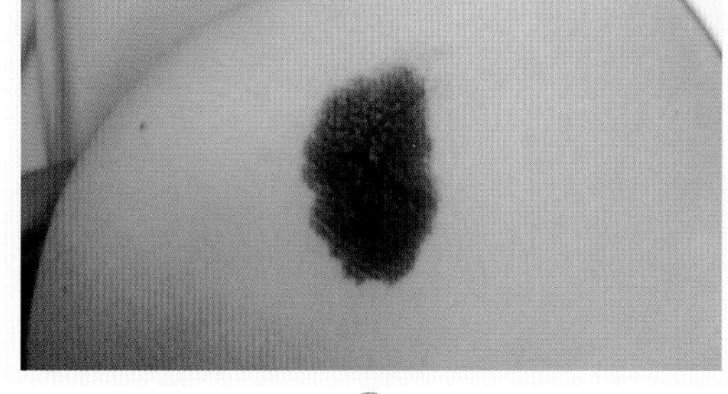

3 피부절개의 디자인

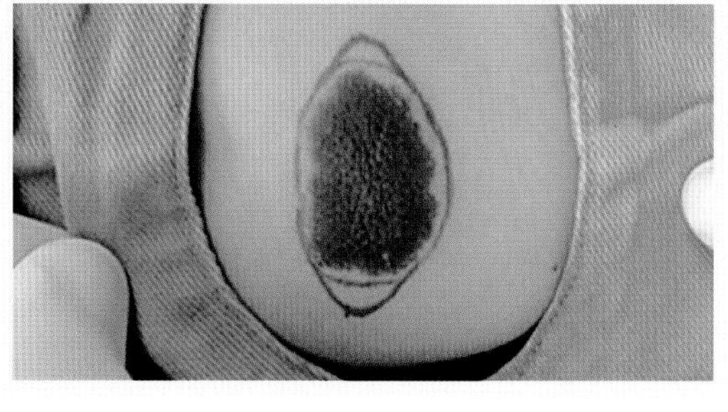

4 점의 절제

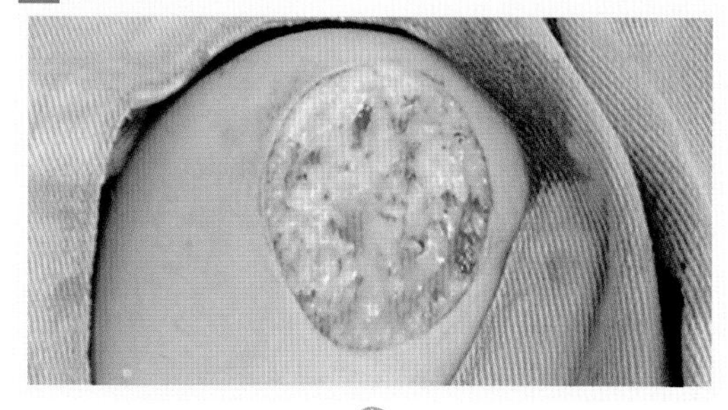

5 피하봉합 종료

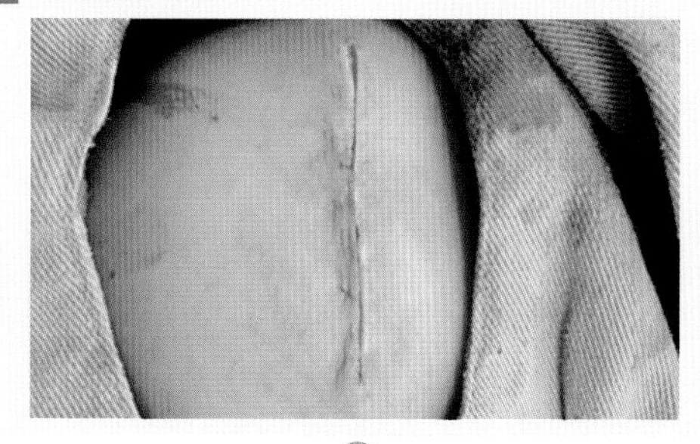

6 술후 1개월째의 상태

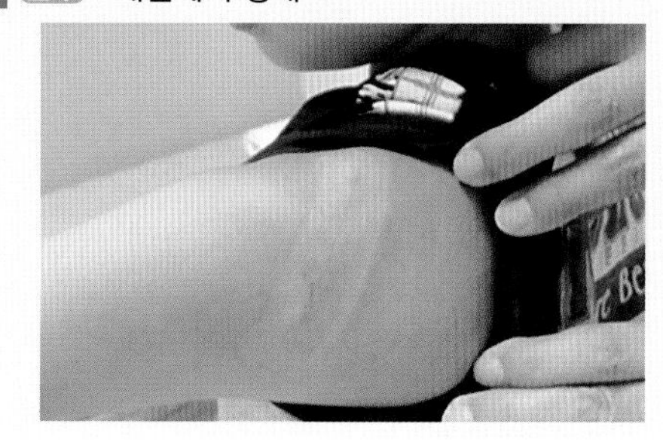

POINT
- 큰 점의 절제봉축도 가능한 한 한 번에 전 절제.
- 0세 때에 수술을 해야 했다.

평가 ★★★

SUPPLEMENT 10

아기들의 점은 「0세 때에 절제하는 것」이 이상적

「점을 없애고 싶다」고 해서 3세정도의 아이를 데리고 오는 것이, 실은 가장 어렵습니다.

부모는 장래 「너무 눈에 띄어서, 아이가 학교에서 놀림을 받거나, 따돌림당하는 것이 염려되어 지금 없애고 싶습니다」라고 하지만, 당사자인 어린이는 아무 걱정도 없으므로, 갑자기 잘라낸다는 말만 듣고도 놀래서, 거부하는 것이 당연합니다. 그래도 수술을 하게 되면, 강제로 잡아서 국소마취로 수술을 하거나, 또는 전신마취수술을 할 수 밖에 없습니다. 저는 0세부터 1세의 수술이 가장 적합하다고 생각하지만, 이 연령이 지난 경우는, 학령기전까지 부모가 설득하여 또는 본인이 걱정이 되어 수술을 하는 것이 좋다는 생각입니다. 유치원에서 친구들이 놀리는 것을 계기로 본인 스스로 수술을 하려는 경우도 종종 있습니다. 지금까지 4세의 어린이가 스스로 얼굴의 점을 없애고 싶다고 한 경우가 여러 증례 있었습니다.

그러니까, 저는 0세 내에, (또는 최대한 1세 내에) 수술을 하는 것을 강조하고 싶습니다. 이 시기이면, 국소마취로 안정시키면서 수술이 가능합니다. 유치원생을 데리고 오시는 부모의 대부분은 어린이가 아기일 때에, 선생님(산과의 또는 소아과의)에게 상담했더니, 「좀 더 큰 후에 본인이 걱정하게 되면 성형외과나 피부과에 가서 상담하라」고 했다고 합니다. 점이나 모반에 관해서는 대부분의 의사가 그 정도의 인식밖에 가지고 있지 않습니다.

하지만 필자는 신체의 어느 부위에 있어도, 점이나 모반은 태어나서 2, 3개월 내에 성형외과의와 상담하는 것이 현명하다고 생각합니다. 그 점을 필자는 친하게 지내고 있는 2명의 소아과의에게 부탁하여, 기후(岐阜)의 「이이누마소아과」와 「쿠노소아과」에서 0세의 아기가 점이나 모반문제로 흔히 소개를 받고 찾아옵니다. 그리고 대부분의 아기들은 국소마취하에 간단히 수술이 끝나게 됩니다. 또 이 시기는 상처도 깨끗하게 치유되므로 반흔도 아무 염려가 없습니다.

예를 들어, 갓 태어난 아기의 배에 백엔정도의 큰 점(모반)이 있다고 하면, 성장과 더불어 면적도 비례하므로, 3세가 되면, 면적은 3, 4배나 됩니다. 그것을 한 번에 절제 봉축하면 상흔의 길이가 10cm이상이 됩니다. 그런데 0세 때에 절제 봉합해 버리면, 고작 5cm의 반흔으로 끝납니다. 3년이 지나도, 5년이 지나도 10cm의 반흔이 되지 않습니다. 조기에 수술하는 것이 얼마나 중요한가를 알 수 있습니다. 소아외과에서 이 중요성을 인식하고 있는 사람은 아마 거의 없을 것입니다. 어떤 방법으로든 0세아의 점, 모반의 조기절제의 중요성을 알리고 싶습니다.

5 상완의 점

난이도 ★

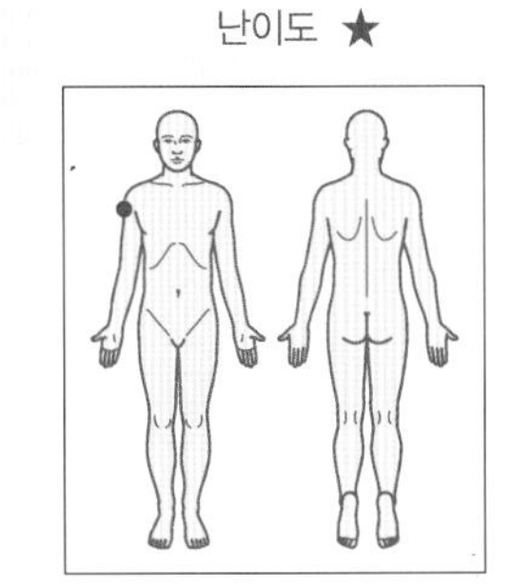

증례
- 62세 · 여성.
- 오른쪽 상완의 점 (6×6mm).

방침
- 색조를 고려하여 조금 광범위하게 절제한다.
- 세로방향의 방추형 절제로 한다.

수술 & 술후 경과

1 술전

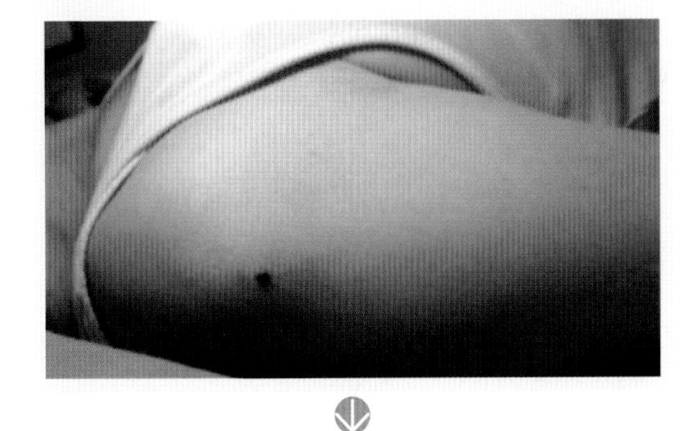

2 피부절개의 디자인

방추형 절제로 하였다.

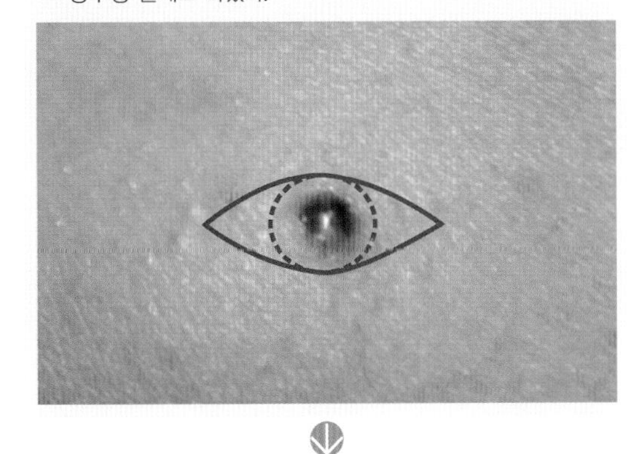

3 피하봉합 종료

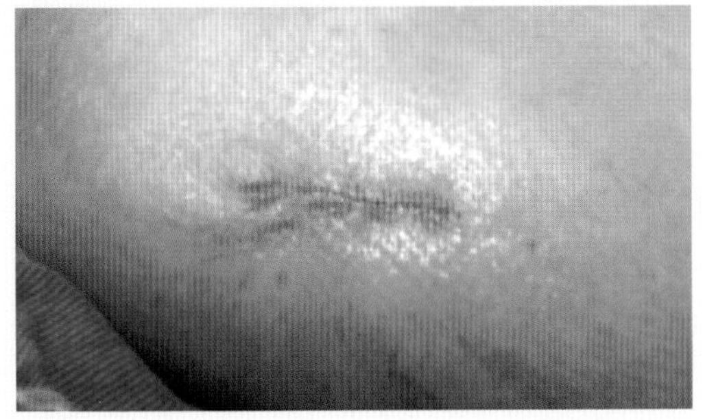

4 술후 1년째의 상태

술후 2개월째의 시점에서 켈로이드 상태가 된다. 그 후는 2회 스테로이드 (케나콜트A) 를 국주하였다.

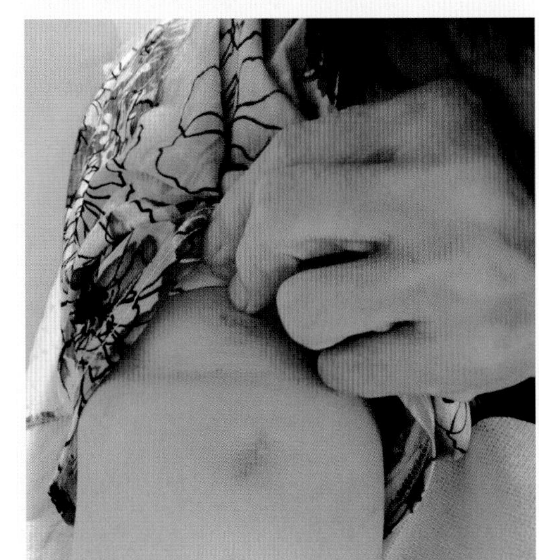

POINT

⊙ 관절에 가까운 부위에서 세로방향의 봉합선으로 하는 것은 역시 좋지 않다.

평가 ★★★★

6 전완부의 점

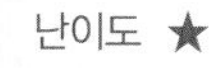

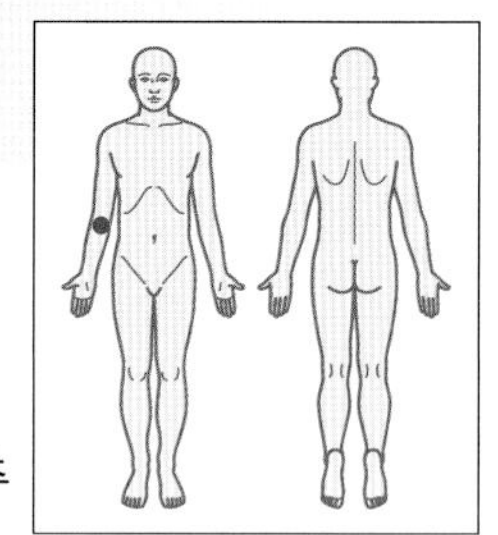

증례
- 13세 · 여성.
- 오른쪽 전완의 점 (6×6mm).

방침
- 비교적 주관절에 가까우므로 장축방향에 수직인 봉합선이 되도록 방추형 절제의 디자인으로 한다.

수술 & 술후 경과

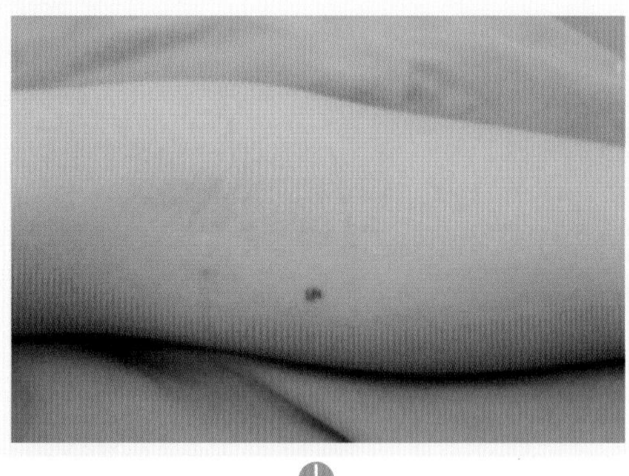

2 피부절개의 디자인

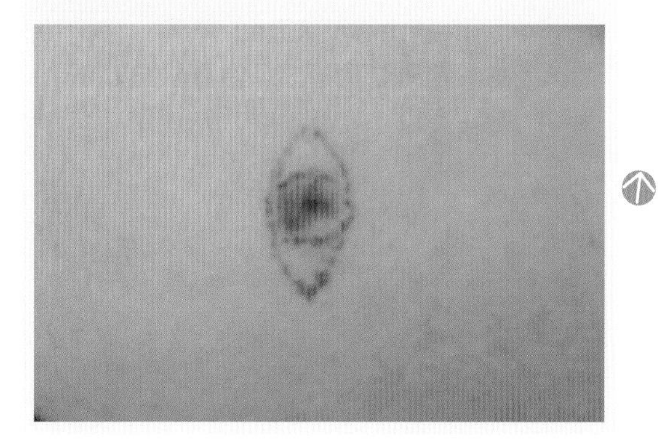

3 절제, 봉축 종료
절제→피하봉합→피부봉합.

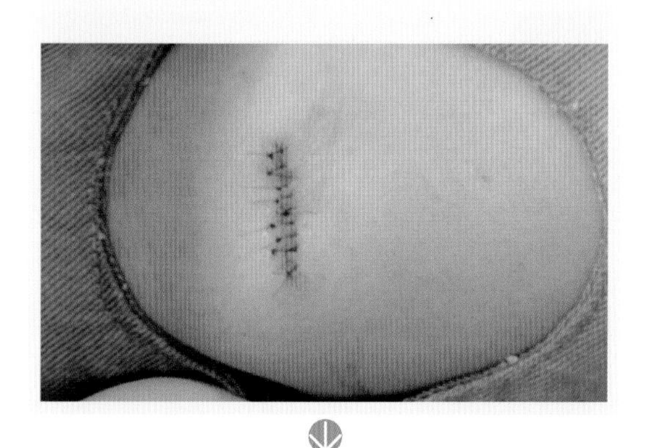

4 술후 1개월째의 상태

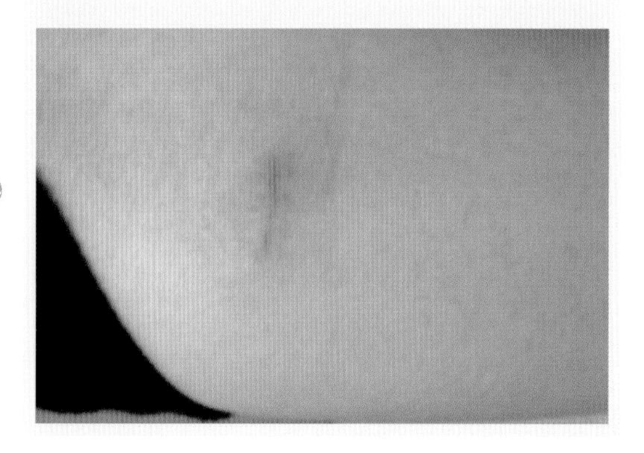

POINT
- 기본대로 방추형 절제.
- 사지의 점은 부위에 따라서 축방향에 따른 봉합선으로 디자인하지만, 주관절에 가까운 점이어서, 장축에 수직방향인 봉합선으로 디자인하였다.

평가 ★★★★

대퇴부의 점①

난이도 ★

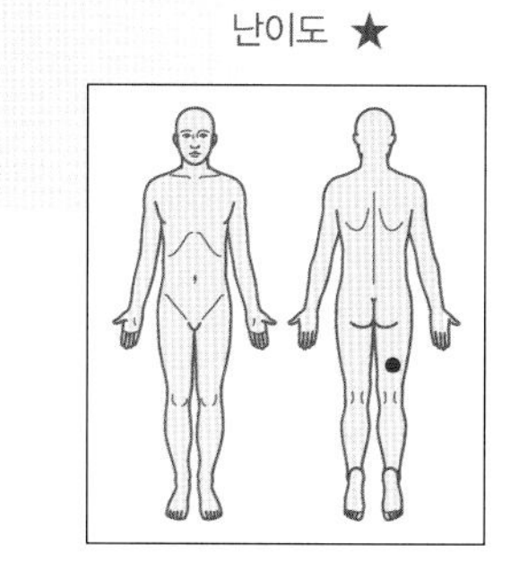

증례
- 52세 · 남성.
- 오른쪽 대퇴후부의 점 (10×11mm).

방침
- 방추형 절제.

수술 & 술후 경과

1 피부절개의 디자인

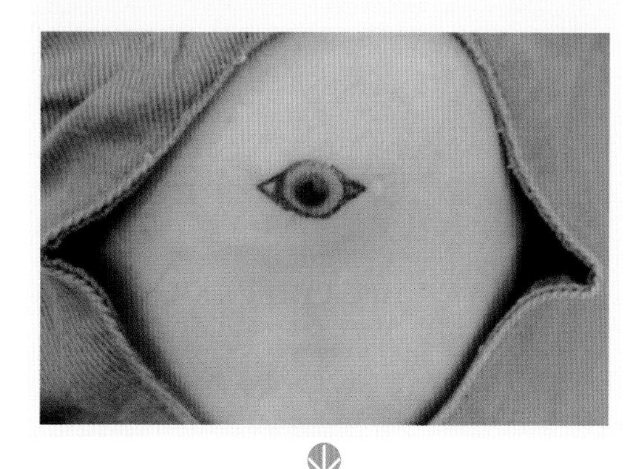

2 절제, 봉축
피하봉합 (5-0 나일론).

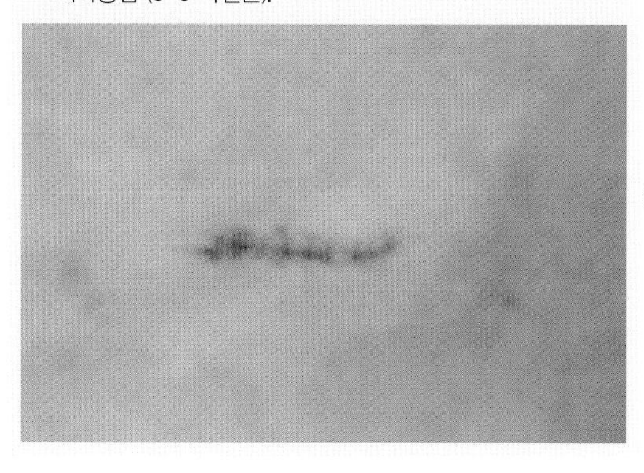

3 피부봉합 종료

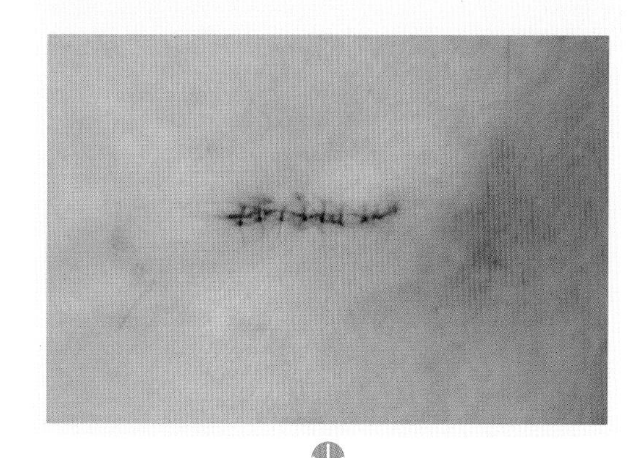

4 술후 2주째의 상태

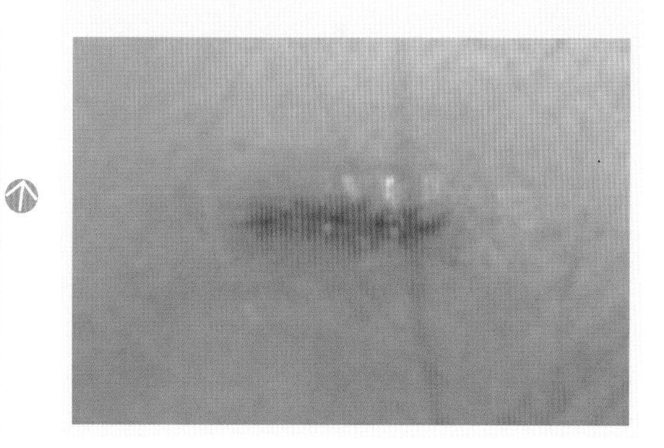

POINT
- 장축방향에 수직 봉합선이 되는 방추형 디자인으로 절제.
- 점은 융기부를 포함하여 전 절제한다.

8 대퇴부의 점②

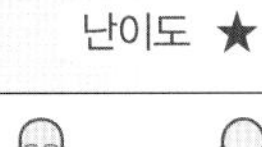

난이도 ★

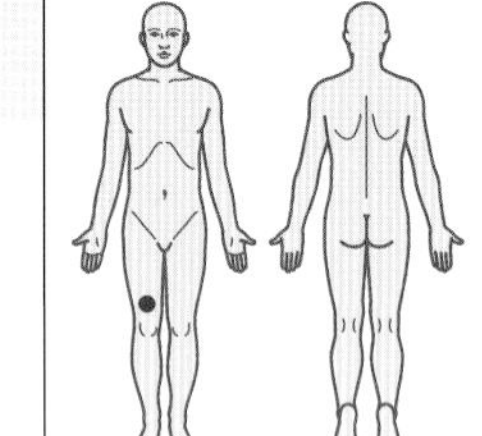

증례
- 18세 · 여성.
- 오른쪽 대퇴부의 점 (10×10mm)

방침
- 방추형 절제로 한다.

수술 & 술후 경과

1 술전

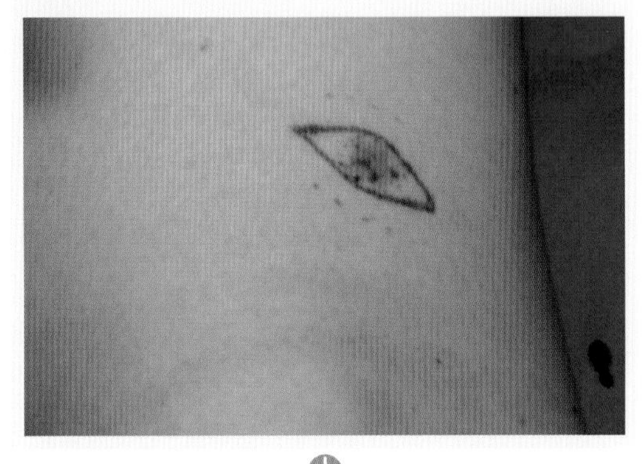

2 피부절개의 디자인
방추형 절제의 디자인.

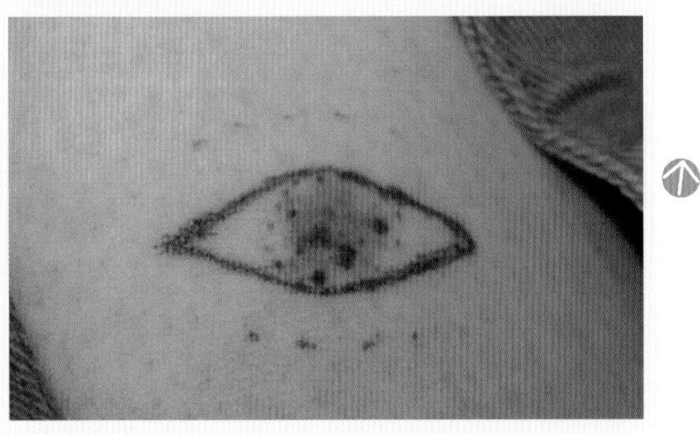

3 절제술 종료
절제→피하봉합→피부봉합.

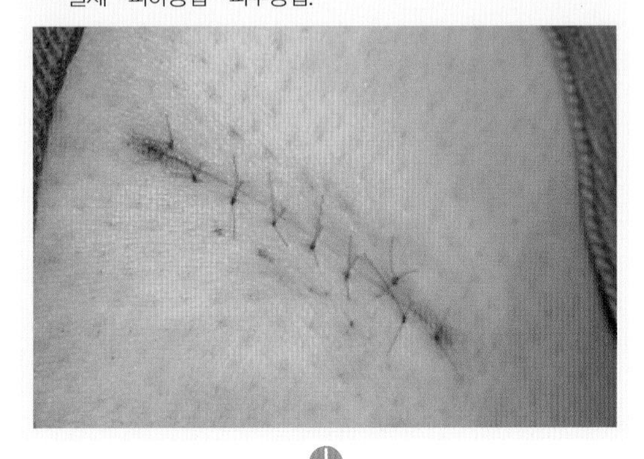

4 술후 3개월째의 상태
dog ear 형성도 없다.

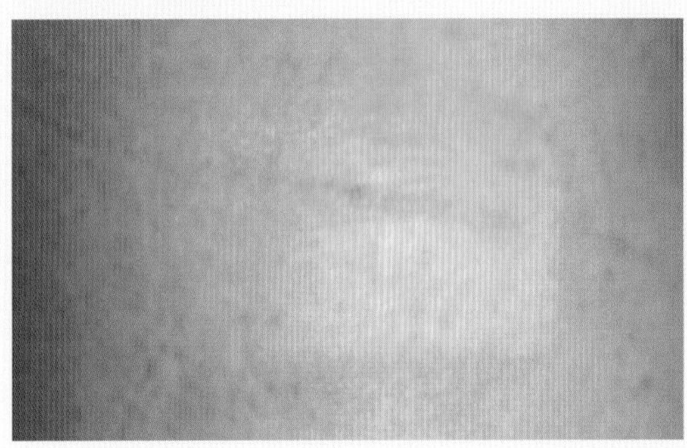

POINT
- 사지의 점 절제는 기본대로 방추형 절제로 하며, 봉합선은 대퇴의 장축 방향과 수직에 가까운 디자인으로 한다. 평가 ★★★

9 슬관절 하부의 점

난이도 ★

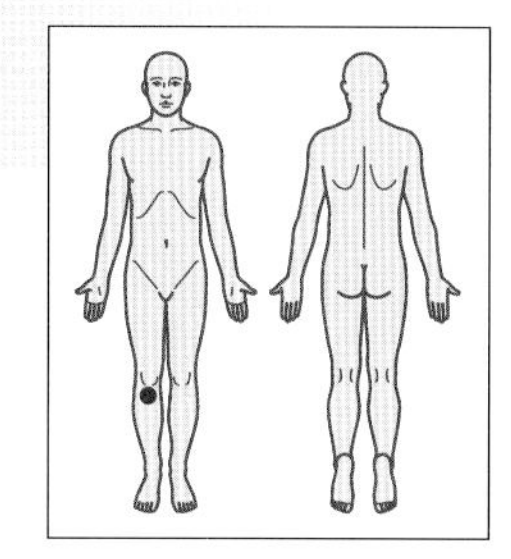

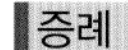

증례
- 13세 · 여성.
- 슬관절 하부의 점 (10×10mm).

방침
- 방추형에 가까운 타원형 절제로 한다.

수술 & 술후 경과

1 술전 피부절개의 디자인

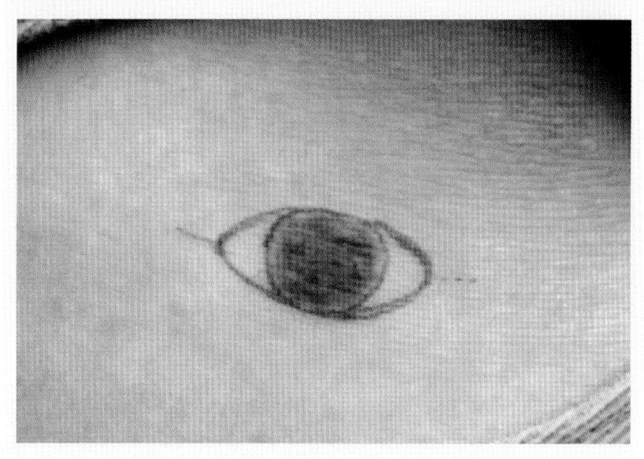

2 수술종료

점 절제→피하봉합→피부봉합.

봉합 끝이 약간 dog ear처럼 보이지만 그대로 한다.

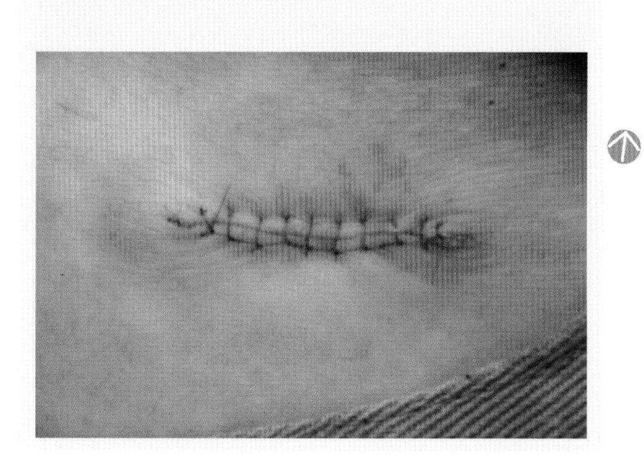

3 술후 1주째

발사 종료.

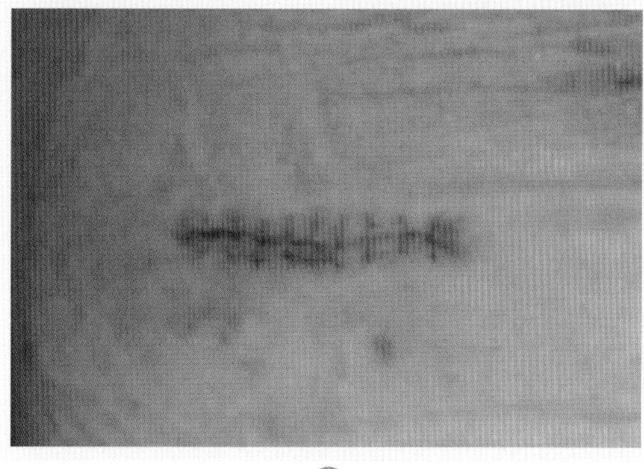

4 술후 1개월째의 상태

결과적으로 dog ear가 형성되지 않은 상태로 치유되었다.

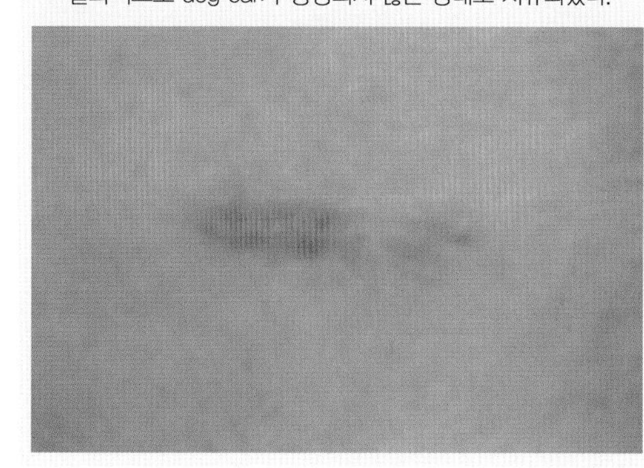

POINT
- 장축방향으로 수직의 봉합선이 되는 디자인.
- 방추형 절제가 기본이지만, 조금이라도 반흔을 짧게 하기 위해서 타원형 절제로 하였다.

평가 ★★★

10 발뒤꿈치의 점

난이도 ★★

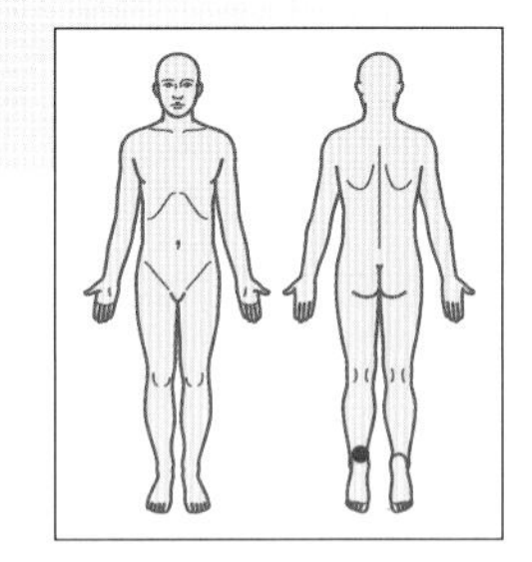

증례
- 21세 · 여성.
- 발바닥에 가까운 발뒤꿈치의 점 (6×9mm).

방침
- 방추형 절제 봉축으로 한다.

수술 & 술후 경과

1 술전

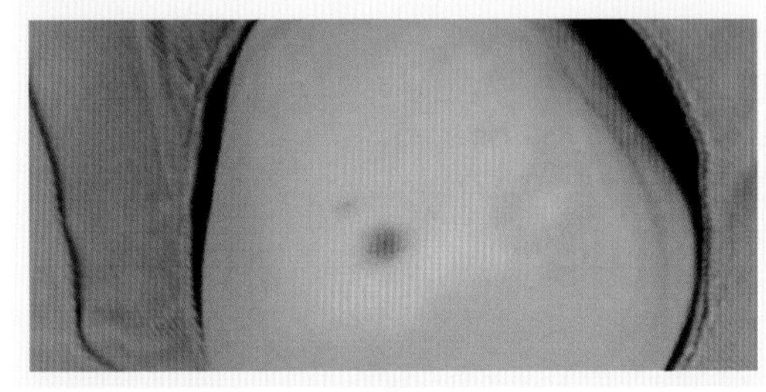

2 점의 절제 범위

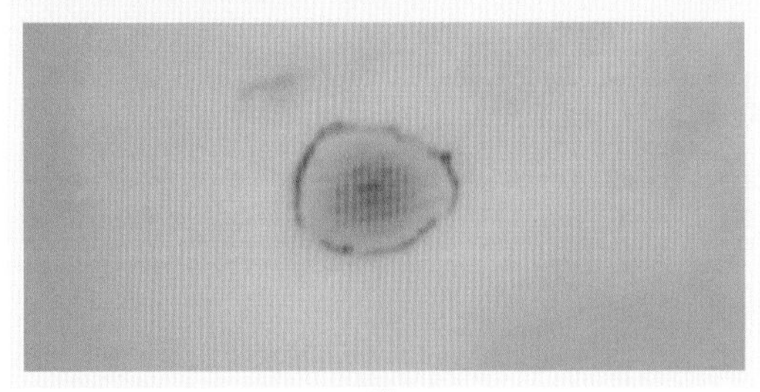

3 방추형 절제

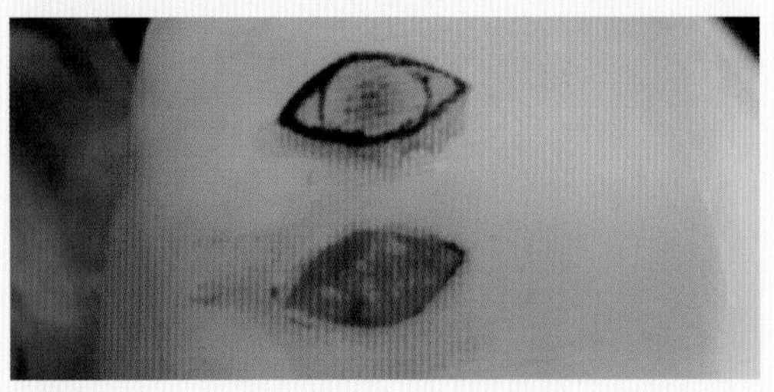

4 피부봉합

피하봉합은 흡수사로.

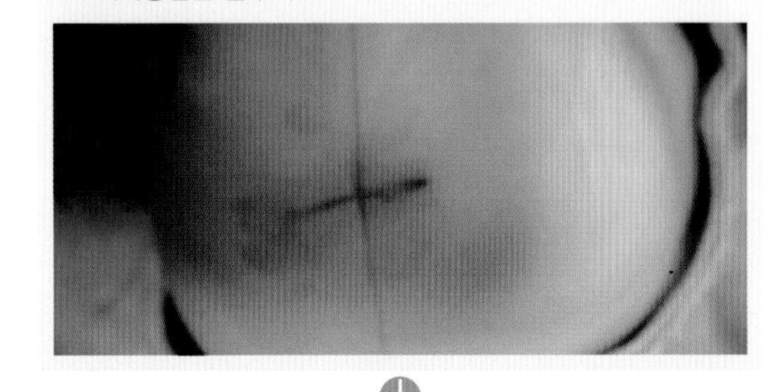

5 피부봉합 종료

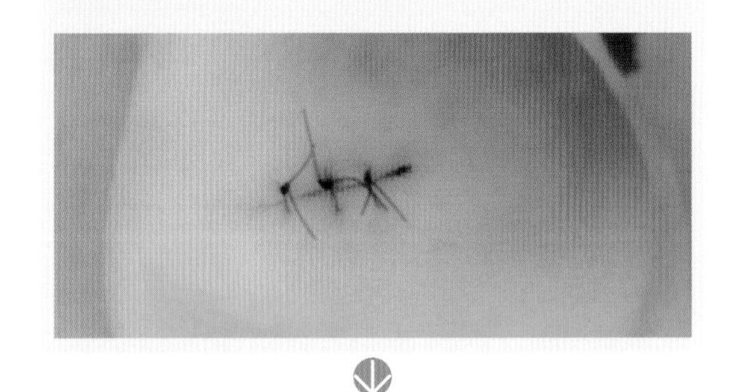

6 술후 술후의 테이핑

테이핑을 확실히 해 둔다.

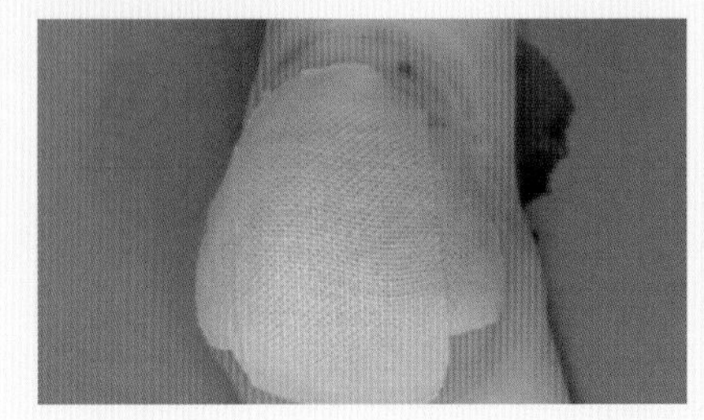

- ⊙ 족저부의 점은 방추형 절제.
- ⊙ 피하에 이물을 남기고 싶지 않아서 피하봉합은 흡수사를 이용하는데, 작은 점은 피하봉합 없이 피부봉합만으로 발사시기를 늦춘다.

평가 ★★★☆

REFERENCE

1) 市田正成 외 : 코 및 코 주변의 점절제술. 스킬미용외과수술 아틀라스Ⅲ. 문광당. 163-211, 2009
2) 市田正成 : 스킬외래수술 아틀라스. 문광당, 2006
3) 井上裕史 외 : 도려내기봉합법의 검토. 피부병진료31 : 325-331, 1988
4) 久保田潤一郎 외 : 탄산가스레이저에 의한 피부병변의 치료. 일미외보(日美外報)15 : 21-27, 1993
5) 菊池守 외 : 색소성 모반에 대한 수술치료. PEPARS24 : 37-43, 2008
6) 松永純 외 : Horizontal Square Dermal Suture (HSDS) 에 의한 Dog Ear의 회피. 일피외회지(日皮外會誌)8 : 94-95, 2004
7) 難波雄哉 : 안면의 검은사마귀의 open treatment. 일형회지(日形會誌)4 : 175-180, 1984
8) 野間建 외 : 담배봉합을 추가한 도려내기법. 서일(西日)피부50 : 1069-1077, 1988
9) 山口素櫻 : 山口素櫻의 점에 관한 책. 산해당(山海堂), 1988

후기

「점 수술 따위」라고 하는 사람은 「그까짓 점, 적당히 방추형으로 제거하고 봉합하면 되겠지」라고 생각할 것입니다. 또 메스를 사용하지 않아도 「레이저치료로 하면 된다」고 생각하는 분도 많으리라 생각합니다. 그러나 점에 진지하게 몰두하는 사람으로서, 「어떻게 해야 반흔을 적게, 눈에 띄지 않게 변형 없이 치료할 수 있을까?」를 추구하다 보니, 점 수술이 매우 흥미진진하게 생각됩니다. 본서는 그와 같이 점의 수술에 흥미가 있는 사람, 앞으로 적극적으로 수술치료에 임하고자 하는 외과계 의사가 읽기를 바라면서 정리하였습니다.

레이저로 점을 소작하는 것은 매우 간단하지만, 반드시 깨끗하게 치료된다고는 할 수 없습니다. 또 절제 봉합하면, 1주만에 발사하여 창상이 일단 폐쇄되지만, 레이저로 소작한 경우, 상피화가 완료되기까지 2주정도로, 상당한 시간이 걸립니다. 또 상피화가 완료된 후, 마지막에 함요 반흔으로 끝나는 경우가 많으며, 함몰 반흔이 부위에 따라서는 매우 눈에 띄게 되어, 결국 그것을 절제 봉합해야 합니다. 따라서 레이저치료가 가장 좋다고도 할 수 없습니다.

어느 정도 큰 점이 되면, 단연코 절제봉합법이 효과적인 방법이 됩니다. 그리고 코나 상구순 부위와 같이 복잡하게 울퉁불퉁한 부위의 점의 처리를 생각하면, 술자의 모티베이션이 높아집니다. 그 정도로 점 수술은 필자를 설레게 합니다. 「그까짓 점, 그래도 점」입니다. 부디 초심자들도 시도해 보십시오.

본서의 증례에 관해서는 필자 자신의 수술뿐 아니라, 「이치다클리닉」의 스텝인 西田眞, 木塚雄一郎, 高木美香子, 堂本隆志선생님 (그들은 현재 각각 다른 병원에서 활약하고 있습니다) 의 증례도 사용하였습니다. 또 조직표본의 촬영사진은 교토부립의과대학의 樋口恒司, 古川泰三선생님께서 제공해 주셨습니다. 여러 선생님들께 다시 한번 이 자리를 빌어 감사를 드립니다.

[저자약력]

市田正成 (Masanari Ichida)

1945년 2월 13일생

1970년 교토부립의과대학 졸업
동대학 정형외과학교실 입국

1974년 아사히대학부속 무라가미(村上)기념병원 정형외과조수

1977년 키타자토(北里)대학 성형외과학교실강사

1979년 교토부립 의과대학 안과학교실 객원강사 겸임

1980년 아사히대학부속 무라가미(村上)기념병원 성형외과강사
킨키(近畿)대학 피부과성형외과 비상근강사 겸임

1985년 Ichida성형외과개업

1995년 의료법인사단 Ichida Clinic (개칭) 이사장, 원장
현재에 이르다

공직 일본미용외과학회 이사
1998년, 일본미용외과학회회장을 역임하다 (제21회 일본미용외과학회총회개최)
일본임상성형미용외과의회이사

저서 성형외과수술 아틀라스 I, II (공저)
미용외과수술 practice 1, 2 (편저)
Skill 외래수술 아틀라스 (개정신판)
Skill 미용외과수술 아틀라스 I. 안검
Skill 미용외과수술 아틀라스 II. 지방흡인 · 주입술
Skill 미용외과수술 아틀라스 III. 코

현주소 Ichida Clinic
〒 500-8351 岐阜縣岐阜市清本町 10-18
TEL : 058-253-5911, FAX : 058-252-2481
E-mail : mail@ichida-clinic.com